Сьюзен Элизабет ФИЛЛИПС

Страсть

АСТ
ИЗДАТЕЛЬСТВО
Москва
1999

ББК 84 (7США)
Ф51

Серия основана в 1996 году

Susan Elizabeth Phillips

DREAM A LITTLE DREAM

1998

Перевод с английского А.А. Загорского

Серийное оформление А.А. Кудрявцева

*В оформлении обложки использована работа,
предоставленная агентством Fort Ross Inc., New York.*

Печатается с разрешения автора и литературных агентств
The Axelrod Agency и Andrew Nurnberg Associates Limited
c/o Toymania LLC.

Филлипс С.Э.

Ф51   Помечтай немножко: Роман / Пер. с англ. А.А. Загорского. — М.: ООО "Фирма "Издательство АСТ",
1999. — 448 с. — (Страсть).

ISBN 5-237-03376-8

В маленьком городке Солвейшн кипят большие страсти. Здесь
женщины ухитряются влюбляться в самых непредсказуемых
мужчин, а мужчины — в совершенно неподходящих женщин...
Здесь суровый, ожесточившийся владелец ранчо как мальчишка
мечтает о любви молоденькой вдовы известного мошенника — и не
только мечтает, но и действует... Здесь красавица прихожанка
воплощает в жизнь хитроумный план покорения обаятельного
пастора... Здесь страдают и надеются, ревнуют и прощают. Здесь у
каждого — своя тропинка к счастью...

Глава 1

Счастье окончательно отвернулось от Рэчел Стоун перед кинотеатром с помпезным названием «Гордость Каролины». Тут можно было смотреть фильмы, не выходя из автомобиля, прямо на проходящем мимо кинотеатра двухрядном асфальтированном шоссе, воздух над которым дрожал от июньского зноя. Именно здесь ее старый «шевроле-импала» испустил дух.

Почуяв неладное, она едва успела вырулить на обочину. Из-под капота повалили клубы черного дыма, которые сразу же заволокли лобовое стекло. Машина «издохла» напротив красно-желтой вывески кинотеатра, на которой было изображено что-то, отдаленно напоминающее взорвавшуюся звезду.

Этот удар судьбы совсем сломил Рэчел. Сложив руки на руле, она уронила на них голову, не в силах больше бороться с отчаянием. Несчастья гнались за ней по пятам вот уже три года. Здесь, в штате Северная Каролина, на двухрядном шоссе, неподалеку от небольшого городка, она достигла конца пути, ведущего в ад.

— Мама?

Рэчел вытерла слезы ладонью и подняла голову.

— Я думала, ты спишь, милый.

— Я спал, но меня разбудил какой-то страшный звук.

Обернувшись, Рэчел посмотрела на сына, которому недавно исполнилось пять лет, и сердце ее заныло от любви к нему. Он сидел на заднем сиденье, заваленный свертками и коробками, в которых находились все их нехитрые пожитки. Багажник «импалы» был пуст по той простой причине, что несколько лет тому назад он был помят во время аварии и не открывался.

Щека Эдварда, на которой он лежал, припухла и покраснела, светло-каштановые волосы мальчика растрепались и стояли торчком на макушке. Он был очень мал для своего возраста, слишком худ да еще и бледен после перенесенной недавно пневмонии, которая его едва не убила. Сейчас он смотрел спокойными карими глазами на Хорса, потрепанного, вислоухого плюшевого кролика, с которым не расставался с тех самых пор, когда еще только учился ходить.

— Опять что-нибудь случилось? — спросил малыш.

Рэчел с трудом сложила онемевшие губы в подобие ободряющей улыбки.

— Всего-навсего небольшая неприятность с машиной.

— А мы не умрем?

— Нет, милый, конечно же, нет. Я думаю, тебе сейчас лучше выйти из машины и размять ноги, а я тем временем погляжу, в чем проблема. Только смотри, не выходи на дорогу.

Зажав в зубах ухо плюшевого кролика, мальчик стал перелезать через корзину из прачечной, наполненную спортивной одеждой, приобретенной на распродаже подержанных товаров, и старыми полотенцами. Его ноги походили на палочки, соединенные довольно большими коленными суставами. Сзади на его шейке сидело небольшое родимое пятно лилового цвета: это было одно из тех местечек на теле сына, которые Рэчел особенно любила целовать. Наклонившись, она помогла Эдварду открыть дверь, что действовала немногим лучше багажника.

«А мы не умрем?» Сколько раз сын задавал ей этот вопрос? Эдвард был от рождения довольно робким ребенком, но в последнее время он стал еще более запуганным и не по годам осторожным. Рэчел подумала, что он, наверное, голоден. Последний раз она кормила его четыре часа назад. Но в кошельке у Рэчел оставалось девять долларов с мелочью. Всего девять долларов и немножко мелочи отделяли ее от пропасти.

Взглянув на себя в зеркало заднего вида, она вспомнила, что когда-то ее считали хорошенькой. Теперь две резкие морщины сбегали от носа к губам, сетка морщинок окружала зеленые глаза. Бледная кожа так обтянула скулы, что, казалось, вот-вот лопнет. У Рэчел не было денег на посещение салонов красоты, и ее золотисто-рыжие волосы лежали на плечах неухоженной сбитой копной. Единственным косметическим средством был лежавший на дне ее сумочки цилиндрик с помадой кофейного цвета. Хотя Рэчел было всего двадцать семь лет, она чувствовала себя старухой.

Она окинула взглядом свое синее платье с короткими рукавами, висевшее на ее исхудавших плечах, словно на вешалке. Оно было линялое, явно велико, и вдобавок ко всему ей пришлось заменить одну из оторвавшихся красных пуговиц другой — коричневого цвета.

Рэчел открыла протестующе взвизгнувшую дверь машины и ступила на асфальт. В ту же секунду она почувствовала, как жар от раскаленного дорожного покрытия проникает сквозь тонкие, словно картон, подошвы ее белых сандалий и жжет ноги. На одной из сандалий лопнул ремешок, и Рэчел, как могла, сшила его, но на месте шва образовалось утолщение, из-за которого она стерла себе большой палец на ноге. Впрочем, боль в пальце была просто мелочью по сравнению с теми страданиями, которые ей приходилось испытывать в постоянной борьбе за выживание.

Мимо, даже не притормозив, пронесся пикап, обдав ее воздушной волной. Волосы облепили лицо Рэчел, и она рукой отбросила назад спутанные пряди, прикрывая ладонью глаза от поднятой пикапом пыли. Взглянув на Эдварда, она увидела, что мальчик стоит у обрамляющих шоссе кустов, зажав под мышкой кролика, и, задрав голову, разглядывает красно-желтую вывеску кинотеатра. .

Рэчел обреченно подняла капот и отпрянула назад: в лицо ей ударила струя черного дыма. Механик в Норфолке предупреждал ее, что двигателю «шевроле» вот-вот придет конец, и она

знала: мотор действительно барахлит, а неисправность слишком
серьезна, чтобы ее можно было устранить с помощью изоляцион-
ной ленты или замены какой-нибудь изношенной детали на чуть
менее изношенную.

Рэчел потерянно опустила голову: она разом лишилась и машины, и дома, поскольку в течение последней недели они с Эдвардом не только передвигались на «импале», но и жили в ней.

Присев на корточки, она попыталась примириться с очередной бедой из нескончаемой череды несчастий, которые заставили
ее вернуться в этот городишко, хотя она поклялась, что ноги ее
больше тут не будет.

— А ну-ка, паренек, проваливай оттуда, — донесся до нее
чей-то грубый мужской голос.

Рэчел резко встала. От этого у нее закружилась голова и
потемнело в глазах. Она вынуждена была опереться руками на
капот, чтобы не упасть. Когда в глазах у нее немного прояснилось, она увидела, что к Эдварду, застывшему на месте от ужаса,
с грозным видом приближается незнакомец в джинсах и линялой
голубой рубашке. Зеркальные очки защищали от солнца глаза
незнакомца.

Рэчел рванулась с места, огибая машину сзади. Она так то-
ропилась, что едва не упала. Мужчина вплотную подошел к ее
сыну. Мальчик, по всей видимости, был настолько напуган, что
просто не мог сдвинуться с места. Рэчел увидела, как незнакомец
протянул руку, чтобы схватить его.

— А ну не трогай его, сукин ты сын! — крикнула она.

Рука мужчины опустилась.

— Это ваш ребенок?

— Да, мой. Отойдите от него сейчас же.

— Он отливал на мои кусты, — сказал мужчина. В его речи
ясно слышался местный акцент, но при этом он говорил совершенно бесстрастно. — Заберите его отсюда.

Тут только Рэчел заметила, что джинсы у Эдварда расстегнуты. От этого и без того вызывающий жалость своим видом
мальчик выглядел еще более беззащитным.

Незнакомец был высоким и поджарым, с темными волосами и слегка опущенными вниз уголками рта. Лицо у него было узкое и длинное. Пожалуй, его можно было бы назвать симпатичным, если бы не резко очерченные скулы, которые придавали ему некоторую свирепость. На какое-то мгновение она почувствовала радость оттого, что на нем зеркальные очки. Что-то подсказало ей, что взгляд его глаз был бы ей тоже неприятен.

Рэчел охватила руками Эдварда и прижала к себе. Она решила не уступать незнакомцу.

— А что, эти кусты ваши персональные? Здесь только вам можно справлять свои дела? Может, вся проблема в том, что вы сами хотели в них отлить?

— Эта земля принадлежит мне, так что проваливайте, — сказал мужчина, почти не шевеля губами.

— Я бы с удовольствием, но у моей машины на этот счет свои идеи.

Владелец кинотеатра для автомобилистов без всякого интереса взглянул на неподвижный «шевроле-импала».

— В билетной кассе есть телефон, — процедил он. — Там же вы найдете номер гаража Дили. Пока будете ждать буксир, оставайтесь за пределами моих владений.

С этими словами мужчина повернулся и зашагал прочь. Только когда он скрылся за деревьями, росшими вдоль фундамента, на котором был смонтирован огромный экран, Рэчел разжала объятия и отпустила сына.

— Все в порядке, дорогой, — сказала она. — Не обращай на него внимания. Ты не сделал ничего плохого.

Лицо Эдварда было бледным, нижняя губа у него дрожала.

— Он меня н-напугал, — с трудом выдавил мальчик.

Рэчел причесала пальцами светло-каштановые волосы сына, убрала их со лба, разгладила вихры на макушке.

— Я понимаю. Вообще-то он просто придурок, но я решила на всякий случай вмешаться.

— Ты же мне запретила говорить «придурок».

— Ну, в данном случае у нас есть смягчающие обстоятельства.

— А что это значит? Какие еще обстоятельства?

— В данном случае это значит, что он на самом деле придурок.

— А-а.

Рэчел взглянула в сторону маленькой деревянной будочки, в которой находилась касса и где, по словам мужчины, был телефон. Будочку недавно выкрасили в горчичный и пурпурный цвета, точно такие же, в какие была окрашена вывеска кинотеатра. Однако, несмотря на то что это небольшое строение имело весьма гостеприимный вид, Рэчел так и не тронулась с места. У нее не было денег ни для оплаты услуг буксировщика, ни на ремонт, а ее кредитные карточки давным-давно аннулированы. Не желая, чтобы Эдвард вторично столкнулся с противным владельцем кинотеатра, она потащила мальчика за руку в сторону шоссе.

— От долгого сидения в машине у меня затекли ноги, так что я бы с удовольствием немного прошлась пешком, — сказала она. — А ты?

— Ладно.

Идя следом за матерью, мальчик шаркал ногами, обутыми в тапочки на резиновой подошве. Заметив это, Рэчел поняла, что он все еще не оправился от испуга.

Сунув руку в открытое окно машины, она вынула из салона голубой пластиковый термос и последний усохший апельсин и повела мальчика дальше к шоссе, в очередной раз ругая себя за то, что не уступила домогательствам Клайда Роша, который еще шесть дней назад был ее начальником. Вместо того чтобы позволить ему получить то, чего он добивался, она ударила его по лицу, схватила в охапку Эдварда и навсегда покинула Ричмонд.

Если бы она согласилась лечь в постель с Рошем, они с Эдвардом жили бы сейчас совершенно бесплатно в одном из номеров мотеля, который принадлежал ее бывшему боссу. Она работала у него горничной. Почему она не закрыла глаза и не позволила ему сделать с собой то, чего ему хотелось?

Ей удалось доехать до Норфолка, где она израсходовала слишком много из своего небольшого запаса наличных на починку водяной помпы «импалы». Рэчел знала, что в ее положении многие другие женщины обратились бы в органы социального обеспечения. Но для нее социальное пособие не было выходом из положения. Два года назад, когда они с Эдвардом жили в Балтиморе, Рэчел была вынуждена попросить помощи в государственных органах и была поражена тем, что сотрудница, с которой ей пришлось иметь дело, усомнилась в ее способности содержать Эдварда и ухаживать за ним должным образом. Чиновница даже упомянула о том, что Эдварда могут взять на воспитание в приют, пока она не встанет на ноги. Вероятно, эта женщина желала и матери и сыну добра, но ее слова ужаснули Рэчел: до того момента ей никогда не приходило в голову, что кто-то может попытаться отнять у нее ее мальчика. Выйдя на улицу, она вместе с Эдвардом в тот же день уехала из Балтимора и поклялась никогда больше и близко не подходить к государственным учреждениям.

С тех самых пор она, чтобы прокормить себя и сына, работала одновременно на нескольких работах за минимальную плату. Денег хватало лишь на то, чтобы у них с Эдвардом была хоть какая-то крыша над головой. Ей не удавалось отложить ни цента, и следовательно, нечего было и мечтать скопить денег. Остаток заработанных Рэчел жалких средств уходил на борьбу за то, чтобы хоть как-то обеспечить более или менее приличное существование ребенку. И все-таки она не могла быть за него спокойна. Одна из нанятых нянь не занималась Эдвардом, в результате чего мальчик целыми днями сидел перед телевизором. Другая в один прекрасный день ушла куда-то, оставив ребенка на попечение своего дружка. А потом случилась беда: Эдвард заболел пневмонией.

К тому времени, когда его выписали из больницы, Рэчел уволили из закусочной, где она тогда работала, за прогулы. Расходы на лечение Эдварда съели все средства, которыми она располагала, включая ее ничтожные сбережения. Мало того, она получила из больницы дополнительный счет, где была проставлена сумма, выплатить которую она была просто не в состоянии. Почти одновременно пришло и уведомление о том, что ее выселят из ее крохотной обшарпанной квартирки, если она в ближайшее время не ликвидирует долги по аренде.

Рэчел умоляла Клайда Роша, чтобы он позволил ей бесплатно пожить в одной из самых маленьких комнаток мотеля, обещая в обмен работать за двоих. Хозяин мотеля, однако, требовал большего, а именно секса по первому требованию. Получив отказ, он попытался добиться своего силой, и тогда она ударила его по голове телефонным аппаратом, стоявшим на столе в конторе.

Она хорошо помнила его лицо со стекающей по щеке струйкой крови, его полные лютой ненависти глаза и то, как он пригрозил ей, что добьется, чтобы ее арестовали за нанесение телесных повреждений, злобно процедив на прощание: «Посмотрим, как ты станешь заботиться о своем щенке, когда окажешься в тюрьме!»

Теперь Рэчел ругала себя последними словами за то, что повела себя так глупо и отказала Рошу. У нее был сильный характер, и она смогла бы это пережить. С незапамятных времен женщины, находясь в отчаянном положении, выходили из него, расплачиваясь своим телом, и теперь Рэчел с трудом верилось, что когда-то она осуждала их за это.

Она уселась на землю в тени большого конского каштана, усадила Эдварда рядом с собой и, отвинтив крышку термоса, протянула его сыну. Очищая последний апельсин, она, не в силах больше бороться с искушением, подняла глаза и посмотрела в сторону гор.

Солнечные блики играли на стеклянной стене знакомого ей здания, подтверждая, что городской храм все еще стоит на месте, хотя до нее доходили слухи, что теперь строение, в котором он располагался, принадлежит фабрике, производящей коробки из гофрированного картона. Пять лет назад храм был штаб-квартирой и студией Дуэйна Сноупса, одного из самых богатых и известных телепроповедников страны. Рэчел тряхнула головой, отгоняя неприятные воспоминания.

Пока мальчик дожевывал последнюю дольку, блуждающий взгляд его матери внезапно наткнулся на объявление, висящее на парусиновой стене шатра придорожного кинотеатра:

МЫ СКОРО СНОВА ОТКРЫВАЕМСЯ.
СРОЧНО НУЖНЫ РАБОЧИЕ РУКИ!

Рэчел сразу же насторожилась. Почему она не заметила объявления раньше? Возможно, здесь ей удастся найти работу! Может быть, судьба наконец повернется к ней лицом?

Рэчел противно было даже думать о мрачном хозяине кинотеатра, но выбора не было. Она уже много лет была лишена возможности выбирать работодателей. Не отрывая глаз от объявления, она похлопала Эдварда по теплой, нагретой солнцем коленке.

— Милый, мне нужно сходить и еще раз поговорить с тем человеком.

— Не надо, мама.

Рэчел заглянула в маленькое, встревоженное лицо сына.

— Он всего лишь большой болван. Не бойся, я смогу разделаться с ним одной правой.

— Не ходи туда.

— Я должна идти, мопсик. Мне нужна работа.

Мальчик не стал больше спорить, но тут перед Рэчел встала другая проблема: где оставить сына, пока она будет разыскивать хозяина кинотеатра? Оставаясь один, Эдвард обычно сидел на месте и поджидал ее, и у Рэчел мелькнула мысль, что лучше всего, если бы он подождал ее в машине. Но «шевроле» был припаркован слишком близко к дороге, и она решила, что лучше все же взять сына с собой.

Ободряюще улыбнувшись мальчику, Рэчел потянула его за руку, помогая подняться на ноги. Возвращаясь к кинотеатру, она не стала молиться, чтобы Бог послал ей помощь. Она давно уже перестала молиться. Отпущенный ей лимит веры был давным-давно исчерпан по милости проповедника Дуэйна Сноупса. Шагая рядом с сыном к будочке кассы, Рэчел почувствовала, как зашитый ремешок сандалии больно впивается в ее большой палец.

Кинотеатр «Гордость Каролины», судя по всему, был построен несколько десятков лет назад и в течение последнего десятилетия не функционировал. Теперь, похоже, заведение переживало период возрождения из небытия. Но все же сразу было видно, что для его нормальной работы предстоит сделать еще очень многое.

Экран уже отремонтировали, но вокруг него все заросло сорняками. В центре пространства, представлявшего собой зрительный зал, Рэчел увидела небольшое двухэтажное здание из бетонных блоков — там, должно быть, раньше помещались проекционная и закусочная. Когда-то стены здания были выкрашены в белый цвет, но теперь их покрывали потеки грязи и пятна плесени. Из широко открытых дверей доносился тяжелый рок.

Неподалеку от экрана располагалась убогая детская игровая площадка с пустой песочницей и полудюжиной пластиковых дельфинов на пружинах. Дельфины когда-то были ярко-голубыми, но с годами выцвели и стали белесыми. На площадке Рэчел разглядела остатки лесенок для лазанья, сломанную карусель и бетонную черепаху. Довольно жалкий набор развлечений для детишек...

— Эдвард, пока я буду говорить с тем человеком, пойди поиграй на черепахе. Я скоро вернусь, — сказала Рэчел.

Мальчик молча смотрел на нее умоляющими глазами, ему явно не хотелось оставаться одному. Однако у Рэчел не было выбора, и потому она лишь еще раз улыбнулась ему и сделала рукой жест в сторону игровой площадки.

Другой ребенок на месте Эдварда вполне мог бы закатить истерику, но жизнь отучила сына Рэчел капризничать. Вместо того чтобы заплакать, он потеребил нижнюю губу и наклонил голову. При виде этой покорности сердце Рэчел не выдержало.

— Ну ладно, — сказала она. — Можешь пойти со мной и подождать за дверью.

Пока они шли к бетонному зданию, маленькие пальцы мальчика крепко цеплялись за руку матери. Рэчел чувствовала, как солнце жжет ее голову, а при каждом вдохе легкие ее наполняются пылью. Доносящаяся из бетонной коробки назойливая музыка стала слышна более отчетливо.

Подойдя к двери здания, она отпустила руку сына и некоторое время стояла, прислушиваясь к завыванию гитар и грохоту ударных инструментов.

— Оставайся здесь, мопсик, — сказала Рэчел.

Мальчик крепко ухватился за ее юбку, но она, ободряюще улыбнувшись, осторожно разжала его пальцы и вошла внутрь.

В закусочной уже установили новую стойку и кухонное оборудование, но бетонные стены все еще были облеплены плакатами и рекламными наклейками десятилетней давности. На стойке рядом с нераспечатанным пакетом картофельных чипсов и завернутым в целлофан сандвичем Рэчел увидела зеркальные очки.

Хозяин кинотеатра, забравшись на стремянку, прикреплял к потолку неоновые трубки, которые должны были стать частью светящейся надписи. Стоя к ней спиной, он не сразу ее заметил, что дало Рэчел возможность разглядеть его чуть лучше, чем при первой встрече.

Она увидела заляпанные краской коричневые сапоги и потертые джинсы, плотно обтягивающие длинные, сильные ноги. У хозяина были узкие бедра, а на его спине, когда он орудовал отверткой, отчетливо проступали бугры мышц. Закатанные рукава рубашки позволяли видеть загорелые предплечья, крепкие запястья и широкие кисти с удивительно тонкими пальцами. Не слишком аккуратно подстриженные темно-каштановые волосы сзади частично закрывали воротник. Волосы были прямые, кое-где чуть тронутые сединой, хотя на вид мужчине вряд ли можно было дать больше тридцати пяти лет.

Подойдя к приемнику, Рэчел убавила громкость. Человек с более слабыми, чем у хозяина, нервами в такой ситуации вполне мог выронить отвертку или издать удивленный возглас, но стоящий на стремянке человек не сделал ни того ни другого. Он просто повернул голову и посмотрел на Рэчел.

Взглянув в его светлые глаза, она пожалела о том, что он снял очки. Взгляд у мужчины был тяжелый и какой-то неживой.

— Что вам нужно?

От холодной, совершенно бесстрастной интонации, с которой были произнесены эти слова, по спине у Рэчел побежали мурашки, но она сделала над собой усилие и растянула губы в беззаботной улыбке.

— Мне тоже приятно с вами познакомиться. Меня зовут Рэчел Стоун. Тот пятилетний мальчик, на которого вы кричали, — мой сын Эдвард, а его плюшевого кролика зовут Хорс, и не спрашивайте почему.

Если у Рэчел и была слабая надежда вызвать у мужчины улыбку, то после этой попытки она исчезла без следа.

— Кажется, я ясно вам сказал, чтобы вы держались подальше от моих владений.

Все в этом человеке вызывало у Рэчел безотчетное раздражение, но она изо всех сил пыталась скрыть неприязнь, изобразив на лице невинное недоумение.

— Разве? Наверное, я об этом просто забыла.

— Послушайте, леди...

— Рэчел. Или миссис Стоун, если вы предпочитаете обращаться ко мне официально. Похоже, сегодня у вас удачный день. На ваше счастье, я довольно отходчива. Так когда мне приступать?

— О чем это вы?

— Я о вашем объявлении. Я как раз и есть те самые рабочие руки, которые вам требуются. Мне кажется, что первым делом надо срочно привести в порядок игровую площадку. Вы знаете, что из-за сломанного оборудования, которое там установлено, вас могут засудить?

— Я не собираюсь вас нанимать.

— Еще как собираетесь.

— Это еще почему? — спросил мужчина без всякого интереса.

— Потому что вы умный человек. Это совершенно очевидно. А любой умный человек в состоянии понять, что я отличный работник.

— Мне нужен мужчина.

— Мужчина всем нужен, — сладко улыбаясь, сказала Рэчел.

Грубая лесть, к которой она прибегла, нисколько не развеселила хозяина, но, похоже, не вызвала у него и раздражения. По-видимому, ему вообще были чужды какие-либо эмоции.

— Если я кого-нибудь и найму, то только мужчину.

— Ладно, я готова сделать вид, что я этого не слышала: как-никак, половая дискриминация в этой стране является нарушением закона.

— Можете подать на меня в суд.

Любая другая женщина сдалась бы, но у Рэчел в кошельке было меньше десяти долларов, сын был голоден, а ее машина сломалась.

— Вы делаете большую ошибку. Не наняв меня, вы упускаете шанс, который представляется не каждый день.

— Не знаю, как мне еще вам сказать, чтобы вы поняли, леди. Я не собираюсь вас нанимать, — сказал мужчина, положил на стойку отвертку, полез в задний карман и извлек оттуда бумажник, погнувшийся оттого, что долго пролежал в тесных джинсах. — Вот вам двадцать долларов. Берите и выметайтесь отсюда.

Рэчел были очень нужны эти двадцать долларов, но еще больше ей была нужна работа, и потому она отрицательно покачала головой:

— Милостыня мне ни к чему, мистер Рокфеллер. Я хочу получить постоянную работу.

— Поищите ее где-нибудь в другом месте. Мне нужен человек, который в состоянии заниматься тяжелым физическим трудом. Здесь все надо вычистить, покрасить, починить крышу, а для этого требуется мужчина.

— Я гораздо сильнее, чем может показаться на вид, и буду работать так усердно, как ни один мужчина на свете. Кроме того, я могу оказать вам психиатрическую помощь для разрешения ваших проблем.

Едва произнеся последнюю фразу, Рэчел тут же пожалела об этом, потому что выражение лица мужчины стало еще более пустым и безжизненным.

— Вам когда-нибудь говорили, что у вас слишком длинный язык? — спросил мужчина, почти не шевеля губами, и Рэчел подумала, что ему, наверное, здорово досталось от жизни.

— Он вполне соответствует моим мозгам.

— Мама?

Владелец кинотеатра замер в напряженной позе. Рэчел повернула голову и увидела в дверном проеме Эдварда. Лицо мальчика сморщилось от страха и волнения.

— Мама, я хочу тебя кое о чем спросить, — сказал он, глядя при этом на мужчину.

— Что случилось?

— Ты уверена, что мы не умрем? — спросил мальчик шепотом, однако, увы, достаточно громко, так что хозяин кинотеатра мог отчетливо слышать каждое его слово.

Сердце Рэчел дрогнуло.

— Да, я уверена, — сказала она и мысленно обругала себя за то, что пустилась в это рискованное путешествие в никуда. На что они с сыном будут жить, если она даже не знает, чего хочет от жизни? Никто из тех людей, кто ее знал, не дал бы ей работы, а это означало, что она могла рассчитывать на успех, лишь обратившись к кому-нибудь, кто приехал сюда недавно. Таким образом, получалось, что владелец кинотеатра «Гордость Каролины» в этом смысле вполне ей подходил.

Мужчина тем временем подошел к старому черному телефонному аппарату, укрепленному на стене. Обернувшись, чтобы посмотреть, что он собирается делать, Рэчел увидела на стене выцветшую листовку, с которой на нее смотрело не лишенное приятности лицо покойного телепроповедника Дуэйна Сноупса. По нижнему краю листовки шла надпись:

Присоединяйтесь к нам, верующим из храма города Солвейшн. Мы — глашатаи воли Господней для всего остального мира!

— Дили, это Гейб Боннер. Тут у одной женщины машина сломалась, и ей нужен буксировщик.

Рэчел насторожилась. Во-первых, ей вовсе не требовался буксировщик. Во-вторых, она не могла не обратить внимания на имя и фамилию мужчины — Гейб Боннер. Интересно, подумала она, с какой стати член одной из наиболее известных в городе семей вдруг стал владельцем придорожного кинотеатра?

Насколько она помнила, в семье Боннеров было трое братьев, но на ее памяти в Солвейшн жил только самый младший из них, преподобный Этан Боннер. Кэл, старший из братьев, был профессиональным футболистом. Рэчел знала, что он частенько приезжал в Солвейшн, но она его ни разу не видела, хотя и знала, как он выглядит, благодаря фотографиям в газетах. Их отец, доктор Джим Боннер, был самым уважаемым в округе врачом, а их мать, Линн, была заметной фигурой в местном общественном движении. Рэчел крепче сжала плечо Эдварда. Она снова вернулась в стан своих врагов...

— ...а потом пришли счет мне, — продолжал тем временем говорить Гейб Боннер. — Да, и еще, Дили, отвези эту женщину и ее сына к Этану и попроси его устроить их на ночлег.

Перебросившись с неизвестным ей Дили еще несколькими фразами, он повесил трубку и снова повернулся к Рэчел:

— Подождите где-нибудь около своей машины. Дили пришлет к вам кого-нибудь, как только вернется его грузовик.

С этими словами владелец кинотеатра подошел к двери и взялся одной рукой за ручку, всем своим видом давая понять, что сделал все, что мог, а остальное его не касается. Рэчел все в нем было ненавистно: его отчужденность, его равнодушие, а больше всего — его мужское тело, которое давало ему силы для выживания, те самые силы, которых была лишена она сама.

Резким движением она схватила со стойки сандвич и пакет с чипсами и решительно взяла Эдварда за руку.

— Спасибо за ленч, Боннер, — процедила она и прошла мимо мужчины, не удостоив его взглядом.

Она так быстро шла к шоссе по посыпанной гравием тропинке, что Эдвард вынужден был бежать трусцой, чтобы не отстать. Взяв сына за руку, Рэчел перешла дорогу и снова уселась на землю под конским каштаном, борясь с отчаянием: она все еще не собиралась сдаваться.

Не успели они расположиться в тени, как черный пыльный пикап, за рулем которого сидел Габриэль Боннер, вырулил на шоссе и исчез вдали. Развернув сандвич, Рэчел осмотрела его.

Он был с грудкой индейки и швейцарским сыром и обильно смазан горчицей. Рэчел, зная, что Эдвард ее терпеть не может, удалила, насколько это было возможно, жгучую кашицу, после чего протянула сандвич сыну. Поколебавшись лишь самую малость, мальчик принялся за еду.

Еще до того как Эдвард успел покончить с сандвичем, появился грузовик-буксировщик, из его кабины вылез коренастый подросток. Оставив Эдварда под деревом, Рэчел перешла дорогу, помахав парню рукой в знак приветствия.

— Знаете, — сказала она, подходя, — тут выяснилось, что меня не надо никуда тащить. Мне нужно только, чтобы вы меня немного подтолкнули. Гейб хочет, чтобы я поставила машину вон там, за теми деревьями.

С этими словами Рэчел указала на небольшую рощицу неподалеку от того места, где сидел Эдвард. Ее слова, судя по всему, вызвали у подростка какие-то смутные сомнения, однако он явно не отличался сообразительностью, и ей не составило труда уговорить его помочь. Когда он уехал, «шевроле-импала» был спрятан так, что его не было видно.

Рэчел сделала все, что могла. Машина нужна была им с сыном для того, чтобы в ней ночевать, а это было бы невозможно, если бы ее отбуксировали в мастерскую или на свалку. Тот факт, что ее автомобиль окончательно вышел из строя, со всей возможной остротой ставил перед Рэчел вопрос о работе. Но как убедить Гейба Боннера нанять ее? Ей пришло в голову, что в разговоре со столь холодным и равнодушным человеком наилучшим козырем, возможно, являются не слова, а дела и конкретные результаты.

Вернувшись к Эдварду, она, потянув мальчика за руку, поставила его на ноги.

— Захвати-ка с собой пакет с чипсами, партнер. Мы возвращаемся в кинотеатр, мне пора браться за работу.

— А что, тебя наняли?

— Я бы сказала несколько иначе — меня взяли с испытательным сроком, — ответила Рэчел, ведя сына к шоссе.

— А что это значит?

— Это значит, что мне надо показать, на что я способна. А пока я буду работать, ты можешь доесть свой завтрак на игровой площадке, везунчик.

— Ты тоже поешь вместе со мной.

— Я пока не проголодалась, — сказала Рэчел, и при этом почти не покривила душой. Она так давно нормально не ела, что чувство голода у нее притупилось.

Усаживая Эдварда верхом на бетонную черепаху, она осмотрелась. Надо было сделать нечто такое, что сразу бросалось бы в глаза, но в то же время не требовало бы специальных инструментов. Пожалуй, лучше всего выполоть как можно больше сорняков. Она решила начать с центра площадки.

Рэчел приступила к работе. Солнце палило нещадно, длинное голубое платье мешало двигаться, а пыль, просачиваясь между ремешками сандалий, быстро покрыла ее ноги бурым налетом, отдаленно напоминающим загар. Большой палец, натертый ремешком сандалии, начал кровоточить.

Рэчел пожалела, что не надела джинсы. У нее осталась одна пара, они были старые и потертые, с большой дырой на колене и с еще одной, поменьше, сзади.

Вскоре платье насквозь промокло от пота. Влажные волосы неряшливыми прядями мотались у щек и шеи. Рэчел уколола палец о чертополох, но не могла даже пососать ранку, такие у нее были грязные руки.

Когда рядом с ней скопилась порядочная куча вырванных из земли сорняков, она взяла ее в охапку и выбросила в контейнер, который затем отволокла к мусоросборнику, располагавшемуся позади закусочной. Вернувшись оттуда, она с мрачной решимостью снова занялась прополкой. «Гордость Каролины» была ее последней надеждой, и она должна была продемонстрировать Боннеру, что может работать лучше, чем целая дюжина мужчин.

По мере того как солнце взбиралось к зениту, зной становился все сильнее. У Рэчел начала кружиться голова, но она, стараясь не обращать на это внимания, продолжала выдергивать сорняки в том же темпе. Она отнесла к мусоросборнику еще одну охапку растений и опять принялась за дело.

В какой-то момент она вдруг заметила, что Эдвард, помогая ей, тоже принялся выдергивать из земли сорняки, и еще раз пожалела, что не уступила требованиям Клайда Роша. Голову ее жгло, словно огнем, она нуждалась в отдыхе, но у нее не было времени на то, чтобы отдыхать.

Наконец, когда она наклонилась в очередной раз, у нее перед глазами взорвался рой серебряных мушек, а земля закачалась под ногами. Она попыталась сохранить равновесие, но силы изменили ей. Голова у Рэчел страшно закружилась, и она погрузилась в чернильную темноту.

Когда Гейб Боннер вернулся к своему кинотеатру, он увидел уже знакомого ему мальчика, который сидел рядом с распростертым на земле неподвижным телом матери.

Глава 2

— Очнитесь!..

Рэчел почувствовала у себя на лице что-то мокрое и открыла глаза, но тут же зажмурила их снова: в зрачки ударили ослепительные лучи.

— Эдвард! — воскликнула она, испуганно моргая.

— Мама!

Тут она все вспомнила: и вышедший из строя «шевроле», и придорожный кинотеатр. Щурясь от бьющего ей прямо в лицо света, она пыталась разглядеть хоть что-нибудь, пока наконец до нее не дошло, что источником этих лучей является некое светящееся украшение, призванное сделать более привлекательной для будущих посетителей закусочную кинотеатра. Слегка пошевелившись, она поняла, что лежит на бетонном полу. Рядом с ней стоял, опустившись на колени, Гейб Боннер. По другую сторону от себя она увидела Эдварда, чье лицо было искажено тревогой и страхом.

— Прости меня, сынок, — сказала Рэчел, обращаясь к сыну, и сделала усилие, пытаясь сесть. В животе у нее тут же появилось неприятное тянущее ощущение, и она поняла, что ее сейчас вырвет.

Боннер поднес к ее губам пластиковый стаканчик, и в горло Рэчел полилась тонкая струйка. Борясь с приступом тошноты, она пыталась отвернуться, но Боннер не давал ей этого сделать. Жидкость пролилась на подбородок и потекла у нее по шее.

Сделав еще одно усилие, Рэчел наконец приняла сидячее положение и дрожащими руками попыталась забрать у Боннера пластиковую крышку-стаканчик термоса, из которого он ее поил. Как только пальцы их соприкоснулись, он тут же выпустил крышку и отдернул руку.

— Когда вы в последний раз ели? — спросил он без особого интереса и поднялся на ноги.

Еще несколько глотков, два-три глубоких вдоха и выдоха, и сознание Рэчел прояснилось настолько, что она смогла придумать достойный ответ:

— Вчера вечером я откушала седла дикой козы.

Не говоря больше ни слова, Боннер сунул ей в руку шоколадное пирожное с колечком белого крема посередине. Рэчел откусила от него кусочек и тут же протянула пирожное Эдварду со словами:

— Доешь его, дорогой. Я не голодна.

— А ну-ка давайте съешьте его сами, — коротко и повелительно бросил Боннер. Его слова прозвучали как приказ, которого невозможно было ослушаться. Рэчел хотелось запустить пирожным ему в физиономию, но на это у нее не было сил.

— Это будет мне уроком, — заметила она, прожевывая очередной кусок. — Не следует танцевать всю ночь до упаду. Должно быть, это последнее танго меня доконало.

По глазам Боннера она поняла, что он не верит ни одному ее слову.

— Почему вы до сих пор здесь? — спросил он.

Рэчел было неприятно, что он стоит, нависая над ней, словно скала, и она, сделав героическое усилие, тоже поднялась на ноги. При этом она отметила, что ноги ее не очень-то слушаются, и, едва успев встать, тут же опустилась на забрызганный краской складной металлический стул.

— А вы не заметили... сколько я всего переделала прежде... чем потерять сознание? — спросила она.

— Заметил. Но я уже сказал, что не собираюсь вас нанимать.

— Но я хочу здесь работать.

— В таком случае мне очень жаль. — Боннер не торопясь распечатал пакетик с чипсами и протянул его Рэчел.

— Но я должна получить работу в вашем заведении.

— Сомневаюсь.

— И все же это действительно так.

Выудив из пакета несколько чипсов, Рэчел положила их в рот. При этом лицо ее исказилось от боли: это в порезы на ее пальцах попали крупинки соли. Заметив гримасу боли, Боннер взял ее за запястья и, повернув руки ладонями кверху, принялся внимательно изучать кровоточащие царапины. Они не произвели на него особого впечатления.

— Удивляюсь, как это вы, будучи такой всезнайкой, не догадались надеть перчатки, — сказал он.

— Я забыла их в моем пляжном домике. — Рэчел встала со стула. — Сейчас я зайду в дамскую комнату и хоть немного отмою эту грязь.

Она нисколько не удивилась, кода Боннер не сделал ни малейшей попытки ей помешать. Эдвард последовал за ней. Дамский туалет оказался запертым, но дверь в мужской была открыта. Сантехника была старой и весьма неприглядной, но Рэчел заметила рядом с раковиной стопку чистых бумажных полотенец и свежий кусок туалетного мыла.

Она вымылась, как могла, и от холодной воды почувствовала себя заметно лучше. Тем не менее выглядела она по-прежнему ужасно: грязное платье, землистое лицо. Кое-как расчесав пальцами спутанные волосы, она пощипала себя за щеки, чтобы добиться хотя бы подобия румянца. Одновременно Рэчел размышляла, как ей быть дальше. В итоге она пришла к выводу, что, поскольку ее «шевроле-импала» невозможно стронуть с места, ей остается одно — продолжать бороться.

К тому времени когда она вернулась в закусочную, Боннер уже закончил прикреплять к потолку неоновые трубки. Глядя, как он складывает стремянку и прислоняет ее к стене, Рэчел изобразила на лице беззаботную улыбку.

— Ну так как, может, мне потихоньку начать зачищать стены, чтобы потом я могла их покрасить? — спросила она. — Когда я с этим покончу, здесь будет вдвое лучше, чем теперь.

Хозяин кинотеатра повернулся к ней, и сердце у нее упало: на лице его было все то же равнодушное, отсутствующее выражение.

— Бросьте, Рэчел. Я не собираюсь вас нанимать. Раз вы не уехали с буксировщиком, я вызвал еще кое-кого, чтобы вас забрали отсюда. Подождите у дороги.

Борясь с охватившим ее новым приступом отчаяния, женщина энергично затрясла головой.

— Вы не можете так поступать, Боннер. Приводить в порядок придорожные кинотеатры, где можно смотреть фильмы прямо из автомобилей, — это мое призвание!

— Найдите себе другое место, а мой кинотеатр оставьте в покое.

Похоже, у Боннера было каменное сердце. Беды Рэчел его совсем не трогали. Эдвард с озабоченным, даже с каким-то стариковским выражением на лице стоял рядом с матерью, вцепившись ручонками в ее юбку. Взглянув на сына, она почувствовала, как внутри у нее все оборвалось. Рэчел поняла, что готова пожертвовать чем угодно ради своего малыша.

— Пожалуйста, Боннер, — снова заговорила она, и ей показалось, что голос ее срывается на визг, как безнадежно загнанный мотор ее «шевроле». — Мне нужна передышка. — Она сделала паузу, почувствовав приступ ненависти к себе за то, что не смогла сдержаться, и произнесла последние слова с просительной интонацией. — Я на все согласна.

Боннер медленно поднял голову и осмотрел ее таким взглядом, что Рэчел почему-то стало стыдно за свои растрепанные волосы и перепачканное платье. Именно в эту секунду она вдруг осознала, что перед ней не истукан, а мужчина, и почувствовала себя точно так же, как шесть дней назад в мотеле «Доминион».

— У меня на этот счет есть серьезные сомнения, — едва слышно пробормотал владелец кинотеатра.

Да, ему было на все наплевать, но тем не менее именно в этот момент где-то в глубине его глаз промелькнуло какое-то новое выражение, которое таило опасность. В том, как он посмотрел на нее, не было ничего похотливого, но в то же время Рэчел поняла, что он все же не бесчувственное изваяние и кое-что его все-таки интересует.

Сердце Рэчел отчаянно заколотилось, у нее мгновенно пересохло во рту. Она слишком долго боролась с судьбой, и, как видно, пришло время сдаться. Силы ее иссякли, и оставалось лишь покориться неизбежному.

Облизав сухие губы языком, Рэчел вперила пристальный взгляд в Габриэля Боннера.

— Эдвард, милый, — сказала она, — мне надо поговорить с мистером Боннером с глазу на глаз. Пойди поиграй на той черепахе.

— Я не хочу.

— Никаких пререканий. — Повернувшись к Боннеру спиной, она подвела сына к двери. Когда он шагнул за порог, она вымученно улыбнулась ему. — Ну, иди, мопсик. Я скоро к тебе приду.

Мальчик неохотно побрел прочь. Глаза Рэчел стали наполняться слезами, но она отчаянным усилием воли не дала им пролиться. Сейчас был неподходящий момент, чтобы плакать, да и вообще это было бы совершенно бессмысленно.

Закрыв дверь закусочной, она заперла ее изнутри, снова повернулась к Боннеру лицом и вызывающе вскинула подбородок, чтобы хозяин придорожного кинотеатра не считал ее несчастной жертвой.

— Мне нужен постоянный заработок, я готова сделать все, что угодно, лишь бы его получить.

Боннер издал короткий звук, который был похож на смешок, но, поскольку в нем напрочь отсутствовал хотя бы малейший признак веселья, скорее всего это было просто фырканье.

— В самом деле? — осведомился он.

— Да, в самом деле, — хриплым, ломающимся голосом подтвердила Рэчел. — Слово скаута.

Она начала расстегивать непослушными пальцами пуговицы платья, под которым у нее не было ничего, кроме синих нейлоновых трусиков: ее маленькая грудь не заслуживала того, чтобы тратиться на лифчик.

Боннер молча наблюдал за ней. Интересно, женат он или холост, подумала про себя Рэчел. Она решила, что, учитывая его возраст и в целом весьма привлекательную, мужественную внешность, жена у него скорее всего есть. Что ж, Рэчел оставалось только мысленно принести извинения неизвестной женщине, которой она вынуждена причинить зло.

Хотя Гейба Боннера только что оторвали от работы, под ногтями у него не было траурной каймы, а на рубашке — вполне естественных в такую жару пятен пота. Обратив на это внимание, Рэчел поблагодарила судьбу за то, что он по крайней мере чист и опрятен, а изо рта у него не разит запахом лука и нездоровых зубов. Тем не менее интуиция подсказывала ей, что она была бы в большей безопасности, если бы перед ней сейчас стоял Клайд Рош.

— Где же ваша гордость? — неожиданно спросил Боннер, почти не разжимая губ.

— Я ее только что потеряла, — ответила Рэчел, расстегивая последние пуговицы. Затем она сбросила платье с плеч, и оно с тихим шелестом упало к ее ногам.

Пустые глаза Боннера уставились на ее маленькие, высокие груди и резко проступившие под кожей ребра. Затем взгляд его опустился ниже — крохотные трусики Рэчел не могли скрыть ни выступающие тазовые кости, ни едва заметные следы растяжек на коже живота, как раз над резинкой.

— А ну-ка, оденьтесь, — скомандовал он.

Рэчел перешагнула через платье и, оставшись в одних трусиках и сандалиях, заставила себя подойти к нему. Стараясь не уронить достоинства, она держала голову высоко вскинутой.

— Я готова работать в две смены, Боннер, — сказала она. — И днем и ночью. Этого не сможет ни один мужчина. Полная мрачной решимости, она протянула руку и накрыла ею кисть Боннера.

— Не прикасайтесь ко мне! — выкрикнул он и отскочил в сторону, словно она его ударила. Глаза его больше не были пустыми. Они потемнели от гнева, такого страшного, что Рэчел невольно сделала шаг назад. Подхватив с пола платье, Боннер швырнул его ей в лицо.

— Наденьте это.

Рэчел разом ссутулила плечи: она поняла, что проиграла. Держа в руке платье, она нашла глазами изображение Дуэйна Сноупса, глядящего на нее со стены.

Грешница! Шлюха!

Пока она надевала платье, Боннер подошел к дверям и отпер их, но открывать не стал. Остановившись у входа, он положил руки на бедра. Плечи его двигались вверх-вниз, так тяжело он дышал.

Как раз в тот момент, когда Рэчел онемевшими, распухшими пальцами с трудом застегнула последнюю пуговицу, двери закусочной распахнулись.

— Эй, Гейб, Дили передал мне, что ты звонил. Где...

При виде Рэчел преподобный Этан Боннер замер на месте. Это был светловолосый, поразительно красивый мужчина с тонкими чертами лица и добрыми глазами, то есть полная противоположность своему брату.

Рэчел уловила тот момент, когда он узнал ее. Мягко очерченные губы Этана Боннера сжались и разом стали тоньше, во взгляде его мелькнуло презрение.

— Так-так, — протянул он. — Значит, вдова Сноупс снова решила нас посетить.

Глава 3

— О чем ты? — удивленно спросил Гейб, повернувшись к брату.

Во взгляде Этана, устремленном на Габриэля, Рэчел почудилось что-то отеческое. Этан подошел к Гейбу и встал так, словно хотел прикрыть его своим телом. Со стороны это выглядело довольно смешно, поскольку Гейб был выше ростом и мускулистее.

— А разве она не сказала, кто она такая? — Этан оглядел Рэчел, теперь уже не скрывая презрения. — Впрочем, семейство Сноупсов никогда не отличалось искренностью и открытостью.

— Я не из семейства Сноупсов, — деревянным голосом заметила Рэчел.

— Все те несчастные, которые посылали вам деньги, были бы крайне удивлены, если бы услышали ваши слова.

— Она сказала, что ее зовут Рэчел Стоун, — вставил Гейб.

— Не верь ни одному ее слову, — сказал Этан тем мягким тоном, каким обычно люди говорят с больными. — Она вдова покойного, но оставившего по себе недобрую память Дуэйна Сноупса.

— Вот оно что.

Этан прошел в глубь закусочной. На нем была тщательно выглаженная голубая рубашка, брюки цвета хаки с острой складкой и блестящие, хорошо вычищенные полуботинки. Его светлые волосы, голубые глаза и мягкие черты лица резко контрастировали с довольно привлекательной, но гораздо более мужественной внешностью его брата. Если Этан вполне подошел бы на роль ангела, то Габриэль, если судить по его виду, мог быть только одним из слуг сатаны.

— Дуэйн погиб года три назад, — пояснил Этан все тем же мягким голосом, каким обыкновенно разговаривают у постели тяжелобольного. — Ты в то время жил в Джорджии. Завладев несколькими миллионами долларов, которые ему не принадлежали, он уже собирался покинуть страну, буквально на один шаг опережая идущих по его следу служителей закона.

— Кажется, я об этом что-то слышал, — заметил Гейб без всякого интереса, как бы по привычке. Рэчел невольно подумала, есть ли вообще на свете хоть что-нибудь, что его волнует.

— Его самолет рухнул в океан, — снова заговорил Этан. — Тело его нашли, но деньги так и остались на дне.

Гейб облокотился спиной и локтями на стойку и медленно повернул голову в сторону Рэчел. Она вдруг почувствовала, что не может заставить себя посмотреть ему в глаза.

— Между прочим, Дуэйн был вполне приличным человеком, пока не женился на ней, — продолжал Этан. — Миссис Сноупс очень нравятся дорогие автомобили и модные тряпки. Стремление угодить ей сделало Дуэйна алчным, и его деятельность по сбору средств стала настолько активной, что в конце концов он и погиб.

— Он не первый проповедник, с которым случилось такое, — заметил Гейб.

Этан поджал губы.

— Дуэйн проповедовал так называемую теологию процветания. Следуя его теории, люди должны были расставаться с тем, что у них есть, даже с последним долларом, чтобы получить от Бога во сто крат больше. Сноупс говорил о Боге так, словно Всевышний был чем-то вроде игрального автомата. И надо сказать, многие поддавались его проповедям. Люди жертвовали деньги, полученные от органов социального обеспечения, пособия по безработице. Одна женщина из Южной Каролины, больная диабетом, прислала ему деньги, которые были ей нужны для приобретения инсулина. Вместо того чтобы отослать эти деньги обратно,

Дуэйн зачитал ее письмо с экрана, заявив, что это — пример, которому должен следовать каждый. Неплохой козырь, и Дуэйн его умело использовал.

Этан метнул на Рэчел такой взгляд, словно перед ним была куча отвратительных отбросов, и продолжил тираду:

— Камера показала миссис Сноупс, сидящую в первом ряду на скамье в нашем городском храме, — в платье с блестками, со слезами благодарности, стекающими по щекам, покрытым толстым слоем румян. Позже какой-то репортер из «Шарлотт обсервер» снова раскопал эту историю и обнаружил, что у той бедной женщины случилась диабетическая кома, и в итоге она умерла.

Рэчел опустила глаза. Те слезы, о которых рассказал Этан, лились у нее из глаз от стыда и беспомощности. Но об этом не было известно никому, кроме нее самой. Каждый раз перед съемкой ее заставляли сидеть на скамье в первом ряду с густо накрашенным лицом, в одежде с люрексом или блестками. Что поделать, таковы были понятия Дуэйна о красоте и элегантности. Обнаружив, что Дуэйн всего лишь делает на религии деньги, она попыталась уйти от него. Увы, беременность сделала это невозможным.

Когда общественности стало известно, что муж Рэчел нечист на руку, Дуэйн организовал несколько телепокаяний, пытаясь спасти свою шкуру. Он витийствовал с экрана, рассказывая о том, как греховная женщина увела его с праведного пути и заставила пасть. Надо сказать, что у него хватило ума не пытаться полностью обелить себя. План преподобного Сноупса был беспроигрышным. Смысл его выступлений был прост и понятен: если бы не алчность жены, он никогда не поддался бы искушению.

Разумеется, на это купились далеко не все, однако Сноупсу удалось внушить эту идею большинству своих последователей. В результате Рэчел за последние три года неоднократно узнавали на улице и публично оскорбляли.

Дверь закусочной, скрипнув петлями, слегка приотворилась. В образовавшуюся неширокую щель протиснулся маленький мальчик и, подбежав к матери, остановился.

— Я же сказала, чтобы ты побыл на площадке, — резким тоном произнесла Рэчел, которой не хотелось, чтобы Эдвард присутствовал при столь неприятном для нее разговоре.

Низко опустив голову, сын тихо, едва слышно пробормотал:

— Там большая... большая собака.

Она усомнилась в правдивости его слов, но все же ободряюще сжала его плечо. Одновременно она бросила на Этана взгляд затравленной волчицы, который ясно давал ему понять, что он должен внимательно следить за тем, о чем можно, а о чем не следует говорить в присутствии ребенка.

Этан уставился на Эдварда.

— Я и забыл, что у вас с Дуэйном был сын, — пробормотал он.

— Это Эдвард, — сказала Рэчел, стараясь говорить таким тоном, словно ничего не случилось. — Эдвард, поздоровайся с преподобным отцом Боннером.

— Привет, — сказал мальчик, не отрывая глаз от своих тапочек на резиновой подошве, а затем, помолчав немного, громким шепотом, так, что его слышали все присутствовавшие, спросил: — Он тоже шарлот таун?

Поймав вопросительный взгляд Этана, Рэчел пояснила:

— Он хочет знать, не шарлатан ли вы. — Голос ее окреп. — Ему доводилось слышать, как этим словом называли его отца...

На какой-то момент Этан растерялся, но быстро взял себя в руки.

— Нет, Эдвард, я не шарлатан.

— Преподобный Боннер настоящий слуга Господа, малыш. Честный и богобоязненный. — Рэчел посмотрела Этану прямо в глаза. — Он из тех, кто не судит людей, а сочувствует тем, кому повезло меньше, чем ему.

Этана Боннера, однако, было так же трудно смутить, как и его брата.

— Миссис Сноупс, даже не мечтайте снова обосноваться здесь. Вас никто не хочет здесь видеть, — сказал он и повернулся к Гейбу. — У меня назначена встреча, так что мне пора ехать в город. Давай пообедаем сегодня вечером вместе.

— А с ними что ты собираешься делать? — спросил Габриэль, кивнув головой в сторону Рэчел и Эдварда.

На лице Этана отразилась нерешительность.

— Прости, Гейб, — сказал он наконец. — Ты ведь знаешь,
что я готов сделать для тебя все, что угодно, но в этом деле я не
могу тебе помочь. В нашем городе миссис Сноупс — нежела-
тельная персона, и я не буду тем человеком, благодаря которому
она снова появится в Солвейшн.

Он мягко дотронулся до руки Гейба и направился к двери. Тот
на мгновение словно оцепенел, но тут же ринулся вслед за братом.

— Этан! Погоди минутку.

Эдвард снизу вверх посмотрел на мать.

— Нас никто не любит, правда? — спросил он.

Рэчел сглотнула подступивший к горлу комок.

— Мы с тобой — самые замечательные люди на свете, а
если кто-то не в состоянии это понять, то он просто не стоит
того, чтобы мы тратили на него свое время.

До нее донеслось ругательство, и в закусочной снова появился Гейб. Губы его недовольно кривились. Уперев руки в бока, он
уставился на нее. Рэчел только сейчас поняла, какой он высокий.
В ней самой было пять футов и семь дюймов, но рядом с ним она
чувствовала себя маленькой и беззащитной.

— Сколько знаю своего брата, это первый случай, когда он
кому-либо отказал в помощи.

— Могу вам сказать, Боннер, что даже терпение добропоря-
дочных христиан имеет свои пределы. С точки зрения большинства из них, я смертельно перед ними виновата.

— Мне вы здесь не нужны!

— Боюсь, для меня это не новость.

Лицо Гейба помрачнело.

— Это место не подходит для ребенка. Ему просто нельзя
здесь оставаться.

Почувствовав, что хозяин кинотеатра начинает колебаться,
Рэчел быстро сориентировалась, решив прибегнуть к безвредной,
с ее точки зрения, лжи.

— Мне есть где его разместить.

Эдвард еще теснее прижался к ее боку.

— Если я вас и найму, то только на пару дней, пока не подыщу кого-нибудь другого.

— Ясно, — кивнула Рэчел, стараясь не показывать радости.

— Ну ладно, — буркнул Гейб. — Приходите завтра к восьми часам. И учтите — пахать придется по-черному.

— Для меня это не в новинку.

Хозяин придорожного кинотеатра еще больше насупился.

— Я вовсе не обязан искать место для вашего ночлега.

— Мне есть где переночевать.

— И где же вы собираетесь остановиться? — подозрительно спросил Гейб.

— Вас это не касается. Я вовсе не беспомощное дитя, Боннер. Мне просто нужна работа.

На стене зазвонил телефон. Гейб подошел к нему, снял трубку и принялся беседовать с неким мистером Чармом по поводу доставки каких-то товаров.

— Ладно, я приеду и сам все это решу, — подытожил наконец Гейб и повесил трубку на рычаг. Затем он подошел к двери и открыл ее.

Рэчел поняла, что он сделал это не из вежливости, а просто для того, чтобы поскорее от нее избавиться.

— Мне надо съездить в город, — сказал он. — Когда я вернусь, мы с вами потолкуем насчет вашего ночлега.

— Я же вам сказала, что об этом я уже позаботилась.

— Вернусь — тогда и поговорим, — повторил Гейб. — Подождите меня на игровой площадке. И займите чем-нибудь вашего ребенка!

С этими словами он вышел из закусочной. Дождавшись, пока Боннер уехал, она направилась к машине. Пока Эдвард спал на заднем сиденье «импалы», Рэчел вымылась, выстирала в протекавшем через рощицу небольшом притоке реки Френч-Брод свои грязные вещи и одежду сына, переодевшись в рваные, потертые джинсы и старую оранжевую футболку. Как раз в это время мальчик проснулся. Развесив мокрые вещи на ветвях деревьев неподалеку от машины, мать и сын принялись распевать бессмысленные песенки и развлекать друг друга добрыми старыми шутками и смешными историями.

Тени от деревьев постепенно стали удлиняться. Еды у них совсем не осталось, и Рэчел поняла, что откладывать вылазку в город больше нельзя. Держа Эдварда за руку, она зашагала вдоль шоссе и остановилась только тогда, когда кинотеатр «Гордость Каролины» остался далеко позади. После этого она, дождавшись попутной машины, подняла кверху большой палец.

В машине ехала пожилая пара пенсионеров из Сент-Питерсберга, проводившая лето в Солвейшн. Всю дорогу до города старики любезно беседовали с Рэчел и то и дело ласково заговаривали с Эдвардом. Она попросила высадить их на окраине города, около бакалейно-гастрономического магазина под названием «Инглес», и на прощание благодарно помахала им вслед рукой, радуясь, что они не признали в ней печально известную вдову Сноупс.

Ее везения, однако, хватило ненадолго. Пробыв в магазине всего несколько секунд, она заметила, что одна из продавщиц смотрит на нее чересчур пристально. Стараясь вести себя как ни в чем не бывало, Рэчел тщательно перебирала груши, пытаясь выбрать наименее помятую, и тут боковым зрением уловила, как седая женщина, посетительница магазина, поглядев на нее, зашептала что-то на ухо своему мужу.

Рэчел сильно изменилась внешне, и теперь ее узнавали уже не так часто, как в первый год после скандала. Но ведь сейчас она находилась в Солвейшн, жители которого знали ее лично, а не просто видели на телеэкране. Хотя на ней не было туфель на высоких каблуках и платья с блестками, она все равно не могла не привлекать их внимания.

Стараясь не задерживаться на одном месте, Рэчел продолжила свое движение вдоль полок с товаром. В хлебном отделе хорошо одетая женщина лет сорока пяти с коротко стриженными, выкрашенными в черный цвет волосами при виде Рэчел отложила в сторону пакет с булочками и уставилась на нее так, словно ей явился сам дьявол.

— Ты! — выдохнула, а точнее, выплюнула она.

Рэчел сразу же вспомнила ее. Женщину звали Кэрол Деннис. Она когда-то появилась в храме как одна из многочисленных добровольных сподвижниц и взялась за дело так активно, что через некоторое время вошла в число наиболее лояльных прихожан, приближенных к Дуэйну. Будучи глубоко религиозным человеком, Кэрол обожала Сноупса и в то же время испытывала к нему чувства, которые были сродни материнским.

Когда злоупотребления Дуэйна стали достоянием гласности, Кэрол так и не смогла примириться с тем, что Дуэйн Сноупс, который с таким жаром проповедовал евангельские постулаты, оказался замешанным в финансовых махинациях. И она возложила всю вину за его грехопадение на Рэчел.

Это была болезненно худая женщина с острым носом, выступающим вперед подбородком, бледной как пергамент, чистой кожей и почти такими же темными, как и ее выкрашенные в черный цвет волосы, глазами.

— Я просто поверить не могу, что ты опять здесь, — пробормотала она, продолжая поедать глазами Рэчел.

— Это свободная страна, — парировала та.

— Да как же ты посмела сюда заявиться?

У Рэчел разом иссяк ее боевой дух.

— Ты не поможешь мне донести это? — сказала она, обращаясь к Эдварду, и, сунув мальчику в руку небольшой батон, торопливо двинулась дальше.

При виде Эдварда лицо женщины немного смягчилось. Шагнув вперед, она наклонилась к нему:

— Я в последний раз видела тебя, когда ты был еще совсем маленьким, а теперь ты стал вон каким красивым молодым человеком. Ты наверняка очень скучаешь по папе?

С Эдвардом и раньше частенько заговаривали незнакомые люди. Мальчик этого не любил и теперь, когда к нему обратилась Кэрол Деннис, втянул голову в плечи.

Рэчел хотела как можно скорее пройти мимо нее, но Кэрол, выкатив вперед тележку, ловко преградила ей дорогу.

— Бог учит нас, что, ненавидя грех, мы должны любить грешников, но в твоем случае это очень трудно сделать.

— Я уверена, Кэрол, что такая набожная женщина, как ты, в состоянии справиться и с этим.

— Если бы ты только знала, сколько раз я молилась за тебя.

— Прибереги свои молитвы для того, кому они нужны.

— Тебя здесь никто не ждет, Рэчел. Многие из нас отдали храму всю свою жизнь. Мы верили, и мы страдали. Тебе никогда этого не понять. У нас долгая память, и если ты думаешь, что мы позволим тебе как ни в чем не бывало разгуливать по городу, то сильно ошибаешься.

Рэчел знала, что отвечать на это не следует, но не смогла удержаться:

— Я тоже во что-то верила, и никому из вас этого не понять.

— Если бы ты испытывала хоть малейшие угрызения совести, мы простили бы тебя, но у тебя по-прежнему нет ни стыда, ни совести, не так ли, Рэчел?

— Мне нечего стыдиться.

— Он покаялся в своих грехах, а ты этого не сделала и никогда не сделаешь. Твой муж был Божьим человеком, а ты разрушила его жизнь.

— Дуэйн сам ее разрушил.

Рэчел оттолкнула тележку в сторону и потащила Эдварда за собой. Однако в этот момент откуда-то из-за полок с товаром перед ней появился сутулый подросток, держащий в руках несколько пакетов с картофельными чипсами. Это был худощавый юнец с грязноватыми светлыми, коротко остриженными волосами и тремя серьгами в ухе. На нем были мешковатые джинсы и надетая поверх черной футболки мятая голубая рубаха. Увидев Рэчел, он остановился на месте как вкопанный. В первые секунды на лице его не было никакого выражения, но затем оно на глазах превратилось в злобную гримасу.

— А она что здесь делает? — враждебным тоном спросил он.

— Рэчел вернулась в Солвейшн, — холодно сказала Кэрол.

Рэчел вспомнила, что Кэрол была разведена и имела сына, но она никогда не узнала бы в этом агрессивном юнце тихого, скромно одетого мальчика, которого смутно помнила.

Развернувшись, она нырнула в проход между стеллажами и почувствовала, что ее бьет дрожь. Прежде чем она успела отойти на достаточное расстояние, до нее донеслись слова перепалки, вспыхнувшей между Кэрол и ее сыном.

— Я не собираюсь платить за всю эту несъедобную гадость!

— Я сам за нее заплачу!

— Нет, не заплатишь. И сегодня вечером ты никуда не пойдешь с твоими отвратительными дружками.

— Ты не можешь мне этого запретить! Мы всего-навсего собираемся сходить в кино.

— Не лги мне, Бобби! В прошлый раз, когда ты пришел домой, от тебя пахло спиртным. Я знаю, чем ты занимаешься со своими приятелями!

— Ни черта ты не знаешь.

Эдвард озадаченно посмотрел на мать.

— Она его мама? — спросил мальчик.

Рэчел молча кивнула и торопливо повела сына прочь из магазина.

— Разве они не любят друг друга? — не унимался Эдвард.

— Я уверена, что любят. Просто у них возникли какие-то проблемы, малыш.

К концу своего рейда по магазину Рэчел удостоверилась, что привлекает внимание людей: одни провожали ее недоуменными взглядами, другие, увидев ее, начинали перешептываться со злорадным выражением на лицах. Она была готова к тому, что к ней отнесутся враждебно, но степень этой враждебности все же удивила и расстроила ее. Хотя прошло три года, жители городка Солвейшн, штат Северная Каролина, ничего не забыли и не простили.

Идя с Эдвардом вдоль дороги со своими скромными покупками, она пыталась понять, почему даже Бобби Деннис был зол на нее. Он явно не в ладах с матерью, и потому вряд ли его враждебное отношение к Рэчел было вызвано тем, что он просто разделял мнение Кэрол о вдове Сноупс. Более того, ей даже почему-то показалось, что в злости Бобби по отношению к ней было гораздо больше чего-то личного, нежели у Кэрол Деннис.

От мыслей о Бобби ее отвлекло появление на шоссе старого автомобиля с флоридскими номерами: она решалась голосовать только перед такими машинами. За рулем «краун-виктории» сидела вдова из Клируотера. Она с удовольствием согласилась подвезти Рэчел и Эдварда к придорожному кинотеатру. Когда Рэчел выходила из машины, сшитый ремешок на сандалии снова треснул, да так, что отремонтировать его было явно безнадежным делом. В результате этой очередной неприятности у Рэчел осталась только одна пара обуви.

Незадолго до девяти вечера Эдвард уснул. Накинув на плечи старое пляжное полотенце, Рэчел уселась на багажник неподвижной «импалы» и развернула на коленях измятую фотографию из старого журнала, которая и послужила ей поводом вернуться в Солвейшн. Осветив снимок небольшим карманным фонариком, она стала всматриваться в лицо старшего брата Гейба, Кэла Боннера.

Хотя между братьями было несомненное сходство, резкие черты лица Кэла смягчало выражение огромного счастья. И Рэчел невольно подумала: не является ли источником этого счастья его жена — стоящая рядом с Кэлом улыбающаяся блондинка, чем-то похожая на школьницу? Снимок был сделан в доме, когда-то принадлежавшем Дуэйну и Рэчел. Огромный и вычурный, он стоял на окраине Солвейшн. Дом был конфискован государством в счет неуплаченных Дуэйном налогов. Он долго пустовал, пока наконец вскоре после своей женитьбы его вместе со всей обстановкой не купил Кэл.

Фото, лежащее у Рэчел на коленях, было сделано в комнате, которая когда-то служила Дуэйну кабинетом. Рэчел вырезала снимок из журнала вовсе не из-за сентиментальности, а потому, что где-то на его заднем плане она увидела заинтересовавший ее предмет: окованный медью небольшой, размером с хлебную буханку, кожаный ящичек, стоявший на полке книжного шкафа прямо за головой Кэла Боннера.

Дуэйн купил этот ящичек примерно три с половиной года назад у какого-то торговца, который не распространялся о дорогих приобретениях преподобного Сноупса. Муж Рэчел давно мечтал заполучить его, поскольку когда-то ящичек принадлежал семейству Кеннеди. Дуэйн вовсе не был поклонником Кеннеди, но он любил все, что ассоциировалось с богатыми и известными людьми. Рэчел прекрасно помнила, что, когда до гибели Сноупса оставалось всего несколько недель, а тучи над ним явно начали сгущаться, ее супруг частенько поглядывал на эту маленькую кожаную шкатулку.

Как-то раз днем он позвонил ей с расположенного в горах небольшого аэродрома и дрожащим от страха голосом сказал, что его вот-вот арестуют.

— Я... я думал, что у меня будет больше времени, — промямлил он, — но за мной придут уже сегодня вечером, так что мне надо бежать из страны. Рэчел, я к этому не готов! Привези Эдварда, чтобы я мог попрощаться с ним перед отъездом. Ты должна сделать это для меня!

Рэчел без труда различила в его голосе нотки отчаяния и поняла: Дуэйн боится, что она не выполнит его просьбы, так как ее всегда возмущало отсутствие внимания к сыну с его стороны. Эдвард почти не видел отца, если не считать того времени, которое мальчик проводил перед телевизором во время знаменитых телепроповедей Дуэйна, весьма популярных среди верующих.

Рэчел решила не отказывать Дуэйну в его желании встретиться с сыном. Ведь эта встреча могла оказаться последней.

— Ладно, — сказала она. — Я буду в назначенном тобой месте. Постараюсь приехать побыстрее.

— И еще я хочу... Я хочу забрать с собой кое-что из дома... Как сувенир на память. Привези мне шкатулку Кеннеди и мою Библию.

Что касается Библии, то тут все было понятно: ее когда-то подарила Дуэйну мать. Но Рэчел была уже не той наивной девчонкой из Индианы, на которой Дуэйн женился. Требование мужа привезти ему шкатулку Кеннеди сразу же показалось ей подозрительным. Ей было известно, что из собранных храмом средств бесследно исчезли пять миллионов долларов, и потому, прежде чем выполнить просьбу супруга, Рэчел собственноручно взломала маленький медный замочек шкатулки и убедилась, что кожаный ящичек пуст.

Сев в машину, Рэчел поехала по горной дороге на аэродром. Пристегнутый к детскому сиденью, в машине сидел двухлетний Эдвард и сосал ухо своего плюшевого кролика. На переднем пассажирском сиденье лежала Библия, подаренная Дуэйну матерью, а маленькая кожаная шкатулка стояла на полу. Однако, когда Рэчел добралась до места, было уже поздно. Правоохранительные органы решили не дожидаться вечера и арестовать Дуэйна Сноупса как можно скорее. Сотрудники местной полиции во главе с шерифом округа высыпали на летное поле. Заметив их, Дуэйн, сидевший в кабине легкого самолета, поднял машину в воздух. Два заместителя шерифа высадили Рэчел из «мерседеса» и конфисковали автомобиль и все, что в нем было, даже сиденье Эдварда. Затем один из них отвез Рэчел и ее сына домой на патрульной машине.

На следующее утро она узнала, что самолет потерпел катастрофу, а ее муж погиб. Вскоре после этого ее выселили из дома и конфисковали все вещи. У Рэчел осталась только одежда, которая была на ней. Она в полной мере узнала, каким суровым может быть общество по отношению к вдове нечистого на руку телепроповедника.

С тех пор она никогда больше не видела шкатулки Кеннеди. И вот пять дней назад, сидя в прачечной-автомате и листая кем-то забытый журнал «Пипл», она случайно наткнулась на фотографию Кэла Боннера. Целых три года она гадала, куда делась кожаная, обитая медью шкатулка. Взломав замок, Рэчел лишь весьма бегло ее осмотрела. Уже потом, когда она вспомнила, каким тяжелым ей показался кожаный ящичек, ей пришло в голову, что у шкатулки, возможно, было двойное дно. А может, под зеленым фетром, которым она была обита изнутри, спрятан ключ от депозитного сейфа?

Становилось прохладно. Рэчел плотнее закуталась в полотенце и почувствовала, что в душу ей закрадывается горькое чувство. Ее сын спал на заднем сиденье сломанного автомобиля, съев на ужин бутерброд с арахисовым маслом и перезрелую грушу. А ведь у нее в руках когда-то было пять миллионов долларов.

Даже после выплаты всех оставшихся долгов Дуэйна от этих денег должно было остаться достаточно, чтобы купить сыну беззаботное, счастливое детство. Она мечтала не о яхтах и драгоценностях, а о маленьком домике в каком-нибудь тихом месте. Ей хотелось, чтобы Эдвард нормально питался, ходил в приличной одежде, посещал школу и имел возможность кататься на велосипеде.

Но она не могла осуществить эти мечты без помощи Габриэля Боннера. За последние три года жизни Рэчел научилась мыслить трезво и воспринимать окружающую действительность такой, какой она была на самом деле. Поэтому она прекрасно понимала: для того, чтобы проникнуть в дом, где она когда-то жила, и найти там кожаную шкатулку, ей потребуется время. Нужно было выжить в течение нескольких недель, а это означало, что ей необходимо сохранить за собой работу в кинотеатре.

Листья над ее головой зашелестели от дуновения ночного ветерка. Вспомнив, как днем она разделась почти догола перед совершенно незнакомым мужчиной, она невольно вздрогнула. Исправно посещающей церковь девушке из Индианы, которой она когда-то была, такое и в голову не могло бы прийти. Но ответственность за ребенка заставила ее забыть о гордости и щепетильности. Стиснув зубы, Рэчел поклялась себе сделать все, чтобы Габриэль Боннер был ею доволен.

Глава 4

Когда утром, без пятнадцати восемь, пикап Гейба въехал в ворота кинотеатра, Рэчел уже почти успела очистить от сорняков центральную часть детской площадки. Ее волосы были зачесаны назад и стянуты медной проволокой, найденной на помойке. Рэчел беспокоилась только об одном: как бы изношенные джинсы не порвались сзади.

Поскольку ее сандалии окончательно вышли из строя, она была вынуждена надеть свою последнюю пару обуви — тяжелые черные мужские полуботинки. Одной из горничных мотеля, где она сама еще недавно работала, они надоели, и та подарила их Рэчел. Полуботинки оказались удобными, но слишком жаркими для лета. Тем не менее для работы, которая предстояла Рэчел, они подходили больше, чем ее пришедшие в негодность легкие сандалии, и она порадовалась, что они у нее есть.

Если Рэчел рассчитывала приятно удивить Гейба своим ранним появлением на работе и необыкновенным трудолюбием, то, как она сразу же убедилась, ее расчеты не оправдались. Пикап остановился рядом с ней. Не заглушая двигатель, Гейб выбрался из кабины и хлопнул дверцей.

— Я же сказал вам быть здесь в восемь часов.

— Я и буду в восемь, — ответила она фальшиво-жизнерадостным голосом, стараясь не вспоминать, как вчера днем разделась у него на глазах. — У меня есть еще пятнадцать минут.

Гейб был одет в белую футболку и линялые джинсы. Он был гладко выбрит, а его темные волосы выглядели так, словно еще не успели просохнуть после душа. Вчера Рэчел видела, как на несколько коротких секунд маска грубости и равнодушия сползла с его лица, но теперь все было по-прежнему.

— Я не хочу, чтобы вы здесь околачивались, когда меня нет.

Рэчел разом забыла о своих добрых намерениях и о том, что собиралась вести себя уважительно, послушно и по возможности не язвить.

— Расслабьтесь, Боннер. Все, что отсюда можно стянуть, для меня слишком велико по размерам.

— Надеюсь, до вас дошло, что я сказал.

— А я-то думала, что с утра вы не такой раздражительный, как днем.

— Я круглые сутки такой. — Ответ хозяина содержал в себе определенную дозу юмора, но безжизненный серебристый блеск зеркальных очков, прикрывавших его глаза, все портил. — Где вы ночевали?

— У одной подруги. У меня еще осталось несколько подруг.

Рэчел, разумеется, солгала: Дуэйн в свое время строго запретил ей какое-либо общение с жителями городка.

Боннер вытащил из заднего кармана джинсов пару желтых рабочих перчаток и бросил ей.

— Вот, наденьте.

— Боже, как я тронута, — сказала Рэчел, прижав перчатки к груди, словно букет дорогих роз, но тут же прикусила язык, чтобы не отпустить какого-нибудь еще более ядовитого замечания. Как-никак, еще до окончания рабочего дня ей предстояло просить Боннера выдать ей небольшой аванс в счет ее дневного заработка, и потому было просто неразумно с ним конфликтовать.

Но у Гейба, который снова полез за руль пикапа, был такой отсутствующий вид, что она все же не удержалась, чтобы не кольнуть его еще раз:

— Эй, Боннер, может, вы немного подобреете, если выпьете кофе? Я буду рада сварить его для нас.

— Я сам сварю себе кофе.

— Замечательно. Когда он будет готов, принесите и мне чашечку.

Гейб хлопнул дверцей и погнал машину к закусочной, обдав Рэчел клубами пыли из-под колес.

Придурок. Сунув израненные руки в перчатки, она наклонилась и снова принялась выдергивать из земли растения, хотя каждый мускул ее измученного тела протестовал против этого.

Она еще никогда не чувствовала себя такой усталой. Ей хотелось улечься где-нибудь в тени и проспать сто лет. Причины усталости были ясны: недостаток сна и бесконечные волнения. Она с тоской вспомнила о том, какой прилив энергии у нее обычно вызывала утренняя чашка кофе. Она не пила его уже много недель. Рэчел очень любила кофе. Ей нравилось в нем все — и его вкус, и запах, и замечательный цвет, который он приобретал, когда она размешивала ложечкой добавленные к нему сливки. Закрыв глаза, она представила, как подносит к губам чашку и делает маленький глоток.

Волна тяжелого рока из закусочной ворвалась в ее уши, разом развеяв все мечты. Взглянув в сторону детской площадки, она увидела, как Эдвард выполз из-под брюха бетонной черепахи. Если Боннер разозлился из-за того, что она слишком рано пришла на работу, интересно, что бы он сделал, если бы увидел ее сына, подумала Рэчел.

Первым делом, придя утром в кинотеатр, она очистила детскую площадку от битого стекла, ржавых консервных банок и прочего хлама, о который ребенок мог бы пораниться, и сложила все это в пластиковый мешок для мусора. Затем она спрятала в кустах, росших рядом с экраном, небольшой запас еды и воды, а также полотенце, на котором мальчик мог бы прилечь отдохнуть. После этого Рэчел предложила сыну поиграть в прятки.

— Готова поспорить, ты не сможешь все утро прятаться так, чтобы Боннер тебя ни разу не увидел, — сказала она.

— Нет, смогу.

— А я говорю, не сможешь.

— Смогу.

Решив, что на этом спор можно закончить, она поцеловала Эдварда и отправила его на площадку, хотя понимала, что рано или поздно Боннер все равно его заметит, а это не сулило ничего хорошего. Мысль о том, что она вынуждена прятать своего ребенка, словно он какое-то насекомое, вызвало в душе у Рэчел новую волну возмущения против Гейба Боннера.

Час спустя Гейб швырнул ей пластиковый мешок и велел собрать весь мусор у входа, чтобы кинотеатр выглядел более прилично, если смотреть на него со стороны шоссе. Эта работа была проще, чем прополка сорняков, и она обрадовалась перемене занятия, хотя и была уверена, что, давая ей новое задание, хозяин вовсе не стремился облегчить ей жизнь. После того как Гейб ушел, Эдвард присоединился к ней, и вдвоем они справились с этой задачей очень быстро.

Затем она снова занялась прополкой, но едва успела начать, как боковым зрением увидела неподалеку от себя запачканные краской рабочие сапоги.

— Кажется, я сказал вам, чтобы вы убрали мусор со стороны фасада.

Рэчел хотелось ответить повежливее, но она не сумела сдержаться:

— Все уже сделано, командир. Любой ваш приказ для меня — закон!

Гейб прищурил глаза.

— Ступайте в дом и приведите в порядок женскую уборную. Мне надо там все покрасить.

— Повышение! А ведь сегодня только первый день, как я вышла на работу.

Возникла долгая, напряженная пауза, во время которой Боннер прожигал ее взглядом. Рэчел захотелось заткнуть себе рот кляпом.

— Не наглейте, Рэчел. Не забывайте, мне не по вкусу, что вы здесь ошиваетесь, — произнес наконец хозяин и зашагал прочь, прежде чем она успела что-либо ответить.

Осторожно оглядевшись, чтобы убедиться, что Эдвард видел, куда она пошла, Рэчел направилась в закусочную. В кладовке она обнаружила все моющие и чистящие средства и приспособления, которые были ей нужны, но сейчас ее больше всего привлекал кофейник на стойке. Видно, Боннер рассчитывал на двоих — если, конечно, он не был кофеманом. Протянув руку к кофейнику, Рэчел до краев наполнила пластиковую чашку темно-коричневой, почти черной жидкостью. Молока ей найти не удалось. Кофе был на редкость крепкий, но она, прихлебывая его из чашки по пути в женскую уборную, наслаждалась каждым глотком.

Трубы и сантехника оказались старыми и грязными, но все же были в рабочем состоянии. Решив начать с самого трудного, Рэчел принялась отмывать и отскребать засохшую и окаменевшую мерзость, о происхождении которой ей даже думать было противно. Вскоре она услышала у себя за спиной легкие шажки.

— Ну и гадость, — произнес Эдвард.

— Да ладно тебе.

— Я еще помню те времена, когда мы были богатыми.

— Тебе было всего два года, ты не можешь этого помнить.

— А я помню. В моей спальне на стенах были нарисованы поезда.

Рэчел сама оклеивала спальню сына бело-голубыми обоями, разрисованными поездами всех цветов радуги. Детская и ее спальня были единственными комнатами в ужасном доме Дуэйна, которые ей было позволено оформить своими руками и в соответствии со своими вкусами, и поэтому она старалась проводить как можно больше времени именно в них.

— Ладно, я, пожалуй, пойду отсюда, — сказал Эдвард.

— Я тебя понимаю.

— Он меня еще ни разу не засек.

— Ты у меня ловкач, дружище.

— Мам, а у тебя на штанах дырка, — вдруг хихикнул мальчик и, осторожно высунув голову за дверь, чтобы убедиться, что поблизости нет *Придурка*, исчез.

Рэчел улыбнулась и снова принялась за работу. Она уже давно не слышала, как сын смеется. Похоже, он получал удовольствие от игры в прятки, а пребывание на относительно свежем воздухе было ему на пользу.

К часу дня она закончила уборку в шести кабинках, между делом по меньшей мере дюжину раз проверив, все ли в порядке с Эдвардом. Когда она наконец выпрямилась, от усталости у нее кружилась голова.

— Мне совсем не нужно, чтобы вы опять свалились в обморок, — раздался у нее за спиной резкий голос. — Передохните немного.

Распрямив спину, Рэчел оперлась на железное колено трубы и посмотрела на Боннера, заслонившего собой дверной проем.

— Я сделаю это, когда устану, — ответила она. — Пока этого не произошло.

— Ладно, ваше дело. Там в закусочной я оставил для вас гамбургер и еще кое-что из еды. Если вы себе не враг, пойдите и перекусите.

Боннер повернулся и пошел прочь, и в следующий момент Рэчел услышала звук его шагов на металлической лестнице, ведущей в проекционную над закусочной.

Сдерживая нетерпение, она быстро вымыла руки, прошла в закусочную и обнаружила на стойке пакет из «Макдоналдса». В течение нескольких секунд она стояла неподвижно, принюхиваясь к божественному аромату, так хорошо знакомому любому американцу. Она работала на пустой желудок с шести часов утра без всякой передышки, и теперь ей просто необходимо было что-нибудь съесть. Но только не это. Такую еду она считала для себя слишком большой роскошью.

Осторожно, так, чтобы ее не увидел Боннер, она отнесла бесценный пакет к тому месту на игровой площадке, где прятался Эдвард.

— Сюрприз, мопсик, — сказала она. — Сегодня тебе везет.

— Это из «Макдоналдса»! — обрадованно воскликнул мальчик.

— Причем все самое лучшее.

Рэчел невольно рассмеялась, глядя, как Эдвард нетерпеливо вскрыл пакет и принялся поглощать гамбургер. Пока он ел, Рэчел достала из их тайника с продуктами кусок хлеба, намазала его тонким слоем арахисового масла, положила сверху еще кусок хлеба и поднесла бутерброд ко рту.

— Хочешь жареной картошки? — предложил Эдвард.

Рот Рэчел мгновенно наполнился слюной.

— Нет, спасибо. Для женщин моего возраста жареное вредно.

Она откусила еще кусок от своего бутерброда и пообещала себе, что, если ей удастся найти припрятанные Дуэйном пять миллионов долларов, она никогда больше не станет есть арахисовое масло.

Два часа спустя она закончила прибираться в уборной. Взяв в руки скребок для зачистки стен перед окраской, она уже направилась было к покрытым облупившейся краской металлическим дверям, как вдруг до нее донесся гневный крик:

— Рэчел!

Интересно, что теперь она сделала не так, подумала женщина. Она резко наклонилась, чтобы положить скребок на пол, а когда выпрямилась, голова у нее слегка закружилась. Рэчел подумала, что дурнота сейчас пройдет, но этого не случилось. С каждой секундой ей становилось все хуже и хуже.

— Рэчел! Идите сюда!

Когда она подошла к двери, ее на какой-то момент ослепили яркие лучи солнца, но как только ее глаза привыкли к свету, она приложила руку к груди и тихонько ахнула.

Боннер держал Эдварда за шиворот, словно щенка. Ноги ребенка, обутые в пыльные черные тапочки, беспомощно болтались в воздухе, футболка врезалась ему в подмышки, обнажив узкую грудную клетку с резко выступающими ребрами. Из-под футболки была видна нежная, незагоревшая детская кожа с голубыми прожилками вен. Плюшевый кролик по кличке Хорс, выпавший из рук мальчика, лежал на земле.

Кожа Боннера над крутыми скулами была бледной как полотно.

— Я предупреждал вас, чтобы вы его сюда не приводили.

— Отпустите Эдварда! — выкрикнула Рэчел, бросаясь вперед. — Вы его пугаете!

— Я вас предупреждал. Я говорил, что ему здесь не место. Тут слишком опасно, — проскрипел Боннер, опуская мальчика на землю.

Освободившись от его руки, Эдвард тем не менее продолжал стоять, застыв на месте. Он снова почувствовал на себе чудо-

вищную силу взрослого человека, гнев которого он не мог ни
понять, ни объяснить, а тем более не был в состоянии сопротивляться ему. Его беспомощность подхлестнула Рэчел. Она под-
хватила с земли игрушку, обняла сына и прижала к себе.

— А куда же мне его девать?! — крикнула она.

— Это не моя проблема.

— Вам легко говорить. Сразу видно, вы не знаете, что такое
ответственность за ребенка!

Наступила долгая пауза. Секунда тянулась за секундой, а
Боннер все молчал. Но вот его губы задвигались, и он коротко
бросил:

— Вы уволены. Убирайтесь отсюда.

Эдвард, обхватив мать руками за шею, зарыдал.

— Прости меня, мама. Я старался, чтобы он меня не увидел,
но он меня поймал.

У Рэчел защемило сердце, она почувствовала, что колени у
нее подгибаются. Ей хотелось обругать Боннера за то, что он
напугал малыша, но она знала: от этого Эдварду будет только
хуже. Да и какой в этом прок? Достаточно было бросить на лицо
Боннера даже беглый взгляд, чтобы понять: решение его окончательное.

Хозяин придорожного кинотеатра достал из заднего кармана
бумажник, выудил оттуда несколько банкнот и протянул Рэчел:

— Вот, возьмите.

Она посмотрела на деньги и заколебалась. Ей уже пришлось
пожертвовать ради ребенка практически всем. Следовало ли теперь растоптать последнюю частичку гордости, которая оставалась в ее душе?

Рэчел медленно протянула руку и взяла кредитки, чувствуя,
как внутри у нее словно что-то умерло. Ощущая, как под ее
рукой вздымается и опадает грудь Эдварда, она погладила его по
голове.

— Ш-ш, тише, милый. — Она легонько поцеловала волосы
сына. — Ты ни в чем не виноват.

— Он меня заметил.

— Только под самый конец дня. Он такой тупой, что ему понадобился целый день, чтобы тебя обнаружить. Ты просто молодец.

Не оглядываясь, она повела Эдварда на детскую площадку, где остались их вещи. Собрав скудные пожитки, она направилась к выходу, отчаянно моргая, чтобы сдержать подступавшие к глазам слезы, и думая о том, что поступить так, как поступил Боннер, мог только совершенно бесчувственный человек.

Покидая придорожный кинотеатр «Гордость Каролины», Рэчел испытывала огромное желание броситься вниз с какого-нибудь обрыва и разбиться насмерть.

Габриэль Боннер, бездушный и бесчувственный человек, в эту ночь плакал во сне. Часа в три, задолго до рассвета, он вдруг проснулся и обнаружил, что подушка у него мокрая, а во рту стоит отвратительный металлический привкус горя.

Ему снова приснились Черри и Джейми, его жена и сын. Только на этот раз вместо любимого лица Черри почему-то всплыло худое, дерзкое лицо Рэчел Стоун, а его сын Джейми, лежа в гробу, держал в руках истрепанного игрушечного плюшевого кролика.

Спустив ноги с кровати, Боннер долго сидел, ссутулив плечи и спрятав лицо в ладонях. Наконец он выдвинул ящик прикроватной тумбочки и достал оттуда «смит-и-вессон» тридцать восьмого калибра.

Лаская ладонь приятной тяжестью, револьвер мгновенно нагрелся от прикосновения его руки.

А теперь возьми и сделай это. Сунь ствол в рот и нажми на спусковой крючок.

Гейб поднес дуло к губам и закрыл глаза. Прикосновение стали показалось ему поцелуем, а негромкий цокающий звук, с которым ствол револьвера легонько ударился о его передние зубы, доставил настоящее наслаждение.

Однако он чувствовал, что не может надавить на спуск, и на какой-то краткий миг в его сердце неожиданно вспыхнула ненависть к своим родным из-за того, что они не давали ему нырнуть в благословенное забвение, которого он так жаждал. Он знал, что ни его мать, ни его отец, ни оба его брата просто не смогут перенести его самоубийства. Их упрямая, безжалостная любовь обрекала его на муки, заставляя продолжать жить в мире, который он не мог больше выносить.

Боннер положил револьвер обратно в ящик и взял оттуда же фотографию в рамке. С нее ему улыбалась его жена Черил, красавица Черил, которая любила его, которая так любила смеяться вместе с ним и была женщиной, о которой мечтает каждый мужчина. Рядом с женой на фотографии был и его сын Джейми.

Гейб большими пальцами осторожно погладил рамку, и ему показалось, что незаживающая рана в его сердце сочится не кровью — из нее давно уже вытекла вся кровь, — а густой, похожей на желчь жидкостью, которой наполнило все его жилы бездонное горе.

Мой сын.

Многие говорили ему, что через год боль утраты начнет утихать, но это была ложь. Больше двух лет прошло с того дня, когда его жену и сына убил какой-то пьяный водитель, несшийся на красный свет, но боль за это время лишь усилилась. Большую часть этого времени он прожил в Мексике, напиваясь до потери сознания текилой и накачиваясь транквилизаторами. Четыре месяца назад братья приехали за ним, чтобы забрать домой. Гейб выругался в лицо Этану и ударил Кэла, но это не помогло: они привезли его в Солвейшн. Когда они вылечили его от алкоголизма, выяснилось, что душа его мертва. В ней не осталось никаких чувств. Никаких...

Так было до вчерашнего дня. Но вдруг что-то произошло. Перед глазами у Гейба стояло обнаженное худое тело Рэчел. Она была почти скелетом — на ее теле можно было пересчитать все ребра. Должно быть, жизнь и в самом деле обошлась с ней сурово, если она предложила ему себя в обмен на работу. Гейб до сих пор не мог понять, как это могло произойти, но его тело отозвалось на обращенный к нему призыв. Он просто не мог в это поверить.

После гибели Черри он только раз видел обнаженную женщину. Это была мексиканская проститутка с роскошными формами и сладкой улыбкой. Гейбу на какой-то момент показалось, что близость с ней поможет хоть немного унять терзающую его боль. Однако ничего у него не вышло: слишком много он выпил, слишком много проглотил таблеток, слишком сильны были его страдания.

Гейб не вспоминал о ней до вчерашнего дня, но именно вчера этот случай невольно всплыл в памяти. Он не мог не подивиться тому, что Рэчел Стоун с ее худобой и глазами, в которых читался вызов, удалось сделать то, что оказалось не под силу опытной мексиканской путане, — пробить брешь в стене, которой он себя окружил.

Боннер вспомнил, как утомленная любовью Черри, лежа в его объятиях и гладя волосы на его груди, говорила: *Я люблю тебя за твою доброту, Гейб. Ты самый добрый мужчина, которого я когда-либо знала.*

Теперь он больше не был добрым. Доброта исчезла из его испепеленной души. Он положил фотографию обратно в ящик и, подойдя к окну, стал смотреть в темноту.

Рэчел Стоун не знала об этом, но увольнение было далеко не самым страшным из того, что с ней до сих пор случалось.

Глава 5

— Вы не имеете права! — выкрикнула Рэчел. — Мы никому не мешаем.

Офицер полиции, на нагрудном значке которого можно было прочитать надпись «Армстронг», не обращая на женщину никакого внимания, повернулся к водителю грузовика-буксира.

— Давай, Дили. Убери отсюда этот хлам.

Словно во сне, Рэчел смотрела, как грузовик подъехал к ее машине. С того момента, как Боннер ее уволил, прошло около двадцати четырех часов. Она была так измучена и настолько плохо себя

чувствовала, что у нее просто ни на что не было сил. Все это время
она провела около своего «шевроле», ничего не делая. Затем офицер
полиции, проезжавший по шоссе, увидел в кустах блик — отражение солнца от лобового стекла автомобиля — и остановился, чтобы
проверить, в чем дело.

Как только он ее увидел, Рэчел поняла, что впереди одни
неприятности. Оглядев ее с ног до головы, он сплюнул.

— Кэрол Деннис сказала мне, что вы вернулись в город.
Это был не самый умный поступок, миссис Сноупс.

Рэчел объяснила ему, что после смерти мужа она снова взяла
свою прежнюю фамилию — Стоун. Однако, несмотря на то что
она показала ему свои водительские права, полицейский, обращаясь к ней, упорно продолжал называть ее по фамилии покойного
супруга. Он приказал ей убрать «импалу» из кустов, а когда она
сказала, что автомобиль не на ходу, вызвал буксировщика.

Увидев, как Дили вылез из кабины грузовика и направился к ее автомобилю, чтобы зацепить его крюком, Рэчел отпустила руку Эдварда и, бросившись наперерез, преградила
мужчине дорогу.

— Не делайте этого! Пожалуйста. Мы ведь никому не при-
чиняем вреда.

Заколебавшись, Дили взглянул на Армстронга, однако полицейский, с жесткими, словно проволока, соломенного цвета волосами и морщинистым лицом с недобрыми глазами, и бровью не
повел.

— Отойдите, миссис Сноупс, — сказал Армстронг. — Эта
земля — частное владение, а не муниципальная автостоянка.

— Я знаю, но мы здесь долго не задержимся. Пожалуйста.
Разве вы не можете сделать мне небольшое послабление?

— Еще раз повторяю: отойдите, или мне придется арестовать вас за вторжение в частное владение, миссис Сноупс.

Рэчел видела — полицейский наслаждается ее беспомощно-
стью. Она поняла: он ни за что не уступит.

— Моя фамилия Стоун, — в который уже раз повторила
она, глядя, как Дили подцепляет крюк к ее машине, чтобы при-

поднять за задний мост, и чувствуя, как Эдвард снова ухватился за ее руку.

— Всего несколько лет назад вы не признавали никаких других фамилий, кроме Сноупс, — сказал Армстронг. — Мы с женой регулярно посещали храм. Шелби даже пожертвовала на помощь сиротам наследство, которое досталось ей после смерти матери. Сумма была небольшая, но для нее эти деньги много значили, и она до сих пор не может забыть, как ее обманули.

— Я... Мне очень жаль, но вы можете своими глазами убедиться: ни мой сын, ни я на этом не нажились.

— Все равно, кто-то на этом хорошо поживился.

— Что, Джейк, какие-нибудь проблемы?

От звука негромкого, бесстрастного голоса, который она сразу узнала, сердце Рэчел замерло. Эдвард прижался к ее боку. Она-то решила, что после вчерашнего никогда больше не встретится с Боннером, и невольно поежилась, гадая, какие еще неприятности обрушатся на ее голову с его появлением.

Боннер молча оглядел всех присутствующих сквозь зеркальные очки. Рэчел вспомнила, что сказала ему, будто ночевала у подруги, и теперь было ясно — эта ложь выплыла наружу. Тем временем Гейб небрежно окинул взглядом «импалу», стоящую на земле только передними колесами, и лежащие рядом с ней пожитки Рэчел, которая почувствовала себя не в своей тарелке оттого, что хозяин придорожного кинотеатра увидел ее жалкий скарб.

Армстронг в знак приветствия кивнул Боннеру:

— Здорово, Гейб. Похоже, вдова Сноупс вторглась на твою территорию.

— Вот оно что.

Полицейский снова принялся допрашивать Рэчел, причем чувствовалось, что присутствие Боннера сделало его еще более агрессивным.

— У вас есть работа, миссис Сноупс? — осведомился он.

Стараясь не смотреть на Гейба, Рэчел устремила взгляд на удаляющуюся «импалу».

— В данный момент нет. Повторяю еще раз, моя фамилия Стоун.

— Так, значит, у вас нет работы и, судя по всему, нет денег. — Армстронг потер ладонью подбородок.

Рэчел обратила внимание, что кожа у него была красноватого оттенка, как у людей, которые легко обгорают, но при этом постоянно торчат на солнцепеке.

— Пожалуй, мне следует арестовать вас за бродяжничество. Хорошенькая будет тема для газет! Подумать только — женушка Дуэйна Сноупса арестована за бродяжничество.

Рэчел поняла, что подобная перспектива доставляет немалое удовольствие и самому офицеру Армстронгу. Эдвард прижался щекой к ее бедру, и она ободряюще похлопала сына по спине.

— Я вовсе не бродяжничаю.

— А мне вот кажется, что так оно и есть. Если вы не бродяжничаете, то скажите, на какие средства содержите вашего ребенка.

Рэчел почувствовала приступ настоящей паники. Ей захотелось схватить Эдварда на руки и убежать без оглядки. Глаза Армстронга сверкнули, он уловил ее страх.

— У меня есть деньги, — сказала она.

— Ну еще бы, — процедил полицейский.

Не глядя на Боннера, Рэчел запустила руку в карман платья и вытащила оттуда полученные от него сто долларов мелкими купюрами.

Вразвалку подойдя к ней, Армстронг взглянул на банкноты, зажатые в руке.

— Да этого едва хватит, чтобы расплатиться с Дили за буксир. А когда вы истратите эти деньги, что намерены делать?

— Устроиться на работу.

— Только не в Солвейшн. Здешним жителям не нравится, когда кто-нибудь, прикрываясь именем Всевышнего, пытается по-быстрому хапнуть деньжат. Если вы рассчитываете, что здесь вас кто-нибудь наймет, то сильно ошибаетесь.

— В таком случае я отправлюсь искать работу куда-нибудь еще.

— Ага, и потащите за собой вашего мальчишку, так я полагаю. — На физиономии полицейского появилось неприятное хитрое выражение. — Думаю, у служб социального обеспечения может быть на этот счет свое мнение.

Рэчел разом словно окаменела. Армстронг, почувствовав это, сразу понял, где ее самое уязвимое место. Эдвард крепко вцепился ручонками в юбку матери, которая изо всех сил старалась не показать ему, что она потрясена и напугана.

— Моему сыну хорошо со мной.

— Может, так, а может, и нет, — возразил полицейский. — Я вам вот что скажу: сейчас я отвезу вас в город, а оттуда позвоню людям, которые занимаются этими вопросами. Пусть они решают.

— Вас это не касается! — крикнула Рэчел и крепче прижала к себе сына. — Никуда я не поеду.

— Еще как поедете.

Рэчел попятилась, таща за собой Эдварда.

— Нет. Я не позволю вам нас забрать.

— Вот что, миссис Сноупс, думаю, вам лучше не добавлять ко всему еще и сопротивление при аресте.

Женщине показалось, что в ее голове с оглушительным звуком что-то взорвалось.

— Я не сделала ничего плохого, и я не позволю вам нас арестовывать!

Увидев, как Армстронг отцепляет от пояса наручники, Эдвард издал тихий возглас, полный ужаса.

— Решайте сами, миссис Сноупс, — процедил офицер. — Ну так как, поедете добровольно?

Рэчел понимала, что просто не может допустить, чтобы Армстронг ее арестовал. Она знала: это может кончиться тем, что ее лишат сына. Подхватив Эдварда на руки, она уже готова была броситься бежать, как вдруг Боннер шагнул вперед.

— Зачем ее арестовывать, Джейк? — спросил он с каменным лицом. — Она не бродяга.

Руки Рэчел крепче обхватили сына, так что от боли он даже вздрогнул и поморщился. Что это, подумала женщина, какой-то очередной жестокий трюк?

Армстронг выругался. Он был явно не в восторге от того, что кто-то вмешался в его действия.

— Ей негде жить, и у нее нет ни денег, ни работы.

— Она не бродяга, — снова повторил Боннер.

Полицейский переложил наручники из одной руки в другую.

— Гейб, я знаю, ты вырос в Солвейшн, — сказал он, — но когда Дуэйн Сноупс выпотрошил этот город, а заодно и чуть не весь округ, тебя здесь не было. Так что лучше дай мне сделать то, что я считаю нужным.

— Я думал, речь идет не о том, что было в прошлом, а о том, является ли Рэчел бродягой или нет.

— Не лезь в это дело, Гейб.

— У нее есть работа. Она работает у меня.

— С каких это пор?

— Со вчерашнего утра.

Рэчел наблюдала за словесным поединком мужчин, и сердце ее колотилось с такой силой, что, казалось, вот-вот оно выпрыгнет из груди. Вид у Боннера был весьма внушительный, и в конце концов Армстронг отвернулся и, не скрывая недовольства по поводу того, что Гейб помешал ему исполнить свои намерения, снова пристегнул наручники к поясу.

— Я буду присматривать за вами, миссис Сноупс. И мой вам совет: прежде чем что-либо сделать, подумайте как следует. Ваш муж нарушил едва ли не все существующие законы, и ему это сошло с рук, но поверьте, если я уж говорю, что вам такого счастья не обломится, то так и будет.

Закончив тираду, полицейский зашагал прочь. Только когда он скрылся из виду, Рэчел разжала объятия и позволила Эдварду соскользнуть на землю. Сейчас, когда опасность была позади, ее тело предало ее. Сделав несколько неуверенных шагов, она прислонилась к стволу дерева, чтобы не упасть. Хотя она знала, что должна поблагодарить Боннера, слова словно застряли у нее в горле, и она была просто не в состоянии что-либо сказать.

— Ты сказала мне, что будешь ночевать у подруги, — заметил Боннер.

— Просто мне не хотелось, чтобы вы знали, что мы живем в машине.

— Зайди сейчас же в кинотеатр, — сказал он и удалился.

Гейб был в бешенстве. Если бы он не вмешался, Рэчел бросилась бы наутек, тем самым дав Джейку предлог для ареста. Впрочем, теперь он уже жалел о том, что не позволил Армстронгу ее увезти.

Он услышал у себя за спиной ее шаги. Потом до него донесся голос мальчика:

— А теперь, мама? Теперь мы не умрем?

Сердце Боннера пронзила боль. Он давно уже не испытывал никаких чувств, но при виде Рэчел и ее сына его начавшие было заживать раны снова открылись.

Гейб зашагал быстрее, убеждая себя, что у этой женщины нет никакого права вторгаться в его жизнь. Он не хотел ничего, кроме одиночества. Именно по этой причине он и купил этот чертов кинотеатр у дороги. Здесь он мог вроде бы находиться в самой гуще жизни и в то же время оставаться наедине с собой.

Он подошел к своему пикапу, который стоял на солнце с опущенными стеклами, распахнул дверцу и поставил машину на ручной тормоз, а затем обернулся и уставился на приближающихся женщину и мальчика.

Поймав его взгляд, Рэчел тут же, продолжая идти прямо к нему, распрямила спину. Мальчик, однако, повел себя гораздо осторожнее. Он начал замедлять шаг, пока не остановился совсем. Рэчел наклонилась, чтобы приободрить его, и ее растрепавшиеся волосы на какой-то миг закрыли лицо сына, словно занавес. Налетел порыв ветра, и платье облепило ее худые бедра. Ноги ее казались слишком тонкими для тяжелых мужских полуботинок, в которые она была обута. Тем не менее Боннер почувствовал внизу живота какое-то странное, давно забытое напряжение и содрогнулся от отвращения к себе.

— Полезай сюда, паренек, — кивнул он в сторону пикапа. — Побудь здесь, пока я поговорю с твоей мамой. Только будь поосторожнее, понял?

Нижняя губа мальчика задрожала, и в сердце Боннера снова кинжалом вонзилась боль. Он слишком хорошо помнил другого малыша, у которого тоже иногда начинала дрожать нижняя губа. Боль была невероятно сильной, и Гейбу на какой-то момент показалось, что он вот-вот потеряет сознание.

Однако этого не случилось. Рэчел стояла перед ним и, несмотря на его явно враждебный настрой, смотрела прямо ему в глаза.

— Он останется со мной, — сказала она.

Боннер почувствовал, что не может больше переносить ее упрямство. Она была одна, совершенно одна. Неужели она не отдавала себе отчет в собственной беззащитности? Неужели не понимала, что ей никто, никто не поможет?

Так или иначе, но в душе Боннер вынужден был признать то, что пытался скрыть от себя: Рэчел Стоун была явно сильнее его.

— Мы можем поговорить с глазу на глаз или при нем — это твое дело, — сказал он.

Ей хотелось обругать его последними словами, но все же она сдержалась и кивком дала понять сыну, чтобы тот забрался в пикап. Джейми в этом случае вскочил бы на сиденье одним упругим прыжком, но маленький Эдвард залезал в кабину долго и с явным трудом. Она сказала, что ему пять лет... Именно столько было Джейми, когда он погиб. Но Джейми был высоким и сильным, с гладкой загорелой кожей, со смеющимися глазами, а его мысли были постоянно заняты разными проказами. Сын Рэчел в отличие от него был слабым и застенчивым. От этого сравнения у Боннера опять защемило сердце.

Тем временем Рэчел захлопнула дверцу пикапа и заглянула в кабину. Маленькие груди ее прижались к дверце, и Боннер смотрел на них, не отводя глаз.

— Оставайся здесь, милый, — сказала Рэчел. — Я вернусь через несколько минут.

Гейб едва не заплакал, увидев, как на лице мальчика появилось выражение тревоги. Но он знал: от этого ему станет еще больнее, и потому решил, что будет лучше, если он попытается заглушить свою боль грубостью.

— Прекрати сюсюкать, Рэчел, и заходи в дом.

Рэчел снова расправила плечи и вздернула подбородок. Несмотря на то что слова Гейба мгновенно привели ее в ярость, она даже не посмотрела на него, когда, исполненная собственного достоинства, проходила в дверь кинотеатра. Боннеру ничего не оставалось, как последовать за ней, но при этом он не мог не признать, что со стороны вид у него в этот момент был, по всей вероятности, довольно жалкий.

Словно какой-то вредоносный паразит, поселившийся у него внутри, злоба — кусок за куском — пожирала его душу. Да, Рэчел потерпела поражение, но она не желала признавать этого, и для Боннера это почему-то было непереносимо. Он должен был увидеть ее побежденной и униженной, увидеть, как последняя тень надежды исчезает из ее глаз, а душа ее становится такой же пустой, как у него. Ему отчего-то хотелось заставить ее примириться со всем тем, с чем уже примирился сам: в жизни случается такое, после чего существование становится невыносимым.

Захлопнув двери кинотеатра, Гейб запер их на засов.

— Ты делаешь из своего мальчишки слюнтяя, — сказал он. — Хочешь вырастить неженку, который всю жизнь будет цепляться за твою юбку?

— Как я воспитываю своего сына — это вас не касается.

— А вот тут ты ошибаешься. Меня все касается. Не забывай: стоит мне сделать один телефонный звонок, и ты окажешься в тюрьме.

— Ах ты, сволочь.

Боннера обдало жаркой волной гнева. Он понял, что собственная жестокость начинает надрывать ему сердце. А значит, если он не оставит Рэчел в покое, сердце его просто сгорит, и от него ничего не останется, кроме кучки пепла. Он ухватился за эту мысль, как утопающий хватается за соломинку.

— Верни мне деньги.

— Что?

— Я хочу, чтобы ты немедленно вернула мне деньги, потому что ты их не заработала.

Сказав это, Боннер почувствовал, как какая-то часть его сердца словно разбилась вдребезги, и мысленно поздравил себя с этим: похоже, он был на правильном пути.

Сунув руку в карман, Рэчел достала банкноты и швырнула их ему в лицо. Они рассыпались по полу, словно осколки разбитой мечты.

— Желаю тебе, чтоб ты подавился каждым пенни.

— Собери их.

Вместо ответа Рэчел размахнулась и влепила ему звонкую пощечину.

Сил у нее, правда, было мало, но она восполнила их недостаток злостью, которую вложила в свой удар. Голова Боннера мотнулась в сторону. От боли во всем его теле бурно запульсировала кровь, а этого он как раз и не хотел, потому что это могло разбудить уже умершую душу, которая, ожив, принесла бы ему одни страдания.

— Раздевайся.

Эти слова родились в самом черном, мертвом уголке больной души Боннера неожиданно для него самого. От них ему самому стало дурно, но он все же произнес их. Рэчел нужно было только дать ему понять, что ей страшно. И тогда он бы отпустил ее. Ей достаточно было просто признать поражение, но вместо этого она с сердцем сказала:

— Катись ты к черту.

Боннер снова, в который уже раз поразился. Неужели ей непонятно, что рядом никого нет? Что она заперта в помещении с крупным, сильным мужчиной, который мог бы справиться с ней за считанные секунды? Почему же она его не боялась?

Гейба внезапно озарило, что это и есть самый подходящий способ покончить с собой. Он почувствовал, что если станет и дальше так продолжать, то умрет от презрения к себе.

— Делай, что я сказал, — грубо бросил он.

— Зачем?

И все-таки, где ее страх? Схватив Рэчел за плечи, Боннер притиснул ее к стене и вдруг услышал, как голос Черри шепнул ему в ухо: *Я люблю тебя за твою доброту, Гейб. Ты самый добрый мужчина из всех, кого я когда-либо знала.*

Боннер прекрасно понимал, что этот голос способен лишить его остатков воли, превратить в желе, и, чтобы заглушить Черри, сунул руку под платье Рэчел и схватил за бедро.

— Что тебе от меня надо? — спросила она. На этот раз в ее голосе не было гнева — одно удивление.

Внезапно Боннер уловил легкий, теплый, чудный аромат ее волос.

— Потрахаться, — грубо ответил он, чувствуя, как к глазам подступают слезы, которым он никогда и ни за что на свете не дал бы пролиться.

Рэчел пронзила его взглядом зеленых глаз.

— Нет. Тебе не этого хочется.

— Мне лучше знать.

Несмотря ни на что, Боннер возбудился. Хотя в душе его не было ни малейших признаков похоти, тело, как видно, жило своей, совершенно отдельной жизнью. Он прижался к Рэчел, желая дать ей почувствовать, что она не права, и, ощутив под своими ладонями кости ее таза, еще раз невольно подивился, насколько она худа. Опустив руку чуть ниже, он потрогал пальцами нейлоновые трусики и вспомнил, что два дня назад на ней были синие.

Внезапно он покрылся обильным потом. Под его мозолистой ладонью ее кожа казалась тонкой, словно яичная скорлупа. Запустив руку между ног Рэчел, он накрыл ладонью ее лоно.

— Ну что, сдаешься?

Только после этих слов он понял, что они прозвучали так, словно Гейб и Рэчел играли в какую-то детскую игру. По телу женщины пробежала легкая дрожь.

— Я не собираюсь с тобой драться, — сказала она. — Наплевать мне на все.

Итак, он не смог ее сломить. У него возникло ощущение, что он просто дал очередное задание человеку, который у него работает: убрать мусор, вычистить сортир. Раздвинуть ноги, чтобы он мог ее трахнуть. Покорность Рэчел взбесила его, и он одним движением задрал ей платье до самой талии.

— Черт побери! Ты такая тупая и не понимаешь, что я собираюсь с тобой сделать?

Рэчел снова пронзила его взглядом.

— А ты такой тупой, что до сих пор не сообразил: мне все равно?!

Ответ Рэчел лишил Боннера дара речи. Лицо его исказилось, дыхание стало прерывистым. Ему показалось, будто он только что заглянул в глаза дьяволу и увидел в них свое отражение.

Издав глухой возглас, он отшатнулся от нее, на какой-то миг увидев розовые трусики Рэчел. Ее платье с легким шелестом опустилось. Желание, наполнявшее все тело Боннера, разом пропало.

Он отошел от Рэчел как можно дальше, к самой стойке закусочной, и, собравшись с духом, едва слышно прошептал:

— Подожди меня во дворе.

Любая женщина в этой ситуации бросилась бы наутек, но только не Рэчел Стоун. Высоко держа голову, она не торопясь пошла к двери.

— Возьми деньги, — с трудом выдавил Боннер.

Он думал, что Рэчел пошлет его ко всем чертям и уйдет, но снова, в который уже раз недооценил ее. Рэчел Сноупс оказалась выше ложной гордости. Она вышла из кинотеатра только после того, как подобрала с пола банкноты — все до единой.

Когда дверь за ней закрылась, Боннер тяжело оперся о стойку, а потом медленно сполз вниз и уселся прямо на пол, обхватив руками колени. Он неподвижным взглядом смотрел в пустоту, а в мозгу у него в это время, словно черно-белое кино, прокручивались последние два года его жизни. Теперь он ясно видел: все, что случилось с ним за это время, вело его к сегодняшнему дню — транквилизаторы, выпивка, одиночество.

Два года назад смерть отняла у него семью, а сегодня украла и чувство человечности. Боннеру стало страшно. Ему вдруг показалось, что эту потерю ему никогда не восполнить...

Глава 6

Работа у Этана Боннера была такая, что он по идее должен был любить всех людей без исключения. Тем не менее он презирал женщину, которая сидела рядом с ним в его «тойоте-камри». Выезжая на шоссе, он искоса окинул взглядом ее невероятно худую фигуру — на ней одежда сидела, как на вешалке, взглянул на ее рассыпавшиеся в беспорядке золотисто-рыжие волосы, которые три года назад, когда телекамеры снимали ее за знаменитой, как бы плавающей в воздухе кафедрой храма, были тщательно ухоженными и уложенными в безукоризненную прическу, на лицо без всяких признаков косметики, которая некогда покрывала его, как штукатурка.

Когда-то ее внешность напоминала ему некий гибрид Присциллы Пресли и старомодной исполнительницы песен в стиле кантри. Но теперь вместо дорогой одежды, обильно усыпанной блестками, на ней было заношенное линялое платье, одна из пуговиц явно не подходила к остальным. Она выглядела одновременно и моложе, и на десятки лет старше, чем та женщина, которая сохранилась в его памяти. Только ее не слишком крупные, правильные черты лица и чистый профиль остались теми же, что и были.

Он задумался о том, что могло произойти между ней и Гейбом, и от этих мыслей его возмущение лишь усилилось. Гейб, по мнению Этана, перенес слишком много, чтобы сейчас взваливать на свои плечи еще и груз ее проблем.

В зеркале заднего обзора Этан видел маленького сына Рэчел, который съежился на заднем сиденье среди жалкой кучки их с матерью барахла: раздобытые в прачечных пластиковые корзины с обломанными ручками, картонные коробки, связанные веревкой.

При виде всего этого душа Этана наполнилась одновременно гневом и чувством вины. Итак, он снова не оправдал оказанного ему доверия.

Ты с самого начала знал, что я не гожусь для того, чтобы быть священником, но разве Ты меня послушал? Нет, конечно. Только не Ты, Великий Всезнайка. Надеюсь, теперь Ты удовлетворен.

В голове у Этана, словно в ответ на его мысли, зазвучал голос, чрезвычайно похожий на голос Клинта Иствуда.

Брось хныкать, парень. Ты сам виноват, что два дня назад повел себя как болван и отказался помочь ей, так что не сваливай свою вину на Меня.

Именно в тот момент, когда Этан сам нуждался в сочувствии, к нему явился Иствуд. Впрочем, Этана это нисколько не удивило. Ему очень редко удавалось вызвать Бога именно в том обличье, которое было бы для него наиболее желательно. Более того, раз сейчас он хотел побеседовать с миссис Марион Каннингэм из «Счастливых дней», то было вполне логично предположить, что вместо этого он услышит голос Иствуда, как бы олицетворяющего собой всю строгость Ветхого Завета.

Ты сам напортачил, голуба, так что теперь тебе и расхлебывать.

Бог уже много лет беседовал с Этаном. Когда он был еще мальчиком, Всевышний разговаривал с ним голосом Чарлтона Хестона, что было весьма неудобно, поскольку ребенку весьма сложно воспринять все то, что тот проповедовал с горячностью и убежденностью истинного республиканца. Но по мере того как Этан взрослел и начинал все лучше осознавать силу и мудрость Всевышнего, Чарлтон исчез, как и детские игрушки мальчика, и его сменили три весьма известные личности, причем все они, исходя из общепринятых понятий, совершенно не подходили для того, чтобы представлять Бога и разговаривать с Этаном от его имени.

Этан часто думал, почему голоса, которые он слышал, не могли принадлежать более достойным, с его точки зрения, людям, например, Альберту Швейцеру, или, скажем, матери Терезе? Почему его вдохновителем не мог стать Мартин Лютер Кинг или Махатма Ганди? Но, увы, Этан в известном смысле был продуктом массовой культуры, поскольку точно так же, как и другие люди, любил кинофильмы и телевидение и, соответственно, был подвержен их влиянию, а они навязывали своих кумиров.

— Вам не холодно? — спросил он, стараясь как-то разрядить напряженную атмосферу. — Я могу выключить кондиционер.

— Спасибо, не надо. Все нормально, святой отец.

Это было сказано уверенно и, как показалось Этану, нагло. Он невольно стиснул зубы и мысленно обругал Гейба за то, что тот втянул его в эту историю. Однако, когда около часа назад Гейб позвонил ему по телефону, в голосе его звучало отчаяние и Этан не смог ему отказать.

Когда Этан подъехал к «Гордости Каролины», он увидел, что дверь закусочной заперта, а Рэчел и ее сын сидят на спине бетонной черепахи посреди детской площадки. Гейба нигде не было видно. Этан помог женщине погрузить в машину вещи, которые были сложены на обочине шоссе, и повез Рэчел и ее сына на гору Страданий, в коттедж Энни.

— Почему вы решили мне помочь? — спросила Рэчел, поглядев на него.

Он помнил, что раньше она была застенчивой, и потому прямота ее вопроса несколько смутила его.

— Потому что меня попросил об этом Гейб.

— Два дня назад он тоже вас об этом просил, но тогда вы ему отказали.

Этан ничего не ответил. По каким-то причинам, которые он не мог четко определить, эта женщина возмущала его даже больше, чем преподобный Дуэйн Сноупс. Ее муж был отъявленным мошенником, но Этану почему-то казалось, что Рэчел зашла по пути порока гораздо дальше своего супруга, хотя это, может быть, и не бросалось в глаза.

— Ладно, все нормально, святой отец, — с сухим смешком сказала Рэчел. — Я прощаю вас за то, что вы меня ненавидите.

— Это не так. Я вообще ни к кому не испытываю ненависти, — торжественно, пожалуй, даже напыщенно произнес Этан.

— Какое благородство души.

Презрение, явственно прозвучавшее в словах Рэчел, заставило Этана разозлиться. Какое она имела право говорить с ним снисходительным тоном после того, как она и ее муж причинили людям столько зла из-за своей алчности?

Ни одна из окрестных церквей не могла сравниться с городским храмом богатством и пышностью убранства. Ни одна из них не могла похвастаться хором, где певчие были в платьях, отделанных бусинками из горного хрусталя, или самыми современными техническими средствами, широко применявшимися Дуэйном Сноупсом для общения со своими прихожанами. В его интерпретации Иисус Христос и его учение были окружены мишурным блеском и эффектами, которые подходили скорее для казино в Лас-Вегасе. И надо признать, что этот подход, превращающий религию в своего рода шоу-бизнес, в сочетании с предлагаемыми преподобным Дуэйном Сноупсом легкими и простыми ответами на все вопросы весьма сильно действовал на горожан и на тех верующих, которые специально приезжали в Солвейшн, чтобы послушать его проповеди.

Как ни прискорбно, но они забирали и свои средства, зачастую обескровливая общественные благотворительные фонды, поддерживавшие в масштабах округа немало добрых начинаний. В результате довольно быстро захлебнулась местная программа по борьбе с наркотиками, та же участь постигла и проект обеспечения наиболее нуждающихся бесплатным питанием. Однако самой тяжелой потерей для округа был крах небольшой клиники, существовавшей и работавшей исключительно на пожертвования верующих, — гордости всех местных священников. Буквально на глазах все собранные ими средства, которые использовались для помощи бедным и неимущим, стали перетекать в бездонные карманы преподобного Дуэйна Сноупса. Рэчел, по мнению Этана, играла в этом неприглядном деле немаловажную роль.

Этан вспомнил день, когда он увидел, как она выходит из банка, и, подчинившись внезапному порыву, подошел к ней и представился. Он тогда рассказал ей о клинике, которая оказалась на грани закрытия. В тот момент ему показалось, что в глазах Рэчел, густо накрашенных, он уловил искреннее понимание и беспокойство.

— Мне очень тяжело это слышать, отец Боннер, — сказала Рэчел.

— Я никого ни в чем не обвиняю, — снова заговорил Этан, — но храм в Солвейшн стянул к себе столько верующих из остальных приходов, что другие церкви вынуждены сворачивать весьма полезные дела.

Этан заметил, как Рэчел Сноупс напряглась.

— Но не можете же вы обвинять церковь Солвейшн в том, что она чересчур популярна среди верующих?!

Пожалуй, Этану тогда следовало быть более тактичным, но, как назло, именно в тот момент крупные сапфиры в серьгах Рэчел Сноупс ярко блеснули под солнцем, и он невольно подумал, что даже одного из этих камней вполне хватило бы для того, чтобы клиника продолжала работать.

— Я только хочу сказать: было бы хорошо, если бы городской храм уделял несколько больше внимания нуждам местной общины, — не удержался он.

— Благодаря храму бюджет округа пополнился сотнями тысяч долларов.

— Эти сотни тысяч долларов поступили в сферу бизнеса, но не пошли на благотворительные цели.

— Вы, отец Боннер, по всей вероятности, не слишком внимательно следите за деятельностью храма. В противном случае вы бы знали, что он осуществляет целый ряд крупных благотворительных проектов. В частности, на наши средства содержатся сиротские приюты по всей Африке.

Этан с удовольствием взглянул бы на эти сиротские приюты, да и вообще ознакомился с финансовой деятельностью храма. Она вызывала у него много вопросов, и потому он не смог удержаться, чтобы не бросить в лицо Рэчел Сноупс:

— Видите ли, миссис Сноупс, не меня одного, а очень многих интересует, сколько из тех миллионов, которые ваш супруг собирает на нужды сирот, на самом деле попадают в Африку?

Зеленые глаза Рэчел Сноупс превратились в две льдинки: бурный темперамент, свойственный большинству людей с рыжими волосами, давал о себе знать.

— Вы напрасно злитесь на моего мужа за то, что по воскресеньям, благодаря его энергии и воображению, скамьи в его храме заполнены до отказа, — сухо сказала она.

— В отличие от вашего мужа я никогда бы не стал превращать обряд общения с Господом в спектакль, — заметил Этан, не сумев справиться с раздражением.

Если бы Рэчел тогда ответила ему с сарказмом, он, возможно, забыл бы о той встрече, но в ее последующих словах прозвучало что-то похожее на сочувствие.

— Может быть, в этом и кроется ваша ошибка, отец Боннер, — сказала она. — Все дело в том, что это не *ваш* обряд.

С этими словами Рэчел Сноупс повернулась и пошла прочь, а Этан, глядя ей в спину, с болью в душе вынужден был признаться себе, что грандиозный успех и популярность храма Дуэйна Сноупса лишь подчеркивали его, Этана, собственные слабости и недостатки.

Хотя проповеди Этана Боннера были тщательно продуманными и шли от самого сердца, в них не было ничего такого, что могло бы потрясти людей. Ни разу не было случая, чтобы у кого-нибудь из его прихожан на глазах выступили слезы. Этан не умел исцелять больных и калек, и церковь его не была забита народом и до того, как в Солвейшн появился преподобный Сноупс.

Может быть, именно этим объяснялась личная антипатия, которую Этан испытывал по отношению к Рэчел Сноупс. Она словно заставила его взглянуть в зеркало, в которое он сознательно не хотел заглядывать, и понять, что он совершенно не годится для того, чтобы быть священником.

Свернув с шоссе, Этан повел машину по узкой дороге, ведущей к коттеджу Энни на горе Страданий, что находился менее чем в миле от въезда в кинотеатр «Гордость Каролины».

— Мне жаль вашу бабушку, — заговорила Рэчел, заправляя за ухо растрепавшуюся прядь волос. — Энни Глайд была очень живая, общительная женщина.

— Вы знали ее?

— К сожалению, она с самого начала испытывала неприязнь к Дуэйну, и, поскольку ей не удавалось пробиться сквозь строй его телохранителей, чтобы хотя бы немного вразумить его, она делилась своими идеями со мной.

— Энни была женщиной строгих убеждений.

— Когда она умерла?

— Месяцев пять назад. Сердце отказало. Она прожила долгую и хорошую жизнь, и нам всем очень не хватает ее.

— С тех пор, как она умерла, ее дом пустует?

— До недавнего времени. Уже несколько недель, как там живет моя секретарша Кристи Браун. Она снимала квартиру, но срок аренды истек, а новый дом, в который она собирается переехать, еще не готов. Так что она временно поселилась в коттедже, принадлежавшем Энни.

— Я уверена, ей не понравится, если там появятся такие постояльцы, как мы, — сказала Рэчел, наморщив лоб.

— Это на несколько дней, — с явным нажимом произнес Этан Боннер.

Рэчел поняла его намек, но это не вызвало у нее никаких эмоций. «Несколько дней», — повторила она про себя. Для того чтобы добраться до шкатулки Кеннеди, этого было маловато.

Она подумала о незнакомой женщине, вместе с которой им предстояло прожить какое-то время, и решила, что той, наверное, их соседство тоже будет не очень приятно, если учесть, что речь идет не просто о некой женщине с ребенком, а о вдове Дуэйна Сноупса, которая пользуется в городке самой дурной славой. От всех этих мыслей у Рэчел разболелась голова, она прижала пальцы к виску.

Этан резко вывернул руль, чтобы не попасть колесами в выбоину, и Рэчел ударилась плечом о дверцу. Взглянув на заднее сиденье, чтобы убедиться, что с Эдвардом все в порядке, она увидела, как сын мертвой хваткой вцепился в своего кролика. Она почему-то вспомнила, как Гейб Боннер, просунув руку между ее ногами, крепко стиснул ее лоно.

Его жестокость была преднамеренной и хладнокровно рассчитанной, но она по какой-то неизвестной причине не напугала ее. Рэчел показалось, что в глазах Гейба была странная смесь боли и презрения к себе, но она совсем запуталась и уже ни в чем не была уверена.

Наконец машина миновала последний поворот и остановилась около коттеджа с покрытой жестью крышей, которую венчала кирпичная дымовая труба. С одной стороны от него простирался разросшийся, явно нуждающийся в уходе сад, с другой — деревья выстроились ровной шеренгой. Дом явно был старый, но стены его были аккуратно выкрашены белой краской. Свежей темно-зеленой краской были окрашены и оконные ставни. Короткое крыльцо в две ступеньки вело к двери, возле которой был укреплен старый флюгер.

Совершенно неожиданно из глаз Рэчел покатились слезы. Старый коттедж удивительно точно соответствовал ее понятиям о том, каким должен быть дом. В нем чувствовались какие-то удивительные прочность и стабильность, он вселял в душу спокойствие, уверенность в завтрашнем дне. Словом, все то, что она так хотела дать своему сыну, было воплощено в этом доме.

Этан выгрузил на крыльцо вещи, отпер входную дверь ключом и отступил в сторону, пропуская ее внутрь. Рэчел глубоко вздохнула. Сквозь окна струились солнечные лучи, отбрасывая золотистые блики на сложенный из камня камин. Мебель в доме была самая простая: деревянные плетеные стулья с подушками в ситцевых наволочках, сосновая доска умывальника с укрепленной над нею лампой, накрытой колпаком. Кофейным столиком служил старинный дубовый сундук, на который кто-то поставил кувшин с букетом диких цветов. На вкус Рэчел, все в доме выглядело просто замечательно.

— Энни собирала всякую дрянь, но я и мои родители после ее смерти почти все выбросили, — сказал Этан. — Мебель мы оставили, чтобы Гейб мог поселиться здесь, если у него будет такое желание, но он не захотел: с этим домом у него связано слишком много воспоминаний.

Рэчел хотела было спросить, какие это воспоминания, но Этан уже исчез за дверью, ведущей в кухню. Вскоре он вернулся, держа в руке связку ключей.

— Гейб просил отдать вам это.

Глядя на ключи, Рэчел поняла, что, попросив Этана передать их ей, Габриэль тем самым как бы признавал свою вину перед нею. И снова в памяти у нее всплыла отвратительная сцена в закусочной. Впечатление было такое, будто Гейб хотел причинить боль не столько ей, сколько себе самому. Она невольно содрогнулась, представив, какие еще странные способы самоуничтожения мог выбрать этот человек.

Следуя за Этаном, Рэчел, за которую цеплялся Эдвард, прошла на кухню. Там она увидела деревенский стол из грубо отесанных досок с изрезанной столешницей и стоящие вокруг него четыре стула с дубовыми спинками и сиденьями из камыша. Окна кухни прикрывали простые муслиновые занавески. Напротив буфета с выщербленными оловянными дверцами стояла белая эмалированная газовая плита времен Великой депрессии. Вдохнув запах старого дерева, Рэчел едва не разрыдалась.

Через заднюю дверь Этан провел ее и Эдварда вдоль боковой стены к гаражу, рассчитанному на одну машину. Одна из половинок двойных дверей, когда он открывал ее, заскребла по толстому слою накопившейся под ней грязи. Войдя следом за Этаном внутрь, Рэчел увидела старенький красный «форд-эскорт» бог знает какого года выпуска.

— Эта машина принадлежит моей невестке, — пояснил Этан. — У нее есть новый автомобиль, но она не хочет избавляться от этого. Гейб сказал, что вы можете пользоваться им пару дней.

Рэчел вспомнила похожую на школьницу блондинку на фотографии в журнале «Пипл» и подумала, что такую женщину, как Джейн Дарлингтон Боннер, трудно представить за рулем подобной машины, однако ничего не сказала, чтобы не спугнуть счастье. Как-никак, она получила все, в чем нуждалась: работу, жилье, транспорт, дающий свободу передвижения. Однако в то же время она не могла не понимать, что всем этим она обязана Гейбу Боннеру и чувству вины, которое он почему-то испытывал по отношению к ней.

Рэчел осознавала, что в тот самый момент, когда это чувство ослабеет или вовсе исчезнет, Гейб Боннер скорее всего разом лишит ее всего этого, а значит, ей надо действовать быстро. Она должна как можно скорее добраться до шкатулки.

— А вы не боитесь, что я смоюсь вместе с машиной вашей невестки и вы ее больше никогда не увидите? — поинтересовалась Рэчел.

Этан с отвращением взглянул на развалюху и протянул ключи.

— Не может быть, чтобы нам так повезло, — сказал он и зашагал прочь. Потом Рэчел услышала, как взревел двигатель его автомобиля. В это время к ней подошел Эдвард.

— Он правда отдал нам эту машину? — спросил мальчик.

— Мы просто берем ее взаймы на какое-то время, — ответила Рэчел, которой старенький «форд-эскорт», несмотря на его плачевное состояние, показался самым прекрасным автомобилем из всех, которые ей когда-либо приходилось видеть.

Эдвард посмотрел в сторону дома.

— Мы правда останемся здесь? — спросил он, глядя на мать умоляющими глазами.

— Да, на какое-то время, — ответила Рэчел, думая о таинственной Кристи Браун. — Тут уже живет какая-то женщина, и я вовсе не уверена, что ей понравится, что она согласится нас терпеть. Посмотрим, как все пойдет дальше.

— Ты думаешь, она такая же злая, как он? — насупившись, спросил Эдвард.

Рэчел, разумеется, без труда поняла, кого именно сын имеет в виду.

— Никто не может быть таким злым, как он, — ответила она и легонько чмокнула его в щеку. — Пойдем-ка за нашими вещичками.

Держась за руки, они пересекли отделявшую их от дома небольшую лужайку.

Помимо гостиной и кухни, в доме было три спальни. В одной из них, довольно тесной комнатушке, где стояли узкая железная кровать и старая черная швейная машинка фирмы «Зингер», Рэчел разместила Эдварда, несмотря на то что ему хотелось спать с ней в одной комнате: слова Боннера о том, что она растит Эдварда слюнтяем, почему-то задели Рэчел за живое. Боннер ничего не знал о болезни мальчика и о том, как плохо влиял на него тот беспорядочный образ жизни, который они вели против собственной воли. Тем не менее Рэчел понимала: Эдвард недостаточно самостоятелен для своего возраста. Она надеялась, что, если у него будет своя, отдельная комната, это придаст ему уверенности в себе.

Другую спальню она заняла сама. Вся ее обстановка состояла из кленовой кровати, дубового комода с выдвижными ящиками, каждый из которых имел резную ручку, овального плетеного коврика, слегка стертого по краям, да еще стеганого одеяла. Эдвард смотрел, как она раскладывает их вещи.

Едва успев устроиться, Рэчел услышала, как открывается входная дверь. Она на секунду прикрыла глаза, собираясь с духом, а затем легонько тронула руку Эдварда.

— Оставайся здесь, милый, пока у меня не появится возможность вас познакомить, — сказала она и вышла из комнаты.

На пороге дома стояла невысокая, довольно суровой наружности женщина. На вид она была немного старше Рэчел. По всей вероятности, ей было чуть больше тридцати... Одета она была весьма скромно: желтовато-коричневая блузка, застегнутая наглухо, до самого горла, простая коричневая юбка. На ее лице не было никаких следов косметики, а прямые, темно-каштановые волосы опускались чуть ниже подбородка.

Подойдя ближе, Рэчел заметила, что у женщины мелкие, но довольно правильные черты лица, стройные ноги и неплохая фигура. Ее можно было назвать довольно миловидной, если б не какая-то строгость во всем облике, которая словно перечеркивала все достоинства ее внешности. Из-за этого она, вероятно, и выглядела старше своих лет.

— Привет, — сказала Рэчел. — Вы, должно быть, мисс Браун.

— Меня зовут Кристи, — сказала женщина тоном, который Рэчел про себя оценила не как враждебный, а скорее сдержанный.

Внезапно она почувствовала, что у нее вспотели ладони. Пытаясь незаметно вытереть их о джинсы, она ненароком угодила указательным пальцем в одну из дыр и, боясь сделать ее еще больше, невольно отдернула руку.

— Мне очень жаль, что так получилось, — сказала она. — Правда, преподобный Боннер все время повторял, что вы не будете возражать, если мы какое-то время поживем здесь, но...

— Ничего, все в порядке, — прервала ее Кристи. Пройдя в гостиную, она поставила бумажный мешок, который держала в руках, на сундучок рядом с кувшином с цветами и положила свою весьма старомодную черную сумочку на плетеный стул.

— Нет, ситуация, конечно же, ненормальная, — возразила Рэчел. — Ясно, что я создаю вам огромные неудобства, но в данный момент мне, похоже, в самом деле больше негде устроиться.

— Я понимаю.

Рэчел недоверчиво поглядела на свою собеседницу. Кристи Браун не могла быть в восторге от того, что ей какое-то время придется жить с женщиной, которую ненавидело подавляющее большинство жителей Солвейшн. Но на ее лице не было ни малейших признаков недовольства.

— Вы ведь знаете, кто я такая, не правда ли? — поинтересовалась Рэчел.

— Вы вдова Дуэйна Сноупса, — ответила Кристи и поправила лежавшее на кушетке покрывало одним движением с грацией, которая, как предположила Рэчел, была свойственна ей во всем, что бы она ни делала. Кисти рук у нее были маленькие, изящные, а идеально овальной формы ногти покрывал тщательно наложенный слой прозрачного лака.

— Боюсь, тот факт, что я буду жить с вами под одной крышей, может подпортить вашу репутацию, — заметила Рэчел.

— Я стараюсь поступать по справедливости.

Слова, произнесенные Кристи, были довольно выспренними и сказаны несколько напряженным тоном, но что-то в поведении женщины заставило Рэчел поверить, что та сказала их вполне искренне.

— Я заняла свободную спальню и разместила сына в комнате, где стоит швейная машинка, — сказала Рэчел. — Надеюсь, вы не возражаете. Мы постараемся как можно реже попадаться вам на глаза.

— В этом нет необходимости. — Кристи бросила взгляд в сторону кухни. — А где же ваш малыш?

Рэчел неохотно повернула голову в сторону спальни и крикнула:

— Эдвард, иди, пожалуйста, сюда! — Затем, снова обратившись к своей собеседнице, она, чтобы та не ждала от Эдварда слишком многого, пояснила: — Он у меня немножко застенчивый.

Эдвард появился в дверном проеме. Хорс был засунут головой вниз в его шорты. Мальчик, виновато опустив голову, разглядывал мыски своих тапочек, словно совершил какой-то проступок.

— Кристи, это мой сын Эдвард. Эдвард, познакомься, пожалуйста, с мисс Браун.

— Привет, — тихонько произнес мальчик, не поднимая глаз.

К неудовольствию Рэчел, Кристи не сказала ничего для того, чтобы помочь Эдварду преодолеть смущение, а просто молча разглядывала его. «Похоже, — подумала Рэчел, — все складывается даже хуже, чем я ожидала». Ей меньше всего хотелось, чтобы Эдвард общался с еще одним враждебно настроенным взрослым человеком.

Наконец Эдвард поднял глаза. Его, судя по всему, заинтересовало, почему незнакомая женщина ничего не говорит. И как раз в этот момент на губах Кристи расцвела улыбка.

— Здравствуй, Эдвард, — сказала она. — Пастор Этан предупредил меня, что ты какое-то время поживешь здесь. Рада с тобой познакомиться.

Эдвард улыбнулся в ответ.

Кристи взяла с сундучка бумажный пакет и подошла к мальчику.

— Когда я узнала, что ты здесь поселишься, то решила что-нибудь тебе захватить. Надеюсь, тебе это понравится.

Подойдя к Эдварду, Кристи присела так, чтобы ее глаза были на одном уровне с его глазами.

— Вы привезли мне подарок? — с удивлением переспросил Эдвард.

— Да, но в нем нет ничего особенного. Не знаю, понравится ли он тебе.

Она вручила Эдварду пакет. Он открыл его, и глаза его расширились от удивления.

— Книга! Новая книга! — Внезапно лицо его омрачилось. — А это правда мне?

Рэчел почувствовала, что сердце разрывается у нее в груди от жалости к сыну. В жизни Эдварда случалось так мало хорошего, что, когда это все-таки происходило, он просто не мог поверить в свою удачу.

— Ну конечно, тебе. Книга называется «Стеллалуна». В ней рассказывается о детеныше летучей мыши. Хочешь, я тебе ее почитаю?

Эдвард кивнул. Они с Кристи тут же уселись на кушетку, и женщина начала читать мальчику вслух. Рэчел почувствовала, как к горлу у нее подкатывает тугой комок. Сын время от времени перебивал Кристи, задавая вопросы, на которые та терпеливо отвечала. Постепенно сдержанность Кристи исчезала, она стала смеяться. В глазах ее появился блеск, и она, разом преобразившись, стала на удивление хорошенькой.

Кристи и Эдвард продолжали разговаривать и за обедом. Молодая женщина настояла, чтобы они сели за стол одновременно. Рэчел ела очень мало, не желая лишать сына ни одного кусочка тушеного цыпленка, который тот уминал за обе щеки. Наблюдая за тем, как он ест, она испытывала огромное наслаждение.

После обеда Рэчел решила прибраться в доме, но Кристи не позволила ей делать все самой. Эдвард уселся на крыльце со своей бесценной книгой, а женщины в довольно неловком молчании принялись мыть полы и стирать пыль.

— А вы не думали о том, что было бы полезно водить Эдварда в церковный детский сад? — не выдержала Кристи. — При нашей церкви есть очень хороший детский садик, и школа тоже.

Щеки Рэчел вспыхнули. Она знала, что Эдварду необходимо общение с детьми. К тому же ему бы пошло на пользу какое-то время проводить без нее.

— Боюсь, сейчас я не могу себе этого позволить, — сказала она.

— Это ничего не будет вам стоить, — сказала Кристи, немного поколебавшись. — У них есть стипендия, и я уверена, что Эдварду ее предоставят.

— Стипендия?

Кристи избегала смотреть Рэчел в глаза.

— Позвольте мне завтра взять Эдварда с собой, когда я пойду на работу. Я все улажу.

Рэчел прекрасно понимала, что никакой стипендии нет и быть не может и что речь идет о благотворительности. Больше всего на свете ей хотелось отказаться, но она не могла тешить собственную гордость там, где дело касалось ее сына.

— Спасибо, — спокойно сказала она. — Я буду вам очень благодарна.

От сострадания, которое она заметила во взгляде Кристи, ее обжег стыд.

Ночью, когда Эдвард заснул, Рэчел выскользнула из дома через дверь черного хода и спустилась в сад по скрипучим деревянным ступенькам. Она включила карманный фонарик, который успела вытащить из бардачка своей «импалы», прежде чем ее уволок буксировщик. Хотя она устала до такой степени, что ей казалось, будто все кости у нее стали мягкими, она должна была кое-что сделать до того, как улечься спать.

Держа включенный фонарик у самой земли, она стала водить лучом по стволам деревьев позади дома, пока не заметила то, что искала. Узкая извилистая тропинка вела в лес. Рэчел пошла по ней, осторожно обходя попадавшиеся на пути препятствия.

Ее щеки коснулась ветка. Где-то неподалеку закричала ночная птица. Рэчел выросла в сельской местности, и ей нравилось ночью бывать одной на лоне природы, вдыхать чистые, прохладные запахи земли, полей и леса. Но теперь ей было не до запахов. Нетерпение гнало ее вперед.

Коттедж Энни Глайд находился высоко на горе Страданий, всего в полумиле от того места, куда так стремилась Рэчел. По пути ей пришлось несколько раз останавливаться, чтобы отдохнуть. Примерно через полчаса, достигнув цели, она без сил опустилась на небольшой каменный выступ и стала смотреть с горы вниз. Там, в долине, стоял построенный на крови и обмане дом, в котором она когда-то жила с Дуэйном Сноупсом. Свет в окнах не горел, и в лунном свете лишь смутно угадывались его очертания. Впрочем, Рэчел прекрасно помнила, каким он был огромным и помпезным до уродливости. И насквозь фальшивым. Таким же, как Дуэйн...

Дом выглядел именно так, как Дуэйн представлял себе жилище южного плантатора. Подъездную аллею отделяла от дороги черная ограда из кованого железа с золотыми изображениями молитвенно сложенных рук. Фасад дома украшали шесть массивных колонн и балкон с безвкусными золотыми вензелями. Интерьер дома поражал обилием черного мрамора, делавшим его похожим на склеп, и огромными канделябрами и зеркалами. Гордостью Дуэйна был мраморный фонтан с электрической подсветкой в холле и стоящая там же женская скульптура фотомодели. Рэчел вдруг задалась вопросом, хватило ли у Кэла Боннера и его жены вкуса и здравого смысла, чтобы убрать из холла фонтан. Но потом она решила, что ни один человек с хорошим вкусом ни за что не купил бы дом, построенный ее покойным мужем.

Чтобы попасть в долину, надо было спуститься по довольно крутому склону, но за четыре года, которые Рэчел прожила в Солвейшн, ей не раз приходилось это делать. Утренние прогулки в ее прежней жизни были единственной разрядкой. Нетерпение подталкивало совершить спуск сейчас же, но она была не настолько глупа, чтобы поддаться минутному порыву. Рэчел прекрасно понимала, что, во-первых, у нее для этого пока слишком мало сил, а во-вторых, к этому нужно как следует подготовиться.

«Скоро, — думала Рэчел, — скоро я спущусь с горы Страданий и возьму то, что принадлежит моему сыну».

Глава 7

После тягостной сцены в закусочной Рэчел не представляла, как будет общаться с Гейбом, но в течение нескольких дней он лишь зверским тоном коротко отдавал ей указания и занимался своими делами, не обращая на нее ни малейшего внимания. Он почти все время молчал, избегал встречаться с ней глазами и в целом напоминал человека, который отбывает тяжкую повинность.

По ночам Рэчел без сил падала на кровать и проваливалась в глубокий, тяжелый сон без сновидений. Она надеялась, что физическая работа на свежем воздухе улучшит ее самочувствие, но этого не произошло. Приступы слабости и головокружения не проходили. В пятницу утром, когда она красила билетную кассу, с ней случился обморок.

Пикап Боннера свернул на отходящую от шоссе подъездную дорогу к кинотеатру в тот самый момент, когда Рэчел, очнувшись, с трудом поднялась на ноги. Глядя на притормозивший автомобиль, она, прислушиваясь к сумасшедшим ударам сердца, гадала, что успел увидеть Гейб, но по его лицу ничего нельзя было понять. Схватив кисть, она нахмурилась, словно именно его появление отвлекло ее от работы. Не говоря ни слова, Боннер нажал на акселератор и укатил.

Кристи вызвалась посидеть с Эдвардом в субботу, пока Рэчел работала, и Рэчел с благодарностью приняла ее предложение. Тем не менее она прекрасно понимала, что не может злоупотреблять хорошим отношением мисс Браун. «Если уж мне настолько не повезет, что я буду вынуждена задержаться в Солвейшн до субботы, — подумала она, — то в следующий раз я возьму Эдварда с собой, независимо от того, понравится это Боннеру или нет».

Планы Рэчел спуститься вниз по склону и проникнуть в дом, где она жила когда-то с Дуэйном Сноупсом, были сорваны сильнейшей грозой. Все было бы куда проще, если бы она могла подъехать к дому на машине, но запертые ворота делали это невозможным. В понедельник, ровно через неделю после того, как ее автомобиль вышел из строя у придорожного кинотеатра «Гордость Каролины», Рэчел поклялась, что не будет больше тянуть время и осуществит спуск в ночь с понедельника на вторник.

Понедельник выдался пасмурным, но без дождя, а ближе к полудню сквозь толстый слой туч кое-где стали проникать солнечные лучи. Все утро, покрывая серой эмалевой краской металлические перегородки в туалете, Рэчел думала о том, как ей пробраться в дом. В принципе, задача была не такой уж сложной, и, если бы не усталость и приступы головокружения, она, пожалуй, расценила бы то, что ей предстояло, как приятное приключение.

Окуная валик в ведро с краской, Рэчел каждый раз была вынуждена придерживать рукой подол. Заниматься малярными работами в платье было неудобно, но у нее не было выбора: в субботу ее джинсы разошлись по шву так, что починить их уже не представлялось возможным.

— Я привез тебе завтрак, — услышала она голос Боннера. Резко обернувшись, она увидела Гейба. Он стоял неподалеку, держа в руках бумажный пакет с какой-то снедью. Рэчел подозрительно уставилась на него.

— Я хочу, чтобы с сегодняшнего дня ты брала с собой что-нибудь перекусить и делала перерыв на обед.

Сделав над собой усилие, Рэчел посмотрела прямо в его прикрытые зеркальными очками глаза, чтобы у Боннера не сложилось впечатления, будто она его боится.

— Кому нужна еда? — хмыкнула она. — Одной твоей улыбки мне хватает, чтобы на несколько недель пропало чувство голода.

Не обращая внимания на ее выпад, Боннер опустил пакет в одну из раковин. Рэчел думала, что после этого он уйдет, но он решил проверить ее работу.

— Придется все покрывать двумя слоями, — сказала она, стараясь, чтобы Гейб не заметил, как она устала. — Эти надписи очень трудно закрасить.

— Старайся, чтобы краска не попадала на петли, — заметил Боннер, кивнув в сторону двери, по которой Рэчел только что прошлась валиком. — Я хочу, чтобы здесь все хорошо открывалось и закрывалось.

Рэчел опустила валик в ведро с краской и вытерла тряпкой руки.

— Все-таки я не могу понять, почему ты выбрал этот грязно-серый цвет, — сказала она. — Было бы куда лучше, если бы все здесь было выкрашено в веселый и красивый цвет яичного желтка.

На самом деле ей было наплевать, как будут выглядеть двери и перегородки. Ее заботило лишь то, как сохранить за собой работу и не показать Боннеру, насколько мало у нее осталось сил.

— Мне нравится серый цвет, — буркнул он.

— Неудивительно. Он соответствует твоей сути. Хотя нет, беру свои слова назад. Твоя личность не серая, она гораздо темнее.

Вместо того чтобы вспылить, Боннер прислонился к еще не окрашенной перегородке и задумчиво уставился на Рэчел.

— Знаешь, что я тебе скажу? — заговорил он после небольшой паузы. — Я, пожалуй, готов был подумать о том, чтобы повысить тебе зарплату, если бы ты, отвечая мне, научилась ограничиваться только четырьмя словами: «Да, сэр, нет, сэр» — и ничего больше.

Не язви, мысленно уговаривала себя Рэчел, *не зли его*.

— Знаешь, Боннер, тогда повышение зарплаты должно быть чертовски существенным. Должна тебе сказать, что ты самый забавный тип, который мне когда-либо попадался, — после Дуэйна, конечно. А теперь, если ты не возражаешь, мне надо работать. Ты меня отвлекаешь.

Боннер, однако, даже не пошевелился и продолжал изучающе смотреть на нее.

— Если ты еще немного похудеешь, то будешь не в состоянии поднять валик.

— Это не твоя забота, понял? — Рэчел наклонилась за валиком, но тут у нее, как назло, закружилась голова, и ей пришлось ухватиться за ручки двери, чтобы не упасть.

Боннер поддержал ее за руку.

— Ну-ка, бери свой ленч, — сказал он. — Я хочу увидеть своими глазами, как ты его съешь.

— Я не голодна, — процедила Рэчел, отдергивая руку. — Поем позже.

— Нет, ты поешь сейчас, — возразил Гейб и носком ботинка отодвинул в сторону ведро с краской. — Иди вымой руки.

С этими словами он пошел к раковине за пакетом с едой. Рэчел смотрела ему вслед с отчаянием. Она-то хотела спрятать пакет в холодильник, чтобы потом отнести его Эдварду, но сделать это на глазах у Боннера она не могла.

— Я жду тебя на детской площадке, — сказал он уже возле двери и вышел.

Еле волоча ноги, Рэчел подошла к раковине и долго и тщательно отскребала руки, то и дело брызгая водой на заляпанное краской платье. Покончив с этим, она поплелась на игровую площадку.

Боннер сидел на земле, опершись спиной на станину детских брусьев. В руке он держал банку «Доктора Пеппера». Одна нога вытянута, другая согнута в колене. Он был одет в синюю футболку и джинсы, которые, хотя и имели небольшую дырочку на колене, были тем не менее несравненно лучше тех, которые ей пришлось выбросить. На голове Боннера красовалась бейсболка с символикой клуба «Чикаго старз».

Рэчел уселась в нескольких ярдах от него, рядом с бетонной черепахой. Гейб протянул ей пакет с едой. Рэчел невольно обратила внимание, что руки его были чистыми: даже колечко бактерицидного пластыря, обвивавшее большой палец, было свежим, только что приклеенным. Она уже не в первый раз удивилась тому, как человек, выполняющий черную работу, умудряется оставаться чистым.

Положив пакет с ленчем на колени, Рэчел развернула его и вынула ломтик жареной картошки. Запах, ударивший в ноздри, был восхитительным, и она едва удержалась, чтобы не сунуть в рот сразу пригоршню чудесного лакомства. Однако она все же взяла себя в руки и, отправив в рот лишь тот кусочек, который держала в пальцах, слизнула оставшуюся на губах соль.

Гейб вскрыл банку с «Доктором Пеппером», внимательно осмотрел ее, а затем перевел взгляд на Рэчел.

— Я хочу извиниться за свое поведение, — сказал он.

Рэчел так изумилась, что выронила на траву очередной ломтик картошки. «Так вот, значит, к чему вся эта церемония с кормежкой, — подумала она. — Боннера наконец заела совесть. Ну что ж, хорошо, что она у него по крайней мере еще осталась».

Вид у Гейба был весьма напряженный. Глядя на него, Рэчел заподозрила, что он боится, как бы она не устроила истерику, и тут же решила, что этого он от нее не дождется.

— Знаешь, Боннер, ты пойми меня правильно, но у тебя в тот день был такой жалкий и смешной вид, что я все губы себе искусала, чтобы не расхохотаться.

— Вот как?

Она ожидала, что Гейб еще больше нахмурится, но вместо этого он расслабился и уселся поудобнее.

— С моей стороны это было непростительно. Ничего подобного больше не случится. — Он сделал небольшую паузу, все еще не решаясь встретиться с Рэчел глазами. — Я был пьян...

Рэчел без труда вспомнила, что в тот день, о котором он говорил, от Гейба совершенно не пахло алкоголем. Да и вообще ей тогда показалось, что его поведение было больше связано не с ней, а с тем, что происходило у него в душе.

— Да, пожалуй, больше не стоит так поступать, — сказала она. — Ты вел себя, как подонок.

— Я знаю.

— Как король подонков.

Гейб, к этому моменту успевший снять зеркальные очки, быстро взглянул на нее, и — о чудо! — ей показалось, что в его глазах она уловила искорку веселья.

— Ты хочешь, чтобы я пресмыкался перед тобой, верно? — спросил он.

— Как червяк.

— Интересно, хоть чем-нибудь тебе можно заткнуть рот на какое-то время или это в принципе невозможно? — осведомился Боннер, и на губах его появилось что-то похожее на улыбку.

Рэчел была так поражена этим обстоятельством, что не сразу нашла ответ.

— Грубость и неуважение к собеседнику — часть моего шарма, — заявила она после небольшой паузы.

— Тот, кто тебе это сказал, наврал.

— Ты называешь знаменитого Билли Грэма лгуном?

На какой-то момент уголки губ Гейба вздернулись еще выше, но затем снова опустились книзу, и на лице появилась привычная мрачная гримаса. По всей видимости, он решил, что пресмыкался уже достаточно.

— Послушай, у тебя что, нет пары джинсов? — спросил он, сделав неопределенный жест. — Только идиотка может работать в платье.

«И еще тот, у кого нет ничего, кроме платья», — подумала Рэчел. Она не могла позволить себе потратить даже цент на одежду, поскольку Эдвард уже начал вырастать из своих вещей.

— Мне нравятся платья, Боннер. Они подчеркивают мою женственность.

— Ага, особенно в сочетании с этими башмаками, — сказал Гейб, с отвращением глядя на ее грубые черные полуботинки.

— Что я могу на это ответить? Я — рабыня моды.

— Чушь. Просто твои старые джинсы порвались, верно? Ну так купи себе новые. Нет, я сам куплю тебе джинсы. Можешь считать, что это будет твоя униформа.

Ему уже не раз приходилось видеть, как Рэчел наступала на горло собственной гордости, но это было тогда, когда дело касалось Эдварда. Сейчас же ситуация была иная.

— *Ты* их купишь, *ты* их и носи, — процедила она с нескрываемым презрением.

Несколько секунд оба молчали.

— Так ты, значит, крутая, так, что ли? — произнес наконец Боннер, в очередной раз окинув Рэчел оценивающим взглядом.

— Круче не бывает.

— До того крутая, что тебе даже еда не нужна. — Боннер взглянул на стоящий на коленях у Рэчел пакет с продуктами. — Ты собираешься есть или так и будешь демонстрировать мне свою независимость?

— Я уже сказала тебе, что не голодна.

— Наверное, именно поэтому ты выглядишь, как ходячий скелет. У тебя анорексия, не так ли?

— У бедняков не бывает анорексии. — Рэчел положила в рот еще кусочек жареного картофеля. Он был таким божественно вкусным, что ей снова захотелось наброситься на него и разом проглотить все до последней крошки. Одновременно душу ей терзало чувство вины перед Эдвардом за то, что она лишала его лакомства, которое он так любил.

— Кристи говорит, ты почти ничего не ешь.

Мысль о том, что Кристи докладывает Гейбу о ее поведении, заставила Рэчел забеспокоиться.

— Пусть не сует нос не в свое дело.

— И все-таки, почему ты ничего не ешь?

— Ты прав, у меня анорексия. И хватит об этом, ладно?

— Ты же сама сказала, что у бедняков ее не бывает.

Не отвечая, Рэчел принялась пережевывать следующий ломтик картошки.

— Попробуй гамбургер.

— Я вегетарианка.

— Кристи видела, как ты ела мясо.

— А ты что, гастрономическая полиция?

— Просто я не понимаю. Если только... — Боннер бросил на Рэчел проницательный взгляд. — Когда ты в первый раз при мне хлопнулась в обморок, я дал тебе пирожное. А ты тут же пыталась сунуть его твоему ребенку.

Рэчел замерла.

— В этом дело, верно? Ты отдаешь свою еду ребенку.

— Во-первых, его зовут Эдвард, а во-вторых, тебя это не касается.

Глядя на нее, Боннер покачал головой.

— Ты ведешь себя как ненормальная. Ты ведь и сама это знаешь, не так ли? Твой сын ест более чем достаточно, а ты моришь себя голодом.

— Я не хочу об этом разговаривать.

— Черт побери, Рэчел, да ты просто чокнутая.

— Никакая я не чокнутая.

— Тогда объясни мне, в чем дело.

— Я не обязана тебе ничего объяснять. И потом, уж если кому и рассуждать об этом, то только не тебе. Может, ты сам этого и не замечаешь, но уж у тебя-то точно давным-давно крыша поехала.

— Наверное, именно поэтому мы с тобой хорошо ладим.

Это было сказано так просто и тепло, что Рэчел едва не улыбнулась. Гейб отхлебнул глоток из банки. Она же, взглянув вдаль, туда, где над верхним обрезом экрана виднелись горы, вдруг вспомнила о том, как они понравились ей, когда Дуэйн впервые привез ее в Солвейшн. Когда она смотрела на покрытые зеленью склоны из окна своей спальни, ей казалось, что она видит перед собой лик Всевышнего.

Снова посмотрев на Гейба, Рэчел на короткий миг ощутила, что перед ней не враг, а просто человек, такой же несчастный и потерянный, как и она сама.

Гейб, откинув назад голову, внимательно смотрел на нее.

— Слушай, ведь твой парнишка... Он ведь каждый вечер плотно обедает, верно?

Охватившее ее на короткое время теплое чувство разом исчезло.

— Ты что, опять за свое?

— Ответь мне на вопрос, и все дела. Он ведь сытно обедает, верно?

Рэчел неохотно кивнула.

— И завтракает тоже? — гнул свое Боннер.

— Ну да, вроде бы.

— В садике всем детишкам дают перекусить и кормят их хорошим, сытным ленчем. А когда он возвращается домой, кто-то из вас — либо ты, либо Кристи — наверняка дает ему еще чем-нибудь подзаправиться?..

Вот только не факт, что так будет и в следующем месяце, не говоря уже о следующем годе, подумала Рэчел, и по спине у нее побежали мурашки. Она почувствовала себя так, словно ее толкали на какой-то нехороший и опасный поступок.

— Рэчел, — снова заговорил Боннер, — пора тебе заканчивать голодовку.

— Не болтай ерунды!

— Тогда объясни мне, чего ради ты себя истязаешь?

Если бы Гейб говорил своим обычным грубоватым тоном, Рэчел было бы проще, но сейчас в голосе его звучали непривычные мягкие интонации, против которых у нее не было почти никакой защиты, и потому она сочла за лучшее, собрав остатки сил, броситься в атаку:

— Я отвечаю за него, Боннер. Я, я одна, и никто другой!

— В таком случае тебе следует получше заботиться о себе.

— Не лезь ко мне с советами, — отрезала Рэчел и прожгла Боннера злобным взглядом.

— Учти, чокнутым лучше держаться вместе.

Сказав это, Боннер бросил на Рэчел такой полный понимания и сочувствия взгляд, что у нее перехватило дыхание. Она хотела сказать еще какую-нибудь колкость, но не смогла.

— Я не хочу об этом говорить.

— Вот и ладно. Лучше поешь.

Пальцы Рэчел судорожно сжали лежащий у нее на коленях бумажный пакет. В душе она вынуждена была признать, что Боннер прав: как бы она ни истязала себя, это не могло гарантировать Эдварду защиту от жизненных неурядиц.

Душу ее захлестнуло бессильное отчаяние. Ей так хотелось, чтобы у сына было все, не только пища, но и безопасность, уверенность в завтрашнем дне, здоровье, образование, дом, где он мог бы жить. Но, даже лишая себя последнего куска, она была не в состоянии обеспечить ему всего этого.

Глаза Рэчел наполнились слезами, и по щеке побежала влажная дорожка. Мысль о том, что Боннер увидит ее плачущей, привела ее в ярость, и она, устремив на него испепеляющий взгляд, пробормотала:

— Попробуй только хоть слово сказать!

Боннер шутливо поднял кверху обе руки, давая понять, что не собирается ей перечить, и отхлебнул еще глоток «Доктора Пеппера».

По телу Рэчел пробежала судорога. И тут Боннер был прав: напряжение последних месяцев в самом деле сделало ее похожей на сумасшедшую, и понять ее мог только такой же сумасшедший, как и она.

Если трезво взглянуть на вещи, подумала она, то у Эдварда во всем мире не было никого, кроме нее, а она действительно относилась к себе просто наплевательски. Доводя себя голодом до полного изнеможения, она лишь делала еще более нестабильным их с Эдвардом и без того незавидное положение.

— Сукин ты сын! — пробормотала она, глядя на Гейба, и вытащила из пакета гамбургер.

Боннер, ни слова не говоря, натянул на самые глаза козырек своей бейсболки, словно собирался хорошенько вздремнуть.

Рэчел сунула гамбургер в рот, ощутив вместе с его восхитительным вкусом привкус собственных слез.

— Не знаю, как у тебя хватило наглости назвать меня ненормальной, — с трудом выговорила она с набитым ртом и, дрожа от нетерпения, откусила от гамбургера еще кусок. — По-моему, человек, которому взбрело в голову открыть придорожный кинотеатр для автомобилистов, должен быть полным придурком. Может, ты этого не заметил, Боннер, но такие заведения вымерли уже лет тридцать назад. Ты прогоришь еще до того, как кончится лето.

— Плевать я на это хотел, — сказал Боннер.

— В таком случае я умываю руки. Похоже, ты в десять раз более сумасшедший, чем я.

— Ты лучше ешь давай.

Смахнув с глаз слезы тыльной стороной кисти, Рэчел откусила очередной кусок. Еще никогда в жизни она не ела такого вкусного гамбургера.

— Тогда зачем тебе это вообще надо? — спросила она, торопливо прожевывая очередную порцию.

— Просто хотел себя чем-то занять, а ничего лучше придумать не смог.

— А чем ты зарабатывал на жизнь до того, как рехнулся? — поинтересовалась Рэчел.

— Я был наемным киллером и работал на мафию. Ну что, ты уже больше не плачешь?

— Я вовсе не плакала! А мне бы очень хотелось, чтобы ты в самом деле был киллером. Тогда, будь у меня деньги, я бы заплатила тебе, чтобы ты прикончил сам себя.

Боннер приподнял козырек бейсболки и спокойно, без всякого раздражения посмотрел на нее.

— Если ты и дальше будешь меня так усердно ненавидеть, мы с тобой неплохо уживемся, — сказал он.

Не обращая внимания на его слова, Рэчел, покончив с гамбургером, принялась за жареную картошку, запихивая в рот сразу по нескольку ломтиков.

— Слушай, а как тебя угораздило связаться с Дуэйном?

Вопрос был задан без особого интереса, скорее всего просто от скуки, но Рэчел решила, что, поскольку Боннер не сообщил ей никакой информации о себе, ей тоже не следует откровенничать.

— Я познакомилась с ним в стриптиз-клубе, где работала исполнительницей экзотического танца.

— Я видел твое тело, Рэчел. Должно быть, когда там танцевала, ты была попышнее. При такой худобе ты не заработала бы даже на жевательную резинку.

Рэчел хотела было обидеться, но тщеславия у нее совсем не осталось.

— Девушки, которые работают в таких местах, не любят, когда их называют стриптизершами. Я об этом знаю от одной из них. Несколько лет назад мы жили с ней на одном этаже. Она каждый день ходила в салон красоты загорать под кварцевой лампой.

— Да что ты говоришь.

— Ты небось думаешь, что исполнительницы экзотических танцев — они предпочитают, чтобы их называли именно так, — загорают нагишом? Так вот, ничего подобного. Ложась под лампу, они надевают крохотные трусики, чтобы на теле оставались белые полоски. Та девица рассказывала мне, что в этом случае, когда они в клубе их снимают, публика возбуждается еще сильнее: запретный плод кажется еще более запретным.

— Похоже, я слышу в твоем голосе восхищение.

— Она очень неплохо зарабатывала, Боннер.

Гейб в ответ только фыркнул.

По мере утоления голода Рэчел становилась все более любопытной.

— А все-таки, чем ты занимался раньше? Только честно.

— Да какие уж тут секреты, — пожал плечами Боннер. — Я был ветеринаром.

— Ветеринаром?

— Ну да, а что такого?

По голосу Боннера Рэчел догадалась: их перемирие висит на волоске. С немалым удивлением она вдруг поняла, что этот человек ее интересует. Ей пришло в голову, что Кристи, которая прожила в Солвейшн всю жизнь, должны быть известны кое-какие его секреты, и Рэчел решила при случае расспросить ее об этом.

— Ты не похожа на женщину, которая способна вскружить голову телепроповеднику, — снова заговорил Боннер. — Мне кажется, преподобный Дуэйн Сноупс должен был выбрать себе в жены какую-нибудь набожную особу, аккуратно посещающую церковь.

— Я была такой благочестивой и набожной, что дальше некуда, — сказала Рэчел, стараясь, чтобы в голосе ее не чувствовалось ни малейшего признака горечи. — С Дуэйном я познакомилась в Индиане во время его проповеднической кампании. Я была одной из его добровольных помощниц. Он меня прямо околдовал. Хочешь верь, хочешь нет, но раньше я была довольно-таки романтически настроенной особой.

— Но ведь он был намного старше тебя, разве нет?

— На восемнадцать лет. Идеальный кандидат на роль отца сиротки.

Боннер вопросительно взглянул на Рэчел.

— Меня воспитывала бабушка, — пояснила она. — Я жила в центральной части Индианы. Бабуля была очень набожной, и потому прихожане маленькой сельской церквушки были для нее семьей. Они стали семьей и для меня. Религия устанавливала весьма жесткие правила, но по крайней мере это были честные правила, в них не было лжи.

— А что случилось с твоими родителями?

— Моя мать была хиппи. Она не знала, кто мой отец.

— Хиппи?

— Я родилась в коммуне хиппи в штате Орегон.

— Да ты шутишь.

— Поначалу я жила с матерью, но потом она села на наркотики и, когда мне было три года, умерла от передозировки. Мне повезло, меня отправили к бабушке. — Рэчел улыбнулась. — Она была очень простая женщина: верила в Бога, в Соединенные Штаты Америки и яблочный пирог. И еще обожала преподобного Дуэйна Сноупса. Она была так счастлива, когда я вышла за него замуж!

— По всей видимости, она не слишком хорошо его знала.

— Она считала его чуть ли не посланцем Господа. К счастью, она умерла, так и не узнав правды. — Покончив с едой и чувствуя, что живот у нее набит до отказа и вот-вот лопнет, Рэчел, с удовольствием слизнув с конца пластмассовой трубочки сладкую коричневую массу, поднесла трубочку к губам и принялась за шоколадный коктейль. Она достаточно много сообщила Боннеру о себе, однако до сих пор ничего не получила в замен. — Слушай, скажи мне, как чувствует себя человек, который является паршивой овцой в собственной семье?

— А с чего это ты решила, что я — паршивая овца? — раздраженно осведомился Боннер.

— Твои родители — столпы местного общества, твой младший брат — само совершенство, а старший — мультимиллионер. В то же время ты — злобный и мрачный, с отвратительным характером безденежный неудачник, который пугает маленьких детей и у которого ничего нет, кроме дурацкого придорожного кинотеатра.

— А кто тебе сказал, что я безденежный неудачник?

Рэчел невольно обратила внимание, что недовольство Боннера вызвали лишь намеки на его бедность.

— Никто. Об этом яснее ясного говорят и это сооружение, и твоя машина, и та мизерная зарплата, которую ты мне платишь. Может, я что-то и упустила, но пока не вижу никаких признаков того, что ты набит деньгами.

— Я плачу тебе мизерную зарплату, поскольку надеюсь вынудить тебя взять расчет, Рэчел, а не потому, что не могу позволить себе платить больше.

— Вот оно что.

— А мой пикап мне просто нравится.

— Так ты не бедный? — переспросила Рэчел, думая, что Боннер скорее всего ничего не ответит.

Однако Гейб после небольшой паузы сказал:

— Да, я не бедный.

— И до какой же степени, интересно, ты не бедный?

— Разве твоя бабушка не говорила тебе, что неприлично задавать людям подобные вопросы?

— Ты не «люди», Боннер. Я даже не уверена, что в тебе вообще есть хотя бы что-то человеческое.

— У меня полно дел, так что я не собираюсь сидеть здесь и слушать, как ты меня оскорбляешь. — С этими словами Боннер схватил опустевшую жестянку из-под «Доктора Пеппера», которую до этого поставил на пыльную землю, и поднялся на ноги. — Принимайся за работу.

Глядя в спину удаляющемуся Гейбу, Рэчел раздумывала, в самом ли деле она его обидела. Вид у него был определенно обиженный, и она, довольно улыбнувшись, снова занялась шоколадным коктейлем.

Выйдя из своего офиса, Этан направился к расположенной позади церкви игровой площадке, откуда доносились крики детей. Они уже ждали родителей, которые скоро должны были приехать и забрать их. Он убеждал себя, что его присутствие на площадке в те минуты, когда там начинали появляться взрослые, помогало ему установить контакт с теми горожанами, которые не являлись членами его прихода, но правда состояла в том, что ему очень хотелось лишний раз взглянуть на Лауру Делапино.

Когда он появился на площадке, близнецы Бриггсы соскочили с игрушечных лошадок и подбежали к нему.

— А Тайлер Бакстер описался! — выкрикнул один из них. — Он был весь мокрый.

— Ну и ладно, — ответил Этан.

— Я тоже чуть не описался, — признался мальчик, — но миссис Уэллс мне помогла, и все обошлось.

Этан рассмеялся. Он любил детей и уже много лет мечтал завести своих. Джейми, сына Гейба, он просто обожал. Даже по прошествии двух лет ему трудно было примириться с тем, что произошло с его племянником и Черри, его невесткой, у которой был такой мягкий и добрый нрав. После их трагической гибели он едва не сложил с себя сан, но, как ни странно, преодолел вызванную несчастьем депрессию быстрее и легче, чем остальные члены семьи. У его родителей смерть Джейми и Черри спровоцировала нередко случающийся у пожилых супружеских пар кризис в их семейной жизни, едва не закончившийся разводом. Что касается Кэла, то он после смерти племянника и невестки вычеркнул из своей жизни все, кроме футбола.

К счастью, пожив некоторое время раздельно, их родители снова воссоединились. Более того, их чувства словно пережили второе рождение. Решив резко изменить свою жизнь, они уехали в Южную Америку, где отец стал врачом-миссионером, а мать основала кооператив по продаже изделий местных ремесленников.

Что до Кэла, то в его жизнь вошла гениальная женщина-физик, доктор Джейн Дарлингтон, и теперь супруги растили восьмимесячную Рози — очаровательное голубоглазое существо, которое держало в своем пухлом кулачке всю семью Боннеров.

Никто из них, однако, не пережил таких тяжелых времен, как Гейб. Временами Этан просто не мог узнать в нем сердобольного Айболита, каким всегда был его брат. Этан отлично помнил, что, когда они были детьми, в доме постоянно жило какое-нибудь больное или раненое животное, за которым Гейб ухаживал: птица со сломанным крылом, обосновавшаяся где-нибудь на кухне; приблудная собака, которую брат выхаживал в гараже; крохотный, беспомощный детеныш скунса, устроивший себе гнездо в платяном шкафу в спальне Гейба.

Всю жизнь Гейб мечтал стать ветеринаром, но у него никогда не было желания стать мультимиллионером. Внезапно сваливавшееся на него материальное благополучие забавляло остальных членов семьи. Самому же Гейбу было явно наплевать на деньги. Все произошло как-то совершенно неожиданно и само собой.

Он был на редкость любопытным человеком и, помимо прочего, с детства обожал мастерить. Через несколько лет после того как он обосновался в сельской местности в штате Джорджия и стал практикующим ветеринаром, Гейб изобрел и изготовил особую ортопедическую шину, которую применил для лечения участвовавшей в скачках чистокровной лошади одного конезаводчика. Приспособление настолько хорошо себя показало, что в скором времени стало весьма популярным. К Гейбу, который получил патент на свое изобретение, рекой потекли деньги.

Из трех братьев у Гейба был самый сложный характер. С Кэлом, например, все было просто и ясно: агрессивный и конфликтный человек, он быстро выходил из себя, но так же быстро остывал. Гейб же держал эмоции при себе. В детские годы Этан, когда с ним случалась неприятность, бежал за утешением именно к Гейбу. Его спокойный голос и ласковые, плавные движения успокаивали взволнованного братишку точно так же, как они успокаивали попавших в руки Гейба испуганных, больных животных. Теперь, однако, добрый и мягкий, погруженный в себя брат Этана стал настоящим циником.

От воспоминаний Этана отвлекло появление Лауры Делапино, которая совсем недавно развелась с мужем. На ней были белые, в обтяжку шорты и нечто вроде черного бюстгальтера, поверх которого она накинула просвечивающую насквозь блузку ярко-зеленого цвета. Ногти на ее руках были покрыты темно-красным лаком, как и ногти на ногах, которые нетрудно было разглядеть в переплетении серебристых ремешков сандалий. У нее была большая, пышная грудь, длинные ноги и густая копна светлых волос. Лаура Делапино прямо-таки излучала секс, и это будило в теле Этана желание.

Слуга Господа, испытывающий тайное влечение к недостойной женщине. Ну и дела! Оставайтесь со мной — это говорю я, Опра!

Этан едва не застонал. Только не это! Он был явно не в настроении для общения с известной телеведущей Опрой Уинфри, настоящей акулой шоу-бизнеса, но сделать ничего не мог.

Скажите нам, преподобный Боннер, мы ведь здесь все друзья, почему это вы никогда не проявляете интереса к благочестивым женщинам, живущим в этом городе?

Благочестивые женщины нагоняют на меня скуку.

Так и должно быть. Вы ведь священник, помните? Так почему ваше внимание привлекают только яркие женщины, не отличающиеся скромностью и благочестием?

В это время Лаура Делапино наклонилась, чтобы поговорить со своей маленькой дочуркой, и Этан заметил отчетливо обрисовавшийся под тесными белыми шортами контур миниатюрных трусиков. Он этого зрелища у Этана разом стало горячо в паху.

Я к вам обращаюсь, мистер.

Уходи, ответил Этан, но от этого его незримая собеседница только разозлилась.

Только не начинай все сызнова! Не заводи свою песню о том, что ты не годишься в священники и что твоя работа рушит всю твою жизнь.

Этан подумал, что было бы хорошо, если бы ему снова явился Клинт Иствуд:

Советую тебе прислушаться к моим словам, Этан Боннер. Тебе уже давно пора найти себе хорошую, добропорядочную женщину и остепениться.

Помолчи минутку и дай мне насладиться тем, что я вижу, огрызнулся Боннер. Как раз в этот момент Лаура снова наклонилась, чтобы получше рассмотреть рисунки дочери, дав Этану возможность полюбоваться ее роскошным бюстом. Он мысленно чертыхнулся и в который уже раз подумал о том, что усмирение плоти — занятие не для него.

Он вспомнил времена, когда ему было чуть больше двадцати лет. Это было еще до того, как он получил знамение свыше. В памяти его всплыли великолепные пышногрудые женщины, ночи страсти, когда он мог делать все, что подсказывало ему его воображение. О Боже...

Да, я слушаю?

Этан сдался. Как он мог получать наслаждение, наблюдая за Лаурой, если кто-то подслушивал его мысли? Отвернувшись, он от всей души пожалел, что не может призывать молодых людей подавлять свои плотские желания, внушать им мысль о святости брачных уз и в то же время следовать собственным проповедям. Но тут уж ничего нельзя было поделать. Он был так устроен, и это было выше его сил.

Этан поприветствовал Трэйси Лонгбен и Сару Кэртис, которых знал с детства, посочувствовал Остину Лонгбену по поводу сломанного запястья и повосхищался новыми розовыми спортивными туфлями Тэйлора Кэртиса. Боковым зрением он заметил одиноко стоящего в сторонке Эдварда Сноупса.

Стоуна, поправил себя Этан, Стоуна, а не Сноупса. Фамилия мальчика была изменена законным путем. Жаль только, подумал он, что Рэчел никогда не называет его уменьшительно-ласкательными именами. Почему бы ей не звать сына Эдди?

Этан ощутил укол совести. Мальчик уже третий день посещал детский центр, а он ни разу не подошел к этому ребенку. Эдварда нельзя было винить за то, что его родители были бесчестными людьми, и потому Этан решил, что гнев по отношению к отцу и матери малыша не может служить основанием или оправданием для такого невнимания к мальчику.

Он вспомнил, как за день до этого ему позвонила Кэрол Деннис. Его гнев был ничто по сравнению с ее гневом. Она была просто в бешенстве от того, что Этан позволил Рэчел поселиться в коттедже Энни. Он, однако, не стал говорить Кэрол, что за нее просил Гейб, состояние которого его тревожило. Этан пытался как-то успокоить ее, говоря, что нельзя слишком поспешно и строго судить людей, хотя сам уже давно нарушил эту заповедь. Но Кэрол и слушать его не хотела.

Этан Боннер был вовсе не в восторге от того, что был вынужден препираться с Кэрол Деннис. Она была весьма религиозной, набожной женщиной безупречного поведения и сделала для города много хорошего.

— Если вы позволите ей остаться в коттедже, пастор, — сказала Кэрол, — это может иметь для вас неприятные последствия, а я не думаю, что вы этого хотите.

Хотя Кэрол была права, слова ее вызвали у Этана раздражение.

— Думаю, я сумею как-нибудь справиться с ними, если они возникнут, — ответил он, стараясь, чтобы его голос звучал как можно мягче.

Помедлив немного, Этан подошел к Эдварду и улыбнулся.

— Привет, приятель, — сказал он, обращаясь к мальчику. — Ну, как твои дела?

— Нормально.

Ребенок настороженно смотрел на него большими карими глазами. Этан только сейчас заметил у него на носу небольшую россыпь бледных веснушек. Внезапно он почувствовал, как в груди у него шевельнулось теплое чувство.

— Ну как, ты уже с кем-нибудь подружился? — поинтересовался он.

Мальчик ничего не ответил.

— Другим детишкам нужно какое-то время, чтобы привыкнуть к тому, что среди них появился новичок, — снова заговорил Этан, — но рано или поздно ты найдешь с ними общий язык.

Эдвард, продолжая смотреть на него снизу вверх, сморгнул.

— Как вы думаете, Кристи не забудет приехать и забрать меня? — спросил он.

— Кристи никогда ничего не забывает, Эдвард. Она самый надежный человек из всех, кого я когда-либо знал.

Именно в этот момент Кристи появилась у них за спиной и невольно услышала последние слова Этана. «*Надежная*, — с горечью подумала она. — И это все, что мог сказать Этан Боннер. *Добрая, старая, надежная Кристи Браун. Кристи все сделает. Кристи обо всем позаботится*».

Она невольно вздохнула и спросила у себя, чего, собственно, она ожидала. Что Этан будет смотреть на нее так же, как он всего за несколько секунд до этого смотрел на Лауру Делапино? Вряд ли это возможно. Лаура яркая и привлекательная женщина, а она, Кристи, бесцветная и неинтересная. Тем не менее у нее была гордость, и с годами она научилась прятать болезненную застенчивость под маской энергичной деловитости. Она и в самом деле могла справиться с любой задачей. Лишь одно было ей не по силам — завоевать сердце Этана Боннера. Кристи знала Этана почти всю жизнь, и ей было прекрасно известно, что его всегда привлекали броские женщины. Это выяснилось еще в восьмом классе, когда Мелоди Орр предстала перед своими друзьями и подружками в джинсах в обтяжку.

— Кристи!

При виде Кристи Браун личико Эдварда словно расцвело. Черты лица женщины тоже разом смягчились. Она любила детей. С ними она могла расслабиться и быть самой собой. Ей гораздо больше пришлась бы по вкусу работа в детском саду, чем ее должность церковного секретаря. Она бы давным-давно уволилась, если бы не испытывала непреодолимого желания находиться рядом с Этаном Боннером. Раз уж она не могла внушить ему любовь к себе, ей приходилось удовольствоваться ролью женщины, которая помогает ему во всех его делах.

Присев на корточки, чтобы получше рассмотреть сделанную Эдвардом аппликацию и выразить мальчику свое восхищение, она с удивлением отметила, что любит Этана уже больше двадцати лет. Кристи отчетливо помнила, как еще в третьем классе наблюдала за тем, как на переменке он бегает по школьному двору с четвероклассниками. Тогда он был так же ослепительно красив, как и сейчас, — самый красивый мальчик и самый красивый мужчина из всех, кого ей когда-либо доводилось видеть. Он всегда относился к Кристи дружелюбно, но в то же время был приветлив со всеми. Даже в детском возрасте Этан заметно отличался от сверстников. Он был гораздо более чувствительным, чем другие толстокожие и грубые мальчики.

Правда, неженкой он тоже не был. Его старшие братья об этом позаботились. Кристи до сих пор помнила день, когда Этан подрался с Лобахом, одним из самых крупных и задиристых парней в школе, и разбил ему нос. После этого, однако, Этан почувствовал себя настолько виноватым, что первый отправился мириться к своему противнику домой, прихватив две кисти спелого винограда. Лобах до сих пор рассказывал об этом на встречах выпускников.

Кристи поднялась с лужайки, обильно поросшей травой, и взяла Эдварда за руку. Внезапно ее окатила волна приторно-сладких духов.

— Привет, Эт, — раздался рядом голос Лауры Делапино.

— Здравствуй, Лаура, — откликнулся Этан.

Лаура послала Кристи Браун дружелюбную улыбку, и бедная Кристи почувствовала, как сердце ее болезненно сжалось от зависти. Просто удивительно, подумала она, почему некоторым женщинам удается вести себя столь уверенно. Потом мысли ее перекинулись на Рэчел Стоун, и она невольно задумалась над тем, из каких источников черпала свое мужество эта женщина. Несмотря на все ужасные вещи, которые рассказывали о Рэчел жители городка, Кристи она нравилась. Более того, Рэчел внушала ей чувство благоговения. Кристи была уверена, что у нее самой никогда не хватило бы духу вести себя так, как Рэчел.

Она слышала о встрече Рэчел с Кэрол Деннис в бакалейном магазине, а вчера в аптеке Рэчел столкнулась с Гэри Преттом. Открытая враждебность, которую жители городка проявляли по отношению к Рэчел Стоун, расстраивала Кристи. Она была уверена, что Рэчел не должна нести ответственность за алчность Дуэйна Сноупса, и потому не понимала, как это люди, называющие себя христианами, могут быть такими злопамятными и мстительными.

Иногда Кристи испытывала желание узнать, что Рэчел думает о ней. Впрочем, когда оно появлялось, она в итоге всегда приходила к выводу, что у Рэчел скорее всего вообще нет по отношению к ней никаких эмоций. Люди замечали Кристи Браун только тогда, когда нужно было что-нибудь сделать. В других же ситуациях она была для них чем-то вроде человека-невидимки.

— Послушай, Эт, — снова заговорила Лаура, — почему бы тебе сегодня не заглянуть ко мне? Я бы поджарила на гриле пару стейков...

Не закончив фразу, Лаура плотно соединила губы, а потом разжала их, как делают женщины, когда хотят добиться, чтобы помада лежала ровным слоем.

На какую-то долю секунды взгляд Этана задержался на ее губах, а затем он послал Лауре Делапино такую же открытую, добрую улыбку, с которой он обычно приветствовал прихожанок преклонного возраста.

— Я бы с удовольствием, но мне надо подумать над проповедью.

Лаура попыталась настоять на своем, но Этану удалось без особого труда отделаться от нее. Кристи, которая находилась тут же, рядом, заподозрила, что Этан Боннер просто боится оказаться с Лаурой Делапино наедине, опасаясь потерять голову. От этой мысли сердце ее болезненно заныло: ее любимый никогда не боялся потерять голову, оставаясь наедине с ней...

Глава 8

Рэчел держала фонарик так, чтобы луч его был направлен вниз. Приблизившись к задней стене дома, она поплотнее закуталась в спортивную хлопчатобумажную фуфайку с капюшоном. Ей было зябко и от прохладного ночного ветерка, и от волнения. Свет в окнах не горел, в доме было темно, как когда-то было темно в душе Дуэйна Сноупса.

Небо затянуло тучами, и Рэчел долго двигалась в потемках. Однако она хорошо знала дорогу. Уловив момент, когда в разрыв между облаками ненадолго выглянула луна, она успела разглядеть проходившую по заросшей лужайке извилистую тропинку. Пробираясь по ней, она зацепилась своим испачканным краской платьем за какой-то куст и, отцепляясь от него, подумала о том, что ей необходимо купить себе что-нибудь из одежды.

Рэчел невольно поражалась тому, насколько лучше она себя чувствовала на сытый желудок. В этот вечер была ее очередь заниматься приготовлением ужина, и ей волей-неволей пришлось плотно поесть. Теперь, хотя она и ощущала некоторую усталость, головокружение ее уже не беспокоило, а главное, не было больше ужасной слабости, которая так мучила ее последние недели.

Громада дома темнела уже прямо перед ней. Выключив фонарик, Рэчел подошла к двери черного хода. Она вела в комнату, отведенную для стирки белья, из которой, в свою очередь, можно было пройти на кухню. Рэчел надеялась, что Кэл Боннер и его жена не установили в доме сигнализацию. В те времена, когда они жили здесь с Дуэйном, это никому даже не приходило в голову. Преподобному Сноупсу досаждали лишь чересчур пылкие поклонники его проповедей, которых нетрудно было удержать на расстоянии благодаря установленным в самом начале подъездной аллеи воротам с электронным управлением.

Она надеялась также и на то, что новые хозяева дома не сменили замки. Сунув руку в карман фуфайки, она вынула ключ со сплетенной из красных пластиковых шнурков петлей на конце. Раньше, отправляясь на прогулку в горы, она надевала тесемку, на которой висел ключ, на запястье. Это был ее личный ключ. Рэчел заранее решила, что, если он вдруг не подойдет, ей придется выбить одно из окон, выходящих на заднюю сторону дома.

Ключ, однако, подошел. Замок на какой-то момент заело. Рэчел тут же вспомнила, что его заедало и раньше. Затем он уступил ее усилиям и дверь открылась. Когда она шагнула в домашнюю прачечную, ее охватило ощущение нереальности происходящего. В нос ударил запах сырости и запустения. Темнота в доме стояла такая, что к следующей двери ей пришлось пробираться ощупью, держась руками за стену. Нашарив ее, она вошла на кухню.

Кухню эту Рэчел всегда ненавидела. Здесь ей было отвратительно все: и черный мраморный пол, и гранитные стойки, и огромная хрустальная люстра, которая была бы куда больше к месту в зале оперного театра. За холеной внешностью Дуэйна и его изысканными манерами скрывался человек, который родился и долгое время жил в нищете и потому нуждался в том, чтобы его окружала роскошь. Она давала ему возможность ощутить собственную значимость.

Несмотря на темноту, Рэчел достаточно хорошо ориентировалась и сумела, пройдя вдоль стоек, добраться до входа в одну из гостиных. Хотя дом был пуст, она старалась передвигаться бесшумно настолько, насколько позволяли тяжелые, грубые башмаки. В окна и сквозь стеклянные двери проникал лунный свет. Рэчел без особого труда разглядела обстановку комнаты и убедилась, что в ней все осталось так, как было раньше. Мягкий диван и стулья стояли на своих прежних местах. Прислушиваясь к мертвой тишине пустого жилища, Рэчел пересекла комнату, прошла по темному коридору и, подсвечивая фонариком, приблизилась к кабинету Дуэйна.

Просторная комната с тяжелыми портьерами на окнах, обставленная роскошной готической мебелью, как нельзя лучше отражала представления Дуэйна о том, как должен выглядеть кабинет значительного человека. Соответственно, и само помещение, и его внутреннее убранство не посрамили бы даже представителя британской королевской семьи. Обшарив комнату лучом фонарика, Рэчел убедилась, что украшавшие когда-то стены охотничьи трофеи исчезли. Шкатулки Кеннеди тоже нигде не было.

Подумав немного, она решила рискнуть и включить настольную лампу с зеленым абажуром. Подойдя к столу, Рэчел обнаружила, что он очищен от бумаг. На столе стояли новый телефон, компьютер и факсимильный аппарат. Взглянув на полку, на которой находилась шкатулка в тот момент, когда была сделана имевшаяся у нее фотография из журнала, Рэчел увидела там лишь стопку книг.

Сердце у нее упало. Она принялась обыскивать комнату, но вскоре убедилась, что шкатулка пропала.

Выключив настольную лампу, Рэчел хлопнулась на диван, тот самый, на котором репортер из «Пипл» запечатлел Кэла Боннера и его жену, и принялась успокаивать себя. Неужели у нее были иллюзии, что все пройдет гладко? Это при ее-то невезении? Ей следовало теперь обшарить весь дом.

Освещая путь фонариком, она быстро осмотрела еще одну гостиную и столовую, затем прошла через вестибюль, мимо фонтана, который, к счастью, был отключен. Оставались еще два этажа. Расположенные наверху спальни выходили на балкон, обнесенный решеткой из кованой стали. Рэчел стала подниматься по спиралеобразной лестнице, как вдруг у нее возникло странное ощущение: ей показалось, что не было последних трех лет и что Дуэйн все еще жив.

Она познакомилась с ним, когда тот осуществлял свою первую проповедническую кампанию в штатах Среднего Запада. Чтобы расширить свою аудиторию, он выступал по городскому телевидению в Индианаполисе и еще в семнадцати городах, причем большинство его прихожан добровольно вызвались ему помогать. Рэчел была одной из девушек на побегушках (позже она уяснила, что эта роль как раз всегда отводилась наиболее привлекательным женщинам-добровольцам).

В то время ей было всего двадцать лет, и когда один из организаторов турне сказал, что она должна отнести Дуэйну стопку заранее отобранных текстов молитв, Рэчел не могла поверить своему счастью. Неужели она увидит знаменитого проповедника собственными глазами, да еще какое-то время будет совсем рядом с ним?! Когда она постучала в комнату, где Дуэйн Сноупс переодевался и гримировался, руки у нее дрожали от волнения.

— Войдите, — послышался голос из-за двери.

Рэчел осторожно приоткрыла дверь, ровно настолько, чтобы можно было увидеть Дуэйна Сноупса, который стоял у зеркала с подсветкой и причесывал щеткой с серебряной ручкой свои густые светлые волосы с импозантной сединой на висках. Он улыбнулся своему отражению, и Рэчел сразу же ощутила на себе всю силу его обаяния.

— Входи, дорогая, — поприветствовал он ее.

Сердце Рэчел отчаянно застучало, ладони вспотели. Преподобный Сноупс обернулся к ней. Улыбка его стала еще шире, а у бедняжки Рэчел совсем пресеклось дыхание.

Она кое-что знала о Дуэйне Сноупсе. Когда-то он был самым обычным брокером из Северной Каролины, где специализировался на сделках, связанных с закупками табака. Внезапно лет десять назад произошло нечто такое, что убедило его: он должен стать странствующим проповедником. К тридцати семи годам он благодаря кабельному телевидению приобрел огромную известность и расширял свою аудиторию гораздо быстрее, чем любой другой телепроповедник в стране.

Женщины были от него без ума. Мужчины считали его хорошим парнем, своим в доску. Бедные и пожилые люди, основная масса его аудитории, верили ему, когда он обещал им здоровье, процветание и счастье. Да и как не поверить человеку, который настолько откровенен, что открыто говорит о своих собственных недостатках? С мальчишеской непосредственностью он признавался в своем чрезмерном увлечении спиртными напитками, от чего ему удалось избавиться десять лет назад, когда был подан знак свыше, благодаря которому он стал проповедником. Не скрывал он и того, что в свое время был неравнодушен к хорошеньким женщинам и до сих пор не вполне покончил с этой слабостью. По его собственному признанию, именно она стала причиной того, что его первый брак оказался неудачным. Более того, Дуэйн Сноупс с телеэкрана просил своих слушателей помолиться за то, чтобы ему удалось наконец преодолеть этот недостаток.

— Ну, входи же, милая, — снова заговорил Дуэйн Сноупс. — Я тебя не съем.

Этими словами, полными какого-то мальчишеского лукавства, преподобный Сноупс разом покорил сердце Рэчел. Она протянула ему тексты молитв.

— Я... Меня послали передать вам это.

Не обращая внимания на стопку бумаг, которую она держала в руке, Дуэйн Сноупс не отрываясь смотрел на Рэчел.

— Как тебя зовут, дорогая? — спросил он после небольшой паузы.

— Рэчел. Рэчел Стоун.

— Сегодня Богу явно угодно, чтобы мне везло, — с улыбкой сказал Сноупс.

С этого все и началось. В тот вечер Рэчел не села в автобус вместе с другими прихожанами. Помощники Дуэйна сообщили бабушке Рэчел, что знаменитый телепроповедник получил от Господа Бога знак о том, что Рэчел должна сопровождать его в качестве ассистента на протяжении всей поездки.

Бабушка была слаба здоровьем, и Рэчел, зная, что старушке просто необходима ее помощь и присутствие, в свое время отказалась от стипендии, предложенной ей Университетом Индианы, ради того чтобы остаться дома и ухаживать за немощной родственницей. Правда, она прошла курс по целому ряду предметов в местном колледже, но это не могло удовлетворить ее пытливый ум. Тем не менее бабушка значила для нее все, и Рэчел никогда не жалела о своем выборе.

Она объяснила помощнику Дуэйна, что не сможет отправиться вместе с проповедником в турне даже на короткое время. Однако сама бабушка заставила ее согласиться: нельзя же пренебрегать поданным Господом знаком.

В течение следующих нескольких недель Дуэйн обрушил на Рэчел настоящий водопад внимания. Каждые утро и вечер во время молитвы она становилась на колени рядом с Дуэйном и получала возможность своими глазами увидеть, как много сил тратит он ради спасения чужих душ. Прошли годы, прежде чем она поняла, насколько хитры были демоны, прятавшиеся за ширмой его веры.

Рэчел не могла взять в толк, чем она так привлекла Дуэйна. Она была всего лишь худенькой, длинноногой, рыжеволосой девчонкой, довольно миловидной, но отнюдь не красавицей. Разумеется, с его стороны никогда не было в отношении ее никаких сексуальных домогательств, и потому, когда накануне ее возвращения домой Дуэйн сделал ей предложение, Рэчел просто остолбенела.

— Но почему я, Дуэйн? Ведь ты можешь выбрать любую женщину, какую захочешь.

— Потому что я люблю тебя, Рэчел. Я люблю твою невинность, твою непорочность. Мне нужно, чтобы ты все время была рядом со мной, — сказал Дуэйн, и в глазах у него заблестели слезы, совсем так, как это иногда случалось с ним во время проповеди. — Ты не позволишь мне сойти с пути, указанного Богом. Ты будешь моим пропуском на небеса.

Рэчел тогда не уловила некий мрачный замысел, заключенный в его словах. Ведь если исходить из них, получалось, что сам Дуэйн не заслуживает того, чтобы попасть на небо, и потому кто-то должен протащить его туда. Лишь два года спустя, когда Рэчел уже носила под сердцем Эдварда, остатки романтической завесы спали с ее глаз и она смогла увидеть Дуэйна Сноупса таким, каким он был на самом деле.

Хотя его вера в Бога была глубокой и непоколебимой, он был интеллектуально ограниченным человеком, которому были недоступны наиболее тонкие и трудные для понимания моменты теологии.

Дуэйн считал, что пришел в этот мир грешником, но в то же время был убежден, что Богу угодно, чтобы он занимался спасением душ других людей. При этом он никогда не задумывался о том, как его методы соотносятся с нормами морали. Весьма сомнительные махинации, связанные со сбором средств, экстравагантный образ жизни, наконец, его насквозь лживые проповеди — на все это, по его мнению, у него была санкция, полученная от Всевышнего.

Популярность его росла не по дням, а по часам. Но при этом одна лишь Рэчел понимала, что за его имиджем пастыря, врачующего и спасающего души, скрывается человек, на котором лежит проклятие.

Луч фонарика уперся в дверь спальни хозяев дома. В этой комнате Рэчел в прошлом проводила очень мало времени. Ее горячий темперамент и сексуальность в глазах Дуэйна выглядели едва ли не предательством. Ведь он взял ее в жены, пленившись ее непорочностью. Он хотел ее, но при этом не желал, чтобы она в ответ хотела его. Для удовлетворения страсти у него были другие женщины.

Тряхнув головой, чтобы отогнать неприятные воспоминания, Рэчел повернула ручку двери.

Учитывая, что Кэл Боннер и его жена жили в Чэпел-Хилл, дом должен был быть совершенно пуст, но едва успев шагнуть в комнату, Рэчел сразу же почувствовала, что это не так. Уши ее уловили скрип кровати, какой-то шорох... Обмирая от страха, она направила луч фонарика туда, откуда послышались подозрительные звуки, и увидела широко открытые глаза Габриэля Боннера.

Он был совершенно голый. Темно-синее одеяло сползло вниз, обнажив плоский подтянутый живот и край мускулистого бедра. Его темные, пожалуй, чересчур длинные волосы были взъерошены, на щеках проступала щетина. Опершись на локоть, Гейб Боннер уставился прямо на луч фонарика, светивший ему в лицо.

— Что вам нужно? — спросил он хриплым со сна голосом.

Почему она не подумала, что он может оказаться здесь? Этан ведь говорил ей, что коттедж Энни вызывает у Гейба слишком много воспоминаний. Дом, где когда-то жил Дуэйн Сноупс и которым теперь владел Кэл Боннер, не мог вызывать у Гейба подобных эмоций.

Рэчел стала лихорадочно пытаться придумать какую-нибудь ложь, объясняющую, почему она проникла в дом. Глаза Гейба сузились, словно он хотел получше рассмотреть ее, и Рэчел только тут поняла, что луч фонарика ослепил его и он не может ее узнать.

К ее изумлению, Гейб повернулся и посмотрел на будильник, стоящий на прикроватной тумбочке.

— Черт побери, я всего час как заснул, — пробормотал он.

Рэчел не поняла, что он хотел этим сказать. Она сделала шаг назад, продолжая, однако, светить фонариком Гейбу в лицо. Боннер спустил ноги с кровати.

— Пистолет у тебя есть? — неожиданно спросил он.

Рэчел ничего не ответила. Глядя на Боннера, она поняла, что он и в самом деле совершенно голый, хотя узкий луч фонарика освещал лишь его лицо и не давал возможности разглядеть его всего.

— Ну, давай, пристрели меня, — сказал Гейб, глядя прямо на Рэчел. В глазах у него не было страха. Там была одна лишь пустота, и Рэчел поежилась под его взглядом. Впрочем, ей показалось, что ему совершенно все равно, вооружена она или нет, застрелит она его или не причинит вреда. Это было странно: что же это был за человек, если не боялся смерти?

— Ну, давай, стреляй. Или стреляй, или проваливай отсюда к чертовой матери.

От злости, с которой были сказаны эти слова, по спине у Рэчел побежали мурашки. Ей стало так страшно, что она не могла больше думать ни о чем, кроме бегства. Выключив фонарик, она повернулась и бросилась в коридор. Темнота окутала ее со всех сторон. Выбравшись кое-как на балкон, она нащупала перила балюстрады и, держась за них, стала пробираться к лестнице.

Боннер догнал ее в тот самый момент, когда она ступила на первую ступеньку.

— Ах ты, сукин сын, — пробормотал он, хватая ее за руку и отбрасывая к стене.

Рэчел сильно стукнулась о стену боком и головой. Ее бедро и руку пронзила боль. Рэчел почувствовала, что вот-вот потеряет сознание. Ноги ее подогнулись, в глазах замелькали искры, и она мешком сползла на пол. Боннер тут же навалился на нее. Она успела почувствовать кожу его обнаженного тела, крепость его мышц, но тут вдруг рука Гейба нащупала ее длинные волосы, в беспорядке рассыпавшиеся по плечам.

На какой-то момент он замер, затем грубо выругался и вскочил на ноги. В следующую секунду коридор залил свет восьмифутовой люстры, висящей в вестибюле. Все еще испытывая слабость и головокружение, Рэчел подняла глаза и, посмотрев на склонившегося над ней Боннера, увидела, что не ошиблась: он был совершенно голый. Хотя все плыло у нее перед глазами, взгляд ее невольно застрял на наиболее интимной части его тела. Природа в этом смысле щедро одарила Гейба Боннера — он был заметно крупнее Дуэйна. Должно быть, удар головой о стену на какое-то время лишил Рэчел способности действовать разумно, потому что она едва не протянула руку, чтобы потрогать то, что привлекло ее внимание.

Дуэйн не давал Рэчел возможности удовлетворить ее сексуальное любопытство. Радости плоти существовали на свете лишь для него, но не для нее, она должна была быть образцом благочестия. Рэчел никогда не позволялось ласкать Дуэйна или делать что-либо из того, что она представляла в своих фантазиях. Пока Дуэйн обладал ею, от нее требовалось лишь лежать и молиться о спасении его души.

Боннер опустился рядом с Рэчел на колени. При этом он лишил ее замечательного зрелища, которым она так наслаждалась.

— Сколько? — спросил он.

— Один, — с трудом выдавила она.

— Постарайся сосредоточиться, Рэчел. Сколько пальцев я тебе сейчас показываю?

Пальцев? Значит, он говорил о *пальцах?*

— Уйди, — простонала Рэчел.

Гейб исчез куда-то, но тут же появился снова, держа в руке ее фонарик. Включив его, он снова опустился на колени и направил луч прямо ей в глаза. Она попыталась отвернуться.

— Лежи, — приказал Боннер.

— Оставь меня в покое.

— От света твои зрачки сузились, — сказал он, выключая фонарик. — Похоже, серьезной травмы нет.

— Тебе-то откуда знать? Ты ведь ветеринар.

«Голый ветеринар», — мысленно добавила Рэчел и застонала, пытаясь сесть. Боннер, однако, удержал ее от этой попытки.

— Полежи еще минутку. Я хочу, чтобы ты полностью пришла в себя, а уж потом вызову полицию, чтобы тебя арестовали.

— Ты еще укуси меня.

Боннер пристально посмотрел на Рэчел и вздохнул:

— Тебе надо серьезно учиться искусству общения.

— Да ладно тебе, Боннер. Ты вовсе не собираешься вызывать полицию и добиваться моего ареста. И мы оба это знаем, так что брось дурака валять.

— Почему ты так в этом уверена?

— Потому что тебе на все наплевать. Вот поэтому ты и не станешь звонить в полицию.

— Ты считаешь, что меня совершенно не волнует, зачем ты ночью забралась в этот дом?

— Ну, может, и волнует, но так, самую малость. В принципе тебе на все наплевать. А кстати, почему?

Гейб не ответил, но Рэчел это нисколько не удивило. Головокружение у нее постепенно проходило.

— Послушай, ты не мог бы что-нибудь на себя надеть?

Боннер оглядел себя, словно до него только сейчас дошло, что он голый. Затем он медленно поднялся на ноги.

— А что, моя нагота тебя беспокоит? — осведомился он.

— Ничуть, — сглотнув, сказала Рэчел, чувствуя, что не в силах отвести взгляд от самой замечательной детали тела Гейба, которая, как ей вдруг показалось, стала увеличиваться в размерах.

— Рэчел!

— Что?

— Ты же сейчас на мне дырку протрешь глазами.

Рэчел вздрогнула и почувствовала, как щеки ее против воли заливает краска смущения. От этого она ужасно разозлилась. Однако она взбесилась еще больше, когда заметила, что Боннер едва заметно улыбнулся. Рэчел поняла, что наконец все же нашлось нечто, что рассмешило этого непроходимо мрачного мужчину.

Сделав над собой усилие, она села, опираясь спиной о стену.

— Я просто прошу тебя одеться, вот и все, ясно? В голом виде ты выглядишь отвратительно.

Гейб звонко хлопнул себя по бедрам.

— Вы посмотрите на нее, она еще и права качает! — воскликнул он. — Я мирно спал, никого не трогал, а ты забралась ко мне в спальню. Кстати, что ты здесь делаешь?

— Мне надо идти, — сказала Рэчел, с трудом поднимаясь на ноги.

— Да уж, это точно.

— Нет, в самом деле, Боннер. Уже поздно. Я, конечно, прекрасно провела время, мне было очень интересно поглядеть, каков ты в чем мать родила, но...

— Пошли, — сказал Боннер и потащил ее в сторону спальни. Мимоходом он нажал еще на один выключатель, и другая люстра обрушила на него и Рэчел водопад света.

— Не надо, Боннер.

— Заткнись.

Когда они вошли в спальню, он толкнул ее на кровать, которая была установлена на возвышении (все в доме должно было быть под стать незаурядной личности неподражаемого врачевателя душ). Затем Гейб снял со стула с прямой спинкой, который когда-то стоял в спальне Рэчел, пару джинсов. Внимательно наблюдая за каждым его движением, Рэчел видела, как он поочередно сунул ноги в штанины, и отметила, что Гейб даже не подумал надеть нижнее белье. Дуэйн, вспомнила она, носил шелковые, боксерского типа трусы, сшитые на заказ в Лондоне. Когда Боннер резким движением застегнул молнию, из груди Рэчел едва не вырвался вздох сожаления. Возможно, этот человек был негодяем, но он обладал великолепным телом.

Некая сексуальная напряженность, которую она почувствовала в его присутствии, очень огорчила Рэчел. Тело ее так долго молчало, почему же оно вдруг заявило о себе именно сейчас и отреагировало именно на Гейба Боннера?

Стараясь отвлечься от этих мыслей, она быстро оглядела комнату. Шкатулки Кеннеди нигде не было видно. Темную, тяжелую мебель она помнила. На окнах висели хорошо знакомые ей портьеры из красного бархата, отделанные черными и золотыми кистями. Хотя Рэчел никогда не доводилось бывать в публичном доме, ей всегда почему-то казалось, что эта комната отлично вписалась бы в его интерьер.

Самым отвратительным элементом обстановки было зеркало, висевшее под углом над кроватью с красным бархатным балдахином. Поскольку Дуэйн никогда не приводил в дом других женщин и всегда выключал свет, занимаясь любовью с Рэчел, она могла лишь догадываться, почему оно будоражило его воображение. Размышляя над этим, она в конце концов пришла к выводу, что ему было необходимо видеть себя в момент пробуждения, чтобы убедиться, что ночью Бог не отправил его в ад.

— Ну ладно, Рэчел. Так как насчет того, чтобы сказать мне, что ты здесь делаешь?

Есть мужчины, подумала Рэчел, на которых приятно смотреть, но которых ужасно неприятно слушать.

— Сейчас уже поздно, — ответила она. — Расскажу как-нибудь в другой раз.

Боннер подошел к ней. Она взглянула в его каменное лицо, и ей стало зябко.

— Я в самом деле неважно себя чувствую, — сказала Рэчел. — Вполне возможно, что у меня действительно сотрясение мозга.

Боннер провел ладонью по ее лицу.

— Нос у тебя холодный, так что с тобой все в порядке.

— Тебя это не касается.

— Я вижу, ты опять ощетинилась.

— Это имеет отношение к моему прошлому, а мое прошлое тебя не касается.

— Ладно, хватит. Пока ты не скажешь правду, я тебя отсюда не выпущу.

— Ну, меня ностальгия одолела, вот и все. Я думала, что дом пустой.

— Много хороших воспоминаний? — спросил Боннер, указывая пальцем на подвешенное над кроватью зеркало.

— Это была комната Дуэйна, а не моя.

— А твоя, наверное, следующая по коридору.

Рэчел кивнула и подумала о том маленьком убежище, которое она в свое время устроила для себя в соседней комнате: вишневая мебель, обшитые тесьмой коврики, бледно-голубые стены с белой отделкой.

— Как ты проникла внутрь?

— Задняя дверь была не заперта.

— Врешь. Я сам ее запер.

— Я открыла замок шпилькой для волос.

— У тебя в волосах уже много месяцев не было шпилек.

— Ну ладно, Боннер. Если ты такой умный, подумай сам, как я могла сюда попасть.

— Замки легко взламывать в кино, а в реальной жизни это не так-то просто и довольно непрактично.

Боннер пристально взглянул на Рэчел, а потом быстрым движением, так, что она не успела даже отреагировать, провел руками по ее бокам и сразу же обнаружил ключ, лежащий в кармане спортивной фуфайки.

— Я думаю, у тебя был ключ, который ты предусмотрительно забыла сдать, когда тебя отсюда выселяли.

— Отдай.

— Сейчас, как же, — издевательским тоном сказал Боннер. — Мой брат обожает, когда в его дом вламываются воры.

— Неужели ты в самом деле считаешь, что в этом доме есть что-то, что я хотела бы украсть?

Рэчел натянула фуфайку на оголившееся плечо и поморщилась от боли в руке.

— В чем дело? — спросил Гейб.

— Он еще спрашивает! Между прочим, ты чуть не размазал меня по стене, придурок! У меня рука болит!

По лицу Боннера проскользнуло виноватое выражение.

— Черт возьми, я не знал, что это ты.

— Это не оправдание, — бросила Рэчел и снова поморщилась, когда Боннер с удивительной осторожностью начал ощупывать ее руку, пытаясь выяснить, насколько серьезна травма.

— Если бы я знал, что это ты, я бы сбросил тебя с балкона. Ну что, больно?

— Да, больно!

— Перестань хныкать, ты не маленький ребенок.

Подняв ногу, Рэчел изловчилась и пнула Гейба в голень, но ей не хватило расстояния для приличного замаха, и потому удар получился слишком слабым и не причинил Боннеру вреда. Не обратив на ее выходку никакого внимания, он еще некоторое время ощупывал ее руку, потом отпустил.

— Скорее всего это просто ушиб, но на всякий случай тебе надо бы сделать рентген.

«Можно подумать, что у меня есть деньги на рентген», — подумала Рэчел.

— Если через пару дней не пройдет, я так и поступлю, — сказала она.

— Во всяком случае, было бы хорошо, если бы ты какое-то время поносила руку на перевязи.

— Ну да, чтобы меня уволили с работы? Нет уж, спасибо.

Боннер глубоко вздохнул, словно собирая остатки терпения.

— Я тебя не уволю, — сказал он подчеркнуто ровным тоном.

— Не надо делать мне одолжений!

— Ты просто невозможный человек! — взорвался Гейб. — Заткнись наконец... Я стараюсь вести себя по-джентльменски, а ты только и знаешь, что хамишь.

Трудно сказать, что было тому причиной, но Рэчел почему-то снова представила себе Боннера обнаженным. Она опять поймала себя на том, что буквально поедает его глазами. Почувствовав это, он ответил ей таким же откровенным взглядом. Рэчел облизнула сухие губы.

Губы Боннера приоткрылись, словно он хотел что-то сказать, но забыл, что именно. Затем он потер ладонью собственное бедро. Не в силах переносить возникшую тягостную паузу, Рэчел рывком встала с кровати.

— Пойдем, — сказала она. — Я покажу тебе дом.

— Я здесь живу. С какой стати ты собираешься мне здесь что-то показывать?

— Ты сможешь узнать кое-что из истории этого дома, — сказала Рэчел, надеясь получить возможность осмотреть другие комнаты и обнаружить заветную шкатулку.

— Тоже мне достопримечательность.

— Пойдем, Боннер. Я просто умираю, так мне хочется тут все посмотреть, а тебе ведь все равно нечего делать. Экскурсии хорошо помогают от бессонницы, — добавила она.

— Откуда ты знаешь, что у меня бессонница?

— Я ясновидящая, — ответила Рэчел и подумала, что ее догадка оказалась верной.

Она подошла к двери большого стенного шкафа, такого большого, что в него свободно мог войти человек. Прежде чем Боннер успел что-либо возразить, она распахнула ее. Взгляд Рэчел скользнул по аккуратным полкам и крючкам, половина из которых пустовала. В шкафу висело лишь несколько мужских костюмов. Чьи они — Гейба или его старшего брата? Рэчел не могла этого определить. Кроме костюмов, она увидела несколько пар темных брюк спортивного покроя и несколько джинсовых рубашек, которые, это она сразу поняла, принадлежали Гейбу. На одной из полок стопкой лежали джинсы, на другой футболки. Шкатулки нигде не было видно.

Боннер подошел и остановился у нее за спиной. Опережая его протесты по поводу того, что она так бесцеремонно принялась разглядывать содержимое платяного шкафа, Рэчел сказала:

— При Дуэйне этот шкаф был забит таким количеством сшитых на заказ костюмов, шелковых галстуков по сотне долларов за штуку и туфель ручной работы, какого одному человеку за всю жизнь не сносить. Он вечно наряжался, как на прием, даже когда просто слонялся по дому. Впрочем, такое с ним случалось довольно редко. Он был трудоголиком.

— Не хочу задевать твои чувства, Рэчел, но мне наплевать на Дуэйна.

«Мне тоже», — подумала она и сказала:

— От этого экскурсия будет для тебя еще интереснее.

Рэчел направилась в сторону коридора, затем провела Боннера по гостевым спальням, называя имена известных политиков, которые останавливались в той или иной из них. Кое-что из того, что она рассказывала Гейбу, было правдой. Гейб молча ходил следом за Рэчел, глядя на нее задумчивым, изучающим взглядом. Он чувствовал, что у нее есть какая-то цель, но не мог понять, какая именно.

Оставалось осмотреть всего две комнаты — бывшую спальню Рэчел и детскую, а шкатулки не было и в помине. Рэчел подошла к двери детской, но прежде, чем она успела взяться за ручку, кисть Гейба накрыла ее пальцы.

— Экскурсия закончена, — сказал он.

— Но ведь это была комната Эдварда, — возразила она. — Я хочу на нее посмотреть.

Помимо этого, ей хотелось взглянуть и на свою спальню.

— Я отвезу тебя домой, — сказал Гейб.

— Позже.

— Нет, сейчас.

— Ладно.

Казалось, Боннера удивило то, что Рэчел так легко согласилась. Поколебавшись немного, он кивнул.

— Сейчас, я только что-нибудь на себя накину.

— Можешь не торопиться.

Повернувшись, Гейб зашагал в сторону своей спальни. Рэчел взялась за ручку двери и приоткрыла ее.

— Я сказал, экскурсия закончена, — раздался у нее за спиной голос Боннера.

— Ну ты и кретин! — вспылила Рэчел. — У меня с этой комнатой связано столько приятных воспоминаний. Мне хочется поглядеть на нее.

— Я просто тронут до слез, — процедил Боннер. — Пошли отсюда. Ты поможешь мне одеться.

С этими словами Гейб захлопнул дверь, прежде чем Рэчел успела хотя бы заглянуть в комнату, и, крепко сжав ее руку, потащил за собой.

— Можешь не беспокоиться, я дойду домой пешком, без твоей помощи, — сказала Рэчел.

— Ну, и кто из нас двоих кретин? — огрызнулся Боннер.

Как ни неприятно было Рэчел это признавать, но он был прав. Когда они вошли в спальню, которую Гейб облюбовал для себя и где так неожиданно для себя его обнаружила Рэчел, он закрыл дверь и направился прямиком к платяному шкафу. Рэчел заметила ключ от задней двери дома на прикроватной тумбочке, куда его положил Гейб, и быстро сунула его в карман, после чего как ни в чем не бывало прислонилась к одной из стоек кровати, поддерживающих балдахин.

— Можно мне по крайней мере взглянуть на комнату, в которой когда-то жила я? — осведомилась она.

Боннер вышел из шкафа, застегивая джинсовую рубашку.

— Нельзя, — сказал он. — Когда моя невестка приезжает сюда, она использует комнату, о которой ты говоришь, в качестве офиса, и я не думаю, что ей было бы приятно узнать, что в ее отсутствие ты шныряла там и совала нос куда не следует.

— А кто сказал, что я собираюсь куда-либо совать нос? Я просто хочу на нее взглянуть, вот и все.

— Я сказал — нельзя, значит, нельзя. — Боннер поднял с пола пару толстых носков и натянул на ноги. Когда он надел ботинки, Рэчел устремила взгляд в дальний конец комнаты, туда, где находилась ванная, откуда был ход из ее бывшей спальни в спальню Дуэйна.

— Как часто твой брат и невестка сюда наведываются?

— Довольно редко, — сказал Гейб и встал. — Ни ему, ни ей этот дом не слишком нравится.

— Почему же они его купили?

— Они приобрели его, чтобы иметь возможность уединиться. Мой брат и его жена прожили здесь три месяца после свадьбы. У Кэла в то время заканчивался контракт с «Чикаго старз». С тех пор они приезжают сюда нечасто и проводят здесь очень немного времени.

— А чем они сейчас занимаются?

— Мой брат поступил в медицинскую школу при Университете Северной Каролины, а его жена в этом самом университете преподает. Думаю, они в скором времени приведут этот дом в порядок. Слушай, а почему вы с Дуэйном Сноупсом спали в разных комнатах?

— Он храпел.

— Брось, Рэчел. Ты вообще можешь прекратить нести всякую чушь, чтобы мы имели возможность спокойно поговорить. Или ты намерена врать до тех пор, пока не разучишься говорить правду?

— Вообще-то я не считаю себя лгуньей!

— Говори-говори.

— Мы спали в разных комнатах, потому что он не хотел подвергать себя искушению.

— Ты это о чем?

— А ты как думаешь?

— Но ты же была его женой.

— Его целомудренной невестой.

— Но у тебя есть ребенок, Рэчел.

— Это просто чудо, учитывая...

— А я-то думал, что Дуэйн Сноупс был тот еще кобель. Ты что же, хочешь сказать, что он был равнодушен к сексу?

— Он обожал секс, но только со шлюхами. Его жена должна была оставаться безгрешной.

— Просто сумасшествие какое-то.

— Что поделаешь, таков был Дуэйн.

Боннер негромко хохотнул, и Рэчел решила воспользоваться этим моментом, надеясь, что ей удастся вызвать у него сочувствие.

— Да ладно тебе, Боннер. Я не могу поверить, что ты такой вредный, что не дашь мне взглянуть на комнату Эдварда.

— Жизнь — паскудная штука, — жестко сказал Гейб и мотнул головой в сторону входной двери. — Пошли.

Спорить было бесполезно, да это и не имело смысла. Ключ снова был у нее, и потому она могла вернуться сюда, предварительно убедившись, что в доме никого нет. Рэчел прошла следом за Боннером в гараж, где стоял длинный темно-синий «мерседес» и запыленный черный пикап, принадлежавший Гейбу.

— Это что, твоего братца? — спросила Рэчел, кивнув в сторону «мерседеса».

— Мой.

— Ба, да ты и в самом деле богач, верно?

Гейб пробурчал что-то и сел за руль пикапа. Через несколько секунд они уже катили по подъездной аллее, к воротам с украшением в виде молитвенно сложенных рук.

Было около двух часов ночи. Шоссе было пустынно. Рэчел чувствовала себя совершенно измученной. Откинув голову на спинку сиденья, она принялась жалеть себя. С того момента, когда увидела то фото в журнале, она почти не продвинулась вперед в осуществлении своего плана. Она до сих пор не знала точно, действительно ли шкатулка находится в доме. Единственное, чем она могла похвастаться, так это тем, что ей удалось снова завладеть ключом. «Интересно, — подумала она, — сколько времени пройдет, прежде чем Гейб обнаружит, что я его стащила».

— Черт побери! — выругался вдруг Гейб и так ударил по тормозам, что Рэчел бросило вперед.

Перекрывая узкую дорогу, ведущую на гору Страданий к коттеджу Энни, впереди маячило что-то большое, футов шести в высоту, светящееся, геометрически правильное. То, что так неожиданно предстало перед их глазами, выглядело настолько ужасно, что Рэчел даже не сразу сообразила, что это такое. Однако оцепенение не могло продолжаться вечно, и до нее в конце концов дошло, что именно преградило им путь.

Это были тлеющие остатки деревянного креста...

Глава 9

Словно ледяная игла кольнула Рэчел между лопаток.

— Они сожгли крест, чтобы напугать меня и заставить уехать, — прошептала она.

Гейб распахнул дверь пикапа и выпрыгнул на дорогу. В свете фар Рэчел видела, как он ногой свалил тлеющие остатки креста на землю. Когда они упали, в воздух взметнулся целый сноп искр. Чувствуя слабость в коленях, она вышла из машины. Руки ее стали холодными и липкими. Гейб тем временем достал из машины лопату и разбил дымящиеся перекладины на части.

— Мне больше нравится, когда соседи встречают нового жителя шоколадным тортом, — едва слышно пробормотала Рэчел.

— Шутки тут неуместны, — сказал Гейб и принялся собирать обугленные куски дерева на лопату и отбрасывать их на обочину.

Рэчел закусила нижнюю губу.

— Мне только и остается, что шутить, Боннер, — сказала она. — Другого выхода нет, а если и есть, мне о нем даже думать не хочется.

Руки Гейба замерли на черенке лопаты. На лице его появилось выражение глубокой тревоги. Когда он заговорил, голос его зазвучал гораздо мягче, чем когда-либо раньше:

— Как тебе это удается, Рэчел? Как ты умудряешься оставаться на поверхности?

Рэчел охватила руками плечи. Возможно, тут сыграли свою роль ночь и шок, который она испытала при виде догорающего креста, но вопрос Боннера не показался ей странным.

— Я просто стараюсь поменьше задумываться. И еще я не полагаюсь ни на кого, кроме себя.

— О Боже, — вздохнул Гейб и покачал головой.

— Бог давно мертв, Боннер, — горько усмехнулась Рэчел. — Неужели ты этого до сих пор не понял?

— Ты в самом деле веришь в то, что сейчас сказала?

Внутри у Рэчел словно что-то лопнуло.

— Я все делала правильно! Я жила верой! Два раза в неделю ходила в церковь, каждое утро и каждый вечер становилась на колени и молилась. Я заботилась о немощных и помогала бедным! Я не делала зла другим людям, и за все это не получила ровным счетом ничего.

— Наверное, ты просто путаешь Бога с Санта-Клаусом.

— Не надо читать мне проповеди! Не смей этого делать, слышишь?

Она стояла перед Боннером в голубоватом свете фар, сжав кулаки, и Боннер подумал, что никогда еще ему не доводилось видеть никого, кто выглядел бы таким яростно-убежденным и таким бесхитростным. При довольно высоком росте Рэчел Стоун была худой, почти хрупкой, а лицо ее, казалось, состояло из одних только огромных зеленых глаз. Впрочем, нет, не из одних глаз. Губы ее небольшого, аккуратного рта были полными и сочными, словно спелый фрукт, и сразу же привлекали внимание. Ее растрепанные волосы, подсвеченные сзади фарами, напоминали светящийся нимб.

Пожалуй, любая другая женщина в аналогичной ситуации выглядела бы смешной. Мятое, запачканное краской платье висело на худеньких плечах Рэчел, словно на вешалке, а огромные, грубые башмаки при ее тонких лодыжках смотрелись просто омерзительно. Однако во всей фигуре Рэчел чувствовались достоинство и гордость загнанного в западню зверя. И что-то глубинное, может быть, та боль, что жила у Гейба в душе, с непреодолимой силой потянула его к Рэчел, и он почувствовал, что больше не в состоянии сопротивляться своему желанию. Он хотел ее так сильно, как никого и ничего не хотел после гибели жены и сына. Кроме, разве что, смерти...

Гейб даже не заметил, как все произошло. Просто в следующую секунду Рэчел уже была в его объятиях, и он чувствовал ладонями ее теплое тело. Она была хрупкой и слабой, но не сломленной, как он. Ему одновременно хотелось защитить ее, переспать с ней, успокоить и уничтожить ее. От этого хаоса эмоций боль, сжигавшая его душу, **стала еще сильнее.**

Рэчел больно впилась ногтями в его руку выше локтя. Не обращая на это внимания, он грубо обхватил ее ягодицы, еще крепче привлек к себе и легонько коснулся губами ее губ, мягких и теплых.

— Я хочу тебя, — хрипло пробормотал Боннер, откинув назад голову.

Голова Рэчел качнулась, и Гейб понял, что она согласна. От того, что она так легко сдалась, он мгновенно пришел в бешенство. Схватив рукой подбородок Рэчел, он приподнял его и уставился прямо в ее зеленые глаза, в которых плескалась боль.

— Благородная вдова Сноупс в очередной раз жертвует собой ради ребенка, — прошипел он. — Ладно, к черту все это.

Он отпустил ее. Рэчел продолжала пристально смотреть на него, а он снова схватил лопату и принялся расчищать дорогу. Он когда-то уже обещал, что больше не сделает этого. Да, в тот раз, когда темная сторона души взяла над ним верх и когда он хотел раздавить, уничтожить эту женщину, он в конце концов пообещал, что никогда больше не притронется к ней.

— Может, это вовсе не было бы жертвой, — сказала Рэчел. Боннер застыл на месте.

— Ты это о чем?

— О твоем фантастическом теле. Я не могла его не оценить.

— Перестань, Рэчел. Прекрати умничать. Лучше просто скажи мне, что ты имеешь в виду?

Нижняя губа Рэчел предательски задрожала, но она все же справилась с собой. Ее маленькие груди приподнялись под скрывавшим их ужасным платьем — она глубоко вздохнула.

— Может быть, мне просто захотелось узнать, что это такое — быть с мужчиной, которому не нужно, чтобы в постели рядом с ним лежала святая. Мне двадцать семь лет, а у меня был всего один мужчина, и я ни разу не испытала с ним оргазма. Смешно, правда?

Боннеру, однако, было совсем не до смеха. Слова Рэчел почему-то его разозлили.

— Так, значит, тебе захотелось попробовать со мной, что это такое? И я должен стать морской свинкой в твоих сексуальных экспериментах?

Тут уже Рэчел почувствовала приступ бешенства. Как и многие рыжеволосые люди, она не могла похвастаться спокойным нравом.

— Ты сам начал ко мне приставать, придурок!

— Это было внезапное помрачение рассудка.

Гейб видел, что Рэчел собирает силы для ответного удара, и потому нисколько не удивился, когда она улыбнулась неприятной, деланной улыбкой и сказала:

— А жаль, очень жаль. Если бы мы занялись любовью в темноте и ты не произносил бы ни слова, я могла бы попытаться представить себе, что со мной не ты, а кто-нибудь другой. Вообще говоря, неплохо было бы обзавестись персональным жеребцом.

Гнев Боннера улетучился так же внезапно, как и нахлынул. Он искренне обрадовался. Рэчел так уж была устроена, что не могла отступить ни на дюйм. Внезапно у Гейба поднялось настроение, хотя для этого не было никаких причин, если не считать того, что он все же не причинил Рэчел вреда.

Расс Скаддер молча наблюдал за тем, как свет фар пикапа Гейба удаляется в сторону коттеджа Энни.

— Он целовался с ней, — сказал Донни Брэгельман.

— Да, я видел.

Мужчины прятались в небольшой рощице в тридцати ярдах от дороги, слишком далеко для того, чтобы слышать, о чем говорили Гейб и вдова Сноупс, но достаточно близко, чтобы видеть, чем они занимались.

— Она шлюха, — сказал Расс. — Когда я ее в первый раз увидел, я сразу понял, что она шлюха.

Разумеется, во время своей первой встречи с Рэчел Расс ничего такого не думал и не мог думать. Когда он работал в службе безопасности храма Дуэйна Сноупса, он чаще всего видел ее с ребенком. Рэчел всегда была приветлива с Рассом, и он ей даже симпатизировал. Но это было до того, как все рухнуло.

Поначалу все складывалось для Расса очень хорошо. Человек, который возглавлял службу безопасности, взял его своим заместителем. Поскольку Расс охранял самого Дуэйна Сноупса и осуществлял контроль за безопасностью в помещениях храма, у него было ощущение, что он наконец-то занимается важным делом, и жители Солвейшн перестали смотреть на него, как на неудачника.

Но когда Дуэйн Сноупс упал со своего пьедестала, он прихватил с собой и Расса. Никто не хотел брать его на работу, потому что в памяти всех жителей городка он был накрепко связан с проворовавшимся проповедником. У Расса в Солвейшн была семья, поэтому уехать он не мог. Положение его было в самом деле весьма незавидным. В конце концов жена выгнала его из дома. Жизнь Расса стала невыносимой.

— Ну, черт возьми, мы ей и показали, — сказал Донни.

Донни Брэгельман был единственным другом Расса. Он был еще большим неудачником, чем Расс. У Донни была привычка смеяться невпопад и при всех почесывать мотню. Тем не менее он имел постоянную работу в корпорации «Амоко», и Расс мог иногда подзанять у него денег. Кроме того, его можно было подбить на что угодно, и потому Рассу не составило особого труда уговорить Донни помочь ему устроить сегодняшнее сожжение креста.

Расс хотел, чтобы Рэчел Сноупс уехала из города. Он надеялся, что вид горящего деревянного креста ее напугает до смерти и она навсегда исчезнет из Солвейшн. Рэчел была непосредственной участницей постыдной истории с храмом Дуэйна Сноупса, и после всего, что Рассу пришлось пережить, он не мог допустить, чтобы она снова как ни в чем не бывало поселилась в этих местах. Тот факт, что Гейб Боннер дал ей работу, которую когда-то выполнял он, Расс Скаддер, стало последней каплей. Вот уже целую неделю Расс не мог думать ни о чем другом.

Он начал работать на Гейба сразу же после того, как тот купил придорожный кинотеатр. Работа была довольно пакостная, да и сам Гейб тоже оказался далеко не подарком. Через пару недель Боннер уволил Скаддера за то, что он опоздал на несколько минут к началу рабочего дня. Разумеется, Рассу это не пришлось по вкусу.

— Да уж, мы ей показали, — повторил Донни. — Как ты думаешь, теперь, когда эта шлюха знает, что здесь ей не рады, она смотает отсюда удочки?

— Если она этого не сделает, — ответил Расс, — то пожалеет об этом.

Три дня спустя Рэчел, крася снаряды детской игровой площадки, пристально наблюдала за Гейбом, который, забравшись на крышу закусочной, покрывал ее рубероидом. Для удобства он снял рубашку и повязал голову алой банданой. Грудь Гейба, покрытая капельками пота, поблескивала на солнце.

При виде мощных, рельефных мышц на спине и руках Гейба у Рэчел даже пересохло во рту, так ей захотелось провести рукой по его разгоряченному, потному телу.

Возможно, дело в том и было, что она стала питаться нормально и ее тело проснулось от спячки. Наверное, этим и объясняется странный факт, что она никак не могла насмотреться на своего работодателя. Однако, в очередной раз окуная кисть в ведерко с краской, она решила, что не имеет смысла обманывать себя: после объятия в темноте на дороге между ними что-то произошло. Теперь, как только они оказывались в непосредственной близости, их явно тянуло друг к другу. Они делали все, чтобы даже ненароком не сталкиваться, но взаимное влечение не исчезало.

Рэчел стало жарко, и она расстегнула еще одну пуговицу на своем темно-зеленом платье. Это было одно из тех старомодных платьев, которые Кристи обнаружила в стенном шкафу комнаты, где стояла швейная машинка. Кристи отдала их Рэчел, которая с благодарностью приняла видавшие виды наряды. Вместе с ее неуклюжими черными полуботинками получался даже некий своеобразный стиль, да и вообще она была счастлива расширить свой жалкий гардероб, не потратив при этом ни цента. Тем не менее ей не давала покоя мысль: а что сказала бы Энни Глайд, если бы узнала, что вдова Сноупс донашивает ее вещи.

Сейчас, правда, Рэчел казалось, что она вот-вот живьем сварится в своем темно-зеленом платье. Впрочем, возможно, ей просто стало жарко от вида вздувшихся мышц Гейба, таскающего тяжелые рулоны рубероида. Когда он решил сделать небольшой перерыв, руки Рэчел, не выпуская кисть, тоже замерли. Взгляд ее был прикован к Гейбу Боннеру. Она видела, как он потер ладони и посмотрел на нее. Он находился от нее слишком далеко, чтобы она могла рассмотреть его глаза, но тем не менее Рэчел чуть ли не физически ощутила, как они ласкают ее тело. От его взгляда кожу ее стали покалывать невидимые иголочки. Так продолжалось недолго. Оба они отвернулись и стали смотреть в разные стороны.

С мрачной решимостью Рэчел снова принялась за работу. Остаток дня она пыталась как можно меньше прислушиваться к своему телу и побольше думать о том, как ей снова проникнуть в дом, где она когда-то жила вместе с Дуэйном Сноупсом. И как найти заветную шкатулку?..

Руки Рэчел застыли, не выпуская деревянную ложку, которой она помешивала в кастрюльке готовившийся к ужину домашний суп из морских продуктов. Она знала, что услышит что-то страшное, но все же не была готова к тому, что рассказала Кристи.

— Оба они погибли мгновенно. — Кристи подняла голову от бледно-розовой миски, в которую она складывала нарезанный салат-латук. — Это было ужасно.

Глаза Рэчел наполнились слезами. Неудивительно, что Гейб такой злой и мрачный. Теперь ей многое понятно...

— Джейми было всего пять лет, — дрожащим голосом снова заговорила Кристи. — Он был маленькой копией Гейба, и они с отцом были просто неразлучны. И Черри была чудесная женщина. После той трагедии Гейб уже никогда не стал таким, как прежде.

На какой-то момент у Рэчел перехватило дыхание. Она была просто не в состоянии представить, какую адскую боль должен был испытывать Гейб, и сердце ее в этот момент разрывалось от жалости к нему. В то же время что-то подсказывало ей: сочувствие и жалость давно уже стали врагами Гейба Боннера.

— Есть кто-нибудь в доме?

Услышав голос Этана Боннера, Кристи уронила нож. С шумом втянув в себя воздух, она наклонилась за ним, однако нож тут же снова со стуком выпал из ее рук.

Рэчел была настолько потрясена трагедией Гейба, что до нее лишь спустя какое-то время дошло, что Кристи Браун ведет себя как-то странно. Этан был ее боссом, и она видела его почти каждый день. С какой же тогда стати она потеряла самообладание при его появлении?

Кристи Браун по-прежнему оставалась для Рэчел загадкой. Эдвард ее просто обожал, и она тоже очень любила мальчика, но при этом была предельно сдержанной в проявлении своих чувств. Рэчел никак не могла определить, что за человек скрывается под маской деловитой, уверенной в себе женщины.

Кристи так до сих пор и не ответила на стук и оклик Этана, и Рэчел пришлось самой пригласить его войти. При этом боковым зрением она уловила, как Кристи глубоко вздохнула и снова превратилась в спокойную, сдержанную женщину. Теперь, глядя на нее, трудно было представить, что всего несколько секунд назад она выглядела совершенно растерянной.

— Мы как раз собираемся садиться за стол, Этан, — сказала Кристи, когда Этан Боннер появился в дверях. — Хочешь перекусить?

— Пожалуй, не стоит, — отозвался Этан и холодно кивнул Рэчел.

Рэчел окинула быстрым взглядом его голубую рубашку, заправленную в защитного цвета брюки с тщательно отглаженными до бритвенной остроты стрелками. Светлые волосы Этана, в меру длинные, были аккуратно подстрижены и причесаны. Чисто внешне он куда больше походил на блестящего штабного офицера, нежели на священника.

— Я проезжал мимо и решил заглянуть, чтобы передать тебе кое-какие материалы для бюллетеня, — сказал он, обращаясь к Кристи. — Ты сказала, что будешь заниматься им завтра с утра, а я завтра появлюсь не раньше двух.

Кристи взяла у Этана папку с бумагами и отложила ее в сторону.

— Иди помой руки, а мы тем временем накроем на стол. Рэчел приготовила замечательный суп.

Этан не заставил себя уговаривать, и вскоре трое взрослых и Эдвард уже сидели за столом. За едой Этан обращался исключительно к Эдварду и Кристи. Эдвард подробно рассказал ему, как днем кормил морскую свинку по кличке Снагглз. Слушая его, Рэчел поняла, что у сына возникли некие взаимоотношения с Этаном Боннером, о которых она ровным счетом ничего не знала. Она обрадовалась тому, что Этан не стал распространять свою враждебность к ней на ее ребенка.

Кристи, как заметила Рэчел, вела себя по отношению к Этану так, словно была его матерью, а он — слегка отставшим в развитии от сверстников десятилетним мальчиком. Она выбрала заправку для его порции салата, посыпала тертым пармезаном его спагетти и вообще только что .не резала для него еду на удобные для прожевывания и глотания кусочки.

Что касается Этана, то он вряд ли отдавал себе отчет в ее преувеличенном к нему внимании и уж, что было совершенно ясно, не замечал голодного, полного желания выражения, которое появлялось в глазах Кристи всякий раз, когда она устремляла на него взгляд.

Вот, значит, как обстоит дело, подумала Рэчел, сделав соответствующие выводы.

Кристи отказалась от предложения Этана помочь убрать со стола и вымыть посуду, которое Рэчел без всяких колебаний приняла бы. Вскоре после ужина Этан уехал. Рэчел отправила Эдварда на улицу ловить светлячков, а сама вместе с Кристи принялась за мытье тарелок.

Вытирая очередную тарелку, протянутую ей Кристи, она все же не выдержала.

— Ты давно знакома с Этаном? — спросила Рэчел.

— Почти всю жизнь.

— Вот как... Я готова побиться об заклад, что большую часть жизни ты была в него влюблена.

Салатница, которую Кристи в этот момент держала в руках, выскользнула у нее из пальцев и упала на покрытый линолеумом пол, расколовшись на две одинаковые, почти идеально ровные половинки.

— Ба, да ты даже посуду бьешь аккуратно, — заметила Рэчел, взглянув вниз.

— Почему ты так сказала? Что ты имела в виду?

Наклонившись, Рэчел подняла с пола осколки салатницы.

— Это не важно, — сказала она. — К сожалению, у меня есть дурацкая привычка совать нос не в свои дела, а твоя личная жизнь меня не касается.

— Моя личная жизнь. — Кристи презрительно фыркнула и смачно швырнула в раковину кухонное полотенце. — Можно подумать, что она у меня есть.

— Тогда почему бы тебе что-нибудь не предпринять?

— Предпринять? — переспросила Кристи, забирая у Рэчел осколки и опуская их в мусорное ведро под раковиной.

— Ну да. Ведь совершенно очевидно, что ты к нему неравнодушна.

Кристи была настолько скрытным в этом смысле человеком, что Рэчел ожидала, что она начнет отпираться. Однако Кристи не стала этого делать.

— Все не так просто, — сказала она. — Этан Боннер — самый красивый мужчина в Солвейшн, а может, и во всем штате Северная Каролина, и он имеет слабость к женщинам в фальшивых бриллиантах и мини-юбках.

— Тогда надень на себя фальшивые бриллианты и мини-юбку. По крайней мере он обратит на тебя внимание.

Брови Кристи поползли вверх.

— Я?

— А почему бы и нет?

— Чтобы такая женщина, как я... церковный секретарь... Я такая... такая заурядная.

— Кто тебе это сказал?

— Я никогда не смогу сделать ничего подобного. Никогда.

— Не сможешь — так не сможешь.

Глядя на Рэчел, Кристи покачала головой.

— Во всем этом я буду выглядеть круглой дурой, — сказала она.

Рэчел оперлась бедром о кухонный стол.

— Ты отнюдь не дурнушка, Кристи, несмотря на твой ужасающе скучный гардероб. — Рэчел улыбнулась и посмотрела на свое платье, купленное, по всей вероятности, еще в пятидесятые годы. — Впрочем, по этому вопросу мне, пожалуй, лучше не высказываться, — добавила она.

— Ты в самом деле не считаешь меня дурнушкой?

При этом глаза Кристи вспыхнули такой надеждой, что сердце Рэчел так и рванулось к ней. Она подумала, что, возможно, ей наконец представилась возможность вознаградить эту умную, но очень неуверенную в себе женщину за ее доброту.

— Пойдем, — сказала Рэчел, увлекая Кристи в гостиную, где они уселись на кушетку. — Да, я в самом деле не считаю тебя дурнушкой. У тебя очень красивые черты лица. Ты миниатюрная, а мужчины на это обычно клюют, или я ничего в этом не понимаю. А под блузкой ты прячешь очень соблазнительную грудь.

— Ты правда считаешь, что у меня есть грудь?

Рэчел не смогла сдержать улыбки.

— Думаю, тебе самой лучше знать, — сказала она. — Мне кажется, Кристи, что ты просто давным-давно решила, что ты непривлекательная, и никогда не пыталась взглянуть на себя по-другому.

Кристи сжалась на кушетке. На лице ее одновременно отражались недоверие, надежда и смущение. Не желая торопить ее, Рэчел оглядела без затей обставленную гостиную и подумала о том, как она любит эту комнату. Легкий ветерок, проникавший в дом сквозь приоткрытую дверь, нес в себе запахи сосны и жимолости. Рэчел увидела Эдварда, который пытался поймать свет-

лячка. Возможно, Гейб тоже когда-то сидел на этом самом месте
и наблюдал за сыном. От этой мысли ей стало так больно, что
она невольно встряхнула головой, отгоняя ее.

— Так что же мне с собой делать? — спросила наконец
Кристи.

— Не знаю. Может, сменить стиль?

— Стиль?

— Ну да. Сходи в салон красоты, пусть тебе там сделают
новую прическу и макияж. В каком-нибудь модном бутике купи
себе что-нибудь из одежды.

На какой-то момент глаза Кристи снова засветились надеждой, но затем лицо ее опять помрачнело.

— В том-то и дело, что я могу войти в офис Этана совершенно голая, а он этого даже не заметит.

— Этот вариант тоже можно испробовать, — с улыбкой
заметила Рэчел. — Но давай все же начнем со смены образа.

Кристи ахнула. Слова Рэчел ее явно шокировали. Но она тут
же рассмеялась.

— И еще одно, — снова заговорила Рэчел. — Перестань
носиться с ним, как с писаной торбой.

— Что ты имеешь в виду?

— Как он может видеть в тебе женщину, потенциальную
любовницу, если ты обращаешься с ним, как мама с сыном?

— Это неправда!

— Ты сама заправляла ему салат!

— Он иногда забывает это сделать.

— Ну и пусть забывает. Ты слишком нянчишься с ним,
Кристи. Он не умрет, если раз в жизни съест салат без заправки.

— Это нечестно. Ведь я на него работаю и потому должна
заботиться о нем.

— Сколько времени ты работаешь у него секретарем?

— Восемь лет. С того момента, когда он стал священником.

— И ты хорошо справлялась со своей работой, верно? Думаю, я не ошибусь, если предположу, что лучше тебя секретаря

просто не найти. Ты можешь читать его мысли и угадывать желания прежде, чем они у него появятся.

Кристи кивнула.

— Ну, и что тебе это дало, кроме зарплаты?

Кристи негодующе поджала губы.

— Ничего. Это мне ничего не дало. Мне даже не нравится моя работа. В последнее время я все чаще думаю о том, что, может быть, имеет смысл поехать во Флориду, как того хотят мои родители. Выйдя на пенсию, они переехали туда, но потом им стало скучно, и они открыли в Клируотере небольшой магазин подарков. Они уже давно просят меня приехать.

— А чем бы тебе хотелось заниматься?

— Я хочу работать с детьми.

— Ну и работай с детьми.

Возмущение Кристи сменилось отчаянием.

— Подходящее место не так легко найти. А работая у Этана секретарем, я могу хоть как-то общаться с ним.

— Это все, чего ты хочешь от жизни, — быть рядом с Этаном Боннером?

— Тебе этого не понять!

— Я в состоянии понять гораздо больше, чем ты думаешь, Кристи, — сказала Рэчел, глубоко вздохнув. — Дуэйн одевал меня, как проститутку, и хотел, чтобы я вела себя, как святая. Я старалась удовлетворять его желания, но он всегда был недоволен.

Кристи сочувственно прикоснулась к ее колену.

— Пожалуй, пришло время, — снова заговорила Рэчел, понизив голос, — когда тебе, вместо того чтобы жить для Этана Боннера, следует начать жить для себя.

На лице Кристи появилось выражение, в котором смешались надежда и разочарование.

— А как же смена имиджа? — растерянно спросила она.

— Имидж следует поменять только в том случае, если тебе самой не нравится, как ты выглядишь.

— Мне не нравится, — вздохнула Кристи.

— Тогда займись своей внешностью. Но делай это для себя, Кристи, а не для Этана.

Кристи прикусила нижнюю губу.

— Тогда, насколько я понимаю, о мини-юбке можно забыть.

— А тебе самой хотелось бы надеть мини-юбку?

— У меня в ней будет глупый вид.

— Значит, тебе хочется!

— Я подумаю об этом. И не только об этом. Обо всем...

Женщины улыбнулись друг другу, и Рэчел поняла, что между ними произошло что-то такое, благодаря чему они из просто знакомых превратились в подруг.

В следующие несколько дней тело Рэчел все более настойчиво заявляло о себе. Она почувствовала себя молодой, заряженной эротической энергией. Заканчивался июнь, погода стала прекрасная: не слишком влажно, а ртутный столбик термометра лишь изредка поднимался до восьмидесяти градусов по Фаренгейту. Тем не менее Рэчел постоянно было жарко.

Во время работы она расстегивала платье на груди, открывая лифчик, чтобы лучше ощущать дуновение легкого ветерка. Влажная от пота хлопчатобумажная ткань платья липла к телу, отчетливо обрисовывая маленькие, высокие груди, и от этого Рэчел лишь еще явственнее ощущала свою сексуальную привлекательность. Собрав волосы в узел на макушке, она, приподнимая подол платья, обмахивала им ноги, словно веером. При этом, что бы Рэчел ни делала, она ловила на себе полный желания взгляд Гейба Боннера.

Какой бы работой он ни был занят, он то и дело поднимал голову и смотрел на нее, вытирая потные руки о джинсы. От этого ее кожа начинала зудеть. Это было какое-то сумасшествие. Рэчел ощущала себя расслабленной и напряженной в одно и то же время.

Иногда он лающим голосом отдавал ей какое-нибудь указание или бросал в ее адрес какое-нибудь слегка замаскированное оскорбление, но она почти не обращала на это внимания. Ее мозг каким-то чудом тут же преобразовывал любые грубые слова Гейба в те, которые он в самом деле хотел ей сказать.

Эти слова были просты: *я хочу тебя.*

Рэчел тоже тянуло к нему, он тоже был ей нужен. Для секса, твердила она самой себе, только для секса и ни для чего больше. Никакой глубины, никаких чувств, только секс.

Когда желание настолько одолевало ее, что, казалось, еще немного — и ее тело взорвется, Рэчел заставляла себя думать о чем-то другом. О ее растущей и крепнущей дружбе с Кристи, о том, с каким веселым возбуждением Эдвард по вечерам рассказывает ей, как он провел день, о шкатулке Кеннеди.

Каждую ночь она поднималась на вершину горы Страданий и смотрела оттуда вниз, на дом, где когда-то жила. Ей нужно было обязательно попасть туда, чтобы продолжить поиски. Но вероятность того, что она снова застанет там Гейба, была велика, а рисковать не хотелось. Он ни слова не сказал ей по поводу пропажи ключа, и Рэчел надеялась, что Гейб просто забыл о нем. Если бы это было не так, он наверняка бы ей что-нибудь сказал, думала она. Временами она готова была закричать от нетерпения и разочарования. Ей так хотелось, чтобы Гейб хотя бы на какое-то время покинул дом и дал ей возможность пробраться в свое прежнее жилище.

Через девять дней после первого вторжения в дом Кэла Боннера ей наконец представилась долгожданная возможность. Когда она привинчивала хромированные ручки к дверям кладовых закусочной, Гейб подошел к ней. Еще не видя его, она услышала его шаги, уловила исходивший от него запах сосновой хвои и стирального порошка и в который раз подивилась тому, что Гейб, так много работавший физически, умудрялся хорошо пахнуть.

— Нам с Этаном надо сделать одно дело, — заговорил он. — Меня не будет до вечера, так что запри здесь все, когда закончишь.

Рэчел кивнула. Сердце ее застучало, словно отбойный молоток. Она решила, что пока Этан и Гейб будут заниматься своими делами, она успеет еще раз пробраться в дом и осмотреть оставшиеся комнаты.

Закончив работу, она заехала в коттедж Энни, достала ключ, который прятала в дальнем углу одного из ящиков комода, стоявшего в комнате, где она жила, и зашагала вниз по склону. Когда она спустилась к подножию горы, стал накрапывать мелкий дождик.

Розовый с зеленым узором подол хлопчатобумажного платья, намок, как и ее тяжелые башмаки и носки. Проникнув в дом, она сняла их в комнате, где стояла стиральная машина, чтобы не оставлять следов, и босиком стала подниматься по лестнице.

Первым делом Рэчел обыскала детскую комнату, старательно подавляя одолевавшие ее приступы ностальгии и желание свернуться калачиком в старом кресле-качалке у окна и вспомнить ощущения, которые испытывала, кормя Эдварда грудью. Не найдя шкатулки в детской, Рэчел направилась в комнату, которая когда-то была ее спальней.

В этой комнате изменений было больше, чем в какой-либо другой. Глядя на суперсовременную оргтехнику, стоящую на расположенном у окна столе в форме латинской буквы L, она невольно подумала о докторе Джейн Дарлингтон Боннер, физике, невестке Гейба. Была ли она так счастлива в браке, как это могло показаться при взгляде на фото в журнале?

Быстро осмотрев платяной шкаф и бюро, Рэчел не обнаружила интересовавшей ее вещи. Единственным местом, куда стоило заглянуть помимо этого, был нижний ящик одной из тумб стола, но Рэчел почему-то показалось, что это будет куда более серьезным проступком, чем все, что она делала до сих пор. Выдвинув ящик, Рэчел затаила дыхание: она увидела шкатулку.

Вытащив кожаный сундучок, Рэчел почувствовала: там что-то есть. Дыхание ее участилось. Подняв запиравший шкатулку небольшой крючочек и открыв крышку, она обнаружила целую стопку разноцветных компьютерных дискет. Вынув их, она положила дискеты в нижний ящик стола, затем сунула шкатулку под мышку и с чувством огромного облегчения торопливо пошла к лестнице. В коттедже Энни она сможет спокойно осмотреть ее и даже разобрать в случае необходимости.

В тот самый момент, когда она ступила на верхнюю ступеньку, входная дверь дома открылась, и на пороге возник Этан Боннер. Рэчел замерла на месте, но было слишком поздно. Он ее уже заметил.

На лице Этана появилось суровое выражение.

— Решили добавить ко всем своим грехам еще и воровство? — спросил он.

— Привет, Этан. Гейб послал меня сюда, чтобы я забрала вот это.

— Вот как?

Спускаясь по ступенькам, Рэчел, босая, с липнущим к ногам мокрым подолом, принужденно улыбнулась. Ничто не могло заставить ее отказаться от шкатулки.

— Не спрашивайте меня, зачем ему нужна эта вещь. Он просто попросил меня ее принести и больше ничего не сказал.

— Может быть, он сам объяснит мне все, если я его об этом спрошу.

— О нет, в этом нет необхо...

— Гейб! — крикнул Этан, повернув голову в сторону входной двери, которую он оставил открытой. — Зайди сюда, пожалуйста!

Рэчел охватила паника.

— Все в порядке, — сказала она. — Я смогу поговорить с ним завтра на работе.

С этими словами она еще крепче зажала драгоценную шкатулку под мышкой и бросилась по мраморному полу в сторону задней двери дома. Этан настиг ее, прежде чем она добежала до середины вестибюля, и схватил за руку гораздо грубее, чем можно было ожидать от слуги Господа.

— Не так быстро, — пробормотал он.

В дверях появился Гейб.

— Эт, ты где? Что тут происходит? Рэчел?!

Несколько секунд Гейб Боннер стоял, словно статуя, не двигаясь с места. Затем он шагнул через порог и закрыл за собой дверь.

— А я все ждал, когда же ты воспользуешься тем ключом.

— Ты дал ей ключ? — спросил Этан.

— Не совсем. Скажем, я просто знал, что он у нее есть.

Слова Гейба привели Рэчел в ярость.

— Если ты знал, что у меня есть ключ, почему же ничего не сказал? И вообще, что вы здесь делаете?

То, что Рэчел неожиданно перешла в наступление, хотя было совершенно очевидно, что она, мягко говоря, не права, лишило Этана дара речи. Что касается Гейба, то он лишь пожал плечами.

— Кэл сказал, что Этан может забрать стол из столовой и использовать его в церкви, — пояснил он. — Мы как раз грузили его в машину.

Гейб окинул взглядом мокрое розовое платье Рэчел, ее забрызганные грязью икры и босые ноги. Кожа ее немедленно покрылась мурашками, и она принялась убеждать себя в том, что в этом виноват только холод, и ничего больше.

— Ты сказал, у тебя есть какое-то дело, — сказала Рэчел, сверля Гейба негодующим взглядом. — То, чем ты тут занимаешься, — это не дело, а просто погрузка мебели!

Гейб ничего на это не ответил, но тут наконец пришел в себя Этан.

— Я просто не верю тому, что вижу и слышу, — заявил он. — Ты что, собираешься стоять тут и спокойно слушать, как она тебя в чем-то обвиняет? Да ведь она залезла в чужой дом!

— Иногда, прежде чем говорить с Рэчел, лучше дать ей выпустить пары, — заметил Гейб своим обычным, ничего не выражающим тоном.

— Да что между вами происходит? — Лицо Этана залилось краской. — Почему ты вообще слушаешь, что она тут плетет? Она же насквозь лжива и умеет притворяться лучше любой артистки.

— И это еще далеко не худшие качества ее характера, — подытожил Гейб.

Указывая глазами на босые ноги Рэчел, он спросил:

— Ты что, потеряла башмаки? Они у тебя такие сексуальные.

— Мне не хотелось разносить грязь по всему дому.

— Что ж, весьма предусмотрительно.

Этан повернулся и направился к телефону.

— В этом ящичке Джейн хранит свои компьютерные дискеты, — бросил он на ходу. — Все, я звоню в полицию. Меня сразу заинтриговало, почему Рэчел появилась в этих местах.

— Не стоит никуда звонить, — подал голос Гейб. — Я сам о ней позабочусь. Дай сюда шкатулку, Рэчел.

— Черта с два.

Гейб удивленно приподнял брови.

— Садись в грузовик, Эт, и поезжай. Я прикрыл стол полиэтиленом, так что он не намокнет.

— Никуда я не поеду, — возразил Этан. — После всего того, что ты перенес, тебе ни к чему взваливать на себя решение еще и этой проблемы. Я сам ею займусь.

Опять в очередной раз младший брат решил заступиться за старшего. Рэчел презрительно фыркнула. Услышав звук, который она издала, Этан волчком крутанулся на месте и возмущенно уставился на нее.

— В чем дело? — требовательно спросил он.

— Пережитая трагедия вовсе не делает людей беспомощными, — сказала Рэчел. — Прекратите без конца его опекать.

Эти слова, судя по всему, шокировали даже Гейба. Он никогда не говорил с Рэчел о гибели жены и сына, хотя и догадывался, должно быть, что к этому времени Кристи уже могла ей что-то об этом рассказать. Что касается Этана, то он просто вышел из себя.

— Какое вы имеете право вмешиваться в наши отношения? — с яростью спросил он. — Гейб, я этого не понимаю. Я думал, что она всего лишь у тебя работает, но...

— Продолжай, Эт.

— Я не могу.

— Ну почему же, говори.

— Мне кажется, ты не должен оставаться с ней с глазу на глаз, — сказал Этан бесцветным голосом.

— А я буду не один, — заявил Гейб и едва заметно улыбнулся Рэчел. — Она издает такие вопли, будто собралась целая компания припадочных.

Глава 10

Этан неохотно вышел на улицу. Рэчел поняла: единственное, что ей нужно, — это чтобы ее хотя бы на несколько минут оставили наедине со шкатулкой. И нескольких минут ей должно было хватить для того, чтобы найти в ней второе дно или потайное отделение.

Плотнее охватив пальцами углы кожаного, обитого медью ящичка, она решила попытаться выиграть немного времени.

— Твой братец не очень-то приветлив, — сказала она, обращаясь к Гейбу. — Должно быть, это у вас семейное.

Гейб скрестил руки на груди и прислонился спиной к одной из колонн вестибюля.

— Удивляюсь, как это ты не расстегнула платье и не предложила ему себя, чтобы он успокоился.

— Все произошло слишком быстро. У меня просто не было времени об этом подумать.

Гейб приподнял бровь и лениво шагнул вперед.

— Дай-ка это сюда, — сказал он.

У Рэчел замерло сердце, ей даже показалось, что оно вот-вот выпрыгнет у нее из груди.

— Не выйдет, приятель, — сказала она. — Эта штука моя. Ее подарила мне ко дню рождения бабушка, когда мне исполнилось шесть лет.

— Дай сюда.

— Она целое лето продавала кабачки под палящим солнцем, чтобы сделать мне этот подарок, и заставила меня поклясться, что шкатулка всегда будет со мной.

— Либо ты отдашь мне ее добровольно, либо я заберу у тебя силой. Решай сама.

Рэчел сглотнула.

— Ну ладно, твоя взяла. Я отдам тебе это. Но сначала мне бы хотелось вытереться. Я промокла, мне холодно.

Отвернувшись, Рэчел направилась в сторону одной из комнат. Гейб тут же преградил ей дорогу.

— Неплохо придумано, — сказал он.

С этими словами он одним движением выхватил шкатулку у Рэчел из рук. Не обращая внимания на ее возглас отчаяния, Гейб зашагал к лестнице, бросив на ходу:

— Давай вытрись как следует, пока я куда-нибудь уберу шкатулку. И еще, когда ты закончишь, я заберу у тебя ключ.

— Замолчи! — крикнула Рэчел и бросилась следом за ним, шлепая босыми ногами по мраморному полу вестибюля. — Ты просто садист! Дай мне хотя бы посмотреть на нее.

— Зачем?

— Потому что в ней, возможно, лежит что-то, принадлежащее мне.

— Например?

— Например, любовное письмо от Дуэйна, — сказала Рэчел после некоторого колебания.

Гейб бросил на нее взгляд, полный отвращения, и снова пошел к лестнице.

— Стой!

Гейб продолжал идти.

— Подожди! — Рэчел схватила его за руку, но тут же отпустила, пожалев, что прикоснулась к нему. — Ну хорошо, хорошо. Возможно, Дуэйн оставил кое-что в этом ящичке.

Гейб, который уже поставил одну ногу на нижнюю ступеньку лестницы, остановился.

— И что же он мог там оставить?

— Ну, например... — Рэчел лихорадочно соображала, что сказать. — Локон Эдварда, срезанный, когда наш сын был совсем маленький.

— Советую тебе придумать нечто более правдоподобное, — сказал Гейб и стал подниматься по ступенькам.

— Ну хорошо! Я скажу тебе. — Но Рэчел не приходило в голову ничего, что звучало бы хоть сколько-нибудь убедительно. Она поняла: выбора у нее нет — либо она скажет правду, либо Гейб унесет шкатулку. Но Рэчел не могла позволить, чтобы некогда принадлежавший Кеннеди кожаный ящичек снова исчез, а она в него так и не заглянула. Оценив положение, она решила рискнуть.

— Возможно, там есть потайное отделение, в котором Дуэйн мог спрятать пять миллионов долларов.

Эти слова явно произвели на Гейба впечатление.

— Ну вот, наконец появилась хоть какая-то ясность, — заметил он.

Рэчел посмотрела на него в упор.

— Эти деньги мои, Боннер, — тихо сказала она. — Это наследство Эдварда. Правда, еще остались кое-какие долги, но все остальное принадлежит ему. Я заработала эти деньги. Все, до последнего цента...

— Это каким же образом?

Рэчел хотела ответить, тем более что у нее был заготовлен толковый ответ. Но когда она уже разомкнула губы, что-то случилось, и голос ее предательски дрогнул.

— Я продала за них свою душу, — едва слышно прошептала она.

Какое-то время Гейб молчал, а затем, кивнув в сторону лестницы, сказал:

— Я принесу тебе халат. У тебя от холода зубы стучат.

Полчаса спустя она сидела за столом на кухне в одних трусиках под темно-бордовым махровым халатом, который принадлежал Гейбу. Перед ней стояла шкатулка Кеннеди. Глаза Рэчел были сухими: она дала себе слово, что никогда больше не расплачется в присутствии Гейба Боннера. Но в душе у нее поселилось отчаяние.

— Я была так уверена... — Она покачала головой, все еще не в состоянии смириться с тем, что в шкатулке ничего нет. Они с Гейбом обследовали ее самым тщательным образом, но не нашли ни потайного отделения, ни ключа от депозитного сейфа, ни номера счета в швейцарском банке, вытравленного на дереве под внутренней обивкой, ни карты, ни микрофильма, ни компьютерного пароля. Ничего...

Рэчел хотелось изо всех сил ударить кулаком по крышке стола, но, справившись с собой, она стала напряженно думать.

— Этим делом, помимо городской полиции, занимался шериф округа, — заговорила она через некоторое время. — Значит, здесь побывало множество сотрудников правоохранительных органов. Должно быть, кто-то из них, описывая и конфискуя шкатулку, заглянул в нее и что-то нашел. Это «что-то» должно быть у этого человека.

— Ерунда все это. — Гейб взял стоящую перед Рэчел на столе пустую чашку и снова наполнил ее из кофейника, который пристроил на разделочном столике у раковины. — Ты же сама сказала, что, прежде чем сесть в машину, заглянула в шкатулку и ничего там не нашла. Так с какой стати кто-то другой мог оказаться более удачливым? Кроме того, если бы шериф или кто-то из сотрудников городской полиции наткнулся на такую сумму денег, о которой ты говоришь, это бы уже как-то проявилось, а единственный человек в округе, который с тех пор тратил хоть сколько-нибудь крупные деньги, — это Кэл.

— А может быть, он...

— Забудь об этом. Кэл в свое время заработал не один миллион. Кроме того, если бы он и Джейн нашли что-нибудь в этой шкатулке, они не стали бы держать это в секрете.

Гейб был прав. Рэчел откинулась на спинку обитого красным бархатом стула, стоящего в нише, где стоял обеденный стол. Когда она была замужем за Дуэйном Сноупсом и жила в этом доме, ниша была оклеена обоями мрачной расцветки с рисунком из распустившихся и находящихся уже как бы на грани увядания роз. Теперь эти обои сменили на другие, тоже с изображением роз, но еще не распустившихся кремовых бутонов. Обои были настолько безвкусными, что новую отделку комнаты можно было расценивать лишь как своеобразное проявление чувства юмора хозяев дома.

Гейб поставил перед Рэчел вторую чашку кофе и внезапно полным нежности и сочувствия жестом погладил ее по плечу. Ей захотелось прижаться щекой к тыльной стороне его ладони, но он убрал руку прежде, чем она решилась это сделать.

— Рэчел, вполне возможно, что деньги, о которых ты говоришь, лежат на дне океана.

Она отрицательно покачала головой.

— Дуэйну пришлось уезжать из страны так быстро, что он не мог организовать какую-то сложную операцию для того, чтобы забрать их с собой. Скорее всего он вообще не решился бы взять с собой такую большую сумму, учитывая, что преследователи буквально дышали ему в затылок.

Усевшись за стол напротив Рэчел, Гейб положил руки на столешницу, и она невольно засмотрелась на его сильные, загорелые предплечья, поросшие темными волосами.

— Расскажи-ка мне еще раз обо всем, что он говорил в тот день.

Рэчел повторила рассказ, ничего не утаивая. Закончив, она переплела пальцы и добавила:

— Я пыталась заставить себя поверить, что он действительно хотел попрощаться с Эдвардом, но чувствовала: что-то тут не так. Наверное, Дуэйн по-своему любил Эдварда, но не настолько, чтобы думать о подобных вещах в такую минуту. Он для этого был слишком эгоцентричен.

— Тогда почему он не велел тебе просто привезти ему шкатулку? С какой стати он вообще попросил тебя приехать вместе с Эдвардом?

— В то время наши отношения стали настолько холодными, что мы с Дуэйном почти не разговаривали. Он знал единственное, в чем я не смогу ему отказать, это в просьбе дать ему возможность проститься с сыном, — пояснила Рэчел. — Во время беременности я окончательно разобралась в том, что происходит в храме, и решила уйти от Дуэйна. Но когда я сказала ему об этом, он пришел в бешенство. Разумеется, причиной тому были не его нежные чувства по отношению ко мне. Просто тогда я была весьма популярна у его телеаудитории. — У губ Рэчел пролегли горькие морщинки. — Он заявил, что, если я попытаюсь его бросить, он заберет у меня Эдварда. Я должна была остаться с ним, ходить вместе с ним на съемки всех передач до единой и не подавать виду, что я чем-то недовольна или несчастна. Дуэйн предупредил меня, что на случай, если я попробую отказаться, у него есть на примете несколько мужчин, которые готовы под присягой показать, будто я их соблазнила. Это дало бы ему возможность доказать, что я плохая мать, и лишить меня родительских прав.

— Ублюдок.

— Дуэйн так не считал. Он нашел в Библии цитату, которая, на его взгляд, полностью оправдывала подобные действия.

— Ты сказала, что он просил тебя привезти ему и его Библию.

— Это была Библия его матери. Он был очень сентиментален в том, что касалось... — начала было Рэчел, но тут же осеклась и выпрямилась, глядя на Гейба. — Ты считаешь, что ключ к деньгам мог быть в Библии?

— Я считаю, что никакого ключа вообще не существует, а деньги пропали в океане.

— Ты не прав! Ты и представить себе не можешь, в какой он был панике, когда позвонил мне в тот вечер.

— Его должны были вот-вот арестовать, и он готовился рвать когти. Тут кто хочешь запаникует.

— Ну хорошо, можешь мне не верить! — разочарованно воскликнула Рэчел и вскочила на ноги, думая о том, что Библию обязательно нужно найти. Для Рэчел припрятанные Дуэйном деньги были единственной надеждой на будущее, но Гейба, по-видимому, это не волновало.

Она явно простудилась, у нее начался насморк. Шмыгая носом, она пошла в комнату, где стояла стиральная машина. Там в сушилке лежало ее платье.

— Рэчел, я на твоей стороне, — неожиданно мягко произнес у нее за спиной Гейб Боннер.

Она была настолько не готова к тому, что он ее поддержит, и так устала от постоянной борьбы с людьми и жизненными неурядицами, что все защитные бастионы, которые она долгое время старательно возводила в своей душе, едва не рухнули. Ей захотелось хотя бы на несколько секунд прижаться к Гейбу, переложить на его мощные плечи какую-то часть тяжкой ноши, которую ей приходилось нести. Искушение было таким сильным, что она, испугавшись его, принялась на всякий случай заново убеждать себя, что ей нельзя рассчитывать ни на кого, кроме себя самой.

— Ты просто душка, — осклабилась Рэчел, полная решимости разозлить Боннера и поставить между ним и собой такой барьер, который Гейб не смог бы преодолеть.

Гейба, однако, нисколько не разозлили ни ее слова, ни ее интонация.

— Я правду говорю, — сказал он.

— Ну, спасибо тебе, — снова пошла в атаку Рэчел. — Кого ты пытаешься обмануть? После случившегося с твоей семьей у тебя внутри такое творится, что ты даже себе помочь не в состоянии. Так что уж лучше оставь меня в покое.

Сказав это, Рэчел внутренне похолодела. Как она могла произнести такие слова? Ведь она вовсе не хотела быть жестокой... В душе у нее невольно возникла неприязнь к грубой, острой на язык и безжалостной в выражениях женщине, в которую она превратилась.

Гейб ничего не ответил. Не говоря ни слова, он повернулся и пошел прочь.

Рэчел прекрасно понимала: какие бы чувства ни обуревали ее, они не могли служить оправданием тому, что она сделала.

Сунув руки в карманы халата, она торопливо засеменила следом за Гейбом на кухню.

— Прости меня, Гейб. Я не должна была делать тебе больно.

— Ладно, забудь об этом. — Боннер резким движением схватил с кухонной стойки свои ключи. — Одевайся. Я отвезу тебя домой.

— Я вовсе не хочу быть стервой, — снова заговорила Рэчел, подойдя чуть поближе. — Ты вдруг повел себя по-людски, и мне не следовало на тебя набрасываться. Мне в самом деле очень жаль.

Боннер ничего не ответил. Звякнул звонок сушилки. Рэчел поняла, что ей нечего больше добавить к сказанному. Было ясно только одно: Гейб либо примет ее извинения, либо отвергнет их.

Вернувшись в комнату-прачечную, Рэчел извлекла из сушилки розовое платье. Оно ужасно измялось, но надеть ей было больше нечего, и она, прикрыв дверь, выскользнула из халата Гейба. Не успела она просунуть голову в вырез ворота, как дверь открылась и вошел Гейб.

Вид у него был мрачный и враждебный: нахмуренные брови, плотно сжатые губы, руки, глубоко засунутые в карманы джинсов.

— Я только хотел прояснить одну вещь, — сказал он. — Я не нуждаюсь ни в чьей жалости, а уж в твоей и подавно.

Рэчел опустила глаза и уставилась на пуговицы — это было легче, чем смотреть Гейбу в глаза. Затем она принялась застегивать их.

— Я вовсе тебя не жалею, — сказала она. — Тебя невозможно жалеть. Ты для этого слишком самостоятельный и независимый. Но я знаю, что ты потерял жену и сына, и от этого мне очень плохо.

Гейб промолчал, но, осторожно взглянув на него, Рэчел увидела, что он немного расслабился. Он вынул руки из карманов. Глаза Гейба скользнули по ее груди, и Рэчел поймала себя на том, что ее пальцы, застегивавшие очередную пуговицу платья, застыли. Сделав над собой усилие, она пропихнула пуговицу в петлю.

— Что ты имела в виду, когда сказала, что Этан меня опекает?

— Ничего. Просто в очередной раз язык у меня сработал быстрее, чем мозги.

— Ради Бога, Рэчел, ты хоть раз можешь хотя бы попытаться говорить со мной прямо?! — в сердцах воскликнул Гейб и зашагал прочь.

Рэчел нахмурилась. При желании Гейб Боннер мог быть весьма проницательным и цепким, словно колючая проволока. Покончив наконец с пуговицами платья, она пошла за Гейбом на кухню. Войдя туда, Рэчел увидела, как он напялил на голову бейсболку и принялся надевать свои солнцезащитные очки, забыв, по всей видимости, что на улице моросил мелкий дождик.

Она подошла к нему так близко, что подол ее платья коснулся его ног. Рэчел едва удержалась от искушения обвить рукой его талию.

— Люди говорят с тобой так, словно боятся, что ты вот-вот распадешься на мелкие кусочки, — сказала она. — Я не думаю, что тебе это на пользу. Это мешает человеку идти по жизни вперед. Ты сильный человек. Это нужно помнить всем, включая тебя самого.

— Сильный! — Гейб содрал с себя очки и швырнул их на стойку. Следом за ними туда же полетела и бейсболка, которая, скользнув по поверхности, упала на пол. — Ты понятия не имеешь, о чем говоришь.

— Еще как имею, — стояла на своем Рэчел. — Ты в самом деле сильный, Гейб.

— Не путай меня с собой!

С силой вколачивая каблуки в мраморный пол, Боннер обошел Рэчел и зашагал в сторону гостиной.

Рэчел слишком часто оказывалась один на один со своей болью и знала, каково это. Поэтому она и помыслить не могла о том, чтобы оставить Гейба одного. Войдя в комнату следом за ним, она обнаружила, что в ней никого нет, но раздвижные двери на балкон открыты. Подойдя к ним, она увидела Гейба, стоящего на балконе и судорожно вцепившегося в поручень балюстрады. Он смотрел вдаль, на гору Страданий.

Дождь к этому времени заметно усилился, но Гейб, казалось, не замечал падающих сверху струй. Капли блестели у него в волосах, футболка потемнела, пропитавшись влагой. Никогда еще Рэчел не доводилось видеть никого, кто выглядел бы так одиноко. Помедлив немного, она шагнула к нему, под дождь.

Казалось, он не слышал, как она подошла, и потому Рэчел слегка вздрогнула от неожиданности, когда Гейб без всякого предупреждения заговорил:

— Я постоянно держу рядом с кроватью револьвер, Рэчел. И я делаю это отнюдь не для самозащиты.

— О, Гейб...

Рэчел нестерпимо хотелось дотронуться до него, попытаться утешить, но Гейб Боннер был словно окружен какой-то невидимой стеной, сквозь которую она не могла проникнуть. Подойдя к нему совсем близко, она тоже положила руки на перила.

— И тебе совсем не становится легче?

— Одно время вроде бы стало полегче. Но тут появилась ты.

— И от этого все усложнилось?

Гейб заколебался.

— Теперь я уже не знаю, — сказал он наконец. — Но с твоим появлением многое изменилось.

— И тебе это не нравится.

— Боюсь, все обстоит наоборот: мне это слишком нравится. — Гейб наконец повернулся к Рэчел. — Вообще-то у меня такое впечатление, что за последние пару недель я стал чувствовать себя лучше. Ты оказалась довольно сильным отвлекающим фактором.

— Ну что ж, я рада, — слабо улыбнулась Рэчел.

Гейб нахмурился, но было видно, что он вовсе не сердится.

— Я ведь не сказал, что ты была отвлекающим фактором со знаком плюс. Ты была просто отвлекающим фактором.

— Я понимаю. — Платье Рэчел снова намокло, но холода она почему-то не чувствовала. Впрочем, в любом случае на балконе было теплее, чем в доме, где на всю мощь работали кондиционеры.

— Я все время по ней скучаю. — Глаза Гейба впились в лицо Рэчел, голос его стал более глубоким и хриплым. — Почему же тогда я так тебя хочу, что у меня все болит?

Одновременно с его словами откуда-то издали донесся рокот громового раската. Рэчел вздрогнула.

— Я думаю... Я думаю, нас тянет друг к другу от отчаяния, — сказала она.

— Я ничего не могу тебе дать, кроме секса, — пробормотал Гейб.

— Может, именно это мне от тебя и нужно.

— Не может быть.

— Мне лучше знать, что может, а чего не может быть.

Не в силах больше сопротивляться искушению, Рэчел отвернулась от Гейба и отошла от него как можно дальше, к противоположному концу балкона. Тучи на небе заметно сгустились, на горы опустился туман.

— Из меня вытравили все женское, Гейб, — снова заговорила Рэчел после долгой паузы. — В первую брачную ночь муж прочитал мне лекцию о том, что мое тело — сосуд Божий и что он постарается тревожить его как можно реже. Уложив меня в постель, он ни разу не дотронулся до моей груди и вообще не ласкал, а просто взял и вошел в меня. Мне было ужасно больно, и я начала плакать, и чем больше плакала, тем счастливее он становился, потому что слезы были доказательством моей добродетели, свидетельством того, что меня в отличие от него не интересуют плотские утехи. Но это было не так. Меня, сколько я себя помню, всегда очень интересовал секс. Так что не надо мне рассказывать, чего я хочу, а чего не хочу.

— Ладно, не буду.

В голосе Гейба было так много сочувствия, что Рэчел посмотрела на него и нахмурилась.

— Не знаю, зачем я тебе об этом рассказываю, — сказала она, — и вообще не могу понять, с какой стати мне пришла в голову мысль о сексе с тобой. При моем-то везении вполне может оказаться, что в постели ты такой же болван, каким был мой муж.

— Может, и так, — сказал Гейб, приподняв в едва заметной улыбке уголок рта.

— А ты был верен своей жене? — поинтересовалась Рэчел, опершись бедрами на перила.

— Да.

— А женщин у тебя было много?

— Нет. Я полюбил мою жену, когда мне было четырнадцать. При этих словах Гейб заглянул в глаза Рэчел, которая даже не сразу поняла смысл сказанного.

— Ты хочешь сказать...

— Да, у меня была только одна женщина, Рэчел.

— И у тебя никого не было даже после того, как она погибла?

— Как-то раз в Мексике я снял проститутку. Но как только она разделась, я ее прогнал. Вполне возможно, ты права насчет того, что в постели я полный болван.

Рэчел улыбнулась. После слов Гейба ей почему-то стало хорошо и легко на душе.

— И что, больше никого?

— Никого, — сказал Гейб и подошел к ней. — И вот что: пока хватит вопросов.

— Ну вот, а я рассказала тебе грустную историю своей сексуальной жизни. Мог бы, между прочим, быть хоть немного пооткровеннее.

— С тех пор я даже не думал о сексе... хотя прошло уже несколько лет. По крайней мере так было до того момента, когда ты устроила свой небольшой стриптиз.

Глядя на Гейба, Рэчел постаралась скрыть охватившее ее смущение.

— Я была просто в отчаянии. Сейчас я, понятно, не особенно привлекательна, но когда-то меня считали даже хорошенькой.

Гейб осторожным движением заправил мокрую прядь волос за ухо Рэчел.

— Ты очень красивая, — сказал он. — Это стало особенно заметно после того, как ты перестала морить себя голодом. У тебя даже румянец на щеках появился.

— Вот только нос у меня холодный. Ладно, все нормально. Я не напрашиваюсь на комплименты, и не надо мне врать. Мне только хотелось сказать, что когда-то я выглядела очень неплохо.

— Но мне действительно захотелось сделать тебе комплимент.

— И где же он? Что ты считаешь комплиментом? Слова насчет холодного носа?

— Я ни слова не сказал про холодный нос, это ты про него говорила. Я... — Гейб рассмеялся. — Ты кого хочешь с ума сведешь. Не могу понять, почему мне с тобой так хорошо.

— Подумай вот над чем, Боннер. Если то, как ты со мной обращался, было выражением твоего хорошего ко мне отношения, то тебе, пожалуй, следовало бы поразмыслить, достаточно ли хорошо ты владеешь искусством общения.

Гейб улыбнулся.

— Ты вся дрожишь, — сказал он.

— Мне холодно, — солгала Рэчел.

— Ну, уж эту-то проблему, мне кажется, я в состоянии решить, — заметил Гейб.

Рука его снова коснулась ее волос. Осторожно отодвинув в сторону закрывавшие часть ее лица пряди, Гейб наклонил голову и коснулся губами щеки Рэчел.

Тело ее так и льнуло к нему. Почувствовав губы Гейба на своей щеке, Рэчел охватила его руками за пояс и потянула к себе. Мышцы его напряглись и затвердели под ее ладонями. Ее обожгло тепло, исходящее от его груди. Рэчел ощутила бедрами его эрекцию, и внизу живота у нее что-то горячо запульсировало.

Губы Гейба стали ласкать мочку ее уха. Рэчел показалось, что она вот-вот оглохнет от его хриплого дыхания. Она закрыла глаза и подумала о том, как много она вынуждена поставить на карту в этот момент. Ей казалось, что если она не остановит Гейба, то ни о каких нежных чувствах между ними потом нечего будет и мечтать — их отношения будут ограничиваться только сексом. Неужели ей придется оставить свою мечту о настоящей, единственной и неповторимой любви?

Впрочем, Рэчел тут же пришло в голову, что на самом деле она давно распростилась с этой мечтой. Возможно, это произошло потому, что ей слишком долго пришлось бороться за выживание, — в таких условиях людям бывает не до того, чтобы мечтать. Она очень долго не позволяла себе никаких излишеств — ничего, кроме удовлетворения самых насущных нужд и потребностей. Так стоило ли теперь отказываться от того, что могло доставить ей удовольствие?

Гейб отодвинулся на несколько дюймов, и его ладони накрыли груди Рэчел. Почувствовав тепло его рук, она разом отбросила сомнения. Большими пальцами Гейб стал осторожно поглаживать ее соски.

— Знаешь, — прошептал он ей на ухо, — как только я вошел в дом и увидел тебя в этом твоем мокром розовом платье, мне ужасно захотелось дотронуться до тебя.

Он осторожно провел по соскам ногтями, и из груди Рэчел вырвался тихий стон наслаждения. Гейб принялся повторять свое движение снова и снова, и вскоре Рэчел ощутила, как по всему ее телу прокатилась горячая волна желания.

Она осторожно дотронулась рукой до его джинсов и сразу же почувствовала всю силу его желания. Тогда она стала ласкать его все смелее и смелее.

Дыхание Гейба стало громким и хриплым, но Рэчел уже не могла остановиться. Пальцы ее охватили язычок его молнии. Он отшатнулся, словно это движение причинило ему боль. Грудь его так высоко вздымалась, что казалось, будто он вот-вот задохнется.

— Пожалуй, нам не стоит торопиться, — с трудом выговорил он.

Всего несколько секунд назад Рэчел буквально теряла голову от желания, но теперь ее словно окатило ледяной водой. Она услышала в голосе Гейба нотки сдержанности и благоразумия, так хорошо знакомые ей еще со времен замужества.

— Я не хочу тебя торопить. Не хочу, чтобы ты делала что-то, к чему еще не готова, — пояснил Гейб.

Слова его, полные трезвости и холодной рассудочности, глубоко оскорбили ее, — получалось, что Гейб считал ее неспособной принимать какие-либо самостоятельные решения, словно она была в его глазах не взрослой женщиной, а неким слабым, неполноценным существом.

«Вот так, — подумала Рэчел, — я открыла ему душу, а он ничегошеньки не понял».

— Тебе все это, должно быть, непривычно, — пробормотал Гейб и, отодвинувшись от нее еще дальше, рассеянно провел ладонью по груди, словно разглаживая футболку. — Пошли в дом.

Рэчел одновременно хотелось ударить Гейба по лицу, накричать на него и разрыдаться. С какой стати она решила, что он способен ее понять?

— Я вовсе не девственница! — выкрикнула она, не в силах больше сдерживаться. — И ты не мог сделать ничего такого, что показалось бы мне грубым или непристойным! Ты все испортил, Боннер, и теперь не смей даже прикасаться ко мне. И вообще, катись ты к черту!

Повернувшись, Рэчел бросилась по скользким деревянным ступенькам вниз, на заросшую, неухоженную лужайку. Ветви кустарника нависали над вымощенной плитняком дорожкой, стебли травы хлестали Рэчел по лодыжкам.

— Рэчел!

Она оставила свои башмаки в комнате, отведенной для стирки, но сейчас ей было на это наплевать, — Рэчел скорее готова была взобраться на гору Страданий босиком, чем снова позволить кому-либо обращаться с собой, как с бесчувственной куклой.

Руки Рэчел сжались в кулаки. Внезапно она поняла, что ей вовсе не хочется удирать. Наоборот, ее распирало от желания вернуться и сказать Боннеру в лицо, что он толстокожий, тупоголовый болван.

Снова развернувшись, она пошла назад и увидела, что Боннер шагает ей навстречу, причем его крепко стиснутые челюсти да и все выражение лица не предвещают ничего хорошего.

— Тебе не кажется, что ты ведешь себя несколько неадекватно? — спросил он.

Рэчел ужасно захотелось выкрикнуть ему прямо в лицо что-нибудь грубое, даже непристойное, но она чувствовала, что пока еще неспособна на такие вещи. Ничего, подумала она про себя, еще несколько недель в компании Гейба Боннера — и в том, что касается ругани, она станет профессионалом.

— Пошел ты в задницу, — бросила она.

В три длинных шага Боннер покрыл разделявшее их расстояние и, схватив ее, принялся расстегивать на ней платье. При этом вид у него был скорее раздраженный, чем злобный.

— Ты хочешь, чтобы я был грубым? — спросил он, продолжая расстегивать пуговицы. — Острых ощущений захотелось, да? Сейчас я тебе покажу, что такое острые ощущения. Тебе известно, что есть мужчины, которые получают удовольствие от того, что сначала доводят женщину до оргазма, а потом, когда он наконец наступает, душат ее, душат насмерть?

Гейб рывком стащил платье с плеч Рэчел до пояса, так что она не могла пошевелить руками. Затем он наклонился и укусил ее за внутреннюю часть груди.

— Мне больно! — невольно вскрикнула Рэчел.

— Вот и хорошо, что больно. Если будешь мне мешать, я это повторю.

Губы Гейба сомкнулись на ее соске, и вся ее злость разом улетучилась.

— А так не больно? — спросил он.

— О, Гейб... — прошептала Рэчел, невольно вздрагивая от его хриплого голоса и от ощущения его теплого дыхания на своей прохладной коже. — А что, если ты опять все испортишь?

— Я думаю, будет лучше, если ты проследишь, чтобы я все делал так, как надо.

— Наверное, — вздохнула Рэчел и прижалась щекой к груди Гейба.

— А пока подумай, насколько широко ты сможешь раздвинуть ноги — я собираюсь провести между ними довольно много времени, — сказал Гейб с легкой ухмылкой.

Рэчел застонала от удовольствия — кажется, Гейб Боннер наконец-то все понял правильно.

Глава 11

В тот самый миг, когда Рэчел начала было расслабляться, думая, что теперь, возможно, все будет именно так, как ей хочется, Гейб снова отстранился от нее.

— Я знаю, что за это ты меня растерзаешь, — заговорил он, — но мне все же кажется, что распутная женщина вроде тебя должна быть поосторожнее.

— Что ты имеешь в виду?

— С того момента, как мы с тобой это затеяли, ты успела задать мне добрую дюжину вопросов, но при этом не поинтересовалась, есть ли у меня с собой презерватив.

Гейб был прав. Мысль о противозачаточных средствах Рэчел даже в голову не пришла. Наверное, это можно было объяснить тем, что раньше она никогда ими не пользовалась.

— А в самом деле, у тебя есть презерватив? Ну конечно, нет. Глупо было спрашивать. С какой стати ты будешь носить его с собой? — Рэчел снова накинула платье на плечи и окинула Гейба мрачным взглядом. — У некоторых женщин с сексом все так просто. Интересно, почему у меня с этим сплошные сложности?

Гейб шутливо коснулся кулаком ее скулы и улыбнулся.

— Ну, вообще-то презерватив у меня есть, — сказал он.

— Правда?

Просунув руку под воротник платья Рэчел, он ласково погладил ее шею.

— Всю последнюю неделю мы так хотели друг друга, что между нами только что искры не проскакивали. Вот я на всякий случай и купил несколько этих штучек в понедельник, — пояснил Гейб. — И не бойся, что в городе начнут судачить о моей покупке. Никто ничего не знает. За презервативами я съездил в Бревард. — Он помолчал немного. — Я бы ни за что на свете не сделал ничего такого, что могло тебя обидеть или сделать предметом сплетен.

От интонации, с которой была сказана последняя фраза, у Рэчел потеплело на душе.

— Ну что, теперь ты готова наконец заняться тем, о чем мы оба только и думаем, или мы еще сто лет будет стоять здесь и беседовать? — спросил Гейб.

— Готова... — Рэчел улыбнулась, чувствуя, что остатки нерешительности, все еще мучившие ее, бесследно исчезли. — Пойдем в дом.

— Думаю, это ни к чему, — сказал Гейб, задумчиво глядя на нее. — Если бы ты была честной, порядочной женщиной, я бы действительно отвел тебя в дом, но поскольку ты у нас распутница, кровать тебе ни к чему.

С этими словами он стащил платье с ее плеч и охватил ладонями ее грудь.

В следующую секунду оба они уже стояли на коленях в мокрой траве, а платье Рэчел соскользнуло вниз до самых бедер. В мозгу Рэчел, затуманенном желанием, вдруг мелькнула мысль, что они до сих пор ни разу не поцеловались, и ей вдруг захотелось, чтобы губы их слились в одном из тех жарких, бесстыдных поцелуев, о которых она грезила. Она отклонилась назад, чтобы увидеть упрямый рот Гейба, затем запрокинула голову и закрыла глаза. Губы Гейба слегка коснулись ее губ, но поцелую помешала прядь ее волос. Рэчел подняла руку, чтобы откинуть ее с лица, но при этом потеряла равновесие и опрокинулась на спину.

Гейб улегся рядом с ней и, сунув руку под подол платья, провел ладонью по внутренней стороне ее бедра. Темная, мокрая прядь волос прилипла колечком к его лбу. Его белая футболка, намокнув от дождя, стала совсем прозрачной, и Рэчел без труда могла разглядеть под ней его тело. Пальцы Гейба тем временем добрались до тонкой ткани ее трусиков.

— К тебе так приятно прикасаться, — пробормотал он.

Лежа почти обнаженной в высокой, мокрой траве, Рэчел по идее должна была бы замерзнуть, но ей, наоборот, было жарко. Когда Гейб принялся ласкать ее через тонкую нейлоновую ткань трусиков, трогая ее именно там, а точнее, почти там, где его прикосновения были наиболее желанными, ей стало так хорошо, что она долгое время была не в состоянии произнести ни слова.

— На нас слишком много одежды, — с трудом пробормотала она наконец, зажимая в кулаке насквозь промокшую ткань футболки Гейба.

— Ты читаешь мои мысли...

Даже когда они поднялись на колени, чтобы раздеться, Гейб умудрялся продолжать ласкать бедра Рэчел. Дыхание ее стало частым и прерывистым. Рывком вытащив его футболку из джинсов, она стала снимать ее с Гейба через голову, а он, просунув палец под резинку трусиков, принялся осторожно поглаживать ее. Тихо охнув, Рэчел обмякла и приникла к нему.

— Не двигайся, — прошептал Гейб.

Он на секунду убрал руку, давая Рэчел короткую передышку, затем продолжил ласки. Еще одна небольшая пауза. И снова нежное поглаживание...

— О нет... — простонала Рэчел.

Гейб зажал губами мочку ее уха, словно животное, нежным покусыванием удерживающее самку на месте во время спаривания.

Руки Рэчел потянулись к поясу его джинсов. Одним резким движением расстегнув молнию, она сжала пальцами напрягшуюся плоть Гейба. Теперь уже застонал он.

— Не надо... — едва слышно взмолился Гейб, хотя рука его, проникшая между бедрами Рэчел, продолжала ритмично двигаться.

— Не надо... — прошептала Рэчел, лаская Гейба.

Оба затрепетали, приблизившись вплотную к краю пропасти, в которую ни Гейб, ни Рэчел еще не готовы были прыгнуть.

Гейб убрал руку. Рэчел сделала то же самое. Не сговариваясь, оба одновременно встали на ноги и окончательно освободились от одежды. Затем они сделали нечто вроде ложа из платья Рэчел и джинсов и футболки Гейба. Сверху Гейб бросил крохотные желтые трусики Рэчел. Затем он шагнул назад, чтобы получше разглядеть ее, и принялся рассматривать все ее омываемое дождем тело с едва заметными веснушками на груди. Затем взгляд его опустился вниз, к ее животу и бедрам.

Рэчел тем временем так же внимательно и сосредоточенно изучала Гейба: его мускулистую грудь и плоский, с четко обозначившимися под кожей мышцами живот. Волосы у него в паху намокли от дождя и облепили тело, отчего его восставшая плоть казалась еще более впечатляющей. Рэчел почувствовала непреодолимое желание снова дотронуться до него.

— Не торопись, — сказал Гейб чуть громче, чем говорил до этого. — У тебя есть пять секунд.

Он дал ей время, чтобы она прислушалась к себе. А потом она почувствовала, как он осторожно опрокидывает ее на спину, на их импровизированную постель, а потом раздвигает и сгибает в коленях ее ноги.

— О, Боннер... Пожалуйста, не разочаровывай меня, — прошептала Рэчел.

— Твое счастье, что я такой человек: чем бы я ни занимался, лучше всего делаю это тогда, когда на меня оказывают давление.

Рэчел снова застонала, на этот раз от отчаяния. Она не ожидала, что Боннер будет так медлить, изучая ее тело, осторожно трогая ее жесткими пальцами, языком... Когда он принялся осторожно ласкать ее губами, из груди ее вырвались всхлипывания.

Поняв, что она вот-вот достигнет пика, Боннер не стал останавливаться, и через каких-нибудь несколько секунд тело Рэчел свело сладкой судорогой. Когда она пришла в себя, глаза ее наполнились слезами.

— Спасибо, Боннер, — прошептала она.

— Не за что.

Гейб потянулся к выпавшему из кармана джинсов бумажнику, в котором лежали предусмотрительно купленные им презервативы, но Рэчел схватила его за руку.

— Подожди еще немного... — попросила она.

Гейб издал протестующий стон, но, повинуясь ее желанию, снова лег рядом с ней. Рэчел порадовалась, что он позволил ей взять инициативу на себя, и теперь сама принялась, удовлетворяя копившееся годами любопытство, разглядывать его тело, временами осторожно прикасаясь к нему.

Затем она опять легла на спину. Гейб схватил бумажник и, судорожно роясь в нем, сказал сдавленным голосом:

— Прости, я понимаю, что тебе, наверное, хочется мною поруководить, но поверь, ты получишь гораздо больше удовольствия, если позволишь мне решать, что и как мы будем делать.

Гейб кротко улыбнулся, и Рэчел, глядя ему в лицо, четко уловила тот момент, когда в глазах его мелькнула тень воспоминания. Он прикрыл веки, и она поняла, что Гейб пытается заставить себя забыть, что женщина, лежащая на траве под ним, — не его жена. При мысли о том, что в такой момент он пытается представить себе кого-то другого, Рэчел содрогнулась, но, сумев все же справиться с собой, мягко сказала:

— А теперь смотри, постарайся как следует, а не то мне придется дать тебе коленом под зад и найти себе кого-нибудь помоложе.

Гейб открыл глаза. Улыбнувшись ему, Рэчел взяла у него из рук презерватив.

— Я сама все сделаю.

— Ну уж нет, — возразил Гейб и выхватил целлофановый пакетик у нее из пальцев.

— Вечно ты мне весь кайф портишь.

— Не дерзи мне, девчонка.

Рэчел поняла, что ей, к счастью, удалось отвлечь Гейба от неприятных мыслей, и через несколько секунд она ощутила на себе сладкую тяжесть его тела. Подстилка из одежды, на которой она лежала, промокла насквозь, мокрые стебли травы щекотали кожу. По идее ей должно было быть неудобно и неприятно, но Рэчел казалось, что она может пролежать так, под теплым летним дождем, чувствуя вес мощного, налитого силой тела Гейба, целую вечность. Она и представить себе не могла, что можно одновременно чувствовать сильнейшее сексуальное возбуждение и в то же время огромную нежность, грозящую каждую минуту пролиться слезами. Рэчел еще теснее прижалась к Гейбу.

— Прости меня, — с трудом выговорила она, боясь разрыдаться.

— Ты просто ужасно изголодалась, — сказал Гейб, причем по голосу его чувствовалось, что он отнюдь не расстроен этим обстоятельством.

Он снова принялся ласкать ее, стараясь сдерживать захлестывающее его желание, но по его хриплому, прерывистому дыханию чувствовалось: терпение его на исходе.

Рэчел тоже ощущала, что еще немного, и она не выдержит. Это Боннер виноват, убеждала она себя. Он слишком большой, слишком... Она выгнула дугой спину, предлагая себя Гейбу. Гейб, чуть отстранившись, просунул руку в узкий промежуток между их телами.

Идиот, кретин, болван, мысленно обругала его Рэчел. Неужели он не в состоянии сосредоточиться на чем-то одном?

Не успела она подумать так, как от прикосновения Гейба внутри у нее словно что-то взорвалось, и он сильным движением проник в нее.

Дождь продолжал хлестать по их обнаженным телам, но они его не замечали. Рэчел крепко обхватила ногами талию Гейба, стараясь как можно теснее прижаться к его ритмично и мощно двигавшемуся телу и чувствуя, что захлестывающие ее эмоции вот-вот лишат ее сознания.

Это продолжалось целую вечность и все же закончилось слишком быстро. Почувствовав в полузабытьи, как Гейб привстал, освобождая ее от тяжести своего тела, Рэчел испытала приступ отчаяния.

Дождь лил с такой силой, что дом совсем скрылся за его пеленой. И Гейб и Рэчел одновременно почувствовали, как странно, наверное, выглядела эта вспышка взаимного влечения двух людей, которым, казалось бы, нужно было соблюдать некоторую дистанцию в отношениях друг с другом. Если бы они вошли в дом и занялись любовью на кровати, это по крайней мере выглядело бы более пристойно и уместно.

Гейб приподнялся на руках и, подтянув к груди одно колено, взглянул на Рэчел.

— Совсем неплохо для начинающей, — сказал он.

— Ты оказался не так горяч, как мне бы хотелось, но в целом все было действительно недурно, — парировала Рэчел, поворачиваясь на бок на примятой траве.

Гейб нахмурил брови. Рэчел ответила ему улыбкой, становясь похожей на удовлетворенную кошку.

Гейб тоже улыбнулся и, поднявшись на ноги, освободился от презерватива и наклонился, чтобы помочь встать Рэчел. Подняв одежду, они, как были голыми, направились к дому. Как только они вошли внутрь, Рэчел тут же задрожала от холода.

— Если душ в спальне еще работает, я бы предпочла ополоснуться под горячей водой.

— Будь как дома, — ответил Гейб.

Рэчел почему-то не удивилась, когда он присоединился к ней и прямо под душем преподал ей несколько уроков, как заниматься любовью, которые должны были быть знакомы по-настоящему распущенной женщине.

Натянув джинсы, Гейб тяжело опустился на край кровати. Из-за двери ванной комнаты доносился шум фена, которым Рэчел сушила густые и непослушные золотисто-рыжие волосы.

Он закрыл лицо руками, думая о том, что потерял еще часть Черри, бережно хранимой им в памяти. Теперь он уже не мог больше сказать, что занимался любовью только с одной женщиной, и незримая нить, связывавшая его с погибшей женой, исчезла, разорвалась. Ему было очень хорошо с Рэчел, и это лишь усиливало его чувство вины. В минуты близости Рэчел оказалась требовательной и в то же время трогательной. На некоторое время она заставила его забыть о той, с которой его связывал брак, в самом деле заключенный на небесах.

— Гейб!

Подняв глаза, он увидел Рэчел на пороге ванной комнаты. Его старая футболка мешком висела на ее узких плечах, а джинсы его невестки, жены Кэла, были явно велики. Волосы Рэчел были стянуты на затылке резинкой в некое подобие конского хвоста, а на висках остались еще чуть влажные золотисто-рыжие завитки, обрамлявшие милое лицо без косметики. Рэчел даже не попыталась замаскировать веснушки, густо усеявшие ее нос. Словом, не сделала ничего такого, что отвлекало бы смотрящего на нее Гейба Боннера от ее огромных, так много замечающих глаз.

— Гейб...

Ему не хотелось разговаривать. Он еще не вполне пришел в себя, чтобы вести с Рэчел обычную, полную яда и взаимных уколов беседу. А в том, что их разговор будет именно таким, он нисколько не сомневался. Ну почему, почему она не могла уйти и оставить его в покое?

Рэчел и не думала уходить. Вместо этого она приблизилась к Гейбу и посмотрела на него с таким пониманием, что у него перехватило дыхание.

— Все в порядке, Гейб. Я знаю, ты тоскуешь по ней. Но ты не сделал ничего такого, за что тебе следовало бы себя винить.

В груди у Гейба Боннера словно разорвался горячий шар. Сочувствие Рэчел обезоружило его. Всего несколько секунд назад он с ужасом думал о той язвительной манере, в которой она имела обыкновение разговаривать с ним, а теперь был готов отдать все, лишь бы она сказала ему какую-нибудь колкость.

— Черри когда-нибудь сердилась на тебя?

Гейб замер, услышав имя жены из уст Рэчел. До этого никто никогда не произносил при нем ее имени. Он знал: его родственники и друзья стараются не упоминать о ней, щадя его чувства, но от этого ему стало казаться, будто Черри исчезла из памяти всех людей, которые ее знали, кроме него, и теперь ему нестерпимо захотелось поговорить о ней.

— Она... Черри не любила спорить и ссориться. Когда что-то было ей не по вкусу, она становилась очень тихая. Собственно говоря, по этому признаку я и понимал: что-то делаю не так.

Рэчел кивнула. Гейб взглянул на нее, и у него вдруг мелькнула мысль, что перед ним стоит женщина, душа которой настолько щедра, насколько резок и остер ее язык. На какую-то секунду ему вдруг почему-то почудилось, будто она поняла его, как никто другой, и знает о нем то, чего не знает ни один человек. Однако это было невозможно. Рэчел вообще не могла ничего знать о нем, в отличие от его родителей, братьев и сверстников.

Сжав пальцами его плечо, Рэчел наклонилась и поцеловала его в щеку. Ее губы были такими розовыми, словно она только что ела клубнику и запачкала их ягодным соком.

— А сейчас мне надо идти, — сказала она.

Гейб медленно кивнул, встал и надел рубашку. Одеваясь, он старался не смотреть на Рэчел, чтобы она не заметила, что он снова ее хочет.

В тот вечер, закончив мыть посуду, Рэчел взяла Эдварда с собой в город, чтобы угостить мороженым. Ей хотелось побаловать сына. Она уже много месяцев этого не делала. Будучи замужем за Дуэйном, она мало думала о деньгах, но теперь экономила каждый цент, и потому небольшая сумма, отложенная на мороженое для Эдварда, для нее была дороже любого сокровища.

По дороге Эдвард раскачивался взад-вперед на сиденье, насколько ему это позволял ремень безопасности, и оживленно рассуждал об относительных преимуществах шоколадного мороженого над ванильным. Рэчел приглашала Кристи поехать с ними вместе, но та отказалась. Возможно, она почувствовала, что Рэчел нужно какое-то время побыть наедине с ребенком, а может быть, и со своими мыслями.

Пока Эдвард болтал, в памяти Рэчел всплывали картины того, что она пережила днем: дождь, тело Гейба, все, что произошло между ними. Когда-то она именно так представляла себе физическую близость между мужчиной и женщиной, но давно уже потеряла надежду, что подобное случится и с ней.

Одни лишь мысли о Гейбе заставили Рэчел почувствовать какое-то смутное телесное беспокойство. Он вызывал у нее настолько сильное желание, что ей самой становилось страшно, но в то же время ее влекло к Гейбу не только это. Ее привлекали в нем прямота суждений и какая-то необыкновенная, тщательно скрываемая им от других доброта. Он, похоже, даже не осознавал того, что был единственным в городе человеком, который не осуждает Рэчел за ее прошлое.

Она попыталась представить себе, каким был Гейб до того, как на него свалилось сломившее его страшное несчастье, но тут же бросила это занятие. Рэчел была слишком умна, чтобы полюбить его.

Когда-то Рэчел и в голову не пришло бы заниматься любовью с мужчиной, за которого она не намеревалась выйти замуж. Но она не была больше мечтательной девушкой. Ее язвительность и ожесточенность были сегодня ее спасением. Она знала: до тех пор, пока она будет помнить, что с Гейбом ее связывает только секс, их отношения никому не причинят вреда, и потому решила, что Гейб Боннер будет ее маленькой слабостью, которую она позволяет себе для того, чтобы немножко скрасить свою нелегкую жизнь.

Мороженое продавали через небольшое окошечко в стене похожего на большую печь здания кафе. Торговля шла бойко. Подходя к окошку, Рэчел заметила, как женщина лет тридцати, держащая за руку ребенка, замерла при ее приближении, а затем сказала что-то темноволосой женщине, стоявшей рядом с ней. Та обернулась, и Рэчел узнала Кэрол Деннис.

Губы Кэрол задвигались, но Рэчел была еще слишком далеко, чтобы разобрать ее слова. Тем не менее люди, находившиеся рядом с Кэрол, их услышали. На нее стали оборачиваться. Затем до Рэчел донесся легкий гул, словно где-то рядом зажужжал потревоженный кем-то пчелиный рой. Все это продолжалось не более пяти секунд, а потом наступила мертвая тишина.

Рэчел с отчаянно бьющимся сердцем замедлила шаг. Внезапно Кэрол Деннис повернулась к ней спиной. Не говоря ни слова, молодая женщина рядом с ней сделала то же самое. Их примеру последовала супружеская пара средних лет, потом еще двое пожилых людей. Один за другим жители Солвейшн, несколько старомодно выражая протест против появления Рэчел в городе, поворачивались спиной к ней и ее сыну.

Рэчел хотелось бежать куда-нибудь со всех ног, но она не могла этого сделать. Ветер подхватил подол ее темно-синего платья. Придержав его, она, продолжая шагать к заветному окошечку, крепче сжала руку Эдварда.

— Ну, что ты решил? — спросила она. — Шоколадное или ванильное?

Мальчик ничего не ответил. Рэчел почувствовала, что он замедляет шаг, но не остановилась, а продолжала тащить его за собой, упорно не желая обращаться в бегство и доставлять тем самым удовольствие жителям городка.

— Готова поспорить, ты все же остановишься на шоколадном, — сказала она.

Продавец мороженого, молодой человек с нескладной фигурой и взъерошенными волосами, уставился на нее в явном смущении.

— Две порции, — сказала Рэчел. — Ванильного и шоколадного.

За спиной молодого человека возник мужчина постарше. Рэчел припомнила, что его зовут Дон Брэди. Он был владельцем кафе. Один из активных прихожан местной церкви, он когда-то души не чаял в Дуэйне Сноупсе.

— У нас закрыто, — процедил мужчина, с отвращением посмотрев на Рэчел.

— Вы не можете так поступать, мистер Брэди, — запротестовала она.

— С такими, как вы, еще как могу.

Деревянная дверца окошечка с треском захлопнулась.

Рэчел стало плохо. Ей было обидно не столько за себя, сколько за Эдварда. Она не могла понять, как можно так вести себя с ребенком.

— Все нас ненавидят, — тихонько прошептал Эдвард.

— Да ну их всех! — нарочито громко произнесла Рэчел. — В любом случае, здесь продают дрянное мороженое. Я знаю, где мы можем раздобыть кое-что действительно вкусное.

С этими словами она повела Эдварда к машине, прочь от людей, стараясь идти как можно медленнее, чтобы это не выглядело бегством. Распахнув перед Эдвардом дверь «эскорта», Рэчел подождала, пока мальчик усядется на сиденье, помогла ему застегнуть ремень безопасности, но руки ее при этом так дрожали, что она едва сумела вставить стальную пряжку в замок.

Внезапно кто-то дотронулся до ее плеча. Выпрямившись, она увидела перед собой женщину средних лет в ярко-зеленых брюках спортивного покроя и белой блузке. Воротник блузки был застегнут ярко-зеленой декоративной булавкой, в уши женщины были вдеты деревянные серьги такого же ярко-зеленого цвета. У нее было полное, круглое лицо с не очень четко очерченными чертами, наполовину прикрытое большими очками в оправе телесного цвета, и сильно вьющиеся седые волосы.

— Простите, миссис Сноупс, мне надо поговорить с вами, — сказала незнакомка.

Вопреки ожиданиям Рэчел не заметила в выражении ее лица никаких признаков враждебности. Она скорее выглядела очень обеспокоенной.

— Я больше не миссис Сноупс.

— Пожалуйста, вылечите мою внучку, — сказала незнакомка, которая, похоже, даже не расслышала последнюю фразу.

Ее слова настолько поразили Рэчел, что она на какой-то момент лишилась дара речи.

— Пожалуйста, миссис Сноупс, — снова заговорила женщина. — Мою внучку зовут Эмили. Ей всего четыре года, и у нее лейкемия. В последние полгода она вроде бы стала чувствовать себя получше, но вот теперь... — Глаза женщины за стеклами очков наполнились слезами. — Я не знаю, что мы будем делать, если потеряем ее.

Это было в тысячу раз хуже, чем кошмар у окошечка мороженщика.

— Мне... мне очень жаль вашу внучку, но я ничего не могу сделать, — пролепетала Рэчел.

— Вы можете вылечить ее одним прикосновением.

— Но я вовсе не экстрасенс.

— Вы можете это сделать. Я знаю, вы можете. Я видела вас по телевизору, и меня не интересует, что говорят о вас другие, — я знаю, что вы посланница Божья. Вы наша последняя надежда, миссис Сноупс. Эмили может спасти только чудо.

Рэчел разом вспотела, темно-синее платье прилипло к телу, воротничок неприятно сдавил шею.

— Но я... Я вовсе не тот человек, который может творить чудеса.

Лицо женщины исказила гримаса страдания. Рэчел поняла, что ей было бы в тысячу раз легче, если бы незнакомка так же ненавидела ее, как все остальные.

— Нет, вы можете! Я знаю, вы можете!

— Пожалуйста, извините меня, — пробормотала Рэчел и стала торопливо обходить машину, чтобы сесть за руль.

— По крайней мере помолитесь за нее, — попросила женщина, весь вид которой выражал полное отчаяние и безнадежность. — Помолитесь за нашу девочку.

Рэчел коротко кивнула. Как она могла сказать этой женщине, что она больше не молится, что в душе ее не осталось места для веры?

Она погнала машину назад в сторону горы Страданий. В памяти ее всплыли непрошеные воспоминания об «исцелениях», которые демонстрировал Дуэйн, обманывая доверчивых людей.

Рэчел точно вспомнила, когда ее любовь к мужу сменилась презрением. Это произошло в тот вечер, когда она обнаружила, что на время очередной процедуры «исцеления» ее супруг вставляет в ухо крохотное устройство, позволяющее получать информацию от своего помощника, который сообщал ему, что именно пишут участники сеанса о своих болезнях на карточках, розданных им до трансляции. Когда Дуэйн называл имена людей, с которыми он никогда в жизни не встречался, и во всеуслышание подробно рассказывал об их недомоганиях, это настолько поражало воображение многих, что слава преподобного Сноупса как целителя росла не по дням, а по часам.

Вероятно, отголоски этой славы докатились и до женщины с деревянными серьгами, которая почему-то решила, что вдова Дуэйна Сноупса может спасти ее умирающую внучку.

Рэчел с такой силой вцепилась в рулевое колесо, что у нее побелели костяшки пальцев. Еще совсем недавно она мечтала о том, чтобы снова заняться любовью с Гейбом, но жизнь нанесла ей еще один жестокий удар. Она поняла: ей нужно как можно скорее уехать из Солвейшн, если она не хочет сойти с ума. Теперь, когда выяснилось, что в шкатулке ничего нет, ей надо было заняться поисками Библии Дуэйна и молиться, чтобы, найдя ее, она смогла узнать то, что ей так хотелось узнать.

Но, к несчастью, она давным-давно перестала молиться...

Тихий вздох сидящего рядом Эдварда вернул Рэчел к действительности. Она увидела, что они с сыном уже подъехали к коттеджу, в котором жили последнее время, и с ужасом поняла, что абсолютно забыла про мороженое. Рэчел бросила на Эдварда полный отчаяния взгляд.

— Прости меня, сынок, я совсем забыла про свое обещание.

Мальчик сидел на сиденье, глядя прямо перед собой, ничего не говоря и не протестуя. Он просто лишний раз получил подтверждение того, что ему в жизни не очень повезло.

— Мы сейчас поедем обратно в город.

— Да ладно, мам, не надо. Все нормально.

Рэчел, однако, была не согласна с Эдвардом. Развернувшись, она погнала машину назад. Остановившись у магазинчика под названием «Инглес», она купила ему шоколадное мороженое. Выбросив обертку в стоящую у входа в магазин урну, мальчик принялся лизать его. Мать и сын пошли через стоянку к своему «форду-эскорту», и тут Рэчел заметила, все четыре колеса их машины были спущены.

Глава 12

На следующее утро Рэчел встала, когда не было еще и шести, хотя спала плохо. Босая, в трусиках и мужской рубашке, найденной в шкафу и заменявшей ей пижаму, она тихонько прокралась на кухню.

Поставив на плиту кофейник, она стала наблюдать за тем, как первые лучи солнца, проникающие в дом сквозь окна, расположенные с его задней стороны, рисуют замысловатый узор на изрезанной поверхности стола. За окнами в траве поблескивали капли росы, лилейник поворачивал к солнцу свои цветы, похожие на крохотные оранжевые граммофончики.

После всех неприятностей, которые ей пришлось пережить вчера вечером, при виде окружающей ее красоты у Рэчел слезы навернулись на глаза. *Спасибо тебе, Энни Глайд, за твой чудесный, волшебный дом.*

Однако даже прелесть раннего утра не могла отвлечь Рэчел от мыслей о том, как ей справиться со свалившимися на нее проблемами. У нее не было денег на замену проколотых шин «эскорта», и она просто не знала, как поступить. На работу она могла ходить и пешком, хотя путь был неблизкий, но как быть с Эдвардом? Вчера вечером, после того как Рэчел увидела, что ее машина выведена из строя, Кристи забрала ее и Эдварда и привезла в коттедж Энни. Она же ежедневнс забирала мальчика из детского сада при церкви. Но ведь в скором времени Кристи собиралась переезжать, и что тогда?

Рэчел пришла к выводу: ей нужно как можно скорее найти Библию Дуэйна. Затем она решила, что все же не следует мрачными мыслями портить себе удовольствие от такого замечательного утра, ведь во время работы у нее будет предостаточно времени, чтобы обдумать все. Как раз в это время закипел кофе, и она, налив его в старую зеленую чашку с поблекшим изображением кролика, отправилась на крыльцо.

Эти утренние минуты, когда Эдвард еще спал, а все вокруг казалось таким чистым, свежим и умытым, были для Рэчел самым лучшим временем суток. Когда она усаживалась на крыльце в скрипучее деревянное кресло-качалку и начинала потихоньку прихлебывать кофе, ей было так хорошо, как никогда не было во время ее совместной жизни с Дуэйном, несмотря на окружавшую их с мужем роскошь.

Отодвинув засов, Рэчел повернула ручку и распахнула входную дверь. Затем, шагнув на крыльцо, она вдохнула всей грудью чистый горный воздух, и душа ее наполнилась ощущением непередаваемого счастья. Что бы ни случилось, никто не мог лишить ее этого краткого, но счастливого мига.

Она повернулась в сторону кресла-качалки, и вся ее радость мигом испарилась. Чашка, выпав из руки, со стуком упала на деревянный пол, кофе забрызгал ее босые ноги, но она этого даже не заметила. Взгляд ее был прикован к слову, которое кто-то намалевал красной краской на фасаде дома, между окнами.

Грешница.

На крыльцо, путаясь в длинной ночной рубашке, выбежала Кристи.

— Что случилось? — с тревогой спросила она. — Я услышала... О Господи!

— Подонки, — прошептала Рэчел.

— Это так мерзко, — сказала Кристи и поднесла руку к горлу. — Не понимаю, как кто-то из живущих здесь людей может заниматься такой мерзостью.

— Они ненавидят меня и хотят, чтобы я уехала.

— Я позвоню Гейбу.

— Нет! — воскликнула Рэчел, но Кристи уже скрылась в доме.

Чудесное утро разом превратилось в кошмар. Рэчел старательно вытерла пол старым полотенцем, словно именно лужицы и брызги кофе были главной неприятностью. Она уже направилась было в дом, чтобы одеться, когда на подъездной аллее появился пикап Гейба. Машина с ревом, разбрасывая колесами гравий, подкатила к дому и остановилась наискосок от входа. Как раз в тот момент, когда из нее выпрыгнул Гейб Боннер, из двери на крыльцо вышла Кристи, одетая в платье из полосатой льняной ткани.

Видно было, что Гейб собирался впопыхах. Волосы его были всклокочены, босые ноги он в спешке сунул в поношенные белые спортивные туфли. Еще вчера они с Рэчел занимались любовью, но теперь Гейб смотрел и на Рэчел, и на Кристи так, словно собирался прикончить обеих.

— Я так рада, что ты приехал, Гейб, — сказала Кристи. — Посмотри на это!

Гейб уже успел заметить отвратительную надпись и теперь окинул ее таким взглядом, что оскверненная стена просто чудом не задымилась.

— Рэчел, сегодня утром мы с тобой съездим к Оделлу Хэтчеру. — Глаза Гейба наткнулись на голые ноги Рэчел, которые невозможно было прикрыть рубашкой. Он умолк, но затем тряхнул головой и заговорил снова: — Я хочу, чтобы здесь подежурил полицейский патруль.

— Весь город словно с цепи сорвался, — тихо произнесла Кристи, а затем рассказала Гейбу о проколотых шинах «форда» и обо всем, что произошло около кафе. — Получается, что Дуэйн Сноупс разбил сердца жителей Солвейшн, а теперь они не видят другого способа рассчитаться с ним, кроме как срывать зло на Рэчел, — подытожила она.

— Полиции на это наплевать, — вставила Рэчел. — Полицейские не меньше остальных хотят заставить меня уехать.

— Ну, это мы еще посмотрим, — мрачно ответил Гейб.

— Я не хочу, чтобы ты уезжала, — сказала Кристи, обращаясь к Рэчел.

— И совершенно напрасно. Я вела себя как эгоистка. Я просто не понимала... Из-за всей этой истории можете пострадать вы. Ты и Гейб.

Глаза Кристи сверкнули.

— Меня это не пугает, — отчеканила она.

— Ты лучше о себе побольше беспокойся, — бросил Гейб, повернувшись к Рэчел.

Ответить на его реплику она не успела: скрипнула дверь, и на крыльце появился Эдвард. Одной рукой он держал за ухо плюшевого кролика Хорса, а другой протирал глаза. Мальчик был в пижамной курточке и штанишках линялого от многочисленных стирок бледно-голубого цвета. Штанишки были ему явно коротки, а рисунок на груди курточки, изображавший двух пятнистых псов в боксерских перчатках, настолько выцвел, что Рэчел стало стыдно за то, что она так плохо одевает сына.

— Я слышал злой голос, — сказал мальчик.

— Все в порядке, милый, — сказала Рэчел, подойдя к нему. — Это был мистер Боннер. Мы тут с ним разговаривали.

Эдвард взглянул на Гейба, и губы мальчика упрямо сжались.

— Он слишком громко говорит.

— Пойдем-ка оденемся, — сказала Рэчел, поспешно разворачивая сына к двери и легонько подталкивая в спину. Эдвард, не протестуя, позволил увести себя с крыльца, но когда его мать открыла пошире дверь, чтобы они могли пройти, произнес слово, которое, как от души надеялась Рэчел, Гейб не расслышал:

— Придурок.

К тому времени, когда Рэчел и Эдвард оделись и привели себя в порядок, Гейб куда-то исчез, но, войдя на кухню, чтобы накормить сына завтраком, Рэчел снова увидела его рядом с крыльцом. Он держал в руке ведерко с краской и кисть. Поставив перед Эдвардом тарелку с овсяными хлопьями, залитыми молоком, она вышла к Гейбу.

— Ты вовсе не обязан это делать, — сказала она, глядя, как он закрашивает надпись на стене.

— Нет, обязан, — ответил Гейб, который как раз к этому моменту закончил работу. Корявые буквы, однако, были видны даже под слоем краски. — Придется пройтись по этому месту кистью еще раз. Я сделаю это после работы.

— Я сама этим займусь, — возразила Рэчел.

— Нет, не займешься.

Рэчел понимала: ей следует настоять на своем, но у нее не хватило на это духу, и ей показалось, что Гейб это понял.

— Спасибо, — сказала она.

Вскоре Гейб заглянул на кухню и пригласил Рэчел в машину.

— Поедем навестим Оделла Хэтчера, — пояснил он.

Двадцать минут спустя они уже сидели в кабинете начальника полиции Солвейшн. Оделл Хэтчер, худой как щепка мужчина, с редеющими, тронутыми сединой волосами и крючковатым носом, слушая Гейба, внимательно смотрел на Рэчел из-под очков в узкой оправе из черного пластика.

— Ну что же, мы в этом разберемся, — сказал он, когда Гейб закончил. При этом Рэчел успела уловить блеснувший у него в глазах огонек удовлетворения и поняла, что начальник городской полиции вряд ли станет слишком усердствовать, расследуя ее жалобу. Жена Хэтчера была одной из весьма активных прихожанок храма Дуэйна Сноупса, и когда знаменитый проповедник попался на воровстве, Хэтчер, вне всякого сомнения, оказался в неловком положении.

Рэчел решила, что пришло время переходить в наступление.

— Мистер Хэтчер, — начала она, — в день побега Дуэйна Сноупса ваши подчиненные конфисковали мою машину. В машине находилась Библия, и мне бы хотелось знать, где она теперь. Это семейная реликвия, которая не представляет ценности ни для кого, кроме меня, и я хотела бы получить ее обратно.

— Машина со всем, что в ней было, пошла на уплату долгов Дуэйна.

— Это я понимаю, но мне все же хочется знать, где сейчас находится Библия.

Рэчел видела, что Хэтчер ради нее не пожелает даже пальцем пошевелить. Тем не менее начальник полиции Солвейшн отлично понимал, что одно дело — просто спровадить вдову проворовавшегося телепроповедника, и совсем другое — сделать то же самое на глазах представителя одной из наиболее уважаемых в городе семей.

— Я это выясню, — недовольно пробурчал он, кивнув.

— Благодарю вас.

Оделл вышел из кабинета. Гейб встал и подошел к единственному в комнате окну, выходившему на боковую улочку, на которой расположились лавка, торгующая чистящими средствами, и магазин автомобильных запчастей.

— Ты меня беспокоишь, Рэчел, — сказал Гейб, не отходя от окна.

— Почему?

— Ты какая-то безрассудная. Совершая те или иные поступки, ты совсем не думаешь о последствиях.

Рэчел не вполне поняла, что Гейб имеет в виду. Может быть, то, как они вчера занимались любовью? До этого момента ни она сама, ни Гейб ни разу ни словом, ни даже намеком не упоминали о том, что произошло между ними.

— Ты слишком импульсивна, а это опасно. До сих пор никто не пытался реально причинить тебе какой-то вред, но всегда ли так будет?

— Я не собираюсь задерживаться здесь надолго. Как только найду деньги, я исчезну из Солвейшн с такой быстротой, что...

— Если только ты их найдешь.

— Найду. А потом я уеду отсюда как можно дальше. Может быть, в Сиэтл. Куплю себе новую машину, кучу книг и игрушек для Эдварда и маленький домик, где я буду чувствовать себя как дома. А потом...

Рэчел замолчала. В кабинет снова вошел начальник полиции и положил перед ней на стол какой-то официального вида документ.

— Вот список всего, что мы обнаружили в вашем автомобиле, — сказал он.

Опустив глаза, Рэчел просмотрела аккуратно отпечатанную колонку: приспособление для чистки окон, регистрационные бумаги, небольшая шкатулка, губная помада и так далее.

— Тот, кто составлял этот список, ошибся, — сказала она, дочитав до конца. — Здесь не упомянута Библия, о которой я говорила.

— Значит, ее в машине не было, — ответил Хэтчер.

— Нет, была. Я сама ее туда положила.

— С тех пор прошло три года. Человеческая память частенько выкидывает очень забавные фокусы.

— Только не моя. Я хочу знать, куда делась Библия!

— Понятия не имею. Ее не было в машине. В противном случае она была бы внесена в рапорт. — Хэтчер уставился на Рэчел маленькими холодными глазками. — Не забывайте: в тот день вы находились в состоянии сильного стресса.

— Стресс тут совершенно ни при чем! — Рэчел хотелось заорать на Хэтчера, но она глубоко вздохнула, изо всех сил стараясь успокоиться. — В списке упоминается шкатулка... — Она ткнула пальцем в рапорт. — В конечном итоге она оказалась в доме, когда-то принадлежавшем Дуэйну. Как это могло случиться?

— По всей вероятности, ее сочли частью обстановки. Что касается самой машины, то она была продана с аукциона.

— Я положила в машину шкатулку и Библию одновременно. Кто-то из ваших подчиненных явно напортачил.

Последняя фраза Рэчел Хэтчеру явно не понравилась.

— Мы усилим патрулирование около коттеджа Энни, миссис Сноупс, но это не изменит отношения к вам жителей города. Послушайте мой совет: уезжайте отсюда и обоснуйтесь в другом месте.

— Она имеет такое же право жить здесь, как и все остальные, — мягко заметил Гейб.

Хэтчер снял очки и положил на стол.

— Я всего лишь констатирую факты, — заявил он. — Когда миссис Сноупс и ее муж облапошили весь город, тебя здесь не было. Их не интересовало, у кого они берут деньги. Главное для них было свить и благоустроить свое собственное гнездышко. Я знаю, Гейб, ты пережил тяжелые времена. По-видимому, то, что с тобой произошло, мешает адекватно воспринимать происходящее. В противном случае ты был бы более осторожен и щепетилен в выборе друзей.

Полный презрения взгляд, который Хэтчер, произнося последнюю фразу, бросил на Рэчел, яснее ясного сказал ей о том, что начальник полиции убежден: Гейб дал ей работу и заступается за нее исключительно в обмен на сексуальные услуги. Поскольку в свое время она сама предложила Гейбу похожую схему отношений, Рэчел решила, что ей, пожалуй, не следует обижаться.

— Видимо, имеет смысл подумать о семье, Гейб, — снова заговорил Хэтчер. — Сомневаюсь, что твои родители будут рады, когда узнают о твоей связи с вдовой Сноупс.

— Ее фамилия Стоун, и если она говорит, что положила Библию в машину, значит, так оно и было, — сказал Гейб, почти не разжимая губ.

Но Оделла Хэтчера нелегко было сбить с позиций. Он безгранично верил в эффективность полицейской бюрократической машины и потому был убежден: если какая-то вещь не была упомянута в протоколе или рапорте, то она и на свете не существовала.

Позже, заканчивая красить оборудование, установленное на детской площадке кинотеатра, Рэчел по достоинству оценила то, что Гейб все же остался на ее стороне и поддержал ее, хотя и считал, что она преследовала недостижимую цель и вообще вела себя неразумно и неправильно. Оглядевшись, она увидела, как Гейб вместе с электриком устанавливают цветовой каскад. Почувствовав на себе ее взгляд, он поднял голову и посмотрел на нее.

Тело Рэчел тут же напряглось в ожидании. Одновременно ей пришла в голову мысль о том, что неплохо было бы разобраться, каковы правила игры теперь, когда в их с Гейбом отношениях произошли серьезные изменения.

Наступил вечер, и Гейб объявил, что отвезет ее домой. Машины у Рэчел теперь не было, и ей вовсе не улыбалось идти пешком до горы Страданий, поэтому она с благодарностью приняла его предложение. В тот день она здорово умаялась. Впрочем, это не вызывало у нее никаких негативных эмоций или протеста. Ей вообще начинало казаться, что кинотеатр интересует ее гораздо больше, чем Гейба. Во всяком случае, она куда больше волновалась и переживала по поводу предстоящего открытия, нежели он.

Когда Гейб запустил двигатель своего пикапа и тронул машину с места, напряжение, которое они оба ощущали весь день, еще больше усилилось. Рэчел опустила боковое стекло и только потом сообразила, что в салоне уже работает кондиционер.

— Тебе жарко? — спросил Гейб и бросил на нее взгляд, в котором промелькнуло что-то волчье. Рэчел, однако, нервничала и предпочла не смотреть в его сторону.

— Сегодня было довольно тепло, — сказала она.

— Я бы назвал это жарой.

Почувствовав на своем бедре его руку, Рэчел хотела придвинуться ближе, но вместо этого почему-то отвернулась и снова подняла стекло. Гейб убрал руку.

Рэчел вовсе не хотелось, чтобы Гейб подумал, будто она жеманничает, тем более что она сама отчаянно хотела его. Она решила все ему объяснить.

— Гейб, у меня сегодня утром начались все эти дела, — сказала Рэчел.

Повернув голову, он уставился на нее.

— Ну, дела, понимаешь? — повторила она и, вспомнив о его профессии ветеринара, добавила: — Короче, у меня течка.

— Я знаю, что ты имеешь в виду, Рэчел, — хохотнул Гейб. — Только не могу понять, почему ты думаешь, что для меня это имеет какое-то значение.

Рэчел вспыхнула и разозлилась на себя за это.

— Боюсь, я буду чувствовать себя дискомфортно...

— Милая, если уж ты всерьез решила играть роль крутой и дерзкой девицы, которой на все плевать, тебе необходимо избавиться от многих предрассудков.

— У меня нет никаких предрассудков. Это просто вопрос гигиены.

— Чушь. Все это полная чушь. — Гейб сухо засмеялся и вырулил на шоссе.

— Ну давай, посмейся надо мной, — недовольно пробормотала Рэчел. — И можешь считать, что одна проблема решена. Только вот другая проблема будет посложнее.

— Какая еще проблема?

Рэчел провела пальцем по синему потеку краски на юбке оранжево-белого платья, которое она специально выделила для малярных работ.

— Я не совсем представляю, каким образом мы будем удовлетворять наше... влечение.

— Влечение? — переспросил Гейб голосом, в котором, как ей показалось, прозвучала обида. — Значит, у нас с тобой влечение?

Дорога сделала поворот, и садящееся солнце так ударило Рэчел в глаза, что ей пришлось прищуриться.

— А что же еще — роман, что ли? — Она помолчала немного. — Роман — это слишком серьезно. Да, нас влечет друг к другу, и это все. Вот только я не вижу, каким образом мы сможем заниматься тем, чем хочется.

— Очень даже просто.

— Если ты в самом деле так считаешь, значит, ты не подумал как следует. Ведь мы не можем так просто, среди бела дня...

— Удовлетворять свое влечение?

Рэчел кивнула.

— А почему бы и нет? — сказал Гейб и, схватив с приборной доски солнцезащитные очки, надел их. Рэчел показалось, что он сделал это, чтобы защититься от ее взгляда.

— Мне кажется, ты нарочно притворяешься тупым и толстокожим, — сказала она.

— Вовсе нет. Просто я не вижу в этом никакой проблемы. Или ты все еще имеешь в виду эти самые твои дела?

— Нет! — Рэчел опустила солнцезащитный козырек. — Я не о частностях говорю. Ты считаешь, мы сможем вот так просто заниматься любовью среди бела дня?

— Да, если мы этого захотим.

— И куда же мы для этого отправимся?

— Да куда угодно. Мне кажется, что после вчерашнего ни ты, ни я не станем на этот счет слишком привередничать.

Гейб бросил на нее быстрый взгляд, и она увидела в стеклах его очков собственное миниатюрное отражение. При этом она почему-то показалась себе маленьким и беспомощным существом, которое любой крепкий порыв ветра мог подхватить и унести бог знает куда. Она даже отвернулась, чтобы избавиться от этого странного ощущения.

— Если тебя не устраивает стойка в закусочной кинотеатра, мы можем поехать и заняться этим в доме, — сказал Гейб.

— Ты ничего не понимаешь.

— Тогда, может быть, ты мне объяснишь, в чем дело. — Гейб уже явно терял терпение, и Рэчел решила: будет лучше, если она прямо скажет ему, что ее смущает.

— Ты ведь платишь мне почасовую зарплату.

— Ну, и при чем здесь это?

— А как насчет того часа... или часов... в течение которых мы будем заниматься любовью?

В устремленных на Рэчел глазах Гейба появилось настороженное выражение.

— Это ведь не просто вопрос, а вопрос-ловушка, так?

— Нет.

— Ну, не знаю. Я думаю, ничего страшного в результате этого не произойдет.

— Нет, произойдет — с моей зарплатой.

— К твоей зарплате это не имеет никакого отношения.

Видимо, придется сказать ему все, как есть, подумала Рэчел.

— Ты собираешься оплачивать мне то время, в течение которого мы будем заниматься любовью?

— Да? — сказал Гейб с вопросительной, а не утвердительной интонацией, боясь промахнуться.

Сердце у Рэчел упало.

— Ах ты, подонок, — прошептала она и отвернулась к окну.

— Нет! Нет, конечно! Я не буду оплачивать тебе это время.

— Я еле свожу концы с концами, — снова заговорила Рэчел. — Каждый цент, который я зарабатываю, нужен мне как воздух. Вчера из-за наших с тобой амурных дел я лишилась денег, на которые могла бы купить в бакалейной лавке продуктов на неделю.

— Похоже, у меня никаких шансов, верно? — спросил Гейб после долгого молчания.

— Да неужели ты не понимаешь? Пока мы работаем, между нами ничего не может произойти, даже если мы этого хотим, потому что ты платишь мне зарплату, а я не могу позволить себе терять деньги. А после работы мне надо заботиться о пятилетнем сыне. Так что наши сексуальные отношения обречены, даже не успев начаться.

— Это смешно, Рэчел. И потом, я не собираюсь ничего вычитать у тебя из зарплаты за вчерашний день.

— Вычтешь как миленький, понял?

— Послушай, ты сама создаешь проблему из ничего. Если мы захотим заняться любовью и у нас выдастся для этого подходящий момент, значит, мы займемся любовью. При чем тут зарплата?

Как бы Гейб ни делал вид, что он не улавливает, в чем дело, он тем не менее отлично понимал, что Рэчел имеет в виду. Оставалось лишь порадоваться тому, что у него хватило такта не напоминать ей, как однажды она предложила ему себя в обмен на ту самую зарплату, по поводу которой они теперь так ожесточенно спорили.

Гейб стал молча смотреть на дорогу, и пикап успел промчаться по шоссе целую милю, прежде чем он заговорил снова.

— Ты ведь говоришь серьезно, не так ли? Для тебя это в самом деле проблема?

— Да.

— Ладно. Тогда мы подумаем над этим и придем к какому-то решению, а у тебя к тому времени как раз и дела твои закончатся. — Он осторожно погладил ее ногу. — Ну как, ты в порядке после вчерашнего?

В вопросе его было столько искренней тревоги, что Рэчел невольно улыбнулась:

— Да, я в порядке, Боннер. Лучше не бывает.

— Вот и хорошо, — сказал он и осторожно сжал пальцами ее бедро.

— А ты как? — поинтересовалась Рэчел.

— Да тоже лучше не бывает, — сказал Гейб и издал хриплый, какой-то натужный смешок, словно его гортань отвыкла издавать подобные звуки.

— Рада это слышать, — отозвалась Рэчел и посмотрела в окно. — Ты только что проехал поворот на гору Страданий.

— Знаю.

— Кажется, ты собирался отвезти меня домой.

— Всему свое время, — сказал Гейб, снимая очки.

Пикап въехал на окраину Солвейшн и остановился у входа в гараж Дили. Не успел Гейб затормозить, как Рэчел заметила стоящий сбоку от гаража «форд-эскорт».

— О, Гейб...

Она распахнула дверь пикапа, подбежала к «форду» и разрыдалась.

— Ничто так не трогает сердце женщины, как комплект новых шин, — сказал подошедший сзади Гейб и ласково обнял ее за талию.

— Это просто чудесно, я так рада. Но только... у меня не хватит денег, чтобы с тобой расплатиться.

— А разве я этого требую? — В голосе Гейба зазвучали нотки возмущения. — Страховка Кэла покроет все расходы.

— Не все. Даже богатым людям приходится в таких случаях кое-что доплачивать. Дуэйну приходилось доплачивать за все четыре наши машины.

Не обращая внимания на ее слова, Гейб взял Рэчел за руку повыше локтя и повел обратно к пикапу.

— Потом приедем и заберем твой рыдван, — сказал он. — А теперь у нас есть еще кое-какие дела.

Пикап покатил прочь от гаража Дили. Рэчел настороженно прислушивалась к тому, что творилось у нее внутри. Казалось, все ее чувства попали в некий огромный миксер. Гейб был одновременно грубым и добрым, безнадежно, непроходимо глупым в каких-то вещах и бесконечно мудрым в других. И кроме всего прочего, она так хотела его, что от желания у нее даже зубы ломило.

Гейб направил пикап к центру города и притормозил на стоянке, расположенной прямо напротив злополучного кафе.

— Пошли, поедим мороженого, — сказал он.

Прежде чем он успел открыть дверь, Рэчел предостерегающим жестом схватила его за руку. Было предобеденное время, и у окошка, через которое подавали мороженое, царило оживление. Рэчел сразу поняла, что именно задумал Гейб. Сначала шины, а теперь еще и... Нет, это слишком.

— Спасибо, Гейб, — напряженным голосом сказала она, — но я должна сама решать свои проблемы.

Эта демонстрация независимости, однако, не произвела на Гейба никакого впечатления.

— Вылезай из машины, да поживее, — сказал он, пристально глядя на Рэчел. — Ты все равно отведаешь мороженого, даже если мне придется силком запихивать его тебе в глотку.

Рэчел вспомнила, что всего несколько минут назад Гейб казался ей очень чутким человеком, и невольно усмехнулась. Поняв, что выбора у нее нет, она открыла дверь.

— Это мое дело, так что я сама им **займусь**, — сказала она.

— Давай-давай, у тебя это здорово **получается**, — отозвался Гейб и громко хлопнул дверцей.

— Я требую повышения зарплаты, — бросила Рэчел, шагая к тротуару. — Если ты можешь позволить себе швырять деньги, покупая новые шины и мороженое, значит, ты в состоянии поднять мой нищенский заработок.

— Улыбайся людям: они такие добрые и хорошие.

Рэчел чувствовала на себе взгляды: вокруг окошка толпились несколько матерей с маленькими детьми, двое-трое дорожных рабочих в грязных футболках, деловая женщина с прижатым к уху сотовым телефоном. Только группе мальчишек, катавшихся неподалеку на скейтбордах, было наплевать на то, что грешная вдова Сноупс снова ступила на священную землю Солвейшн.

Гейб подошел к окошку и обратился к девушке, продававшей мороженое:

— Твой босс здесь?

Девушка, энергично перемалывая челюстями жевательную резинку, кивнула.

— Ну-ка, позови его сюда.

Пока они ждали, Рэчел бросилась в глаза стоящая у окошка небольшая коробка из прозрачного пластика с наклеенной на нее фотографией кудрявой девчушки с улыбающейся рожицей. На коробке была надпись: «Фонд Эмили». Чуть ниже следовало разъяснение, призывающее посетителей помочь собрать необходимую сумму на лечение ребенка, страдающего от лейкемии. Рэчел тут же вспомнила женщину с деревянными серьгами в ушах.

Вы наша последняя надежда, миссис Сноупс. Эмили может спасти только чудо.

На какой-то момент у Рэчел перехватило дыхание. Она медленно открыла кошелек, достала оттуда пятидолларовую купюру и опустила ее в прорезь на коробке. *Как раз в этот момент в окошке появилось лицо Дона Брэди.*

— Привет, Гейб, как... — начал было он и осекся, увидев Рэчел.

Гейб сделал вид, что не заметил его замешательства.

— Я тут как раз говорил Рэчел, что у тебя делают лучшее в городе мороженое. Дай-ка нам пару порций. Больших.

Дон заколебался. Рэчел видела, что он чувствует себя не в своей тарелке и никак не может найти достойный выход из положения. Он явно не хотел обслуживать ее, но в то же время был готов к тому, чтобы бросить вызов одному из Боннеров.

— Э-э... Конечно, Гейб.

Через несколько минут Гейб и Рэчел отошли от окошка, держа в руках две большие порции мороженого, есть которые у них не было никакого желания. Возвращаясь к пикапу, они ни разу не посмотрели по сторонам. Если бы они это сделали, то скорее всего обратили бы внимание на невысокого, жилистого мужчину, который, стоя в тени, наблюдал за ними, покуривая.

Расс Скаддер бросил окурок сигареты на землю и наступил на него. Должно быть, Боннер спит с ней, подумал он. В противном случае он не заменил бы так быстро проколотые шины ее «эскорта». Теперь стало ясно, почему Боннер нанял вдову Сноупс: это давало ему возможность заниматься с ней сексом.

Сунув руки в карманы, Расс подумал о своей жене. Вчера он попытался встретиться с супругой, но она не захотела с ним разговаривать. Расс очень скучал по ней. Не будь он безработным, думал он, ему, возможно, удалось бы вернуть жену, но Рэчел Сноупс отняла у него ту единственную работу в городе, на которую он мог рассчитывать.

Расс не собирался прокалывать колеса ее автомобиля, но, увидев ее машину и убедившись, что вокруг никого нет, принял спонтанное решение и проткнул шины «форда-эскорта». Это доставило ему огромное удовольствие. А потом он решил пойти дальше и несколько часов спустя отправился к коттеджу Энни Глайд, запасшись баллончиком с краской. Расс намалевал на стене дома слово «Грешница», надеясь, что теперь-то уж вдова Сноупс поймет: ее присутствие в Солвейшн и в его окрестностях не по вкусу местным жителям.

Рассу казалось, что Дуэйн Сноупс скорее всего одобрил бы его действия. Несмотря на то что преподобный Сноупс носил часы «Ролекс» и одевался в модные и дорогие костюмы, он все же был неплохим парнем. Дуэйн никогда не желал никому зла, и Расс точно знал, он действительно очень много молился и искренне верил в Бога. Именно Рэчел заставила его свернуть с прямой дорожки.

Алчность Рэчел Сноупс нанесла страшный удар по храму и заставила пасть Дуэйна Сноупса. Ее алчность погубила и Расса: если бы не она, он продолжал бы работать в службе безопасности храма, занимаясь делом, благодаря которому чувствовал себя человеком.

И вот теперь вдова Сноупс снова как ни в чем не бывало заявилась в Солвейшн и пыталась использовать Гейба точно так же, как когда-то использовала Дуэйна. Жалко только, сам Гейб по глупости не замечал этого. Расс пытался растолковать своей бывшей жене все, что он думал о Рэчел. Но жена ничего не поняла. Она не хотела понять, что Расс вовсе не виноват в случившемся.

Скаддеру захотелось выпить, и он направился к кафе, которым заправлял Дон. Ему казалось, пара стаканчиков поправят ему настроение и заставят забыть о том, что у него нет работы, а жена выставила его из дома, поскольку он не в состоянии обеспечить своего ребенка.

— А он тоже здесь будет? — спросил Эдвард в субботу утром, когда Рэчел припарковала свой бесценный «форд-эскорт» позади закусочной.

Рэчел было ясно, кого мальчик имеет в виду.

— Мистер Боннер не такой плохой, как мы думали, — сказала она. — Он дал мне работу и разрешил нам жить в коттедже. Он также позаботился о том, чтобы у меня была машина.

— Это пастор Этан сделал так, что у нас есть коттедж и машина.

— Только потому, что мистер Боннер попросил его об этом.

Однако, несмотря на все объяснения, Эдвард продолжал считать Гейба врагом и отказывался изменить свое отношение к нему. В то же время он довольно сильно привязался к Этану, который регулярно общался с ним, появляясь в детском саду. Рэчел напомнила себе, что ей надо будет обязательно поблагодарить за это пастора Боннера.

Посещение детского сада благотворно сказывалось на ее сыне. Он пока не завел себе близких друзей, но стал более общительным и разговорчивым и даже чуть более требовательным, хотя в этом смысле Эдварду было очень далеко до других детей. Дважды за последнее время на слова Рэчел о том, что ему пора ложиться спать, мальчик отвечал вопросом: «Как, уже? А это обязательно?» Для Эдварда это было почти равносильно бунту.

— Вот подожди, сейчас увидишь игровую площадку — то-то удивишься, — сказала Рэчел и протянула сыну сумку, где лежали игрушки, которые должны были помочь мальчику скоротать время. Затем она взяла в руки сверток с ленчем и еще кое-какими продуктами.

Пока они с сыном шли к детской площадке, Рэчел, оглядев мальчика, который шагал рядом с ней, держа в руке плюшевого кролика, не без удовольствия отметила, что он заметно окреп. Его руки и ноги загорели, а в движениях чувствовалась живость, которой она не видела с того самого времени, когда его выписали из больницы после пневмонии.

— На площадке практически все уже готово, — сказала она. — И посмотри, мы добавили несколько столов для пикника. Так что теперь у тебя будет место, где ты сможешь сесть и порисовать.

Рэчел купила ему новый набор для рисования, в котором было не каких-то жалких двадцать четыре, а целых шестьдесят четыре цветных карандаша. Помимо этого, она приобрела Эдварду новые тапочки и пижаму, разрисованную гоночными машинами. Когда она предложила ему выбрать недорогую футболку, мальчик, не обращая внимания на те, на которых были изображены персонажи из мультфильмов, указал на футболку с надписью «Настоящий мужчина».

Рэчел украдкой оглядела собственную одежду и в целом осталась довольна. Она ежедневно чистила черные полуботинки, и они выглядели не так уж плохо, а благодаря старым платьям из гардероба Энни Глайд ей не пришлось потратить на собственную экипировку ни цента.

На стоянку, подняв облако пыли, ворвался уже хорошо знакомый Рэчел пикап. Эдвард тут же скользнул под брюхо бетонной черепахи, где скорее всего собирался затаиться надолго. Рэчел направилась к машине, из которой с ленивой грацией вылез Гейб.

Вчера он дал ей ключ от дома Кэла, чтобы она могла поискать там Библию, а сам тем временем отправился поужинать с Этаном. Библию Рэчел не нашла, но в то же время она не могла не оценить поступка Гейба, говорившего о том, что он ей доверяет.

Гейб приближался к Рэчел, лаская глазами ее тело. При воспоминании о том, как ей было хорошо, когда он обладал ею два дня назад, у нее закружилась голова.

— Доброе утро, — сказал Гейб глубоким и хрипловатым голосом, в котором чувствовался некий сексуальный импульс.

Ветер подхватил подол платья Рэчел так, что он хлестнул по джинсам Гейба.

— Доброе утро, — не без труда выговорила Рэчел.

— Сегодня электрика не будет, — сказал Гейб и запустил пальцы в ее волосы.

Рэчел, однако, не обрадовали его слова. Так или иначе, они все равно были не одни, критические дни у нее еще не закончились, а Гейб Боннер по-прежнему оставался ее работодателем. Горько вздохнув, она отстранилась.

— Я не могу себе этого позволить, — сказала она.

— Ну что, мы опять уперлись в то же самое?

— Боюсь, что так.

Гейб хмуро оглядел ее запачканное краской оранжевое платье и черные мужские полуботинки, которые с каждым днем раздражали его все больше.

— Когда ты искала в доме Библию, то оставила джинсы Джейн на кровати. Почему ты не взяла их себе?

— Потому что они не мои.

— Клянусь, сегодня я куплю тебе джинсы.

— Не надо мне никаких джинсов, — сказала Рэчел, приподняв одну бровь. — Лучше повысь мне зарплату.

— Забудь об этом.

Рэчел как раз в этот момент нужен был хороший спор, чтобы отвлечься от одолевавших ее мыслей о сексе, и она с несколько преувеличенной горячностью хлопнула себя по бедру.

— Боннер, я работаю на тебя как проклятая. Во всем мире не найдется ни одного мужчины, который переделал бы столько всего, сколько переделала я за те деньги, которые ты мне платишь. А ведь моя зарплата едва-едва дотягивает до минимальной.

— Это правда, — с готовностью согласился Гейб. — Ты самый выгодный работник, которого только можно найти в этом городе.

— Еще раз говорю, я получаю нищенскую зарплату.

— Вот поэтому ты и являешься самым лучшим работником, которого можно найти в городе. И не забывай, я плачу тебе ровно столько, сколько обещал, и ты приняла мои условия.

На самом деле, вынуждена была признать Рэчел, она получала гораздо больше оговоренной суммы, если учесть, что они с Эдвардом жили в коттедже Энни и ездили на предоставленной им Гейбом машине. Тем не менее она все-таки не имела возможности хоть что-нибудь отложить из своего заработка, а это означало, что, если она не сможет найти заветную Библию, им с сыном придется остаться в Солвейшн навсегда.

Ей еще предстояло сообщить Боннеру, что на этот раз она захватила Эдварда с собой, и это ее отнюдь не радовало. Правда, в последнее время Гейб вел себя не так грубо, как в первые дни, но все же ей было немного не по себе. Она помедлила еще несколько секунд, стягивая резинкой волосы в узел на затылке, и сказала:

— Сегодня мне пришлось взять Эдварда с собой. Надеюсь, ты не будешь возражать.

На лице Гейба появилось настороженное выражение.

— Я его не вижу, — сказал он.

Рэчел кивнула в сторону детской площадки.

— Он прячется где-то там. Он тебя боится.

— Я не сделал ему ничего плохого.

Слова Гейба настолько не соответствовали истине, что Рэчел не сочла нужным возразить.

— Я говорил тебе, чтобы ты его сюда не привозила, — сказал Гейб, в упор глядя на нее.

— Сегодня суббота, и мне негде было его оставить.

— Я думал, по субботам он остается с Кристи.

— Да, Кристи присматривала за ним по субботам по собственной воле, делая мне одолжение. Но я не могу больше злоупотреблять ее любезностью. Кроме того, скоро она переезжает в свой новый дом, и у нее полно дел.

Гейб бросил взгляд в сторону игровой площадки, но Эдварда по-прежнему нигде не было видно. Рэчел было очень больно от того, что Гейб Боннер по-прежнему был настроен против ее сына. Неужели он не видел, что Эдвард — необыкновенный ребенок? По ее мнению, любой умный человек, познакомившись с Эдвардом, должен был полюбить его.

— Ладно, — бросил Гейб. — Приглядывай за ним, чтобы он чего-нибудь не натворил.

— Это придорожный кинотеатр, Гейб, а не лавка, торгующая китайским фарфором. Люди здесь будут смотреть кино прямо из машин. Тут нет почти ничего такого, что он мог бы сломать.

Не отвечая, Гейб пошел к пикапу, открыл задний борт, вытащил из кузова деревянную катушку с кабелем и понес ее куда-то.

Рэчел казалось, что его отношение к Эдварду сродни предательству. Если Гейб был неравнодушен к ней, он должен быть неравнодушен и к ее сыну, считала она. Если он...

Рэчел вовремя успела остановиться. Она рассуждала так, словно у их отношений с Гейбом было какое-то будущее. А ведь их отношения чрезвычайно просты, даже примитивны: он — ее работодатель и сексуальный партнер. И не более того.

Глава 13

Я лиса. Я лиса. Я лиса.

Кристи прижала ладонь к груди, едва прикрытой обтягивающей светло-голубой блузкой, заправленной в белые джинсы, такие тесные, что, если бы не специальный широкий пояс, под ними наверняка обозначились бы резинки трусиков.

Она уселась за свой рабочий стол, на котором царил образцовый порядок. Сердце у Кристи колотилось так, что его удары отдавались в горле, но она не могла даже приложить ладонь к груди, чтобы почувствовать их рукой и хоть немного успокоиться: мешал бюст, стиснутый лифчиком, который ее уговорила купить продавщица бутика в Эшвилле. Несколько дюжин других подобных же, совершенно необходимых, как ей объяснили, покупок уничтожили те небольшие сбережения, которые Кристи рассчитывала потратить на обстановку спальни в своем новом доме.

Вот уже две недели с того самого вечера, когда она поведала Рэчел о своих чувствах к Этану, Кристи ощущала, как в душе у нее растет напряжение. Через четыре дня она должна была переехать в новое жилище. Это был самый подходящий момент для того, чтобы кое-что изменить в своей жизни.

Ветерок, влетевший в окно, приподнял прядь ее темных, мягких, словно у ребенка, волос. Они были коротко острижены и окрашены «перышками». Окрасить их так ей предложил парикмахер, который сказал: «После этой операции ваша прическа останется простой, но в ней появится стиль...»

Теперь волосы, уложенные в простую, но стильную прическу, щекотали ей щеки и шею. Несколько прядок-перышек нависали над бровями и лезли в глаза. Сквозь перышки в ушах Кристи поблескивали кубической формы серьги с крупным цирконием. «Перышки, перышки, перышки» — парикмахер так часто повторял это слово, что Кристи начала казаться себе самой чем-то вроде канарейки. На ее взгляд, новая прическа выглядела ужасно неопрятно.

Вчера, войдя в коттедж после посещения парикмахерской и увидев, как у Рэчел вытянулось от изумления лицо, Кристи расплакалась. Рэчел, однако, преодолев первое удивление, рассмеялась в восхищении.

— Кристи, да ты выглядишь как стильная девица! Разумеется, в *самом хорошем* смысле.

То и дело подбадривая подругу, она заставила Кристи выложить все ее покупки: и одежду, и нижнее белье, и дорогую косметику, и сверхдорогие духи с восхитительным пряным запахом, от которого Эдвард сморщил нос. Отдав дань восхищения приобретениям Кристи, Рэчел сделала еще несколько комплиментов по поводу ее внешности и посмотрела на подругу, сделав нарочито страшные глаза.

— Ты делаешь это для себя, не так ли, Кристи? Ты делаешь все это, потому что сама этого хочешь, а не ради того, чтобы привлечь внимание Этана Боннера, который мизинца твоего не стоит?

— Да, я делаю это для себя, — повторила Кристи, хотя обе они знали, что это не так. Было ясно, что, если бы Кристи руководствовалась собственными вкусами, она бы оставила в неприкосновенности свои длинные, уложенные в простую прическу темные волосы, надела бы привычную, простую одежду и убрала с лица всю косметику, оставив разве что немного губной помады. Это сделало бы ее неприметной, невидимой, но ей так нравилось. Она словно была создана для того, чтобы быть невидимкой.

Однако женщина-невидимка не могла обратить на себя внимание священника, завладевшего ее сердцем.

Кристи услышала его твердые, уверенные шаги в коридоре и замерла. По понедельникам церковный офис обычно бывал закрыт, и поэтому теперь у них с Этаном накопилось много разных дел. *Господи, сделай так, чтобы при виде меня желание охватило его как можно быстрее, потому что я боюсь, что не смогу долго это выдерживать.*

— Доброе утро, — сказал Этан, входя в приемную. — Пожалуйста, принеси мне доклад комитета миссии, я хочу его просмотреть. И давай поглядим, можем ли мы окончательно закрыть июль.

С этими словами Этан прошел мимо Кристи в свой кабинет, не удостоив ее даже взглядом.

Добрая, старая, невидимая Кристи Браун.

Торопливо открыв сумочку, она вынула оттуда крохотный флакончик духов, брызнула из него себе на грудь, потратив при этом, учитывая стоимость содержимого, примерно десять долларов, и быстро осмотрела себя в зеркало пудреницы: аккуратно прочерченные арки бровей, густо накрашенные, дымчато-коричневые веки и ресницы, неяркий румянец на щеках и пурпурный, словно у проститутки, рот.

Цвет ее помады приводил Кристи в ужас, но продавщица отдела косметики настаивала именно на нем, и она сдалась, вспомнив слова, которые Рэчел сказала утром: «Один взгляд на твой рот, Кристи, и твоего преподобного жеребца одолеют очень и очень неблагочестивые мысли. Но тебя это не должно волновать: ты купила эту помаду для себя».

Кристи собрала аккуратно сложенные бумаги, затребованные Этаном Боннером, и уронила их на пол. Поднимая документы, она увидела свои ногти на пальцах ног, покрытые ярко-красным лаком и просвечивающие сквозь плетеные ремешки изящных золотистых сандалий, и ей показалось, что она смотрит не на свою, а на чью-то чужую ногу.

Я лиса. Я лиса. Я глупая лиса с распушенной шерстью, в перышках...

Этан склонился над расписанием проповедей. На этот раз он был одет в белую рубашку в темно-бордовую полоску и темно-синие брюки. Его длинные, суживающиеся к кончикам пальцы поигрывали обложкой расписания, и Кристи вдруг представила себе эти же самые пальцы, поигрывающие застежкой ее лифчика.

Едва не оглохнув от ударов сердца, Кристи положила перед Этаном на стол доклад, который он просил принести, автоматически подровняла стопку писем и села на свое обычное место напротив него. Когда она положила ногу на ногу, белые джинсы так стиснули ее бедра, что ей показалось, будто в ногах у нее полностью прекратилось кровообращение. Однако Кристи решила не обращать внимания на это неудобство.

— Ума не приложу, как мне их раззадорить, — заметил Этан, просматривая доклад. — Мне хочется, чтобы в этом году наша благотворительная кампания была лучше организована, чем когда бы то ни было раньше, а единственная идея, которую предлагает комитет, состоит в том, чтобы повесить на видном месте плакат с изображением так называемого финансового термометра.

— Почему бы нам не привлечь к этому делу старшеклассников? По-моему, энтузиазма им не занимать.

Ну, взгляни же на меня! Дай мне возможность произвести на тебя впечатление!

— Угу. Ну что же, неплохая идея. Позвони Мэри Лу и прощупай ее на этот предмет, ладно?

Лучше бы ты меня прощупал! Эта мысль заставила Кристи покраснеть. Она слегка переменила позу, послав в сторону Этана новую волну аромата духов. Этан, однако, так и не оторвал глаза от бумаг.

Кристи подтолкнула к нему через стол июльский календарь, надеясь, что он заметит хотя бы шесть колец на ее пальцах, маленьких золотых и серебряных ободков, льнущих друг к другу, словно руки любовников. Но Этан и на это не обратил внимания.

— Получается неувязка с десятым числом, — сказал он. — У меня заседание синода. Либо мы перенесем пикник по поводу окончания занятий в церковной школе, либо его придется провести без меня.

Кристи хотелось вскочить и бегом броситься вон из кабинета, но она понимала, что, если она не выдержит и уступит этому желанию, ей никогда больше не удастся собраться с духом и повторить сделанное сегодня. Заставив себя встать, она обошла вокруг стола и остановилась рядом с Этаном.

— Если тебя там не будет, дети будут разочарованы. Пожалуй, я попробую договориться с ними, чтобы пикник перенесли на вторник.

Этан Боннер чихнул. Кристи достала из стоящей на жертвеннике коробки чистый бумажный платок и протянула ему.

— А разве у нас не на вторник родители учеников приглашены на ленч? — осведомился он, вытирая свой идеальной формы нос.

— Это не проблема, — сказала Кристи и осторожно прижалась к боку Этана бедром.

— Ну ладно. — Скомкав платок, он швырнул его в мусорную корзину. — Не забудь, что мне обязательно надо там быть.

Не зная, что бы ей еще сделать, чтобы привлечь его внимание, Кристи, ткнув пальцем в календарь, наклонилась так, что одна из приподнятых лифчиком грудей оказалась у Этана прямо перед глазами.

— Думаю, двадцать третье число будет самым подходящим днем для проведения шествия Друзей Христа.

В кабинете повисла долгая, напряженная тишина. Шея Этана напряглась, его изящные пальцы распластались по поверхности стола. За то время, пока Кристи ждала его реакции, ей показалось, что перед глазами пронеслась вся ее жизнь: все тридцать скучных, серых, монотонных лет.

Этан медленно, дюйм за дюймом поднял голову, но к тому моменту, когда взгляд его наконец упал на лицо Кристи, у него успел отняться язык. Наконец после долгой паузы Этан судорожно сглотнул и ошеломленно произнес:

— Кристи!

Кристи заранее убедила себя, что ей следует вести себя так, как вела бы себя в аналогичной ситуации Рэчел. А что бы Рэчел сделала в подобном случае? Кристи наклонила голову и уперла дрожащую руку в бедро.

— Ну!

Она едва не подавилась этим непривычным для нее словечком. Кристи еще никогда никому так не отвечала.

Этан продолжал во все глаза смотреть на нее.

— У тебя... э-э... новая... э-э... блузка?

Кристи кивнула и постаралась придать лицу скучающее выражение, но сделать это было нелегко, поскольку никогда еще ей не удавалось полностью завладеть вниманием Этана Боннера. Она вдруг вспотела и испугалась, как бы Этан этого не заметил.

Этан же все еще не мог отвести от нее глаз. Он не то чтобы намеренно разглядывал ее, а словно бы потерял контроль над собой. Взгляд его блуждал по телу Кристи: от ее волос к накрашенным ресницам, потом к губам с наложенной на них пурпурной помадой, потом к ее груди, затем скользнул по блузке и джинсам и снова переместился на грудь.

Наконец преподобный Боннер потихоньку начал приходить в себя. Брови его сошлись на переносице.

— Что ты с собой сделала? — осведомился он мрачным тоном, из которого вряд ли можно было сделать вывод, что он пленен прелестями Кристи Браун.

Кристи едва не разрыдалась, но она знала, что Рэчел просто убьет ее, если она не сумеет выдержать характер, и потому все же взяла себя в руки.

— Я... Мне просто стало скучно. Я подумала, что п-пришло время произвести кое-какие перемены во внешности.

— Перемены! Да ты выглядишь, как... как... — Взгляд Этана снова остановился на бюсте Кристи, и он шумно вздохнул. — Во внерабочее время ты можешь носить все, что хочешь, но для офиса такая одежда не подходит.

— И что же именно не подходит?

— Ну, например, твои джинсы...

— Ты сам все время ходишь в офисе в джинсах. Билли Лэйк тоже приходит сюда в джинсах, когда меня подменяет.

— Да, но... Ладно, согласен, с джинсами все в порядке. Они, конечно, хорошие, но только... — Этан снова метнул взгляд на грудь Кристи. — Твоя... м-м... помада, она, видишь ли, немного... Ну, она немного ярковата.

Кристи неожиданно пришла в ярость. Выходит, Лауре Делапино можно красить губы в пурпурный цвет, и это не мешало Этану, глядя на нее, пускать слюни, а когда дело коснулось доброй, верной, безотказной Кристи Браун, он принялся критиковать ее за то, что в Лауре ему нравилось. Уж Рэчел-то в подобной ситуации не стала бы молчать!

— Значит, тебе не нравится моя помада, — бесцветным голосом подытожила Кристи.

— Я этого не сказал. И вообще, это не мое дело — высказывать мнение по поводу твоей помады. Просто мне кажется, что для церковного офиса...

Да, Рэчел ни за что не стала бы мириться с этим, ни за какие коврижки. Кристи решила, что и она не позволит Этану Боннеру так с собой обращаться.

— Если тебе не нравится моя помада, можешь меня уволить, — сказала она.

— Кристи! — пораженно воскликнул Этан, явно шокированный ее словами.

Кристи же почувствовала, что ей нужно как можно скорее закончить разговор и уйти, чтобы не расплакаться у Этана на глазах.

— Не надо расстраиваться, — снова заговорил Этан, смущенно откашлявшись. — Я уверен, что, когда ты все как следует обдумаешь...

— Я уже все обдумала. С меня хватит, я увольняюсь!

Кристи бросилась вон из кабинета Этана и, схватив со стола сумочку, побежала к своей машине. Сев в нее, она упала лицом на руль и зарыдала. Неужели она в самом деле ожидала, что Этан Боннер полюбит ее только за то, что она подчеркнула с помощью одежды свой бюст? Задавая себе этот вопрос, Кристи прекрасно понимала: это было невозможно. Ведь она оставалась все той же скучной, неинтересной женщиной, которая всю жизнь любила одного мужчину без всякой надежды на взаимность. Конечно, это было нереально. А теперь у нее еще нет и работы.

Сквозь слезы Кристи увидела, как задняя дверь церкви распахнулась, и из нее выбежал Этан. Она не могла позволить ему увидеть себя в таком состоянии, с заплаканным лицом. Ей не хотелось предстать перед ним жалкой неудачницей, оплакивающей свою несчастную жизнь. Выхватив из сумочки ключи, она воткнула их в замок зажигания.

— Кристи!

Двигатель взревел. Этан бросился к машине, но опоздал. Кристи нажала на акселератор, и автомобиль, резко рванув с места, пулей вылетел со стоянки.

— Остановись, Кристи! — раздался сбоку голос Этана, который все еще пытался догнать машину. — Тебе надо успокоиться! Давай поговорим!

И тут произошло немыслимое. Опустив боковое стекло, Кристи выставила из него руку и показала преподобному Этану Боннеру средний палец, что было весьма непристойным жестом.

Прошло два дня с того момента, как Кристи пришла в церковь одетая, словно дорогая проститутка, но Этан все еще не оправился от пережитого потрясения.

— Ты только посмотри, как она себя ведет! — воскликнул он, глядя на танцевальную площадку клуба «Горец», расположенного в здании почтамта. Там, на площадке, Кристи Браун увлеченно танцевала с Энди Майлсом, который был почти на десять лет моложе ее. Движения ее были несколько скованными и принужденными, но никто из посетителей клуба, сидящих за грубыми сосновыми столами, похоже, не обращал на это внимания.

Кристи пришла на танцы в обтягивающей черной юбке до середины бедер и в дынного цвета блузке с глубоким вырезом, весьма смело открывавшим полные и весьма соблазнительные груди, о существовании которых, судя по всему, раньше никто не подозревал. В качестве дополнения к наряду она надела на шею блестящую золотистую цепочку, западающую в ложбинку между грудей. В ушах ее были сережки с фальшивыми бриллиантами.

До появления Кристи Этан, сидя за одним из столов в компании Гейба и поедая гамбургер, пытался вытянуть из брата информацию о его отношениях с черной вдовой. На прошлой неделе, когда Этан застал в доме Кэла Рэчел, когда та пыталась выкрасть шкатулку, в которой Джейн хранила компьютерные дискеты, он всерьез задумался: не связывает ли его брата и Рэчел Сноупс нечто большее, нежели отношения хозяина и работника. Такая вероятность напугала Этана до смерти. Было ясно, Рэчел скорее всего уже известно о том, что Гейб — человек со средствами. Учитывая, что он всегда беспечно относился к деньгам, появление в непосредственной близости от него такой женщины, как Рэчел, по мнению Этана, не сулило ничего хорошего. Вероятно, всякий раз, когда она смотрела на Гейба, то видела перед собой ходячий, говорящий банкомат, из которого можно было попытаться выудить наличные.

Однако, увидев Кристи, Этан тут же оставил попытки выяснить что-нибудь о деталях личной жизни Гейба.

— Она пришла сюда *одна!* — возмущенно воскликнул Этан. — Она даже не взяла с собой подругу, как сделала бы на ее месте любая приличная девушка. Клянусь тебе, Гейб, она ведь когда-то нянчила этого самого Энди Майлса!

— Непохоже, что сейчас это кого-либо из них волнует, — заметил Гейб.

Кристи и до этого нередко появлялась в «Горце». Поскольку в округе существовали очень строгие ограничения на торговлю спиртным, многие местные жители, уплатив небольшой взнос, становились членами частных клубов, где можно было без помех в любое время пропустить стаканчик-другой. Клуб «Горец» в этом смысле не был исключением. Помимо танцплощадки, тут был пользующийся большой популярностью бар, служивший для многих местом встреч, и ресторан, славившийся лучшей в городе кухней.

— Ты знаешь, что она сделала во вторник около церкви, когда удирала от меня в своем автомобиле? Она мне в окно показала средний палец, как какая-нибудь... Она, Кристи Браун!

— Кажется, ты об этом уже рассказывал, — сказал Гейб. — Целых три раза.

— В эти выходные она переезжает в новый дом. Тебе не кажется, что человек, который целый день паковал коробки, должен чувствовать себя усталым для того, чтобы отправляться на танцы?

— Вид у нее совсем не усталый.

Как раз в этот момент Кристи засмеялась какой-то шутке своего партнера, и они с Энди пошли к столику, за которым расположились двое друзей Майлса по колледжу, приехавшие его проведать. И сам Энди, и его приятели, молодые люди в бейсболках, надетых козырьком назад, с козлиными бородками и с серьгами в ушах, казались Этану не заслуживающей никакого доверия и уважения шантрапой.

Впрочем, габариты у этой шантрапы были весьма внушительные. Сам Энди играл в футбол за команду штата Северная Каролина, а то, как были сложены его друзья, давало основания предполагать, что они были его одноклубниками.

— Это все работа Рэчел Сноупс, — пробормотал Этан.

Пальцы Гейба крепче сжали стакан с содовой водой.

— Ее фамилия Стоун. Рэчел Стоун, — сказал он.

— Она превратила Кристи в... в шлюху.

— Думай, что говоришь, Эт.

— Она так обтянулась, что просто непонятно, как она может двигаться. Но ничего, двигается будь здоров как. Ты только посмотри на это!

В это время Кристи оперлась руками о стол и наклонилась к одному из футболистов, чтобы лучше его слышать.

— Да она же просто сует им свой бюст в лицо!

— Трудно поверить, что до сих пор сам ты его не замечал.

— Точно так же, как и ты.

— Но я-то не работал с ней бок о бок в течение почти десятка лет. А ты видел ее почти каждый день.

Раздражение, распиравшее Этана, наконец прорвалось наружу.

— Это очень хорошо, что она ушла с работы, иначе мне пришлось бы ее уволить. Ведь нельзя же, чтобы женщина, занимающая должность церковного секретаря, вела себя таким образом.

— Ее наряд немногим отличается от тех, в которых щеголяют Лаура Делапино или Эми Мэйджорс, а ими ты, похоже, восхищаешься, — мягко заметил Гейб.

— Но ведь это совсем другое дело! Как ты не понимаешь? Кристи была порядочной и благочестивой женщиной до того момента, пока вдова Сноупс не поселилась с ней под одной крышей. Совершенно очевидно, что сбить с праведного пути Кристи — это еще один элемент плана Рэчел, которая задалась целью перевернуть наш город вверх дном.

— Ты думаешь, что у нее есть план? — спросил Гейб. Этан пожал плечами.

— Послушай меня, Эт, — заговорил Гейб, понизив голос. — У Рэчел все силы уходят на то, чтобы хоть как-то удержаться на плаву. Ее публично подвергли остракизму, прокололи ей шины, на доме, где она живет, написали всякую мерзость, а перед этим домом устроили сожжение креста. Так что ты уж лучше не говори мне про то, что у нее есть план и что она намерена перевернуть Солвейшн вверх дном.

Этан понимал, что Гейб прав, но чувство вины, появившееся было в его душе, разом исчезло, когда он увидел, как Энди наклонил свою кружку с пивом так, чтобы Кристи могла отхлебнуть из нее.

— Ну, все! — сказал он и вскочил на ноги. — Сейчас я ее уведу отсюда.

Кристи видела, как Этан, сидевший в противоположном от нее конце бара, ринулся в ее сторону. Она невольно обратила внимание на то, что он, как и всегда, аккуратно выгладил свою любимую старую футболку, за которой ухаживал особенно тщательно.

Этан всегда отличался аккуратностью в одежде. Даже линялые джинсы, которые он надел, собираясь в «Горец», были старательно проглажены. Его светлые волосы замечательно гармонировали с голубыми глазами. Как-то раз Кристи довелось услышать от матери, будто у семьи Боннеров был один секрет, и состоял он в том, что из всех детей самым любимым был Этан. Разумеется, никто никогда не говорил об этом вслух.

Впрочем, подумала Кристи, для нее Этан больше не был самым любимым человеком. Он предал ее, и теперь она была равнодушна к этой благочестивой, набожной крысе.

— Кристи, мне нужно с тобой поговорить, — сказал Этан, останавливаясь перед ней.

— Валяй, — бросила она, стараясь, чтобы это прозвучало так же независимо и небрежно, как если бы это сказала Рэчел. Для вящей убедительности она мотнула головой так, что по ее распушенным волосам прошла волна.

Кристи решила, что никогда не допустит, чтобы Этан узнал, как больно ее травмировало его поведение во вторник утром. Уехав тогда из церкви, она вернулась в коттедж Энни и собрала всю свою новую одежду, собираясь выбросить ее, но вдруг увидела свое отражение в висящем над туалетным столиком старом зеркале, оправленном в раму из вишневого дерева, и остановилась.

Внимательно оглядев себя, она наконец поняла, о чем Рэчел говорила ей с самого начала: меняя свою внешность, она должна была делать это для себя, а не для того, чтобы привлечь внимание мужчины, эмоциональная зрелость которого находилась на уровне шестнадцатилетнего подростка. Поняв это, Кристи решила понаблюдать за тем, как ее новый имидж будет воспринят другими.

— Я хочу переговорить с тобой с глазу на глаз.

Итак, Этан Боннер явно собрался читать ей мораль. Машинально взяв в руку салфетку, Кристи принялась стирать со стола мокрые следы от кружек и бутылок. Ей потребовалось все ее мужество, чтобы прийти в «Горец» в одиночестве, и теперь вовсе не хотелось, чтобы на нее кричали и учили жизни. Она отрицательно покачала головой.

— Сейчас же, Кристи! — произнес Этан, на этот раз с нажимом.

— Нет.

— Катись отсюда в задницу, козел. — Эту фразу произнес один из товарищей Энди по колледжу.

Кристи, опешив, уставилась на него. С Этаном никогда еще никто так не разговаривал. Тут она вдруг вспомнила, что Джейсон, так звали молодого грубияна, приехал из Шарлотт и просто не знал, кто такой Этан Боннер.

— Э-э... Извините, пастор Этан, — вмешался Энди и предостерегающе подтолкнул приятеля под столом. — Джейсон нездешний.

Этан окинул Энди и Джейсона взглядом, в котором ясно читалась угроза вечного проклятия, затем снова уставился на Кристи.

— Кристина, немедленно пойдем со мной.

Как нарочно, именно в этот момент музыкальный автомат заиграл песню под названием «Я тебе не принадлежу». От нервного напряжения у Кристи похолодело в животе. Она скомкала в пепельнице измятую салфетку и целлофановую обертку от пачки сигарет, затем передвинула кувшин с пивом к центру стола, чтобы до него без труда мог дотянуться любой из участников пирушки.

Этан склонился к уху Кристи.

— Если ты меня не послушаешься, я сгребу тебя в охапку и вынесу отсюда, — сказал он так тихо, что никто, кроме нее, не мог его слышать.

При этом он выглядел отнюдь не как пастор Этан, которого все знали и уважали. Лицо у него было угрожающее, и Кристи с некоторым запозданием вспомнила, что характер у Этана Боннера достаточно вспыльчивый. Она решила не рисковать.

Встав с места, Кристи, стараясь выглядеть как можно более высокомерной и независимой, небрежно кивнула и процедила сквозь зубы:

— Ну хорошо, пожалуй, я смогу уделить тебе несколько минут.

— Это уж как пить дать, — бросил Этан, в этот момент явно не склонный к проявлению великодушия. С этими словами он крепко взял Кристи за руку и повел к выходу. Как ни странно, как только она сделала первый шаг, нервозность ее заметно ослабла. Кристи показалось, что ее окутало какое-то розовое облачко, принесшее с собой ощущение спокойствия и удовлетворенности. Она не привыкла к употреблению алкоголя и потому, хотя и выпила всего две кружки пива, чувствовала себя немного навеселе. Это было очень приятно, и Кристи подумала, что, сколько бы Этан ни учил ее жизни, она не станет переживать по этому поводу.

Тем временем Этан подвел Кристи к своей машине. Остановившись перед автомобилем, свободной рукой он похлопал себя по левому карману джинсов. Не обнаружив в нем того, что искал, он хлопнул себя по правому карману, затем стал шарить в задних.

Кристи сразу поняла, что он снова забыл где-то ключи от машины. Скорее всего они остались в клубе, на столе, за которым он сидел. На такой случай Кристи всегда носила запасные ключи в своей сумочке. Она машинально потянулась за ней, но тут же обнаружила, что на плече у нее висит не старая сумочка с множеством карманов и отделений, а новая, совсем небольшая, с позолоченной цепочкой вместо ремешка. Кроме того, она вспомнила, как Рэчел советовала ей перестать опекать Этана, словно ребенка.

— Я оставил свои ключи в баре, — сказал Этан и требовательно вытянул вперед руку ладонью вверх. — Мне нужны запасные.

Он был совершенно уверен, что добрая, преданная, безотказная Кристи продолжает носить с собой запасную связку, хотя и не работает больше у него секретарем. Поняв это, Кристи одновременно почувствовала, что в розовом облачке, которым она была окутана, появилась огромная воронка и что она отнюдь не так пьяна, как ей бы хотелось.

— Мне очень жаль, — сказала она.

Отпустив ее руку, Этан снял у нее с плеча сумочку. Кристи молча смотрела, как он роется в ее вещах.

— Их здесь нет, — раздраженно сказал он.

— Я больше у тебя не работаю, не забывай об этом. Я не обязана таскать в сумочке твои ключи.

— Еще чего, конечно, ты на меня работаешь... — Этан замолчал, словно громом пораженный, а затем медленно стал разглядывать вынутый из сумочки специфический квадратный пакетик. — А это что такое?

Кристи покраснела и от этого смутилась еще больше, боясь, что Этан заметит ее замешательство, но тут до нее дошло, что на стоянке для этого слишком темно. Тогда она глубоко вздохнула и заговорила:

— Это презерватив, Этан. Ты что, никогда в жизни не видел презерватива?

— Что за чушь, конечно, видел!

— Тогда почему спрашиваешь, что это такое?

— Потому что хочу знать, почему он оказался у тебя в сумочке.

Смущение Кристи сменилось гневом.

— Тебя это не касается!

Она выхватила презерватив у Этана, сунула его в сумочку и снова повесила ее на плечо.

Из клуба «Горец» вышли две супружеские пары, одна из которых была из прихода Этана. Преподобный Боннер бросил взгляд в сторону знакомых ему супругов, которые как раз начали спускаться по ступенькам крыльца, и Кристи поняла, что ему хочется спрятаться куда-нибудь, прежде чем они его заметят.

Клуб «Горец» находился на тихой улочке, заканчивавшейся тупиком, между подарочным магазином и крошечным бутиком, которые уже закрылись. На другой стороне улицы располагался небольшой парк со столами для пикников и игровым оборудованием. Этан, по всей видимости, решил, что лучше всего будет укрыться именно там. Он зашагал через дорогу, таща за собой Кристи, которую он довольно грубо держал за руку.

В погожие дни местные деловые люди имели обыкновение поедать за расставленными прямо под деревьями столами свой ленч. Внимательно вглядываясь перед собой, чтобы не споткнуться, Этан, пользуясь тем, что парк был слабо освещен светом уличных фонарей, повел Кристи к самому удаленному из столиков.

— Садись, — приказал он.

Его начальственная манера, однако, не произвела на Кристи никакого впечатления. Вместо того чтобы опуститься на скамью, она, ступив на нее ногой, уселась прямо на стол. Этан, который не мог допустить, чтобы его авторитет пострадал, тоже был вынужден сесть не на скамейку, а рядом с Кристи на столешницу. При этом, поскольку ноги Этана были длиннее, ему волей-неволей пришлось согнуть их под более острым углом. Кристи взглянула на него, и ей показалось, будто его глаза устремлены на ее грудь, но тут он заговорил своим сдержанным, полным благочестия голосом, и она решила, что ошиблась.

— Я твой пастор, Кристи, и тот факт, что одна из женщин моего прихода носит с собой презерватив, меня очень даже касается.

Кристи не могла понять, почему Этан так себя ведет. Ведь он всегда уважал право выбора, которым обладал каждый человек, даже если и не разделял точку зрения оппонента. Он горячо проповедовал идею полового воздержания, но в то же время недвусмысленно давал понять: те, кто не склонен к сексуальному аскетизму, просто обязаны применять средства, предохраняющие от нежелательной беременности и от СПИДа.

— Было бы хорошо, если бы каждая ваша прихожанка, живущая активной половой жизнью, носила с собой презервативы, — заметила Кристи.

— Активной половой жизнью? Что ты имеешь в виду? Ты с кем-то... я хотел сказать... но... как же...

Этан Боннер, известный своим умением говорить на темы, связанные с сексом, совершенно сконфузился и какое-то время не мог выговорить ни слова. Наконец он все же взял себя в руки.

— Я не знал, что в твоей жизни есть мужчина.

Остатки розового облака, окутывавшего Кристи Браун, улетучились, уступив место решимости, которая была сродни отчаянию. В конце концов, что ей терять?

— А откуда ты мог об этом знать? Ты ведь вообще ничего не знаешь о моей жизни.

Было видно, что слова Кристи поразили Этана.

— Мы знаем друг друга с начальной школы и всегда были друзьями.

— Значит, ты считаешь меня своим старым другом?

— Да, конечно.

— Ты прав, я твой друг. — Кристи сглотнула, набираясь мужества. — Но ты мне не друг, Этан. Друзья должны много знать друг о друге, а ты ничего обо мне не знаешь.

— То есть как это? Я очень много о тебе знаю.

— Что, например?

— Я знаю твоих родителей, знаю дом, в котором ты выросла. Мне известно, что два года назад ты сломала руку. Я знаю много разных вещей.

— Вот именно, вещей. Сотни людей знают обо мне много *вещей*. Но они не знают *меня*. Они понятия не имеют, что я за человек.

— Ты — добропорядочная, трудолюбивая христианка, кто же еще.

Кристи поняла, что этот разговор совершенно бесполезен.

— Мне надо идти, — сказала она и привстала.

— Нет!

Этан дернул ее назад так, что она вынуждена была снова опуститься на стол, коснувшись при этом грудью его руки. Он отпрянул так, словно его ударило током.

— Послушай, — снова заговорил Этан, — я вовсе не хочу тебя обидеть. Твоя сексуальная жизнь — твое дело, меня это не касается, но, будучи твоим пастором, я обязан помочь тебе советом.

Кристи редко злилась, но слова Этана задели ее за живое.

— Я не собираюсь просить у тебя совета, Этан, потому что для себя я уже все решила. Я положила в сумочку презерватив по той простой причине, что собираюсь изменить свою жизнь, и мне надо быть готовой к этим изменениям.

— Секс до брака является грехом, — сказал Этан и как-то неловко завозился рядом с Кристи, словно почувствовал, что последняя его фраза прозвучала слишком напыщенно.

— Я тоже считаю, что добрачный секс — это грех, — сказала Кристи, отчетливо выговаривая каждое слово. — Но я также считаю, что грех греху рознь. Я совершенно убеждена, что в иерархии грехов убийство или изнасилование несопоставимы по своей тяжести с решением тридцатилетней незамужней женщины, суть которого состоит в том, что ей уже довольно быть девственницей.

— И с кем же ты собираешься ее лишиться?

— Пока не знаю, но я ищу подходящего человека. Само собой разумеется, что он должен быть умен и неженат. И еще он должен быть *чутким*. — Кристи специально сделала акцент на слове «чуткий», давая понять Этану, что он начисто лишен этого качества.

Этан мгновенно ощетинился, словно дикобраз.

— Я не могу поверить, что ты готова перечеркнуть всю свою праведную жизнь ради кратких минут плотских утех.

С каждой минутой замечания Этана казались Кристи все более нелепыми и догматичными.

— А что мне дала праведность? У меня нет ни мужа, ни детей, ни даже работы, которая бы мне нравилась.

— Тебе не нравится твоя работа? — переспросил Этан, явно пораженный и уязвленный.

— Нет, Этан, не нравится.

— Почему же ты мне об этом никогда не говорила?

— Потому что была слишком слабой. Мне было проще горевать по поводу своей несложившейся жизни, чем пытаться что-то в ней изменить. Но теперь я больше не боюсь перемен.

— Это все из-за Рэчел, не так ли?

— Почему ты ее так ненавидишь?

— Потому что она использует Гейба в своих интересах.

Кристи была несогласна с Этаном, но преподобный Боннер в этот момент был явно не в состоянии прислушаться к голосу рассудка.

— Да, ты прав: именно благодаря Рэчел я обрела мужество. Я никогда не встречала женщины, которая бы вызывала у меня такое восхищение. Она живет стоя на краю пропасти, но при этом никогда не жалуется. И еще она работает больше, чем кто бы то ни было из тех, кого я знаю.

— Гейб очень сильно облегчил ей жизнь. Он дал ей работу, снабдил машиной. Он позволил ей жить в коттедже Энни и оплачивает пребывание Эдварда в детском саду.

— Это его личное дело. И к тому же Рэчел дала Гейбу в сто раз больше, чем он ей. У меня такое впечатление, что он наконец ожил. Он даже иногда смеется.

— Просто горе не может быть вечным, и время берет свое. Рэчел тут ни при чем. Совершенно ни при чем!

На эту тему спорить с Этаном было бесполезно. По каким-то причинам во всем, что касалось Рэчел, он проявлял полную слепоту и поразительное упрямство.

Губы Этана язвительно сжались.

— Я был бы тебе очень благодарен, если ты хотя бы предупредила меня за две недели о своем уходе, а не хлопнула дверью и не поставила меня перед необходимостью подыскивать тебе замену в пожарном порядке.

В этом он был прав. Как бы то ни было, Кристи понимала, что ей следовало обставить свой уход с работы иначе, но когда она вдруг представила, как тяжело ей будет ежедневно встречаться с Этаном еще в течение двух недель, в душе у нее вспыхнул протест.

— Ну хорошо, — сказала она. — Я поработаю еще пару недель. Но только при условии, что ты не будешь совать нос в мою личную жизнь и отпускать замечания по поводу моего гардероба.

— Я не хотел тебя обидеть, Кристи. Просто я не привык видеть тебя такой.

— Мне холодно, — сказала Кристи, вставая. — Я пойду обратно в бар.

— Мне бы этого не хотелось.

— В таком случае забудь о моем обещании проработать у тебя еще две недели.

— Ну хорошо, хорошо. Извини. Возвращайся в бар, если ты так хочешь. Ты можешь посидеть со мной и с Гейбом.

— Нет. Я хочу танцевать.

— Тогда я с тобой потанцую.

— Вот это будет зрелище, — усмехнулась Кристи, подумав, что Этан, видимо, считает, что выйти с ней на танцплощадку — это единственный способ спасти ее грешную душу.

— Почему ты стала такая строптивая?

— Потому что мне нравится быть строптивой! — выкрикнула Кристи, чувствуя, как сердце громко колотится у нее в груди. — Потому что мне надоело без конца изворачиваться и приспосабливаться только ради того, чтобы другим людям жилось полегче.

— Под словом «люди» ты, конечно, подразумеваешь меня.

— Я не хочу больше с тобой разговаривать.

Обойдя Этана, Кристи снова направилась в клуб, хотя в этот момент ей больше всего на свете хотелось оказаться дома и побыть какое-то время одной. Внезапно Этана, смотревшего ей вслед, охватило чувство вины, хотя он и убеждал себя, что для этого нет совершенно никаких оснований.

— У тебя все замечательно! — крикнул он вдогонку Кристи. — Тебя все уважают!

— Чудесно! — бросила она через плечо. — Только с этим самым уважением не пообнимаешься под одеялом в холодную зимнюю ночь.

В этот момент Кристи оказалась прямо под фонарем, и электрический свет четко обрисовал линии ее фигуры, заискрился в волосах. При виде этого зрелища у преподобного Боннера внезапно вспотели ладони.

Весь мир сошел с ума, подумал он. Совершенно неожиданно, прямо на его глазах, Кристи Браун превратилась в весьма соблазнительную женщину. Ее нельзя было назвать красавицей — для этого черты ее лица были слишком ординарными. Но она, несомненно, была очень хорошенькой и... сексапильной.

В следующую секунду Этана передернуло от того, что он посмел подумать подобным образом о Кристи Браун. В этом было что-то противоестественное, словно он почувствовал вожделение по отношению к сестре. Но, как бы это ни было ему неприятно, факт оставался фактом: с того самого злополучного вторника Этан постоянно думал о ее грудях.

Ах ты, свинья, раздался в мозгу у Этана голос Опры Уинфри. *Красивая грудь — это далеко не единственное достоинство Кристи Браун.*

Я знаю, ответил про себя преподобный Этан Боннер. *У нее есть еще и тонкая талия, бедра очаровательной округлой формы, стройные ноги, очень симпатичная прическа и еще какая-то трогательная незащищенность.*

Эта самая незащищенность, пожалуй, будила в Этане нечестивые мысли больше, чем что-либо другое. Кристи вдруг перестала быть компетентным, безукоризненно исполнительным сотрудником и превратилась в совершенно обычную, живую женщину, обуреваемую теми же страхами и заботами, что и все остальные.

Сунув руки в карманы джинсов, Этан попытался понять, почему это превращение вызвало в нем такое чувство протеста. Возможно, предположил он, это объясняется тем, что в лице Кристи он потерял замечательного секретаря.

Неверно, снова подала голос Опра Уинфри. *Ты не прав.*

Ну хорошо, хорошо, огрызнулся Этан и подумал о том, что, по-видимому, в словах Кристи было много правды. Он в самом деле относился к ней как к одному из своих старых друзей, но совершенно не замечал, что при этом ведет себя чрезвычайно эгоистично.

Да, Кристи была права. Он знал обо всех более или менее важных событиях, происходивших в ее жизни, но ничего сверх этого. Ему было неизвестно, как она проводит свободное время, чему радуется и от чего грустит. Он попытался вспомнить, какое блюдо она любила больше всего, но не смог. В его памяти всплыло лишь одно: Кристи всегда была озабочена тем, чтобы в церковном холодильнике не переводилась горчица для сандвичей.

С болью в душе Этан Боннер вынужден был признаться себе, что в течение долгих лет Кристи Браун была для него чем-то вроде коврика, который кладут у двери, чтобы вытирать о него ноги: она всегда была на своем месте, всегда была готова помочь, никогда ничего не просила для себя. Все для других...

Этан уставился в темноту, размышляя о том, каким лицемером он был, называя себя священником, врачевателем душ. Его отношение к Кристи Браун было еще одним свидетельством того, что ему всерьез следовало подумать о смене профессии.

Кристи была хорошим человеком, хорошим *другом*, а он горько обидел ее. Теперь он должен был как-то загладить свою вину, причем ему нужно было сделать это в течение ближайших двух недель, прежде чем Кристи Браун исчезнет из его жизни.

Глава 14

На следующий день, когда подошло время перерыва, Гейб и Рэчел устроились на их любимом месте, рядом с бетонной черепахой, защищенные от лучей полуденного солнца нависающим над ними огромным белым экраном. Гейб открыл крышку пластикового ведерка со снедью из закусочной «Кентукки фрайд чикен» и протянул его Рэчел.

Прошло девять дней с тех пор, как они занимались любовью под дождем. Кинотеатр должен был открыться ровно через неделю, но Гейб не мог думать ни о чем, кроме тела Рэчел, такого чудного, теплого, податливого. Она, однако, делала все, что могла, чтобы не допустить повторения близости. Сначала она использовала в качестве предлога для отказа свои критические дни, хотя Гейб отнюдь не считал это препятствием. Тем не менее он не пытался оказывать на Рэчел давление.

Однако наступил момент, когда терпению его пришел конец. Увидев в очередной раз, как от дуновения ветерка старомодное хлопчатобумажное платье соблазнительно облегает фигуру Рэчел, он решил, что пора предпринимать какие-то действия.

— Хочу тебя обрадовать, — сказал он, — кажется, я разрешил нашу небольшую дилемму.

— Что это еще за дилемма? — осведомилась она, вытаскивая из ведерка куриную ножку.

Гейб давно уже заметил, что Рэчел неравнодушна к куриным ножкам. Он же, со своей стороны, был явно неравнодушен к ее грудям, и потому, завладевая другой куриной ногой, не мог отказать себе в удовольствии пройтись по ним взглядом, пользуясь тем, что верхние пуговицы уродливого красного платья были расстегнуты и позволяли видеть довольно много.

Подобрав повыше юбку, Рэчел вытянула ноги. На одном колене у нее красовалась засохшая ссадина, другое было залеплено куском бактерицидного пластыря: утром она поранилась и не заметила этого, так что Гейбу пришлось самому заклеивать ей царапину. Больше всего, однако, доставалось ее икрам: они были сплошь усеяны царапинами и синяками. Рэчел трудилась с исключительным усердием, отвергая все предложения Гейба заняться более легкой работой, как бы он на нее за это ни ворчал.

Стройные, изящные ноги Рэчел очень странно выглядели в грубых мужских полуботинках и толстых белых носках, собравшихся гармошкой вокруг ее тонких щиколоток. Гейб обратил внимание, что Рэчел ежедневно тщательно начищает башмаки. Ему было страшно даже подумать, сколько сил она тратит каждый вечер, чтобы удалить с них пятна краски и грязь. Он долго не мог понять, зачем она это делает, пока ему не пришло в голову, что человеку, имеющему всего одну пару обуви, по всей вероятности, волей-неволей приходится как следует о ней заботиться.

Гейбу была неприятна уже сама мысль о том, что, придя с работы, Рэчел каждый вечер вынуждена тратить время и силы на то, чтобы привести свои башмаки в порядок. Он с удовольствием купил бы ей дюжину пар обуви, но прекрасно понимал, что Рэчел швырнет их ему в лицо.

— Я имею в виду дилемму, которая касается почасовой оплаты твоего труда и того, чем ты можешь, а чем не можешь заниматься в рабочее время.

— Ты решил повысить мне зарплату? Наконец-то!

— Нет, черт побери, я не собираюсь повышать тебе зарплату.

Гейб едва сумел сдержать улыбку при виде разочарованной мины, появившейся на лице Рэчел. Хотя это было нелегко, он изо всех сил старался делать так, чтобы в руки Рэчел не попадало много наличных разом, и в то же время тщательно следил за тем, чтобы у нее было все, в чем она действительно нуждалась. Такая линия его поведения была вызвана тем, что он теперь уже хорошо знал ее способность откладывать деньги про запас даже в тех случаях, когда это казалось совершенно невозможным. Получив сразу относительно большую, по ее нынешним понятиям, сумму, Рэчел наверняка отложила бы ее «в чулок», а это было опасно: Гейб сознавал, что, как только в «чулке» скопится столько, сколько она сочтет достаточным для отъезда, Рэчел скорее всего тут же покинет Солвейшн. Ведь рано или поздно она должна была понять, что Дуэйн Сноупс не прятал в Солвейшн никаких пяти миллионов, и тогда ее пребывание в городе потеряло бы всякий смысл. Короче говоря, Гейб хотел быть уверен в том, что она по чисто финансовым причинам не сможет уехать из Солвейшн. Гейб не мог позволить ей уехать до того, как он почувствует, что более или менее спокоен за ее будущее. Рэчел слишком долго балансировала на самом краю пропасти, и ему хотелось быть уверенным, что она никогда больше не будет бедствовать.

— Я заслуживаю прибавки к зарплате, и ты это прекрасно знаешь.

— Странно, что мне это сразу не пришло в голову, — сказал Гейб, не обращая внимания на ее слова. Лежа на боку, он вытянулся в траве, затем приподнялся и, опершись на локоть, начал жевать цыпленка, хотя ему совершенно не хотелось есть. — Теперь у тебя будет фиксированная зарплата. Это означает, что, чем бы ты ни занималась в течение дня, на твоем заработке это никак не будет отражаться.

Глаза Рэчел вспыхнули.

— И какая же у меня будет эта самая фиксированная зарплата?

Гейб назвал сумму и стал ждать, когда из розового ротика Рэчел на него посыплются громы и молнии. Ожидание было недолгим.

— Ах ты, скряга, скупердяй, жмот паршивый...

— Уж кому-кому, но не тебе говорить такие вещи.

— Я не богачка вроде тебя. Мне приходится экономить каждый цент.

— Получая фиксированную зарплату, ты только выиграешь. Сверхурочные я все равно буду тебе выплачивать отдельно, но зато ты не будешь терять деньги, если в течение рабочего дня тебе потребуется выкроить часок для отдыха или для того, чтобы съездить куда-нибудь по моему поручению. Или еще для чего-нибудь. — Гейб сделал паузу и положил в рот еще кусочек цыпленка. — Да ты должна на коленях меня благодарить за щедрость.

— Дать бы тебе ломиком по коленкам.

— Не понял.

— Ладно, проехали.

Гейбу хотелось немедленно заключить Рэчел в объятия. К сожалению, он не мог этого сделать, учитывая то, в каких условиях физическая близость между ними произошла в первый раз. Сколько бы Рэчел ни пыталась строить из себя женщину, прошедшую огонь, воду и медные трубы, по мнению Гейба, она заслуживала, чтобы во второй раз это случилось в постели, и притом не в доме, некогда принадлежавшем Дуэйну Сноупсу. Она заслуживала того, чтобы все было обставлено не просто как удовлетворение некоей физиологической потребности, а как самое настоящее свидание. Гейб планировал отвезти ее в четырехзвездочный ресторан. Ему очень хотелось посмотреть, как она будет есть. Он почему-то ужасно любил смотреть, как Рэчел ест. Именно по этой причине он каждый день лично привозил ей продукты. По утрам, приезжая на работу, он доставал сваренные вкрутую яйца с острым соусом и говорил, что терпеть не может завтракать в одиночестве. Около полудня он заявлял, что настолько голоден, что не в состоянии сосредоточиться на работе и что его может спасти только ведерко с кусочками жареного цыпленка из закусочной «Кентукки фрайд чикен». Еще через какое-то время он открывал установленный в закусочной кинотеатра холодильник, доставал оттуда фрукты и сыр и заставлял Рэчел сделать еще один перерыв, думая о том, что если так пойдет и дальше, то скоро он не сможет влезть в свои джинсы.

Зато щеки Рэчел чуть-чуть округлились. Этого было достаточно, чтобы ее лицо перестало казаться изможденным. Постепенно исчезли синяки под чудными зелеными глазами. Цвет лица у Рэчел стал гораздо здоровее, тело ее тоже окрепло. Было очевидно, что опасность растолстеть Рэчел не грозит и вряд ли когда-нибудь будет угрожать, но в то же время Гейб с удовольствием отмечал, что в целом вид у нее уже не такой изнуренный.

Ему снова стало больно, когда он вспомнил о Черри и о том, как она всегда следила за своим весом. Гейб тысячу раз говорил ей, что не разлюбит ее, даже если она будет весить триста фунтов, но она все равно упорно вела счет калориям.

Гейб бросил недоеденный кусок цыпленка обратно в пластиковое ведерко и снова вытянулся на траве, прикрыв глаза рукой так, словно собрался вздремнуть. Вскоре он почувствовал на своей груди руку Рэчел и услышал ее голос, который теперь уже звучал совсем не зло и не раздраженно:

— Расскажи мне о них, Гейб. О Черри и о Джейми.

Кожа Гейба мгновенно покрылась мурашками. Это случилось снова: она опять произнесла вслух их имена.

Желание поговорить о них было почти непреодолимым, но остатки разума и здравого смысла все же подсказывали Гейбу, что не следует обсуждать достоинства погибших жены и сына с женщиной, с которой он намеревался в ближайшее время заняться любовью. Кроме того, он боялся, что Рэчел и тут не сможет удержаться, чтобы не дать воли своему языку.

Впрочем, он тут же одернул себя: для него было совершенно очевидно, что Рэчел может использовать любой повод для того, чтобы высмеять его, но только не этот. И все же что-то его останавливало.

Рэчел положила ладонь ему на грудь и с нежностью, которой
он никогда раньше не слышал в ее голосе, снова заговорила,
обдавая теплым дыханием его щеку:

— Все вокруг жалеют тебя и не говорят об этом, Боннер, но
ты вполне можешь превратиться в зацикленного на своем горе,
без конца жалеющего себя и совершенно невыносимого для окружающих человека. — Рэчел тихонько погладила его. — Дело
вовсе не в том, что у тебя нет оснований себя жалеть. Они есть.
Да и вообще в этом не усматривалось бы ничего страшного, если
бы у тебя впереди не было стольких лет жизни...

У Гейба словно кровь в жилах закипела. Он почувствовал,
как в душе разгорается какая-то страшная, неконтролируемая злоба.
Должно быть, Рэчел ощутила, как напряглись под ее рукой его
мускулы, и, чтобы успокоить его, положила голову ему на грудь.
Прядь ее волос упала Гейбу на губы. Ноздри уловили свежий
запах шампуня, в котором смешались ароматы солнца и дождя.

— Расскажи мне, как ты познакомился с Черри.

Снова ее имя. Гнев Гейба испарился, и ему опять отчаянно
захотелось поговорить о своей жене, чтобы она вынырнула из
глубин забвения, в которые ее погрузили те, кто избегал о ней
даже упоминать.

— Это случилось во время воскресного школьного пикника.

Слова дались Гейбу не без труда. Он поморщился от того,
что Рэчел локтем нечаянно надавила ему на живот, и машинально поднял руку, прикрывавшую глаза. Рэчел тем временем уютно
устроилась у него на груди и, вместо того чтобы бросить на него
сочувствующий взгляд, как делали все его друзья, знакомые и
родственники, улыбнулась.

— Вы были еще совсем детьми? Подростками, да?

— Даже еще не подростками. Нам было по одиннадцать лет,
и Черри только-только переехала жить в Солвейшн. — Гейб
слегка приподнялся и передвинул локоть Рэчел. — Я носился
как ненормальный, не глядя толком ни вокруг, ни под ноги, и в
итоге нечаянно облил ее лимонадом.

— Держу пари, она этому не обрадовалась.

— Она выкинула такую штуку, что я просто обалдел. Представляешь, она посмотрела на меня, улыбнулась и сказала: «Я знаю, тебе очень жаль, что так получилось». Вот так, ни больше ни меньше. «Я знаю, тебе очень жаль».

— Похоже, она не очень-то умела давать отпор, — засмеялась Рэчел.

— Это уж точно. — Гейб тоже рассмеялся в ответ, что его самого несказанно удивило. — И вообще, она всегда думала о людях только хорошо. Ты не представляешь себе, сколько раз у неё из-за этого возникали проблемы.

Гейб лежал навзничь на траве в тени огромного экрана, и счастливые воспоминания всплывали в его памяти. Одно за другим, они возвращались к нему.

Над ними с жужжанием пролетела пчела. Кругом вовсю стрекотали кузнечики. Лицо Гейба щекотали волосы Рэчел.

Вскоре веки его налились свинцом и он уснул.

Вечером следующего дня Рэчел и Эдвард помогали Кристи распаковывать вещи в ее новом доме — небольшом, но уютном, удивительно симпатичном, с одной спальней, с крохотным внутренним двориком и с полностью оборудованной всем необходимым кухней, в потолке которой имелся даже световой люк. Стены сияли белизной, и повсюду стоял восхитительный запах свежести и новизны.

Как раз в этот день Кристи привезли мебель. Это были в основном предметы, которые ее родители не захотели брать с собой, переезжая во Флориду, и теперь Кристи оглядывала их с явным неудовольствием.

Стараясь говорить тихо, так, чтобы ее не слышал никто, кроме Рэчел, она сказала:

— Я знаю, что у меня нет денег на то, чтобы заменить эту рухлядь, но она... Не знаю. Теперь она меня совершенно не устраивает. — Кристи горько улыбнулась, явно недовольная собой. — Ты только послушай, что я несу. Пять дней назад я подстриглась и прикупила кое-что из одежды, и вот теперь мне кажется, что я стала совсем другим человеком. Наверное, я просто чувствую себя виноватой из-за того, что не переехала во Флориду, как хотели мои родители.

— Последняя неделя выдалась для тебя нелегкой. — Рэчел закончила расставлять стаканы на буфетных полках, уже оклеенных бумагой голубого и бледно-лилового цвета. — А по поводу мебели не переживай. Она вполне может стать основой твоего интерьера. Ты можешь украсить ее новыми подушками, повесить на стены какие-нибудь картинки или еще что-нибудь. Вот увидишь, когда ты как следует все обживешь, тут у тебя будет просто замечательно.

— Я надеюсь.

Из комнаты вприпрыжку выбежал Эдвард.

— Нам нужна крестообразная отвертка, чтобы собрать кровать, — объявил мальчик. — У вас она есть?

Кристи подошла к аккуратному ящичку с инструментами, который лежал на выкрашенной в белый цвет стойке, отделяющей кухню от жилых помещений.

— Возьми-ка вот эту.

Рэчел невольно улыбнулась, глядя, как Эдвард с важным видом взял из рук Кристи отвертку и пошел обратно в спальню, где его ждал Этан. Возможно, Этан Боннер в данный момент вызывал у Кристи сильную неприязнь, но Рэчел не могла не оценить душевной щедрости этого человека в отношении ее сына, и потому ее отношение к младшему брату Гейба изменилось в лучшую сторону. Здесь, в новом доме Кристи Браун, Эдвард впервые получил возможность заняться полезным делом в компании взрослого мужчины, и ребенок просто упивался каждой минутой их с Этаном совместного труда.

Взглянув в сторону двери, ведущей в спальню, Кристи едва слышно шепнула:

— В четверг вечером в «Горце» Этан вел себя просто ужасно, но сейчас держится так, словно ничего этого не было.

— Я подозреваю, что ему не меньше, чем тебе, хочется забыть об этом.

— Ха!..

Рэчел улыбнулась и одобрительно ткнула подругу кулаком в плечо. В этот день Кристи была одета в ярко-красную футболку, заправленную в новенькие джинсы. Косметики на ее лице почти не осталось, а свои золотистые сандалии она сменила на пару довольно-таки поношенных спортивных туфель, так что одежду ее вряд ли можно было назвать сексуально вызывающей. Тем не менее Рэчел заметила, как время от времени Этан бросал на Кристи пристальные взгляды.

— Я всю свою жизнь занималась исключительно тем, что нянчила инфантильного лицемера, но теперь этому конец!

Если бы Кристи произнесла эту фразу немного громче, Этан вполне мог бы ее услышать, но Рэчел ничего не ответила, решив, что и так уже дала подруге много советов.

— Мне удалось скопить кое-какие деньги, так что теперь я смогу закончить свое образование, — снова заговорила Кристи. — Мне нужно прослушать всего несколько лекций на курсах, и я получу диплом педагога младших классов. С этим дипломом мне нетрудно будет устроиться на работу в качестве помощника учителя. Тогда я смогу выплачивать взносы за дом.

— Это просто замечательно.

— Мне надо было сделать это много лет назад.

— Наверное, раньше ты не была к этому готова.

— Да, наверное. — Кристи задумчиво улыбнулась Рэчел. — Знаешь, мне сейчас так хорошо. Впервые в жизни я не чувствую себя человеком-невидимкой.

Рэчел считала, что это ощущение, которым Кристи так наслаждалась, — результат не чисто внешних перемен, а внутренней решимости ее новой подруги изменить свою жизнь, но не стала ей ничего говорить.

Из спальни вышли Этан и Эдвард.

— Все сделано, — сказал Этан. — Почему бы нам с Эдвардом не заняться вон тем книжным шкафом?

— Спасибо, но его пока еще рано собирать, — ответила Кристи сухо, почти грубо.

— Ну и ладно. Тогда мы можем пристроить на место телевизор.

— Ты и так уже много сделал, Этан. В любом случае, спасибо тебе.

Более прозрачный намек на то, что Кристи хочет его выпроводить, придумать было трудно, но Этан сделал вид, будто ничего не понял.

— Ну, Эдвард, давай посмотрим, что мы можем сделать, чтобы подогнать эту дверь в ванной, — начал было он, но Кристи была непоколебима.

— Завтра подрядчик пришлет мастера, который все сделает, — сказала она. — Мне в самом деле ничего пока больше не нужно, Этан. Увидимся завтра на работе.

После этих слов Этану не оставалось ничего другого, как уйти. Глядя, как он складывает инструменты в ящичек и идет к двери, Рэчел впервые испытала по отношению к преподобному Боннеру что-то вроде жалости.

Свет в окнах дома не горел. С того самого вечера, когда кто-то устроил перед коттеджем Энни сожжение креста, Гейб понял, что Рэчел нельзя оставаться одной на горе Страданий. Теперь, когда Кристи переехала в свой дом, он всерьез боялся за Рэчел.

Гейб планировал добраться до коттеджа Энни гораздо раньше, но по дороге встретил Этана и был вынужден выслушать длинный монолог младшего брата о том, как жестоко обошлась с ним Кристи, а заодно и несколько весьма прозрачных намеков на то, что Рэчел охотится за его, Гейба, деньгами. Он не обратил на эти намеки никакого внимания. Разговор затянулся, и в результате Гейб подъехал к коттеджу Энни Глайд лишь около полуночи.

Он припарковал пикап около гаража и, заглушив двигатель, несколько секунд сидел в темноте, пытаясь разобраться в хаосе, царившем у него в душе. После сегодняшнего совсем короткого разговора с Рэчел о Черри ему стало явно легче. Живи Рэчел в коттедже одна, Гейбу было бы гораздо проще переселиться к ней хотя бы на время. Но он понимал, что, помимо Рэчел, ему придется в этом случае общаться с ее сыном, а одна только мысль о том, что где-то рядом с ним будет находиться этот бледный молчаливый мальчик, снова наполняла его душу отчаянием и безысходностью.

Малыш был ни в чем не виноват, и Гейб десятки раз пытался заставить себя изменить свое отношение к ребенку, но у него ничего не получалось. Каждый раз, стоило ему взглянуть на Эдварда, он тут же начинал думать о Джейми и о его нелепой гибели.

Гейб тряхнул головой, отгоняя неприятные мысли, затем вытащил из машины чемодан и направился к дому. Несмотря на то что была темная ночь, а фонари не горели, Гейб без труда нашел нужную тропинку и уверенно двинулся по ней. В детстве ему сотни раз приходилось ночевать в коттедже Энни. Множество раз они с Кэлом, дождавшись, когда Энни Глайд уляжется спать, выбирались из дома через окошко на его задней стороне и отправлялись рыскать по окрестностям. Этан был слишком мал, чтобы сопровождать их, и они не брали его с собой. Теперь, когда все трое стали взрослыми, младший брат нередко корил старших за то, что они лишали его возможности пережить вместе с ними множество интересных приключений.

Когда Гейб огибал дом, где-то вдали раздался крик совы. Его ботинки поскрипывали на утоптанной тропе, в руке позвякивала связка ключей.

— Стой и не двигайся!

На крыльце замаячила тень Рэчел. Губы Гейба расползлись было в улыбке, но когда он увидел направленный ему в грудь старый дробовик, когда-то принадлежавший его бабушке, до него дошло, что сейчас не время для шуток.

— У меня есть оружие, и я не побоюсь им воспользоваться! — отчеканила Рэчел.

— Это же я. Черт возьми, Рэчел. Ты ведешь себя, как героиня какого-нибудь халтурного полицейского сериала.

Рэчел опустила ствол.

— Гейб? Что ты здесь делаешь? Ты напугал меня до смерти!

— Я приехал, чтобы в случае необходимости тебя защитить, — сухо ответил Гейб.

— И ты не мог придумать ничего лучше, как заявиться в полночь?

— Я хотел приехать пораньше, но по дороге наткнулся на Этана, и он меня немного задержал.

— Твой братец просто ублюдок.

— Он тебя тоже не очень-то жалует. — Гейб шагнул на крыльцо и свободной рукой взял из рук у Рэчел дробовик.

Она шагнула к дверному проему и включила на крыльце освещение. Гейб взглянул на нее при свете, и у него моментально пересохло во рту. Она стояла перед ним босая, с голыми ногами, в голубой рубашке, которая была на ней в то утро, когда кто-то испоганил стену дома надписью. В свете лампы завитки ее растрепанных волос казались золотыми.

— А это что такое? — спросила она.

— Как видишь, чемодан. Я решил переехать сюда на какое-то время.

— Это Кристи тебя подговорила?

— Нет. Кристи тоже беспокоится за тебя, но идея принадлежит мне. Пока она жила здесь, я был уверен, что тебе могут только угрожать, и не более того, но теперь, когда Кристи уехала, ты стала гораздо более уязвимой.

Гейб вошел в гостиную, поставил на пол чемодан и осмотрел дробовик. Патронов в казеннике не оказалось, и он вернул оружие Рэчел. Одновременно Гейб вспомнил о револьвере тридцать восьмого калибра, который запер в ящике, прежде чем уехать из дома Кэла, и брезгливо содрогнулся от сознания того, что в течение долгого времени держал его заряженным рядом со своей подушкой.

— Убери куда-нибудь эту штуку, — сказал он, указывая на дробовик.

— Ты, наверное, считаешь, что я не могу постоять за себя, так ведь? Так вот, ты не прав. А теперь забирайся обратно в свой чертов пикап и проваливай.

Гейб попытался подавить улыбку, но это удалось ему лишь отчасти, и он невольно подумал о том, что это Рэчел вернула ему способность улыбаться.

— Брось, Рэч, — отозвался он. — Ты никогда в жизни никому не была так рада, как мне сегодня, и сама это прекрасно знаешь.

Рэчел скорчила недовольную гримасу.

— Ты что, действительно собрался переехать сюда?

— Ну да. Я и так сплю неважно, а если я еще буду думать о том, все ли у тебя в порядке здесь, мне вообще не заснуть.

— Мне не нужна нянька, но если ты решил составить мне компанию, я не возражаю.

Гейб понял, что Рэчел и сама побаивается оставаться в одиночестве, но признаться в этом может только в завуалированной форме. Она вышла из комнаты, чтобы вернуть на место дробовик, а Гейб взял свой чемодан и, пройдя по коридору, оказался в комнате, которая когда-то была спальней его бабушки. Глядя на старую кровать и на стоящее в углу кресло-качалку, он вспомнил, как ему, когда он был совсем маленьким, бывало иной раз страшно по ночам. В таких случаях он, замирая от ужаса, тайком пробирался в бабушкину комнату и нырял к ней в постель.

Услышав за спиной шаги Рэчел, Гейб обернулся. Вид у нее был заспанный, но, несмотря на это, она выглядела просто замечательно. На щеке у нее он заметил вмятинку от складки на подушке и понял, что, когда он подъехал к дому, она спала. Взглянув на рубашку, которая была на ней надета, Гейб вдруг почувствовал глухое раздражение.

— Тебе что, не в чем больше спать? — спросил он.

— А чем тебе не нравится эта рубашка?

— Тем, что она принадлежит Кэлу. Если тебе нужна рубашка, ты можешь надеть одну из моих.

Гейб бросил чемодан на кровать, открыл его и вытащил рубашку. Она была чистая, но кое-где на ней виднелись пятна, с которыми не справился стиральный порошок.

Взяв протянутую рубашку, Рэчел критически ее оглядела и сказала:

— Рубашка Кэла гораздо красивее.

Затем она поймала устремленный на нее недовольный взгляд Гейба и, лукаво улыбнувшись, добавила:

— Но твоя, пожалуй, будет поудобнее.

— Это уж точно.

Рэчел снова улыбнулась, и Гейб почувствовал, как у него потеплело на душе. Он в очередной раз подивился умению Рэчел находить что-то забавное в мелочах даже тогда, когда жизнь поворачивалась к ней своей самой суровой и неприглядной стороной.

Вдруг Гейб насторожился, заметив, как в зеленых глазах Рэчел промелькнула хитринка.

— Если ты хочешь, чтобы я готовила еду, то закупку всех продуктов тебе придется взять на себя.

В том, что касается экономии денег, Рэчел была весьма изобретательна. Поняв, что на этот раз ею руководят именно соображения экономии, Гейб не смог удержаться, чтобы не подразнить ее немного.

— С какой это стати ты решила, будто я хочу, чтобы ты стряпала? Я наверняка делаю это лучше тебя.

Рэчел на секунду задумалась, но тут же нашлась:

— Ты ешь гораздо больше меня, поэтому будет нечестно, если я стану тратить свои деньги на твою еду. Нет, правда, Гейб, у тебя чудовищный аппетит. Я никогда не видела, чтобы человек столько ел. Ты же постоянно что-то жуешь!

Прежде чем Гейб успел придумать подходящий ответ, их с Рэчел разговор прервали.

— Мама!

Резко обернувшись, Гейб увидел стоящего в дверях Эдварда. На мальчике была новая пижама, которая была ему порядком велика: рукава и штанины были закатаны. В этом тоже сказалась предусмотрительность Рэчел, не желающей тратить деньги зря, — пижама явно была рассчитана на вырост.

Рэчел подошла к сыну и притронулась губами к его лбу, словно проверяя, нет ли у ребенка температуры. При этом она наклонилась, и Гейб увидел край ее трусиков. Мальчик бросил на Гейба настороженный взгляд и уставился в пол. Повернувшись спиной к Рэчел и Эдварду, Гейб принялся разбирать свой чемодан.

— Пойдем, дорогой, — сказала Рэчел, обращаясь к сыну. — Давай-ка я тебя уложу.

— А он что тут делает? — спросил мальчик.

— Этот дом принадлежит Гейбу, — стала объяснять Рэчел на ходу, уводя ребенка в коридор. — Он может приезжать сюда, когда захочет.

— Это дом пастора Этана.

— Пастор Этан и Гейб — братья.

— Неправда.

Гейб слышал, как мать и сын вошли в комнату, где стояла швейная машинка Энни Глайд. Мальчик сказал еще что-то. Гейбу показалось, что он уловил слово «придурок», довольно странно прозвучавшее в устах пятилетнего мальчика. Эдвард был странным ребенком. Гейб понимал, что должен испытывать к нему жалость, но ему мешали воспоминания, которые по-прежнему то и дело всплывали у него в мозгу.

Ему вспомнился Джейми в пижаме, теплый и чистый после вечерней ванны, с копной влажных темных волос на голове. Он имел обыкновение плюхаться Гейбу на колени со своей любимой книжкой и иногда засыпал, прежде чем они успевали дочитать очередную главу до конца. В таких случаях Гейб еще долго сидел, держа сына на коленях и захватив ладонью одну из его голых маленьких ступней...

— У тебя есть все, что тебе необходимо?

Гейб не слышал, как Рэчел вернулась. Моргнув несколько раз, он вернулся к реальности.

— Нет, не все. — Голос Гейба слегка дрогнул. — Мне еще нужна ты.

Она тут же подошла и прижалась к нему всем телом, и Гейб понял, что для нее ожидание было таким же трудным, как и для него. Он запустил руки под рубашку Кэла и осторожно дотронулся до нежной кожи. Рэчел, однако, тут же отстранилась. Гейб почувствовал острое разочарование, но сразу сообразил, что она просто хочет запереть дверь.

Интересно, сколько раз они с Черри, живя в фермерском домике в Джорджии, запирали дверь спальни, чтобы в комнату случайно не вошел Джейми? Едва успев подумать об этом, Гейб почувствовал, как его снова настигла боль.

Рэчел взяла его пальцами за подбородок и, повернув к себе его лицо, прошептала:

— Побудь со мной. Ты мне тоже очень нужен.

Казалось, она всегда очень точно понимает состояние Гейба. Руки его снова обхватили ее теплое тело. Рэчел принялась расстегивать на нем одежду. В ее движениях чувствовалась требовательная нетерпеливость, и от этого Гейб мгновенно возбудился настолько, что забыл обо всем на свете и вообще потерял способность соображать. Через какие-то секунды на нем не осталось ничего, кроме одного-единственного носка.

Он знал тело Черри так же хорошо, как свое собственное, знал, где и как к ней нужно прикоснуться, чтобы доставить удовольствие. Но Рэчел была для него загадкой. Он снял с нее рубашку брата, причем сделал это нарочито грубовато, оторвав несколько пуговиц, чтобы в будущем у нее не возникло желания облачиться в нее снова. Затем он повалил Рэчел на кровать, но она, извернувшись, мгновенно оказалась сверху.

— Кто сказал, что командовать будешь ты? — тихонько спросила она.

Гейб засмеялся и прижался губами к ее груди. Рэчел раздвинула его ноги. Она еще не успела снять трусики и теперь принялась дразнить его, то приспуская их, то снова подтягивая резинку.

Когда Гейбу стало ясно, что он не в силах больше терпеть эту пытку, он охватил руками ее бедра и, с силой притянув Рэчел к себе, сказал:

— Шутки кончились, дорогая.

Рэчел наклонилась вперед так, что соски ее коснулись его груди. Ее золотисто-рыжие волосы разметались по покрытым веснушками плечам. Одна из прядей коснулась губ Гейба, и он застонал. Рэчел, вдова покойного телепроповедника, взглянула на Гейба Боннера дьявольскими зелеными глазами.

— Да что ты говоришь?

Гейб снова застонал и просунул пальцы под тонкую ткань трусиков Рэчел.

После этого оба они на какое-то время совершенно потеряли ощущение времени. Оттого что им нельзя было шуметь, их желание становилось еще сильнее, еще нестерпимее. Рэчел кусала Гейба за грудь, искала требовательным ртом его язык. Гейб грубо ласкал ее ягодицы и целовал ее, целовал, пока у нее не пресекалось дыхание. Сверху оказывался то один, то другой из любовников. Наконец Рэчел заставила Гейба сесть и опустилась сверху на его плоть, не снимая трусиков, а лишь отведя их пальцами в сторону. Их страсть невозможно было описать словами.

Когда уже ночью Гейб проснулся, он почувствовал огромное разочарование, увидев, что Рэчел перешла спать на другую кровать. Одновременно где-то глубоко в его сознании мелькнула мысль о том, что, возможно, ему следует жениться на Рэчел Стоун. Это могло бы защитить ее от всех подстерегавших ее проблем и неприятностей. И к тому же Гейб хотел, чтобы она постоянно была с ним рядом. Но все же он не любил ее так, как когда-то любил Черри. И еще он не смог бы воспитывать ее сына. «Во всяком случае, пока», — сказал себе Гейб. И тут же изменил в уме слово «пока» на «никогда».

Ему так и не удалось больше заснуть. Под утро он пошел в ванную и принял душ. Гейб знал, что Рэчел привыкла рано вставать, но к тому времени, когда он, вымывшись, оделся, она все еще не проснулась. Гейб довольно улыбнулся: по всей видимости, он порядком ее утомил.

В тишине он прошел на кухню, открыл заднюю дверь дома и вышел на улицу. Тут же сердце его кольнула ностальгия. Ему на какой-то миг показалось, что он снова вернулся в детство.

И Гейб, и Кэл родились, когда их отцу и матери не было еще и двадцати. Отец учился в колледже, а затем поступил в медицинскую школу, после чего, став практикующим врачом, принялся лечить жителей Солвейшн. Дед и бабка Боннеры были обеспеченными людьми, и их несколько смутил вынужденный брак их единственного сына с представительницей бедного семейства Глайдов. Но Гейб и его братья любили бабушку Энни Глайд и проводили в ее доме на горе Страданий столько времени, сколько позволяли родители.

Гейб вспомнил, как по утрам он стремительно удирал из дома, чтобы поскорее начать полный приключений новый день. Бабушка Энни нередко вынуждена была грозить ему деревянной ложкой, заставляя съесть завтрак. По-волчьи, не прожевывая проглотив еду, Гейб выскакивал из дома через заднюю дверь и пускался на поиски белок, енотов, скунсов и опоссумов, которыми кишели окрестные леса. Иногда тут можно было встретить и черного медведя. Сегодня медведей на горе Страданий стало гораздо меньше. Болезнь, поразившая каштановые деревья, лишила их любимого корма. Правда, со временем в округе появилось множество дубов, но как корм дубовые желуди не могли сравниться с каштанами.

Утреннюю тишину прорезал громкий, тоненький детский крик. Он донесся откуда-то со стороны фасада. Гейб бросился бежать вокруг коттеджа, со страхом думая о том, что на этот раз могло случиться нечто гораздо более страшное, чем появление надписи на стене.

Подбежав к главному крыльцу, он остановился как вкопанный. На крыльце в одной пижаме стоял Эдвард и, окаменев от страха, смотрел на нечто ужасное, чего Гейб пока не мог видеть.

Бросившись вперед, он сразу же понял, что заставило Эдварда закричать: у стены дома свернулась кольцом маленькая змейка.

Сделав три больших шага, он быстро просунул руку сквозь перила крыльца и схватил змею, прежде чем она успела ускользнуть.

— Эдвард! — На крыльцо выбежала испуганная Рэчел. — Что случилось? Что... — Тут она увидела ужа, свисавшего из руки Гейба.

Гейб бросил на дрожащего ребенка сердитый взгляд.

— Это всего-навсего уж, — сказал он и протянул рептилию мальчику. — Видишь, вот здесь, на затылке, у него желтое пятно. Когда у змеи такое пятно, это значит, что она не опасна. Ну давай, потрогай ее.

Эдвард отрицательно покачал головой и сделал шаг назад.

— Давай! — скомандовал Гейб. — Я же сказал тебе, она не ядовитая.

Эдвард попятился еще дальше.

В ту же секунду Рэчел оказалась рядом с сыном и, как обычно, прижала его к себе.

— Все в порядке, милый, — заговорила она с утешительными интонациями. — Ужи совсем не страшные. На ферме, где я выросла, их было очень много. — Выпрямившись, Рэчел бросила на Гейба взгляд, полный холодной ярости. Затем она взяла у него из рук змею и швырнула через перила. — Ну вот, мы ее отпустили. Пусть она возвращается в свою семью.

Гейб укоризненно посмотрел на нее и подумал, что ей никогда не удастся воспитать Эдварда мужчиной, если она без конца будет его опекать и защищать. Сам Гейб познакомил Джейми со змеями, когда его сын еще только начал ходить. Разумеется, он сделал это, предварительно убедившись, что мальчик научился безошибочно отличать безобидных рептилий от опасных. Джейми любил дотрагиваться до них, брать в руки. Что-то подсказывало Гейбу: есть огромная разница между мальчиком, умеющим обращаться со змеями, и не умеющим этого. Но его сын был мертв, и все это уже не имело значения.

Эдвард продолжал жаться к матери. Рэчел ласково погладила его по голове.

— Как насчет того, чтобы позавтракать, мистер Ранняя Пташка? — спросила она сына.

Уткнувшись головой в ее живот, Эдвард кивнул.

— Пастор Этан сказал, что я сегодня пойду в воскресную школу, — пробормотал он так невнятно, что Гейб его едва расслышал.

— В другой раз, сынок, — сказала Рэчел несколько раздраженно.

Гейб мысленно обругал своего младшего брата за то, что тот подал мальчику эту идею. Этан совершенно не подумал, через что придется пройти Рэчел, если она появится в церкви во время воскресной службы.

— В прошлое воскресенье ты сказала мне то же самое, — захныкал Эдвард.

— Давай лучше откроем коробку с конфетами.

— Я хочу сегодня в школу.

— Делай, что тебе говорит мама, — вмешался Гейб, не в силах слушать их спор.

Волчком повернувшись на месте, Рэчел посмотрела на него и открыла было рот, желая что-то сказать, но тут же передумала и, взяв сына за руку, торопливо увела в дом.

Чтобы не встречаться с ними какое-то время, Гейб ушел в лес и бродил там до тех пор, пока не нашел место, где когда-то в детстве устроил звериную больницу. Когда ему было десять или одиннадцать лет, он построил несколько клеток. Помещая в эти клетки всех раненых и больных животных, найденных в лесу им или его друзьями, он стал заниматься их лечением. Теперь, вспоминая те далекие времена, он невольно поразился, как много зверюшек ему удалось спасти от неминуемой гибели.

Впрочем, эти воспоминания не вызвали в его душе ничего, кроме печали. Теперь у него не было никакого желания возиться с животными. Ему было горько сознавать, что, вылечив множество живых существ, он оказался бессилен помочь самому себе.

Возвратившись домой, Гейб почувствовал, что все еще не готов к общению с Рэчел и Эдвардом, и потому, сев в машину, отправился в город. Там он заглянул в закусочную «Макдоналдс» и выпил чашку кофе, после чего подъехал к церкви Этана и припарковался на своем обычном месте в квартале от нее.

Рэчел повернулась к Богу спиной, но Гейб никогда не ощущал в себе способности сделать это. Его вера была такой же прочной, как вера младшего брата. Правда, это не помогло ему, не спасло от несчастья.

Несмотря на то что в последнее время Этан раздражал его своим поведением, Гейб любил слушать его проповеди. Этан Боннер не был одним из сладкоголосых, безукоризненно правильных во всем слуг Божьих, которые напыщенно провозглашали прописные истины и вели себя так, словно только они обладали правом общаться со Всевышним и выдавать пропуска в рай. В отличие от них младший брат Гейба проповедовал терпимость и пытался воспитывать в прихожанах не только чувство справедливости, но и сострадание и умение прощать, то есть именно те качества, которые сам Этан отказывался проявлять в отношении Рэчел. Гейб не мог этого понять, считая, что его младший брат никогда не был лицемером.

Оглядевшись, Гейб заметил, что он не единственный опоздавший. Прошло уже немало времени после начала службы, когда на заднюю скамейку тихонько опустилась Кристи Браун, одетая в очень короткое желтое платье. Выражение лица у нее было вызывающее. Гейб мысленно улыбнулся. Как и многие жители Солвейшн, он никогда не обращал на Кристи никакого внимания, за исключением тех случаев, когда ему нужна была ее помощь в каком-нибудь деле. Теперь же Кристи стала женщиной, с которой нельзя было не считаться.

После окончания службы он заехал в пустующий дом Кэла и, позвонив брату, сообщил ему, что на какое-то время переселяется из его жилища в другое место.

Узнав о причине такого его решения, Кэл взорвался:

— Так ты, значит, переезжаешь к вдовушке Сноупс? Этан говорил мне, что ты с ней снюхался, да я ему не верил. Значит, теперь ты живешь с ней?

— Все не совсем так, — ответил Гейб, хотя в словах Кэла было немало правды. — Похоже, на нее тут начали охоту, и мне кажется, ей угрожает опасность.

— Ну, так пусть этим занимается Оделл.

Ухо Гейба уловило какой-то тихий писк, и он понял, что рядом с братом его маленькая дочь. Рози была чудесным ребенком с лукавым ясным взглядом, весьма недвусмысленно говорившим о весьма шаловливом нраве и о том, что в скором времени ее родителям предстоят нелегкие времена. Глубоко в груди Гейба снова шевельнулась боль.

— Послушай, Гейб, я тут побеседовал с Этаном... — заговорил Кэл после небольшой паузы. — Я знаю, что больные животные всегда были твоей слабостью, но в данном случае речь идет о гремучей змее. Любой, кто побудет в твоей компании пять минут, сразу же поймет, что вытянуть из тебя денежки проще простого, и...

— Гейб? — послышался в трубке голос жены Кэла.

Хотя Гейб виделся с доктором Джейн Дарлингтон Боннер всего несколько раз, он очень быстро проникся к ней симпатией. Она была умна, уверена в себе и в то же время отличалась скромностью и сдержанностью. Именно этими качествами и должна была обладать супруга Кэла, который в течение всей своей футбольной карьеры был окружен молодыми девицами без царя в голове.

— Гейб, не слушай его, — сказала Джейн. — И Этана тоже не слушай. Мне нравится вдова Сноупс.

— Я очень рад это слышать, — заметил Гейб, — но ведь ты, насколько я помню, ни разу с ней не встречалась.

— Нет, не встречалась, — ответила Гейбу его невестка голосом человека, который привык говорить серьезно. — Но я жила в ее ужасном доме. Когда у нас с Кэлом были проблемы, я, хотя это, наверное, звучит глупо, оказываясь в ее спальне или в детской, почему-то чувствовала, что мы с ней очень похожи. Весь дом был чем-то вроде воплощения порока, а ее комната и детская — воплощением добродетели. Я всегда была уверена, что эти две комнаты — ее рук дело.

До Гейба донесся скептический смешок старшего брата. Гейб улыбнулся.

— Рэчел так далеко до святой, что я и выразить не могу, Джейн, — сказал он. — Но ты права: она хороший человек, и сейчас переживает очень тяжелые времена. Постарайся сделать так, чтобы мой старший братец какое-то время не дышал мне в затылок, ладно?

— Сделаю все, что в моих силах. Счастливо, Гейб.

Положив трубку, Гейб тут же снова снял ее и позвонил еще в несколько мест, в том числе Оделлу Хэтчеру. Затем он забрал из холодильника скоропортящиеся продукты и отправился обратно на гору Страданий. Когда он припарковался около гаража, была уже середина дня. Окна коттеджа были открыты, входная дверь отперта, но ни Рэчел, ни ее сына в доме не оказалось.

Гейб занес зелень и другие продукты на кухню и положил их в холодильник. Покончив с этим, он обернулся и увидел позади себя Эдварда, стоящего у задней двери. Он вошел так тихо, что Гейб не слышал его шагов.

Гейб тут же вспомнил, как в их небольшой фермерский домик в северной части Джорджии вбегал Джейми. Он врывался, словно ураган, хлопая дверями, громко топая ногами, во всю силу своих легких крича, что обнаружил какого-то необыкновенного земляного червяка, или требуя починить сломанную игрушку.

— А твоя мама на улице? — спросил Гейб.

Опустив голову, мальчик уставился в пол.

— Пожалуйста, ответь мне, Эдвард, — спокойно сказал Гейб.

— Да, — прошептал Эдвард.

— Что «да»?

Плечи мальчика напряглись и оцепенели, голова опустилась еще ниже. Для Гейба было очевидно, что мальчику необходимо мужское влияние, чтобы он стал более решительным и раскованным.

— Посмотри на меня, — сказал Гейб, стараясь, чтобы его голос звучал спокойно.

Эдвард медленно поднял голову.

— Когда ты говоришь со мной, Эдвард, я хочу, чтобы ты произносил «да, сэр» и «нет, сэр», а когда разговариваешь с мамой, с Кристи или еще с какой-нибудь женщиной — «да, мэм» и «нет, мэм». Ты теперь живешь в Северной Каролине, а здесь вежливые дети разговаривают со взрослыми именно так. Ты понял?

— Угу.

— Эдва-ард... — предостерегающе протянул Гейб.

— Меня зовут не Эдвард.

— Но я слышал, как тебя так называет твоя мама.

— Ей можно так меня называть, — сказал мальчик с мрачным видом, — а тебе нет.

— Ну а как же мне тебя называть?

— Чип, — пробормотал малыш после некоторого колебания.

— Чип?

— Да, Чип. Мне не нравится имя Эдвард. Я хочу, чтобы все меня называли Чипом.

Гейб хотел было объяснить, что Чип Стоун — не самое лучшее имя, но тут же отказался от этого намерения. Он всегда ладил с детьми, но с сыном Рэчел у него это плохо получалось: уж больно мальчик был странный.

— Эдвард, ты нашел моток веревки?

Задняя дверь дома распахнулась, и появилась Рэчел. Ее грязные руки и обгоревший нос яснее ясного говорили о том, что она работала в саду. Едва успев войти, она тут же устремила озабоченный взгляд на сына, словно боялась, как бы Гейб не сделал с ним чего-нибудь в ее отсутствие. Гейб невольно почувствовал себя виноватым, и ему это не понравилось.

— Эдвард.

Мальчик подошел к старому буфету, обеими руками открыл левый ящик и вытащил клубок бечевки, который, насколько Гейб помнил, лежал там всегда.

— Положи его в то ведро, ладно?

Эдвард кивнул и, бросив настороженный взгляд на Гейба, сказал:

— Да, мэм.

Рэчел вопросительно посмотрела на него, но Эдвард уже вышел из дома через заднюю дверь.

— Почему ты решила назвать его Эдвардом? — спросил Гейб, стараясь не дать Рэчел возможности начать разговор об утреннем происшествии с ужом.

— Так звали моего деда. Он взял с меня клятву, что своего первого сына я назову в его честь.

— А разве ты не можешь называть его Эдом или Эдди? Сейчас никто не называет маленьких мальчиков полным именем Эдвард.

— Прости, но я не понимаю, какое тебе-то до этого дело.

— Я только хочу тебе сказать, что ему не нравится его имя. Он сказал мне, что хочет, чтобы я называл его Чипом.

Зеленые глаза Рэчел сверкнули, словно у дикой кошки.

— А ты уверен, что это не *ты* сказал ему, будто с его именем не все в порядке? Может, это *ты* подсказал ему, что он должен сменить имя Эдвард на имя Чип?

— Нет, я ничего такого не говорил.

Рэчел шагнула вперед, наставив на Гейба указательный палец, словно дуло пистолета.

— Оставь моего сына в покое! *(Бац!)* И не смей больше вмешиваться в наши отношения, как сегодня утром! *(Бац-бац!)* Рэчел была не из тех, кто тщательно выбирает слова и смягчает выражения.

— То, что ты проделал сегодня утром с этой чертовой змеей, было жестоко по отношению к ребенку, — снова заговорила она. — Я не позволю тебе больше так поступать. Если ты еще раз попытаешься сделать что-нибудь подобное, можешь убираться отсюда к чертовой матери.

Несмотря на то что Рэчел, безусловно, была права, Гейб тоже ощетинился.

— Если ты забыла, хочу тебе напомнить, что это мой дом, — сказал он, слегка погрешив тем самым против истины, поскольку на самом деле коттедж принадлежал его матери.

— Я ни о чем не забыла.

В это время Гейб боковым зрением уловил неподалеку от себя какое-то движение и, посмотрев через плечо Рэчел, заметил Эдварда, который, стоя у двери, внимательно прислушивался к их разговору. При этом вид у мальчика был такой, словно он был готов в любой момент броситься защищать мать.

— Я серьезно, Гейб. Оставь Эдварда в покое.

Ничего не отвечая, Гейб продолжал смотреть в сторону двери. Эдвард понял, что его заметили, и спрятался.

Гейб достал из заднего кармана квадратный листок бумаги и развернул его.

— Оделл дал мне имена всех, кто был задействован в операции в аэропорту, когда Дуэйн сбежал.

У Рэчел мгновенно поднялось настроение.

— О, Гейб, спасибо! — Она выхватила у него из рук бумажку и, усевшись за кухонный стол, принялась изучать список. — А ты уверен, что здесь указаны все? — спросила она. — Тут ведь только десять фамилий. Мне показалось, что там было как минимум человек сто.

— Да нет, здесь все. Четверо людей шерифа и все отделение полиции Солвейшн. Все сходится.

Рэчел снова склонилась над столом, собираясь изучить список подробнее, но в это время послышался шум приближающейся машины. Гейб, опередив Рэчел, торопливо направился в гостиную, но тут же вздохнул с облегчением, увидев в окно Кристи, выходящую из своей «хонды». Одета она была просто сногсшибательно — в облегающие шорты цвета хаки и шелковую зеленую блузку.

Рэчел пошла навстречу подруге, чтобы поздороваться с ней, но ее опередил Эдвард.

— Кристи! — воскликнул мальчик, бросаясь в объятия гостьи. — Ты вернулась!

— Я же говорила тебе, что вернусь. — Наклонившись, она поцеловала Эдварда в макушку. — Я что-то очень устала на работе и решила заехать узнать, не сможешь ли ты отправиться со мной на благотворительный пикник поесть жареного бекона.

— Вот здорово! Мама, можно мне съездить с Кристи?

— Ну конечно. Только сначала пойди умойся и приведи себя в порядок.

Когда женщины вошли на кухню, Гейб наливал себе кофе.

— Но зачем тебе потребовалась Библия Дуэйна? Что ты... — Кристи осеклась и умолкла при виде Гейба Боннера. Гейб знал, она беспокоится из-за того, что Рэчел осталась в коттедже Энни одна, и теперь в ее взгляде он прочел облегчение.

— Привет, Гейб.

— Здравствуй, Кристи.

— Библия Дуэйна нужна мне для Эдварда, — сказала Рэчел, не глядя на Гейба. — Это семейная реликвия.

«Вот, значит, как, — подумал Гейб. — Рэчел даже Кристи не говорит правду». Получалось, что она поделилась своим секретом только с ним.

Усевшись за стол, Кристи быстро просмотрела лежащий перед нею список.

— Один из этих людей скорее всего украл Библию в тот вечер, когда у меня конфисковали машину. — Рэчел взяла чашку с кофе, которую Гейб приготовил для себя, и отхлебнула небольшой глоток. Это было сделано машинально, как нечто само собой разумеющееся, но Гейбу это почему-то доставило огромное удовольствие.

— Только не Пит Мур, — задумчиво сказала Кристи, продолжая изучать список. — Он не появлялся в церкви уже много лет.

Рэчел оперлась бедром о раковину, бережно держа в ладонях чашку с кофе.

— Человек, который украл ее, мог сделать это отнюдь не из религиозных соображений, — заметила она. — Он вполне мог зажать ее как своеобразный сувенир.

Наконец Кристи решительно вычеркнула из списка шесть человек и заявила, что оставшиеся четверо тоже вряд ли могли присвоить Библию. Рэчел, однако, не собиралась опускать руки.

— Ну что ж, — сказала она, — начну с этих четырех, а если это ничего не даст, поговорю с остальными.

В это время в кухню вбежал Эдвард.

— Я уже чистый! — закричал мальчик. — Ну что, Кристи, поехали? А мы правда будем есть настоящий жареный бекон?

Когда Рэчел подошла к Эдварду, чтобы проверить, в самом ли деле у него чистые руки, Гейб взял отставленную ею чашку с кофе и пошел на заднее крыльцо. Через несколько минут он услышал, как машина Кристи отъехала от дома.

Над горой Страданий снова воцарилась тишина. Гейб с радостью подумал о том, что весь остаток дня коттедж Энни будет в их с Рэчел распоряжении, и словно ток пробежал по всем его жилам. Да благословит Господь Кристи Браун, мелькнуло у него в голове.

Он на несколько секунд прикрыл глаза, словно устыдившись того, что испытывает такое сильное влечение к Рэчел Стоун, но при этом не любит ее. Он не мог любить ее. Та часть его души, в которой раньше жила любовь, почернела и обуглилась. Но все же ему было хорошо с Рэчел, очень хорошо, и одно лишь ее присутствие действовало на него успокаивающе.

Хлопнула входная дверь. Обернувшись, он заглянул в глаза Рэчел и сразу же понял, что все его надежды и планы пошли прахом.

— Поехали, Гейб, — сказала она. — Мы займемся поисками Библии сейчас же.

Гейб хотел было возразить, но понял, что это бесполезно: Рэчел уже приняла решение.

Глава 15

— Это пустая трата времени, — сказал Гейб, захлопывая дверцу пикапа.

В машине было жарко. Когда Рэчел застегивала ремень безопасности, никелированная пряжка чуть не обожгла ей пальцы. На ней было желтое хлопчатобумажное, в оранжевых и черных мотыльках платье с вырезом-каре, которое она приберегала для особых случаев.

— Нам осталось съездить и проверить всего одно имя, — сказала она.

— Давай лучше поедим. Я бы с удовольствием сжевал гамбургер.

— Похоже, у тебя в самом деле червячок внутри завелся. Ты же ел всего час назад.

— И тем не менее я голоден. Кроме того, проверка Рика Нэйджела наверняка ничего не даст, как и наши предыдущие визиты. То, что он в пятом классе списал у Кристи контрольную по географии, вовсе не означает, что его следует включать в число подозреваемых.

— Я верю в интуицию Кристи.

Гейб дал задний ход, отъезжая от дома Уоррена Роя. Под колесами пикапа зашуршал гравий. Включив кондиционер, Гейб бросил на Рэчел взгляд, выражающий и раздражение, и готовность потерпеть еще немного. Он был уверен: затея Рэчел — совершенно бесполезное дело. Озадаченные лица тех двух из списка, которых они навестили, весьма убедительно говорили о том, что они даже толком не могли понять, о чем идет речь. И тем не менее Библия пропала, а это означало, что поиски ее надо продолжать.

С того самого момента, когда Рэчел впервые прочитала список, ей не давала покоя одна мысль, которую не удавалось толком сформулировать. Она в очередной раз развернула листок бумаги и пробежала по нему глазами: Билл Кек... Фрэнк Киган... Фил Деннис... Кирк Де Мерчент... Ни одного из этих людей она не знала.

Деннис. Взгляд Рэчел снова впился в список.

— Тут указан Фил Деннис, — сказала она. — Он имеет какое-нибудь отношение к Кэрол Деннис?

— Он ее двоюродный брат. А что?

— А то, что он тоже был на аэродроме в ту ночь, — ответила Рэчел и постучала ногтем по листку бумаги. — Ничего больше.

— В таком случае считай, что тебе не повезло. Я слышал, пару лет назад он переехал куда-то на Запад. Если это он взял твою Библию, то она, считай, пропала.

— Нет, не пропала, если он отдал ее Кэрол.

— А с какой стати он должен был это сделать?

— Кэрол была большой поклонницей Дуэйна. Она и сейчас еще верит в его святость. Библия могла стать для нее вещью, которая для нее означает высшую ценность. Возможно, ее двоюродный брат знал об этом и именно потому забрал ее себе.

— А может, и нет.

— Ну, знаешь, мог бы хоть немного меня подбодрить.

— Я и так стараюсь.

Поведение Гейба раздражало Рэчел, но зато он по крайней мере действовал с ней заодно. Глядя на его жесткий профиль из прямых линий и острых углов, она собралась было придумать какую-нибудь шутку, чтобы посмотреть, как его лицо смягчится и потеплеет. Однако в ту же секунду тело ее придавила к сиденью страшная усталость... Одновременно Рэчел почувствовала, что в ней по-прежнему пульсирует желание. Ей хотелось попросить Гейба развернуть пикап и погнать его обратно на гору Страданий, но, разумеется, она не могла этого сделать, и потому стала с преувеличенной тщательностью складывать список.

— Я хочу, чтобы мы сейчас же поехали к Кэрол, — сказала она.

Рэчел ждала, что Гейб начнет протестовать, но он только вздохнул.

— Ты уверена, что не хочешь съесть гамбургер?

— Если я съем еще один гамбургер, то начну мычать. Пожалуйста, Гейб, отвези меня к Кэрол Деннис.

— Готов поспорить, она одна из самых активных участниц клуба твоих поклонников, — пробурчал Гейб.

— Угу, — мрачно кивнула Рэчел, которой не надо было объяснять, с какой силой Кэрол Деннис ее ненавидела.

Кэрол жила в белом доме, выдержанном в так называемом колониальном стиле. Справа и слева от входа росли два молодых клена. По обе стороны от входной двери располагались два бочонка с пурпурными и розовыми петуниями. Дверь была выкрашена в голубой цвет и украшена гирляндами из искусственной виноградной лозы с желтыми шелковыми цветками. Рэчел шагнула вперед, внутренне собираясь перед в высшей степени неприятным разговором, но, прежде чем она успела позвонить, дверь распахнулась. Из дома вышли двое парней-подростков. Следом за ними появился Бобби Деннис.

Хотя с того момента, когда Рэчел столкнулась с Бобби и его матерью в магазине, прошел почти месяц, при виде ее на лице Бобби появилось все то же выражение враждебности.

— Что вам надо? — грубо спросил он.

Гейб, стоящий рядом с Рэчел, напрягся.

— Мне хотелось бы поговорить с твоей матерью, — быстро проговорила Рэчел.

Бобби выхватил у рыжеволосого подростка сигарету, которую тот только что раскурил, и, затянувшись, вернул приятелю.

— А ее нет, — сказал он.

При мысли о том, что ее Эдвард может превратиться в подобие Бобби Денниса, Рэчел внутренне содрогнулась.

— А ты не знаешь, когда она вернется? — спросила она.

Бобби нехотя пожал плечами, словно жизнь, которая для него только начиналась, уже успела его чем-то сильно обидеть или обделить.

— Моя мамаша ни хрена мне не докладывает.

— А ну-ка, повежливей, — сказал Гейб бесцветным голосом, от которого у Рэчел по спине побежали мурашки. Хотя Гейб не сделал ни одного угрожающего движения, его внушительная фигура произвела на парней впечатление. Бобби, опустив глаза, уставился на бочонок с петуниями. Его рыжеволосый приятель нервно переступил с ноги на ногу.

— Его мать, и моя тоже, сегодня работают на пикнике, который устраивают благотворительные организации. Там будут жарить свинью, — сказал он.

— Да что ты говоришь, — процедил Гейб.

Рыжий подросток сглотнул.

— Мы чуть попозже тоже туда собираемся, — снова заговорил он. — Может, вы хотите, чтобы мы ей что-нибудь передали?

Рэчел решила вмешаться, боясь, как бы бедняга с перепугу не проглотил сигарету.

— Мы сами ее найдем, — сказала она. — Спасибо.

— Ублюдки, — сказал Гейб, подходя к машине. — Ты не поедешь на пикник, — добавил он, когда они с Рэчел устроились на сиденьях.

— Знаешь, Боннер, найти Библию — довольно сложная задача, так что не заставляй меня тратить силы на бесконечные уговоры.

— Как только местные тебя увидят, они зажарят тебя вместо свиньи.

— Если ты собираешься и дальше ахать да охать, можешь довезти меня туда, высадить и... отправляться на все четыре стороны. Я доберусь домой с Кристи.

Резко включив заднюю передачу, Гейб выехал на улицу.

— Сегодня весь коттедж на несколько часов был в полном нашем распоряжении. В нем никого не было, кроме нас, понимаешь? Ну и что, мы этим воспользовались? Черта с два.

— Прекрати вести себя, как похотливый подросток.

— А я и чувствую себя, как похотливый подросток.

— Правда? — Рэчел улыбнулась. — Я тоже.

Остановив пикап посреди дороги, Гейб наклонился и легонько поцеловал Рэчел в щеку. Даже мимолетное прикосновение его губ мгновенно отозвалось во всем ее теле вспышкой желания.

— Ты по-прежнему уверена, что нам следует ехать туда? — спросил Гейб, положив локоть на подголовник своего сиденья и уставившись на Рэчел с таким лукавым выражением лица, что она, не выдержав, рассмеялась.

— Конечно, я была бы рада передумать, но все же не стану этого делать. Еще одна поездка, Гейб, и все. Я поговорю с Кэрол Деннис, а потом мы отправимся в коттедж.

— Ну ладно, — сказал Гейб. — И с чего я решил, что это будет нелегким делом?

Благотворительные организации округа выбрали местом проведения пикника спортивную площадку неподалеку от самого большого парка в городе. В Мемориал-парке было множество выкрашенных зеленой краской скамеек и ухоженных клумб с яркими ноготками. Расположенная рядом с парком спортплощадка была залита палящим солнцем. Тень можно было найти лишь под тентами и грибками. Раскаленный воздух был пропитан запахами древесного угля и жареного мяса.

Рэчел почти сразу же увидела Этана и Эдварда около небольшого павильончика, где играл самодеятельный музыкальный ансамбль. Не отрывая глаз от музыкантов, Эдвард время от времени откусывал кусочки от огромного комка сахарной ваты на палочке. Что касается Этана, то он то и дело бросал взгляды на расположенную футах в двадцати от него палатку, в которой торговали едой. Посмотрев в ту же сторону, Рэчел заметила неподалеку от палатки Кристи Браун, внимавшую какому-то мужчине с волосами песочного цвета. Он явно из кожи вон лез, стараясь произвести на нее впечатление.

Этан хмурился. Долговязый, со сверкающими на солнце светлыми волосами, он напоминал Рэчел мрачного молодого бога. «Что ж, поделом ему, — подумала она, — не надо было быть таким близоруким».

Когда они с Гейбом подошли поближе, Рэчел почувствовала на себе взгляды окружающих. Казалось, на нее смотрят абсолютно все, за исключением разве что пожилых супругов-пенсионеров из Флориды, которые когда-то ее подвозили. Они, судя по всему, даже не заметили, что к собравшимся на пикник присоединилась печально известная вдова Сноупс.

При приближении Рэчел Эдвард сразу же обернулся в ее сторону, словно почувствовал какой-то сигнал.

— Мама! — воскликнул он и бросился к ней, сжимая в одной руке сахарную вату, а в другой — своего плюшевого кролика. Мальчик улыбался во весь рот и выглядел таким счастливым, таким здоровым, что у Рэчел защипало глаза: *Благодарю тебя, Господи!*

Она мысленно произнесла эти слова и тут же упрямо одернула себя. Не было у нее никакого Бога.

Эдвард с разбега налетел на нее.

— Пастор Этан купил мне сладкую вату! — крикнул малыш. Его внимание было настолько приковано к матери, что он даже не заметил Гейба, стоящего всего в нескольких футах от нее. — А Кристи дала мне хот-дог, потому что я чуть не заплакал, когда увидел свинью. — Лицо ребенка помрачнело. — Я ничего не смог с собой поделать. Свинья была совсем мертвая, у нее даже глаз не было... Ее убили... И зажарили на костре...

Увы, Эдвард сделал еще одно открытие из тех, с которыми неизбежно связан процесс взросления. Рэчел рукой вытерла щеку сына, испачканную кетчупом.

— Что поделаешь, чтобы поесть жареного бекона, надо убить свинью, партнер, — сказала она.

— Я никогда больше не буду есть свинину.

Рэчел решила, что пока не стоит рассказывать мальчику о том, из чего делаются хот-доги.

— А еще Кристи купила мне красный воздушный шар, но он лопнул, и...

Эдвард увидел Гейба и умолк. Рэчел заметила, как мальчик инстинктивно прижал к груди плюшевого кролика, которого держал вниз головой так, что задние лапы игрушечного зверька почти упирались ему в подбородок. Его негативная реакция была настолько явной, что Рэчел невольно вспомнила неприятную сцену с ужом. Иногда ей казалось, что она понимает Гейба, но толстокожесть, которую он проявил утром, показала, как мало еще она его знает.

В это время к ним подошел Этан. Он поприветствовал Рэчел вежливым, но суховатым кивком, затем перебросился несколькими словами с братом, демонстративно ее игнорируя. По-видимому, Эдварду тоже показалось, что про него все забыли. Рэчел почувствовала рядом с собой какое-то движение и посмотрела на сына, который именно в этот момент уронил свою сахарную вату на ботинок Гейба.

Гейб отдернул ногу, но было уже слишком поздно. При виде липкой розовой массы, размазавшейся по коричневому ботинку, он невольно издал возглас отвращения.

— Он не нарочно, — торопливо сказала Рэчел.

— Не думаю. — Гейб уставился на Эдварда, который ответил ему таким же долгим пристальным взглядом. Карие глаза мальчика потемнели от возмущения, но в то же время в них промелькнула хитрая искорка, по которой его мать догадалась, что это небольшое происшествие вовсе не было случайностью.

Рэчел полезла в свою старую матерчатую сумку и вытащила оттуда кусок туалетной бумаги, которую она в целях экономии использовала вместо салфеток. Оторвав клочок, она протянула его Гейбу, чтобы тот мог вытереть ботинок.

— Надо быть поосторожнее с этой штукой, Эдвард, — сказал Этан и погладил мальчика по голове.

Ребенок перевел взгляд с Гейба на Этана:

— Меня зовут Чип.

— Чип? — с улыбкой переспросил Этан.

Эдвард кивнул и опустил голову.

Рэчел свирепо посмотрела на Гейба. Она не могла этого ни объяснить, ни доказать, но тем не менее была уверена: именно Гейб виноват в том, что мальчика ни с того ни с сего перестало устраивать его имя.

— Не будь глупым, сынок. Тебя зовут Эдвард, и ты должен гордиться этим. Помнишь, я рассказывала тебе про моего дедушку? Его тоже звали Эдвардом.

— Эдвард — дурацкое имя. Никого так не зовут, кроме меня.

Этан ободряющим жестом сжал плечо малыша, затем посмотрел на брата.

— Скоро начнется волейбольный матч, — сказал он. — Давай сыграем?

— Играй без меня, — ответил Гейб. — Нам с Рэчел надо кое с кем встретиться и поговорить.

Слова Гейба Этана явно не обрадовали.

— Честно говоря, не думаю, что это хорошая идея.

— Не волнуйся по этому поводу, ладно?

На скулах Этана заиграли желваки. Рэчел знала, что ему хочется обругать ее последними словами, но он не привык открыто проявлять свою враждебность.

— Увидимся позже, приятель, — сказал он, ласково проведя костяшками пальцев по макушке Эдварда.

Глядя вслед уходящему Этану, Эдвард разом помрачнел. Его разлучили с мужчиной, которого он боготворил, и для ребенка день был испорчен.

Рэчел взяла его за руку.

— Хочешь, я куплю тебе еще сахарной ваты? — предложила она.

Гейб, нахмурившись, сунул руки в карманы. Рэчел не составляло никакого труда прочесть его мысли: он наверняка думал, что ей следовало бы наказать Эдварда за то, что тот нарочно уронил вату ему на ботинок, а не поощрять его, покупая новую порцию. Но Гейб не знал и не мог знать, сколько всего пришлось испытать ее сыну за его короткую жизнь.

— Не надо, — прошептал мальчик.

В это время рядом с ними возникла Кристи. Щеки ее разрумянились, глаза горели от веселого возбуждения.

— Вы не поверите, но сегодня вечером я иду на свидание, — объявила она. — Майк Риди пригласил меня пообедать. Я знаю его уже много лет, но... Просто поверить не могу, что я согласилась.

Не успела Кристи поделиться с Рэчел и Гейбом своей радостью, как ее тут же охватила неуверенность — это было видно по ее лицу.

— Наверное, мне не следовало соглашаться, — сказала она. — Я буду так нервничать, что ни о чем не смогу говорить.

Прежде чем Рэчел успела сказать ей что-нибудь ободряющее, Гейб обнял Кристи одной рукой за плечи и доброжелательно встряхнул.

— Между прочим, Кристи, одна из твоих самых привлекательных черт — то, что ты не болтушка, — сказал он. — Мужчины обожают чесать языки, а ты очень хорошо слушаешь других.

— Правда?

— Конечно. Майк — отличный парень. Вы оба хорошо проведете время. Только не давай ему распускать руки на первом свидании.

Кристи посмотрела на Гейба и покраснела.

— Можно подумать, кому-то придет в голову распускать руки во время свидания со мной.

— Когда женщины думают так, как ты, они очень быстро оказываются беременными, — парировал Гейб.

Кристи засмеялась, и все трое принялись весело болтать. Через несколько минут Кристи, извинившись, пошла проверить, как обстоят дела в одном из принадлежащих церкви павильончиков. Рэчел заметила: прежде Кристи убедилась, что Этан оттуда уже вышел.

— Я хочу домой, — сказал Эдвард с несчастным видом.

— Чуть позже, милый. Мне надо тут кое с кем повидаться.

Рэчел расположилась между Эдвардом и Гейбом, и все трое стали медленно обходить спортивную площадку, внимательно оглядывая тенты и павильоны, устроенные различными организациями.

— Гейб!

Худощавый мужчина с густыми волосами выскочил из-за стола, за которым он собирал деньги для фонда «Хьюман сосайети».

— Привет, Карл. — Гейб подошел к мужчине, но Рэчел обратила внимание, что он сделал это неохотно. Они с Эдвардом шли за ним.

Карл окинул Рэчел взглядом, в котором чувствовалось любопытство, но не враждебность, и она поняла, что он никогда не был одним из прихожан храма Дуэйна Сноупса. Мужчины обменялись комплиментами, после чего Карл перешел к делу.

— Нам нужен ветеринар в приюте для животных, Гейб, — сказал он. — На прошлой неделе мы потеряли двухлетнего до-

бермана, поскольку Тед Харли не успел вовремя добраться сюда
из Бреварда.

— Мне очень жаль, Карл, но у меня нет лицензии.

— Думаю, тому доберману было бы наплевать на то, что у
тебя нет нужной бумажки.

Гейб пожал плечами:

— Возможно, я все равно не смог бы его спасти.

— Может, и так, но ты бы хоть попытался. Нам нужен
ветеринар из местных. Я всегда очень жалел, что ты, вернувшись
в Солвейшн, так и не занялся своим делом.

— Мой придорожный кинотеатр открывается в пятницу вечером, — сказал Гейб, намеренно меняя тему разговора. — Вход
будет бесплатным, и еще я устраиваю фейерверк. Надеюсь, ты
придешь вместе с семьей.

— Ну конечно, само собой.

Гейб и Рэчел пошли дальше, мимо импровизированного прилавка, с которого торговали футболками, предназначенными, судя
по их размеру, для людей, страдающих мышечной дистрофией.
Вокруг кипела толпа, и в какой-то момент Рэчел случайно выпу-
стила руку Эдварда.

Кто-то сильно толкнул Рэчел в спину, да так, что она
наткнулась на Гейба и едва не упала. Он успел поддержать ее
за руку. Выпрямившись, Рэчел огляделась, но не заметила
ничего подозрительного. Эдвард по-прежнему находился неподалеку, но не брал ее за руку, словно решил поддерживать
максимальную дистанцию между собой и Гейбом. Впереди
Рэчел увидела стол, на котором лежала всевозможная выпеч-
ка. У стола стояла Кэрол Деннис и вскрывала коробку с шо-
коладными пирожными.

— Вон она, — сказала Рэчел.

— Я помню Кэрол в молодости, — заметил Гейб. — До
того как сдвинуться на религиозной почве, она была доброй девушкой.

— Религия странно действует на людей, ты не находишь?

— Еще более странно то, что люди делают с религией.

Кэрол Деннис подняла глаза, и руки ее застыли на крышке коробки. В ее глазах Рэчел прочла все обвинения, которые ей много раз доводилось слышать за последние годы. Рэчел знала, на что способна Кэрол Деннис, и пожалела, что Эдвард в этот момент находится рядом с ней. Ей оставалось лишь порадоваться тому, что он немного отстал.

Когда они с Гейбом подошли поближе, Рэчел обратила внимание, что весь облик Кэрол Деннис как бы утрирован, доведен до абсурда. Слишком резким был контраст ее белой кожи с крашеными черными волосами, чересчур сильно выступали вперед острые скулы, массивный подбородок чрезмерно вытягивал и без того длинное лицо, и стрижка тоже была слишком короткая и неровная. Ее фигура была тонкой, жилистой и какой-то напряженной. Рэчел вспомнила ее рыхлого подростка-сына, и внезапно ее пронзила жалость к ним обоим.

— Привет, Кэрол, — сказала она, подходя вплотную.

— Что ты здесь делаешь?

— Мне надо с тобой поговорить.

Кэрол взглянула на Гейба, и Рэчел почувствовала, как ее собеседница заколебалась. Нерешительность Кэрол, вероятно, объяснялась тем, что, с одной стороны, она сочувствовала Гейбу, но, с другой стороны, не могла простить ему, что он так открыто встал на сторону ее врага — вдовы Сноупс.

— Даже представить себе не могу, о чем нам с тобой разговаривать. — Лицо Кэрол немного смягчилось при виде Эдварда, подошедшего сзади и остановившегося рядом с Рэчел. — Здравствуй, Эдвард. Хочешь пирожное?

Она взяла в руки белый пластиковый поднос с разнообразными пирожными. Эдвард выбрал одно из них, большое, густо посыпанное сахарной пудрой и сочными ломтиками какого-то красного фрукта.

— Спасибо, — сказал он.

Рэчел глубоко вздохнула и решила, что пора брать быка за рога.

— Дело в том, что я ищу одну вещь, которая, возможно, находится у тебя.

— Вот как?

— Я говорю о Библии Дуэйна.

По лисьему лицу Кэрол пробежала гримаса удивления, которая, однако, тут же уступила место обычному настороженному выражению.

— С какой стати ты решила, что она у меня?

— Я знаю, ты была неравнодушна к Дуэйну. Судя по всему, твой двоюродный брат взял Библию в тот вечер, когда Дуэйна пытались арестовать, а потом передал ее тебе.

— Ты обвиняешь меня в краже?

Рэчел понимала, что ей надо соблюдать осторожность.

— Нет. Я уверена, ты взяла Библию для того, чтобы просто сохранить ее, и я не могу это не оценить. Но теперь я хочу, чтобы ты мне ее вернула.

— Если уж у кого и должна остаться Библия Дуэйна, то не у тебя.

— Это не для меня, — сказала Рэчел после некоторого колебания. — Для Эдварда. У него не осталось ничего из вещей отца, и потому Библия Дуэйна должна принадлежать ему.

Рэчел перевела дыхание. Кэрол посмотрела на Эдварда, успевшего испачкать губы и щеки пирожным. По всей видимости, угостив мальчика, Кэрол сумела добиться его расположения — во всяком случае, он улыбнулся ей.

Покусывая губы, Кэрол смотрела на Эдварда, словно позабыв о Рэчел.

— Ну хорошо, — сказала она наконец. — Библия действительно у меня. Полицейские просто-напросто зашвырнули бы ее куда-нибудь, где они хранят всякую ерунду, а я не могла этого допустить. В полиции не всегда бережно обращаются с вещами.

От радости у Рэчел закружилась голова. Стараясь не выдать охватившего волнения, она сказала:

— Я благодарна тебе за то, что ты о ней позаботилась.

— Мне не нужна твоя благодарность, — отрезала Кэрол. — Я сделала это для Дуэйна, а не для тебя.

— Понимаю. — Слова давались Рэчел с трудом. — Я знаю, Дуэйн по достоинству оценил бы твой поступок.

Кэрол отвернулась, словно ей стало невмоготу переносить присутствие Рэчел.

— Пожалуй, попозже мы заедем за ней к тебе домой. — Рэчел не хотелось пережимать, но она была полна решимости заполучить в свои руки Библию как можно скорее.

— Нет. Я передам Библию Этану.

— И когда ты это сделаешь?

Рэчел не следовало показывать, как сильно она заинтересована в том, чтобы Библия поскорее оказалась у нее. Кэрол почувствовала над ней некую власть, и это ей явно понравилось.

— Насколько я знаю, в понедельник у Этана выходной. Я принесу Библию в церковь, в офис Этана, во вторник.

Рэчел явно пришлось не по вкусу, что ей придется ждать до вторника, и она начала было протестовать, но Гейб оборвал ее.

— Очень хорошо, Кэрол, — сказал он. — Это не горит. Я предупрежу Этана, он будет тебя ждать.

Сжав руку Рэчел, словно тисками, он снова нырнул вместе с ней в толпу.

— Если ты станешь давить на нее, тебе не видать этой Библии как своих ушей, — сказал он.

Рэчел оглянулась, чтобы убедиться, что Эдвард идет за ними.

— Я не выношу эту женщину, — призналась она. — Кэрол нарочно меня терзает.

— Лишних два дня ничего не решают. Давай чего-нибудь поедим.

— Ты о чем-нибудь, кроме своего брюха, думаешь?

— У меня много всяких органов, и время от времени все они так или иначе напоминают о себе, — сказал Гейб, просунув большой палец под короткий рукав платья Рэчел.

Она тут же покрылась гусиной кожей, и в то же время с удивлением поняла: ей хочется, чтобы Гейб испытывал к ней какое-то более прочное и глубокое чувство, чем просто сексуальное желание.

— Ты угощаешь? — спросила она.

— Да, я угощаю, — сказал Гейб с легкой улыбкой.

— Пойдем, Эдвард, — сказала Рэчел, обернувшись назад. — Перекусим чего-нибудь.

— Я не хочу есть.

— Я знаю, ты любишь дыню. Мы тебе раздобудем кусок дыни.

Они подошли к центру спортивной площадки, где над мерцающими жаром углями жарились на вертелах несколько свиных туш. Рэчел поморщилась.

— Я, пожалуй, лучше съем вареной кукурузы.

— А я-то думал, что девушки из сельской местности лишены сентиментального отношения к животным.

— Ко мне это не относится. И кроме того, там, где я жила, люди занимались выращиванием соевых бобов.

Гейб не стал ее больше дразнить, потому что и сам не был большим поклонником жареной свинины. Вскоре он, Рэчел и Эдвард уже сидели у торца длинного стола, а перед ними стояли тарелки с вареными кукурузными початками, смазанными маслом. Гейб взял себе еще хот-дог и салат из шинкованной капусты, надеясь, что, глядя на него, Рэчел тоже почувствует прилив аппетита и съест побольше. Рэчел, однако, отказалась и от хот-дога, и от салата, и теперь Гейб не знал, как с ними справиться, ведь у него самого не было ни малейшего желания их есть.

— Ты уверен, что не хочешь еще одну сосиску, Эдвард? — спросил он. — Я к ней еще не прикасался.

Мальчик отрицательно покачал головой и взял со своей тарелки кусок дыни. Гейб обратил внимание, что с того самого момента, как они уселись за стол, Эдвард то и дело украдкой поглядывает на соседний стол, где расположились мужчина с мальчиком примерно того же возраста, что и он. Наконец Рэчел тоже перехватила его взгляд.

— Этот мальчик вместе с тобой ходит в детский сад, Эдвард? — спросила она. — Похоже, ты его знаешь.

— Угу. Его зовут Кайл. — Эдвард взглянул на свою порцию дыни. — А меня зовут Чип.

Рэчел бросила на Гейба раздраженный взгляд поверх головы Эдварда. Тем временем Кайл и его отец бросили свои опустевшие одноразовые тарелки в бак для мусора. Эдвард продолжал внимательно наблюдать за ними. После того как в мусорном баке исчезли и пластиковые чашки, Кайл повернулся к отцу и требовательным жестом поднял руки. Мужчина улыбнулся, подхватил его и усадил к себе на плечи.

В это мгновение на лице Эдварда появилось выражение такой тоскливой зависти, что Гейб невольно поморщился. Казалось бы, все так просто: отец несет на плечах сына. Эдвард был уже достаточно тяжел для того, чтобы Рэчел носила его. Тяжел для матери, но не для отца.

Подними меня, папа! Подними меня, а то мне ничего не видно!

Гейб отвернулся.

Рэчел видела все происходящее за соседним столом, и по ее лицу Гейб понял, какие усилия от нее потребовались, чтобы взять себя в руки. Трудно смириться с тем, что не все в этой жизни доступно матери и ее сыну. Чтобы как-то отвлечься, она открыла сумку.

— Эдвард, ты весь извозился. Дай-ка я тебя вытру...

На мгновение она словно окаменела, затем резким движением сунула руку в сумку и стала лихорадочно шарить в ней, перебирая ее содержимое.

— Гейб, у меня кошелек пропал!

— Дай-ка я посмотрю.

Гейб взял у нее сумку и заглянул внутрь. Он увидел ручку, чек из лавки зеленщика, комок туалетной бумаги, небольшую заводную пластиковую игрушку и упаковку гигиенических тампонов с прорванной оберткой. Заметив тампоны, Гейб невольно подумал, какие внутренние терзания должна была испытать Рэчел, прежде чем их купила.

— Может, ты оставила его дома?

— Нет! Он был в сумке, когда я открывала ее, чтобы достать салфетку, которой ты вытер ботинок.

— Ты уверена?

— Абсолютно. — На Рэчел было жалко смотреть. — Помнишь, я недавно налетела на тебя сзади? Это произошло оттого, что меня кто-то сильно толкнул. Наверное, именно в этот момент у меня и вытащили кошелек.

— Сколько там было денег?

— Сорок три доллара. Это все мои деньги.

У Рэчел был такой убитый вид, что у Гейба сердце облилось кровью. Он знал, что Рэчел Стоун — сильный человек, и убеждал себя в том, что она справится и с этой бедой, но в то же время невольно задавал себе вопрос: сколько раз эта женщина, сбитая с ног очередным ударом судьбы, сможет снова подниматься на ноги? Жизнь явно обходилась с ней слишком сурово.

— Я пойду посмотрю — может, кошелек выпал у тебя из сумки в тот самый момент, когда тебя толкнули, и кто-нибудь положил его на ближайший стол.

По ее лицу Гейб понял: она не верит в то, что кошелек найдется, да и сам он в это не верил. Для этого Рэчел была чересчур уж невезучей.

Они встали из-за стола, очистив его от использованной посуды. Рэчел старалась не показывать Гейбу, насколько она расстроена пропажей кошелька, но это было нелегко. Слишком уж она нуждалась в пропавших сорока трех долларах, чтобы дотянуть до следующей недели.

Гейб и Рэчел пошли прочь от столов, Эдвард поплелся за ними следом. По дороге они миновали прилавок с пирожными, за которым работала Кэрол. Рядом с ней стояла пожилая женщина, одетая в ярко-красные спортивные брюки и блузку, покрытую красно-желтым узором. Рэчел узнала в ней бабушку Эмили, маленькой девочки, которая страдала от лейкемии.

Рэчел сразу же поняла, что ее заметили, и у нее упало сердце.

— Миссис Сноупс!

— Что ты делаешь, Фран? — нахмурилась Кэрол, увидев, как ее помощница, выскочив из-за прилавка, стала пробираться сквозь толпу в сторону Рэчел.

Женщина обернулась назад так резко, что деревянные серьги закачались в ее ушах.

— Я попросила миссис Сноупс, чтобы она приехала к моей дочери и помолилась за Эмили, — сказала она и, снова повернувшись к Рэчел, улыбнулась.

— Как ты могла! — воскликнула Кэрол. — Она же шарлатанка!

— Это неправда, — мягко возразила Фран. — Ты ведь знаешь, как нам нужна помощь Всевышнего. Только чудо может спасти Эмили.

— Никакого чуда ты от нее не добьешься! — Темные глаза Кэрол вонзились в Рэчел, жесткие, острые черты ее лица исказила гримаса упрямства и злобы. — Да известно ли тебе, Рэчел Сноупс, сколько выстрадала эта семья? Как ты можешь безответственно обнадеживать этих людей?

Рэчел хотела было возразить, что она никого не обнадеживала, но Кэрол, не давая ей открыть рот, снова обрушилась на нее:

— И сколько же ты собираешься с них содрать? Не сомневаюсь, твои молитвы дорого стоят.

— Я вообще больше не молюсь, — сказала Рэчел и, глубоко вздохнув, посмотрела прямо в глаза бабушке Эмили. — Простите, я не смогу помочь вам. Я больше не верю в Бога.

— Можно подумать, ты когда-нибудь в него верила, — вставила Кэрол.

Фран, однако, лишь улыбнулась и посмотрела на Рэчел с сочувственным выражением лица.

— Если вы заглянете в глубь своего сердца, вы поймете, что это не так. Не отворачивайтесь от нас. Что-то подсказывает мне: вы сможете помочь моей внучке.

— Но я в самом деле не смогу этого сделать!

— Вы не можете быть в этом уверены, пока не попробуете. Не могли бы вы хотя бы посмотреть на нее?

— Нет. Я не хочу вас понапрасну обнадеживать.

— А ты достань чековую книжку, Фран, — сказала Кэрол. Она сразу согласится.

По идее верующая женщина должна была бы проявлять к ближним сочувствие и сострадание, но в сердце Кэрол, казалось, не осталось ничего, кроме мстительности и злобы. В свое время Рэчел приходилось видеть много таких глубоко религиозных женщин, как Кэрол Деннис. Они были так нетерпимы к другим людям, неуступчивы и злопамятны, что иначе как злобными мегерами их и назвать было нельзя. Рэчел прекрасно понимала причины такого поведения. Для таких, как Кэрол, вера становилась источником постоянного беспокойства и терзаний.

Рэчел нередко приходилось встречать в храме и таких людей, как Фран. От них словно исходил какой-то внутренний свет. Им никогда не приходило в голову выискивать проявления испорченности и безнравственности в других. Им было просто некогда заниматься этим: они распространяли по миру любовь, сострадание и умение прощать.

Как ни странно, Дуэйн не жаловал таких христиан, как Фран. Он считал, что им не хватает бдительности, необходимой в борьбе со злом, и опасался за их души.

— Мне очень жаль, — сказала Рэчел охрипшим от волнения голосом. — Вы даже не представляете, как мне жаль.

Гейб шагнул вперед.

— Простите нас, леди, — сказал он, — но мы пойдем. Нам надо попытаться найти кошелек Рэчел, который она недавно где-то здесь потеряла.

Кивнув Кэрол и Фран, он взял Рэчел за руку и повел ее прочь. Рэчел ощутила прилив благодарности к нему. Хотя было ясно, что Гейб не понял, о чем шел разговор, он тем не менее вмешался и помог ей выйти из неприятного положения.

— А я и не знал, что ты знакома с Фран Тэйер, — сказал Гейб, когда они с Рэчел проходили мимо очередной жаровни.

— Значит, ее фамилия Тэйер? Она мне не говорила об этом.

— Что вообще происходит?

Рэчел принялась объяснять.

— С тобой ничего не случится, если ты пойдешь и посмотришь на эту девочку, — сказал Гейб, когда она закончила.

— Это было бы безответственно. Я не шарлатанка и не хочу водить людей за нос.

Рэчел думала, Гейб начнет спорить с ней, но вместо этого он указал на одну из палаток и сказал:

— Кажется, мы были там, когда тебя толкнули. Пойду поспрашиваю.

Он вернулся несколько минут спустя, и еще до того, как он раскрыл рот, Рэчел поняла, что новости неутешительные.

— Может, кто-нибудь вернет его в полицию попозже, — сказал Гейб, стараясь ее успокоить.

— Может быть, — ответила она с вымученной улыбкой.

Гейб шутливо коснулся ее подбородка сжатым кулаком.

— Поехали обратно в коттедж. Мне кажется, неприятностей на сегодня хватит.

Рэчел кивнула, и все трое — она, Гейб и Эдвард — отправились восвояси.

Глядя им вслед, Расс Скаддер подождал, пока они отойдут подальше, а затем вынул кошелек Рэчел из пустой коробки из-под поп-корна, которую он держал в руках, и достал из него деньги.

«Сорок три доллара. Жаль, что так мало», — подумал он. Поглядев на смятые банкноты, он швырнул пустой кошелек в ближайший бак для мусора и направился к столу организации «Хьюман сосайети».

Незадолго до этого Карл Пэйнтер, активист этой организации, выступающей в защиту животных, призывал людей делать пожертвования. Расс, однако, прошел мимо ящика для добровольных взносов, на котором была нарисована собака с грустными глазами, и сунул сорок три доллара в стоящий рядом пластиковый цилиндр с надписью «Фонд Эмили».

Глава 16

В тот вечер Рэчел и Эдвард в сотый раз перечитывали «Стеллалуну». В книжке с замечательными иллюстрациями рассказывалось о детеныше летучей мыши, который потерял свою маму. Его воспитали птицы. Они научили его есть и спать по-своему, не так, как едят и спят летучие мыши. Когда Рэчел дочитала последнюю страницу, Эдвард перестал жевать ухо Хорса и посмотрел на нее. В его глазах стояло какое-то недетское выражение беспокойства.

— Значит, с мамой Стеллалуны произошел несчастный случай, а потом они очень долго друг друга не видели, — подытожил мальчик.

— Да, но в конце концов они нашли друг друга.

— Да, наверное.

Рэчел понимала, что ее ответ не удовлетворил сына. У Эдварда не было отца, не было дома, не было нормальной семьи, и он постепенно начинал осознавать, что мать — единственный человек на свете, который любит его и готов защищать от любых бед и несчастий при любых условиях.

Уложив сына спать, Рэчел вышла на кухню и увидела Гейба у задней двери дома. Он обернулся на звук ее шагов, и рука его скользнула в карман. Вытащив несколько банкнот, он протянул их ей.

Рэчел пересчитала бумажки — Гейб дал ей пятьдесят долларов.

— Что это? — спросила она.

— Премия. Ты переделала много работы, которая не входит в твои обязанности. Так что все честно.

Было ясно: Гейб хочет компенсировать украденные деньги, но так, чтобы не травмировать ее гордость. Посмотрев на зажатые в ее пальцах хрустящие банкноты, она сморгнула и с трудом выговорила:

— Спасибо.

— Я пройдусь, — сказал Гейб. — Скоро вернусь обратно.

Он не пригласил Рэчел последовать за ним, и она не стала спрашивать почему. В такие моменты она особенно остро ощущала, как много всего разделяет их с Гейбом.

Несколько позже, когда Рэчел уже собралась ложиться спать, она услышала, что Гейб вернулся. Раздевшись, она скользнула в его старую рубашку, затем умылась, почистила зубы и прошла на кухню. Гейб сидел на корточках перед картонной коробкой, стоявшей на полу рядом с плитой.

Подойдя поближе, Рэчел увидела, что коробка выстлана ватой, а внутри стоит обернутый тряпкой зеленый пластиковый контейнер из-под клубники. Внутри его сидел взъерошенный молодой воробей.

Во вторник, всего за три дня до открытия кинотеатра, Рэчел стало казаться, что им с Гейбом ни за что не удастся все подготовить вовремя. Ей очень хотелось, чтобы «Гордость Каролины» произвела впечатление на жителей города и его окрестностей. Это она подсказала Гейбу идею устроить в честь открытия кинотеатра фейерверк. Теперь она уговаривала его украсить вход разноцветными флажками.

К сожалению, Гейб не разделял ее энтузиазма: с каждым днем его интерес к затее с кинотеатром все больше угасал. В то же время в душе Рэчел день за днем крепло теплое чувство к «Гордости Каролины». При виде нового оборудования, покрытого свежим слоем краски, сердце ее наполнялось гордостью.

В три часа дня в закусочной зазвонил телефон. Рэчел бросила тряпку, которой обтирала новую машину для приготовления поп-корна, и побежала к аппарату.

— Библия у меня, — услышала она в трубке голос Кристи Браун. — Сын Кэрол только что принес мне ее.

Рэчел вздохнула с огромным облегчением.

— Просто не верится, что я наконец-то ее заполучу.

Женщины поболтали еще несколько минут о том о сем, после чего Рэчел повесила трубку. В закусочную вошел Гейб. Рэчел бросилась к нему.

— Библия уже у Кристи! — воскликнула она.

— Не возлагай на эту твою Библию слишком больших надежд, — с мрачным видом сказал Гейб.

Заглянув ему в глаза, Рэчел, не удержавшись, ласково погладила его по щеке.

— Ты что-то слишком нервничаешь, парень.

Гейб улыбнулся, но улыбка тут же исчезла с его губ. Рэчел почувствовала, что он вот-вот пустится в какие-нибудь пессимистические рассуждения, и, чтобы не дать ему такой возможности, сменила тему разговора.

— Ну а как дела у Тома? — спросила она.

— Похоже, он свое дело знает.

Том был киномехаником, которого Гейб недавно нанял. Гейбу хотелось, чтобы после церемонии открытия кинотеатр работал четыре раза в неделю по вечерам. Том жил в Бреварде и должен был в эти дни приезжать оттуда в Солвейшн. Гейб собирался взять на себя обязанности кассира, продающего билеты, а заодно и контролера. Что же касается Рэчел, то она должна была между сеансами работать в закусочной вместе с молодой женщиной по имени Кайла, которую Гейб нанял ей в помощь.

В течение некоторого времени Рэчел пыталась придумать, как ей быть с Эдвардом, когда она начнет работать. В конце концов она нашла достаточно простое решение этой проблемы: поскольку денег на то, чтобы оставлять сына с няней, у нее не было, она будет брать его с собой. Она подумала, что сможет укладывать его спать в офисе Гейба, расположенном рядом с проекционной, и надеялась, что шум не будет мешать мальчику засыпать.

— Ты сегодня обедала? — спросил Гейб, в упор глядя на нее.

— Еще как, съела все до последней крошки.

При виде строгого лица Гейба губы ее помимо воли расползлись в улыбке. О ней уже очень давно никто не заботился. Дуэйн, разумеется, этого не делал, а сама она едва ли не четырнадцати лет была вынуждена присматривать за бабушко[й], здоровье которой к тому времени совсем расшаталось. И

Сьюзен Элизабет Филлипс

теперь мрачный, покалеченный жизнью мужчина, который мечтал лишь о том, чтобы его оставили в покое, добровольно стал ее ангелом-хранителем.

Почувствовав, что эмоции начинают переполнять ее душу, Рэчел отошла к прилавку закусочной.

— А как твой воробышек?

— Да пока жив.

— Вот и хорошо.

Гейб привез найденыша, получившего кличку Твити, с собой в кинотеатр, поскольку птица нуждалась в частом кормлении. Незадолго до этого Рэчел, поднявшись к Гейбу в кабинет, чтобы спросить его о чем-то, увидела, как он, склонившись над коробкой, осторожно кормит воробья с конца палочки.

— А где ты, говоришь, его нашел?

— Около заднего крыльца. Обычно в таких случаях не так уж трудно отыскать гнездо и положить птенца обратно. Все это чушь, что птицы якобы не принимают обратно в гнездо собственных птенцов, если от них пахнет человеком. Но на этот раз найти гнездо мне почему-то не удалось.

У Гейба было такое раздраженное выражение лица, словно он злился на птенца за то, что тот продолжает цепляться за жизнь. Но Рэчел знала: это только чисто внешнее впечатление, и потому ее улыбка стала еще шире.

— Чего это ты такая довольная? — прорычал Гейб.

— Я просто очень рада за тебя, Боннер.

Не удержавшись, Рэчел снова дотронулась до него и выронила тряпку, которую держала в руках. Гейб привлек ее к себе. Рэчел положила голову ему на грудь и прислушалась к сильным, размеренным ударам его сердца.

Большие пальцы Гейба ласково погладили ее спину под тонкой хлопчатобумажной тканью платья, и она почувствовала даже сквозь одежду, что им снова овладело желание.

— Поедем-ка обратно в коттедж, милая, — прошептал он.

— У нас слишком много дел. И потом, мы же занимались любовью вчера вечером, разве ты забыл?

— Ага, забыл. Тебе придется мне об этом напомнить.

— Я это сделаю — сегодня вечером.

Гейб улыбнулся и, наклонив голову, поцеловал ее. Поцелуй оказался долгим, и губы Рэчел и Гейба очень скоро стали жадными и требовательными. Рэчел почувствовала, как пальцы Гейба погрузились в ее волосы, а его язык проник ей в рот. Руки Гейба пробрались под ткань платья и нащупали ее трусики. Рэчел, в свою очередь, обхватила пальцами язычок молнии на его джинсах.

Вдруг у них над головами раздался громкий стук. Они резко отпрянули друг от друга, словно застигнутые врасплох подростки, и только после этого сообразили, что это Том, находившийся в это время в проекционной, прямо над их головами, уронил на пол что-то тяжелое.

Боясь упасть, Рэчел ухватилась за край стойки. Гейб с шумом перевел дыхание.

— Я и забыл, что мы с тобой не одни, — сказал он.

— Это уж точно, — ответила Рэчел, чувствуя, как все ее существо наполняется радостью. — Ты совершенно потерял голову от желания, Боннер. Совершенно.

— Во-первых, я тут не один такой распаленный. А во-вторых, в этом нет ничего смешного. Просто если бы сюда кто-нибудь вошел, когда мы с тобой целовались, это совсем не пошло бы на пользу твоей репутации.

— Да-да. — Рэчел окинула Гейба лукавым взглядом. — Слушай, ты, **когда** целуешься, здорово языком работаешь... В субботу вечером ты делал то же самое. Мне это нравится.

Гейб в отчаянии закатил глаза, но было видно, что замечание Рэчел его немало позабавило.

— Ты знаешь, когда я в последний раз делала что-либо подобное?

— Ну, во всяком случае, я готов побиться об заклад, что это было не с преподобным Дуэйном Сноупсом. — Гейб отошел подальше, к кофеварке, словно боялся не справиться с собой из-за того, что Рэчел была так близко от него. Увидев, что его джинсы заметно оттопырились спереди, ниже пояса, она ощутила прилив женской гордости.

— Ты что, шутишь? Дуэйн был дятлом.

— Кем?

— Он чмокал меня отрывистыми, короткими поцелуями, причем почти никогда не попадал при этом в губы. Нет, в последний раз я целовалась еще в школе с Джеффри Диллардом. Мы с ним тогда уединились в какой-то кладовке. При этом мы оба ели конфеты, так что нам с ним было вдвойне сладко.

— Значит, получается, ты со школы не целовалась по-настоящему?

— Чудно́, правда? Я боялась, что если буду так целоваться, то попаду в ад. Кстати, в этом смысле мне здорово помог опыт, накопленный в последнее время.

— Как это?

— А так, что ад меня больше не пугает. Мое теперешнее отношение к этому вопросу, пожалуй, можно выразить словами: «Бывали, видали, знаем».

— Рэч...

У Гейба был такой несчастный вид, что Рэчел тут же пожалела о своих словах. Непочтительность к Богу и к религии, возможно, помогала ей бороться со своими страхами и сомнениями, но Гейбу тяжело было слышать кое-какие ее высказывания.

— Это была неудачная шутка, Боннер. Послушай, тебе лучше взяться за работу, а то как бы босс не застал тебя бездельничающим. Он очень крут и, если будешь филонить, вполне может урезать тебе зарплату. Я лично боюсь его до смерти.

— В самом деле?

— Ну да. Этот тип просто безжалостен, а уж придирается ко всему так, что только держись. К счастью, я хитрее его, и потому мне удалось придумать способ, благодаря которому я добьюсь повышения.

— И что же это за способ? — спросил Гейб, отхлебывая кофе из чашки.

— Я раздену его догола и всего оближу.

Гейб закашлялся, поперхнувшись. И это помогло Рэчел до конца дня сохранить хорошее настроение.

Опустившись на корточки перед картонной коробкой и уперевшись ладонями в коленки, Эдвард внимательно разглядывал птенца.

— Он еще не умер, — сказал мальчик.

Пессимизм ребенка вызвал у Гейба приступ раздражения. Стараясь не показывать этого, он поставил обратно в холодильник блюдце со смесью из мелко нарубленного мяса, яичного желтка и детской каши, которой кормил молодого воробья. Эдвард весь вечер слонялся вокруг коробки, наблюдая за происходящим. Наконец он встал, сунул плюшевого кролика головой вниз за резинку шортов и отправился в гостиную.

— Пусть мама еще какое-то время побудет одна, ладно? — крикнул Гейб, высунув голову в дверной проем.

— Я хочу с ней повидаться.

— Попозже.

Мальчик снова вытащил кролика на свет Божий, прижал к груди и возмущенно уставился на Гейба.

Как только Кристи привезла Библию Дуэйна, Рэчел расположилась с ней в своей спальне и принялась тщательнейшим образом изучать. Гейб был уверен, что, как только ей удастся что-нибудь обнаружить, она сразу же выскочит из спальни. Но раз уж этого не случилось, то наверняка Рэчел постигло новое разочарование. Единственное, чем он мог ей помочь в этой ситуации, — занять Эдварда хотя бы на время.

И вот теперь пятилетний ребенок, не обращая внимания на его слова, стал бочком, но при этом не слишком таясь, продвигаться в сторону коридора.

— Я же просил тебя оставить маму в покое.

— Она сказала, что почитает мне «Стеллалуну».

Гейб знал, что ему в этой ситуации следовало бы взять книгу и почитать ее мальчику, но он не мог заставить себя это сделать. Он не мог усадить Эдварда рядом с собой и начать читать ему именно эту книжку.

Еще раз, пап. Ну пожалуйста, почитай мне еще раз «Стеллалуну».

— Книга, о которой ты говоришь, — она ведь про летучую мышь, верно?

Эдвард кивнул и добавил:

— Только про добрую, а не про такую, которая пугает людей.

— Давай-ка пойдем на улицу и попробуем увидеть летучую мышь.

— Настоящую?

— Ну конечно. — Гейб подошел к задней двери дома и распахнул ее. — Они сейчас как раз должны выбраться наружу. Они ведь охотятся по ночам.

— Да нет, не надо. Я лучше тут чем-нибудь займусь.

— Пошли-пошли, Эдвард. Ну, быстрее.

Мальчик нехотя поднырнул под руку Гейба, вытянутую в его сторону.

— Меня зовут Чип, — пробормотал он. — И ты не должен никуда выходить. Ты должен оставаться рядом с Твити, чтобы он не умер.

Гейб сдержал новый приступ раздражения и следом за Эдвардом шагнул через порог.

— Когда я начал выхаживать птиц, то был ненамного старше тебя, так что я знаю, что делаю. — Гейб поморщился. Слова его прозвучали несколько грубовато, и он решил немного сменить тон. — Когда мы с братьями были мальчишками, мы очень часто находили птенцов, которые выпали из гнезда. Мы тогда еще не знали, что их надо класть обратно в гнездо, и поэтому забирали домой. Бывало, они погибали, но иногда нам все-таки удавалось их спасти.

Гейб, впрочем, хорошо помнил, что если кто-то и спасал птенцов, то это был именно он. У Кэла в этом смысле тоже были самые добрые намерения, но он, как правило, так увлекался игрой в баскетбол или в футбол, что забывал их кормить. Что же касается Этана, то он в то время был еще слишком мал для того, чтобы на него можно было возлагать ответственность за жизнь и здоровье живых существ.

— Ты сказал маме, что пастор Этан — твой брат?

От Гейба не укрылась обвиняющая интонация, с которой Эдвард произнес эту фразу, но он решил не придавать этому значения.

— Да, верно, сказал.

— Но вы с пастором Этаном совсем не похожи.

— Он больше похож на нашу маму. А мой брат Кэл и я — мы с ним похожи на нашего папу.

— Вы с пастором Этаном и ведете себя совсем по-разному.

— Люди вообще все разные, даже братья. — Гейб взял один из складных стульев, прислоненных к стене дома, и разложил его.

Эдвард каблуком принялся ковырять мягкую землю, держа в опущенной вдоль тела руке своего любимого кролика.

— А мой брат совсем такой, как я.

Гейб удивленно посмотрел на него.

— Твой брат?

Эдвард наморщил лоб.

— Он очень сильный и может побить целый миллион человек, — сказал он. — Его зовут... Великан. Он никогда не болеет, и он всегда зовет меня Чипом, а не тем, другим именем.

— Я думаю, что, когда ты просишь не называть тебя Эдвардом, мама очень расстраивается, — спокойно сказал Гейб.

Ребенку его слова явно не понравились, что сразу же отразилось на его лице — оно стало несчастным, растерянным и в то же время упрямым.

— Ей можно называть меня Эдвардом, а тебе нет.

Гейб взял еще один складной стул и тоже разложил его.

— А теперь смотри на небо над вершинами гор, — сказал он. — Там, в горах, есть пещера, в которой живет тьма-тьмущая летучих мышей. Возможно, тебе удастся увидеть некоторых из них.

Эдвард, усевшись на стул, пристроил рядом Хорса. Худенькие ноги мальчика не доставали до земли и напряженно вытянулись в воздухе почти параллельно траве. Гейб почувствовал, что малыш нервничает, и ему вдруг стало обидно, что ребенок воспринимает его как какое-то чудовище.

Прошло несколько минут. Джейми, нетерпеливый, как большинство пятилетних детей, соскочил бы со стула уже через какие-нибудь несколько секунд, но сын Рэчел сидел смирно: он слишком боялся Гейба, чтобы бунтовать. Гейб ненавидел этот его страх, хотя и ничего не предпринимал, чтобы его рассеять.

В вечернем воздухе появились светлячки. Легкий ветерок окончательно стих. Мальчик продолжал сидеть не двигаясь. Гейб стал думать, что бы еще такое сказать, но внезапно Эдвард нарушил молчание:

— По-моему, вон там летучая мышь.

— Нет. Это ястреб.

Мальчик пересадил плюшевого кролика к себе на колени.

— Мама очень рассердится на меня за то, что я так долго сижу на улице.

— Смотри вон туда, поверх деревьев.

Эдвард запихнул Хорса под футболку и откинулся на спинку стула. Стул скрипнул. Тогда мальчик наклонился вперед, и стул заскрипел снова. После этого малыш принялся ритмично раскачиваться.

— Эдвард, сиди спокойно.

— Я не Эд...

— Ну хорошо, Чип, черт побери!

Мальчик скрестил руки на худенькой груди.

— Извини, — вздохнул Гейб.

— Мне очень писать хочется.

— Ну ладно, — сказал Гейб, сдаваясь.

Наклонив стул, мальчик спрыгнул на землю. Как раз в этот момент из-за двери раздался голос Рэчел:

— Эдвард, пора спать.

Обернувшись, Гейб увидел в дверном проеме ее силуэт, освещенный горевшей в кухне лампой. Рэчел была стройной и очень красивой. При взгляде на нее в голову невольно приходила мысль о миллионах других матерей, которые в этот теплый июльский вечер вот так же зовут своих детей спать.

Гейб снова подумал о Черри и внутренне сжался в ожидании боли, но вместо боли душу его наполнила грусть. «Возможно, — подумал он, — если бы удалось заставить себя не вспоминать о Джейми, можно было бы жить, как все люди».

Эдвард, подбежав к матери, вцепился в ее юбку.

— Мам, ты мне говорила, что ругаться нельзя, верно ведь?

— Да, верно. Ругаться очень некрасиво.

— А вот он ругается. — Эдвард посмотрел на Гейба. — Он сказал нехорошее слово.

Рэчел молча подтолкнула сына к двери.

Гейб еще раз покормил птенца, стараясь как можно меньше прикасаться к нему, добиваясь, чтобы воробышек ел сам. Он знал, что кормление с рук могло быстро войти у птенца в привычку, и тогда он наверняка превратился бы в домашнюю птицу.

Чтобы дать Рэчел время уложить ребенка, он вычистил сделанное им гнездо, постелил туда чистые тряпочки и лишь после этого отправился в гостиную. Сквозь открытую входную дверь он увидел Рэчел. Она сидела на ступеньках крыльца, сложив руки на коленях. Рэчел слышала, как скрипнула дверь, раскрываясь пошире, чтобы пропустить Гейба. Доски крыльца задрожали под его шагами. Подойдя, он опустился рядом с ней на ступеньки.

— Ты так ничего и не нашла в Библии, верно?

— Не нашла. — По голосу Рэчел чувствовалось, что она еще не справилась с новым разочарованием. — Но там очень много текста подчеркнуто и повсюду на полях пометки. Я проштудирую ее страницу за страницей и наверняка найду где-нибудь ключ.

— Тебе никогда ничего не дается легко, правда, Рэч?

Она устала и измучилась. Энергия, прилив которой она ощущала днем благодаря надеждам, возлагаемым на Библию Дуэйна, иссякла. Когда Рэчел читала старые, давно знакомые строфы, в душе ее шевелилось какое-то смутное беспокойство. У нее даже возникло ощущение, будто ей пытаются снова навязать то, что она давно отвергла и не могла больше принять.

У Рэчел защипало в глазах.

— Не будь сентиментальным, Боннер, — сказала она, борясь с подступающими слезами. — Не надо меня жалеть. Со всем остальным я могу справиться, а вот с этим вряд ли.

— Ладно, милая, — сказал Гейб, обнимая ее одной рукой за плечо. — Пожалуй, мне в самом деле лучше тебя избить, чем пожалеть.

Милая. Сегодня он уже не первый раз назвал ее так. В самом ли деле это слово отражало его отношение к ней?

Рэчел прислонилась к его плечу и решила, что пора сказать себе самой правду: она полюбила Гейба Боннера. Конечно, можно пытаться это отрицать, но это было бы бессмысленно.

Ее чувства к Гейбу были совершенно иными, нежели к Дуэйну. В ее любви к преподобному Сноупсу странным, нездоровым образом сливались слепое обожание, направленное на человека, который в глазах других был героем, выдающейся личностью, и желание молодой девушки иметь доброго, мудрого отца. Теперь же сердце Рэчел наполняла глубокая, зрелая любовь. Она любила Гейба, видя все его недостатки точно так же, как и свои. Она прекрасно понимала и то, что у ее отношений с Гейбом Боннером не может быть будущего. Гейб по-прежнему любил свою погибшую жену и, что было еще больнее, испытывал неприязнь к сыну Рэчел.

Враждебность между Гейбом и Эдвардом с каждым днем лишь усиливалась, и Рэчел не знала, как тут что-то поправить. Она не могла приказать Гейбу изменить отношение к мальчику.

Рэчел устала и чувствовала себя буквально раздавленной очередной неудачей. Гейб был прав: ей никогда и ничего не давалось легко.

— Постарайся не ругаться при Эдварде, ладно? — попросила она.

— У меня случайно вырвалось. — Гейб посмотрел на темные кроны деревьев по краю лужайки перед домом. — Ты знаешь, Рэчел, он славный паренек и все такое, но, пожалуй, тебе надо добиваться, чтобы он был немножко потверже, посамостоятельнее, что ли.

— Хорошо, завтра же с утра я начну давать ему уроки ругани.

— Да нет, я не об этом... Вот, к примеру, этот плюшевый кролик, которого он повсюду с собой таскает. Ведь парню уже шестой год. Другие дети, наверное, смеются над ним.

— Эдвард говорит, что, когда он в школе, он держит его в норке, то есть в ранце.

— И все-таки он уже большой для таких игрушек.

— А у Джейми разве не было чего-нибудь подобного?

Гейб мгновенно окаменел. Рэчел поняла, что зашла на запретную территорию, — Гейб мог говорить о своей жене, но никак не о сыне.

— Ну, не в пятилетнем же возрасте.

— Что ж, прости, что Эдвард в свои пять лет недостаточно смел на твой вкус. Все, что с ним происходило в последнее время, поубавило ему отваги и решительности. И то, что он этой весной целый месяц провел в больнице, тоже не пошло ему на пользу.

— А что с ним было?

— Пневмония. — Рэчел провела пальцем по тесьме, которой был обшит карман платья. Подавленное настроение, которое воцарилось в ее душе в тот момент, когда она поняла, что Библия Дуэйна не даст ей никакого ключа, угнетало ее. — Он еле выкарабкался. Был момент, когда мне показалось, что он вообще не выживет. Это было ужасно.

— Прости.

Разговор об Эдварде лишь расширил разделявшую их пропасть, хотя Рэчел знала: Гейбу не меньше, чем ей, хотелось ликвидировать ее.

— Пошли спать, Рэчел.

Она посмотрела Гейбу в глаза, и ей даже в голову не пришло возразить. Он взял ее за руку и повел в дом.

***

Старую кровать заливал лунный свет. Луна затопила серебром белые простыни, золотыми бликами играла на волосах Рэчел, ощущающей на себе тяжесть обнаженного тела Гейба. Сила его желания пугала его самого. Он был молчаливым, сдержанным мужчиной, за последние годы жизни твердо усвоившим, что одиночество для него — лучшее лекарство. Однако Рэчел изменила и это. Она подталкивала его к чему-то такому, к чему он был еще не готов.

Рэчел занималась любовью так самозабвенно, что Гейбу порой трудно было контролировать себя. Иногда он даже боялся причинить ей боль.

Подняв ее руки вверх, Гейб сжал ее запястья, зная, что ощущение собственной беспомощности заставляет Рэчел совершенно терять голову. Как только он это сделал, из ее груди тотчас же начали вырываться стоны.

Правда, теперь он мог только одной рукой сжимать ее грудь, ласкать набухшие соски. Он провел пальцами по внутренней стороне ее бедер, ощутив на своей коже горячую влагу. Это было замечательное ощущение, и Гейб поразился тому, как он мог забыть обо всем этом, как позволил терзавшим сознание воспоминаниям лишить его этой радости.

Стоны Рэчел доводили его до исступления. Она попыталась освободить руки, но делала это недостаточно решительно, и он не стал разжимать пальцы, а вонзил палец свободной руки в ее лоно. Рэчел громко вскрикнула.

Не в силах больше терпеть, Гейб мощным толчком вошел в нее.

— Да, — прошептала она.

Он прильнул губами к ее губам, коснувшись зубами ее зубов, ощущая своим языком ее горячий, требовательный язык. На несколько кратких мгновений Гейб отпустил ее руки, а затем их пальцы крепко сплелись.

Рэчел обняла ногами его бедра, и буквально через несколько секунд по телу ее прошла волна наслаждения. Для Гейба в эту секунду не существовало ничего, кроме женщины, сладко стонущей в его объятиях, лунного света, запахов лета и легкого ветерка, который, проникая в комнату сквозь открытое окно, овевал их разгоряченные тела. Ему наконец удалось, хотя бы на короткое время, забыть обо всем, что его терзало и тревожило.

Когда Гейб пришел в себя, ему было так хорошо, что он решил полежать не двигаясь еще немного. Простыня туго обернулась вокруг его бедер и ног Рэчел. Он прижался губами к ее шее и закрыл глаза.

Внезапно он почувствовал на спине какую-то тяжесть.

— Отпусти мою маму! Отпусти, слышишь?! — раздался у него над ухом детский крик.

Что-то твердое ударило его по голове, маленькие кулачки забарабанили по его телу, ногти ребенка впились в кожу на его шее.

— *Прекрати! Прекрати сейчас же! Отпусти ее!* — звенело в комнате.

Рэчел обмерла и сжалась под тяжелым телом Гейба.

— Эдвард! — воскликнула она.

На затылок Гейба стали один за другим ритмично сыпаться удары чего-то гораздо более твердого и тяжелого, чем крохотные кулачки пятилетнего ребенка.

— Ты делаешь ей больно! Прекрати делать ей больно! — в панике кричал мальчик сквозь слезы.

Гейб пытался отражать удары, но это было непросто. Эдвард оседлал его бедра, а откатиться в сторону Гейб не мог, так как в этом случае Рэчел предстала бы перед маленьким сыном совершенно обнаженной. Интересно, каким образом он попал в комнату, думал Гейб. Он был уверен, что Рэчел заперла дверь на ключ.

— Эдвард, перестань! — выкрикнула Рэчел, хватаясь руками за простыни.

Гейбу удалось поймать маленький, острый локоть.

— Эдвард, я вовсе не делаю ей больно.

Тяжелый удар, гораздо более сильный, чем все предыдущие, обрушился на его висок.

— Меня зовут не...

— Чип! — выдохнул Гейб.

— Я убью тебя! — воскликнул ребенок и ударил его еще раз.

— Немедленно прекрати, Эдвард Стоун! Ты слышишь?!

На этот раз в голосе Рэчел звучала сталь. Удары прекратились. Мальчик затих.

— Гейб вовсе не делает мне больно, Эдвард, — сказала Рэчел более мягким тоном.

— А что же он тогда делает?

Впервые с того момента, когда Гейб с ней познакомился, Рэчел не нашлась, что сказать. Повернув голову, Гейб посмотрел на Эдварда, сидящего на кровати, — волосы мальчика были всклокочены, покрасневшие щеки блестели от слез.

— Я целовал ее, Эд... Чип.

На лице ребенка появилось выражение ужаса.

— Никогда больше этого не делай, понял?

Гейб знал, что вес его тела мешает Рэчел нормально дышать, но тем не менее, когда она снова заговорила, пытаясь успокоить сына, голос ее звучал почти нормально:

— Не волнуйся, все в порядке, Эдвард. Мне нравится, когда Гейб меня целует.

— Нет, это *неправда*!

Было ясно, что если разговор будет продолжаться в том же духе, это не приведет ни к чему хорошему, поэтому Гейб решил взять инициативу на себя.

— Чип, прошу тебя, сходи на кухню и принеси маме большой стакан воды. Она очень хочет пить.

Мальчик исподлобья посмотрел на Гейба, но не двинулся с места.

— Пожалуйста, сделай, что он говорит, Эдвард, — вмешалась Рэчел. — Мне действительно очень хочется воды.

Малыш неохотно слез с кровати, всем своим видом при этом показывая Гейбу, что, если он попытается причинить его матери вред, это ему даром не пройдет. Как только он исчез за дверью, Гейб и Рэчел вскочили с постели и начали лихорадочно натягивать на себя одежду. Гейб буквально впрыгнул в джинсы. Рэчел, схватив с пола его футболку, торопливо нырнула в нее и тут же стала шарить вокруг в поисках трусиков. Не найдя их, она торопливо надела трусы Гейба. Как это ни смешно, в эту минуту ее больше всего волновало, успеет ли она одеться к тому моменту, когда сын вернется в комнату.

— Я думал, ты заперла дверь, — сказал Гейб, застегивая молнию на джинсах.

— Нет, я решила, что это сделал ты.

Эдвард вернулся в рекордно короткое время. Он бежал с такой скоростью, что вода выплескивалась через края голубого пластикового бокала без ножки с изображением кролика — героя многочисленных мультфильмов.

Шагнув навстречу, чтобы принять у него бокал, Рэчел обо что-то споткнулась. Посмотрев вниз, Гейб увидел, что на полу лежит «Стеллалуна» — книжка, которую Эдвард так полюбил. Ему потребовалась всего секунда, чтобы понять, каким образом книга оказалась в спальне: именно ею Эдвард колотил его по голове.

Итак, Гейбу Боннеру чуть не разбили голову той самой книгой, которая вызывала у него воспоминания, лишающие его желания жить.

Глава 17

Рэчел сделала вид, что ее в самом деле мучила жажда, и осушила стакан с такой жадностью, что никому и в голову бы не пришло, что она притворяется. Когда стакан опустел, она положила руку на голову Эдварда.

— Давай-ка я уложу тебя обратно в постель, — сказала она.

Гейб шагнул вперед, понимая, что ясность должна быть внесена до того, как Рэчел отправит ребенка спать. Он внимательно посмотрел на маленького Эдварда, невольно вспоминая, с какой силой и яростью тот колотил его своими крошечными кулачками, и впервые увидел перед собой его самого, а не жалкое подобие Джейми.

— Чип, я очень люблю твою маму, и я никогда и ни за что не сделаю ей больно. Мне хочется, чтобы ты это запомнил. Если ты еще когда-нибудь увидишь, как мы трогаем друг друга, то знай — мы делаем это потому, что нам это нравится, а не потому, что что-то не так.

Эдвард бросил на мать изумленный взгляд.

— Тебе хочется *его* трогать?

— Я знаю, тебе трудно это понять, тем более что вы с Гейбом не очень-то ладите, но мне нравится быть с ним рядом.

— Если тебе хочется кого-нибудь трогать, *дотрагивайся до меня!* — упрямо заявил мальчик.

— Мне очень нравится тебя обнимать и целовать, — улыбнулась Рэчел. — Но я взрослая женщина, Эдвард, и иногда мне необходимо прикасаться к взрослому мужчине.

— Тогда обнимайся лучше с пастором Этаном.

У Рэчел хватило чувства юмора, чтобы рассмеяться:

— Боюсь, это невозможно, мопсик. Пастор Этан — твой друг, а Гейб — мой друг.

— Пусть он не врет, они с пастором Этаном никакие не братья.

— Почему бы тебе не спросить об этом самого пастора Этана, когда ты встретишь его завтра в школе?

Тут Гейб заметил, что его трусы вот-вот свалятся с Рэчел.

— Ну, иди, Чип. Я тебя сейчас догоню. Давай с тобой покормим еще раз Твити, прежде чем ты отправишься спать, — предложил он.

Эдвард, однако, был не так глуп, чтобы попасться на подобную удочку.

— А откуда я знаю, что ты снова не начнешь ее целовать, когда я уйду?

— Я буду целовать твою маму, — твердо сказал Гейб, — но только когда она не будет против этого возражать.

— Тебе вообще нельзя ее целовать. — Эдвард топнул ногой. — Я все про тебя расскажу пастору Этану.

— Замечательно, — пробормотал Гейб. — Только этого нам и не хватало.

Пастора Этана, однако, заботили свои проблемы. Было всего одиннадцать часов утра среды, а в кофейнике, которым пользовались они с Кристи, кофе не оставалось уже и на полчашки.

Дело было не в том, что Этан не знал, как варить кофе. Дома он каждое утро сам заваривал его себе. Но ведь сейчас он находился не дома, а на работе. Он сидел у себя в кабинете, и для него было ужасно непривычно, что Кристи, которая в течение последних восьми лет неизменно следила за тем, чтобы кофейник всегда был полон, теперь этого не делала.

Схватив стеклянный графин, он с возмущенным видом вихрем пронесся мимо ее стола. Набирая воду, Этан умудрился порядком забрызгаться. Затем он побрел обратно, вытряхнул из кофейника спитую гущу, бросил в него несколько ложек свежесмолотого кофе, добавил воды из графина и раздраженно хлопнул по кнопке выключателя. Ничего, подумал он, пусть полюбуется и подумает о своем поведении.

К сожалению, Кристи слишком увлеченно напевала себе под нос мелодию одной из старых песен Уитни Хьюстон и набирала на компьютере какой-то текст, чтобы заметить все эти маневры. Этан не мог решить, что раздражало его больше: то, что ему самому приходилось варить кофе, мурлыканье Кристи или то, что она на этот раз пришла на работу одетая так, как раньше, в свою привычную, скромную одежду.

Похоже было, однако, что ее бесформенное платье цвета хаки бесит его куда больше, нежели пустой кофейник. До этого дня Этан видел на ней это платье десятки раз. Оно было просторное, удобное, но какое-то совершенно бесполое. Почему она не надела что-нибудь из своего нового гардероба, который он, Этан

Боннер, так убежденно критиковал? Где белые джинсы в обтяжку, где приоткрывающие грудь блузки, где золотистые сандалии?

Если же она решила снова превратиться в прежнюю Кристи Браун, то почему остановилась на полпути? Почему не сделала более скромной свою прическу и не оставила дома, в ящике туалетного столика, ярко-красную помаду, а заодно и духи, аромат которых будил в воображении Этана весьма нескромные мысли?

Пальцы Кристи порхали над клавиатурой компьютера, и украшавшие их золотые и серебряные колечки так и сверкали в лучах солнца. В мочках ее ушей поблескивали те самые серьги с фальшивыми бриллиантами. Взгляд Этана скользнул по лифу ее отвратительного платья, и он подумал, что, пожалуй, было бы лучше, если бы он не знал, что скрывается под ним.

Подумай о чем-нибудь другом, дорогой, посоветовала ему Марион Каннингэм своим нежным, мягким голоском. *Сосредоточься на предстоящей службе. Я уверена, что если ты хоть немного постараешься, ты проведешь ее лучше, чем когда-либо раньше.*

Этан скорчил недовольную гримасу. С какой стати Марион Каннингэм, пресная и правильная домохозяйка, явилась ему именно в тот момент, когда в голове у него бродили мысли о женских грудях?

Пощелкивание компьютерной клавиатуры прекратилось. Кристи встала со стула, посмотрела на Этана и, выскользнув из офиса, направилась по коридору в сторону туалета.

Этан знал, что, придя домой, Кристи тут же снимет с себя уродливое платье и наденет соблазнительные шорты и блузку, едва скрывающую бюст. Ему, однако, не доведется увидеть это превращение, поскольку Кристи весьма недвусмысленно дала ему понять, что не хочет видеть его у себя дома. Не будет больше приготовленных ею домашних обедов, не будет возможности излить ей душу, жалуясь на какого-нибудь неблагоразумного прихожанина. Этан Боннер очень скучал по ней, скучал по Кристи Браун, по своему верному другу.

Посмотрев на ее стол, Этан подумал о том, что вчера вечером Кристи опять ходила обедать с Майком Риди. Это был уже второй их совместный обед. В воскресенье Майк возил ее в ресторан в Кэширз, а вчера они обедали в клубе «Горец». Об этом Этану услужливо сообщили сразу трое его прихожан.

Кристи не возвращалась. На лбу Этана выступила испарина. Он знал, что Кристи обычно держит свою сумочку в нижнем левом ящике стола, вместе с упаковкой салфеток и аптечкой со средствами для оказания первой помощи. Всю свою жизнь, даже в самые развеселые и разгульные времена, Этан старался не совершать низких поступков, а то, что он собирался сделать теперь, было как раз из этого ряда. Он пошел низким, недостойным, недопустимым путем. Однако его уже ничто не могло остановить.

Он быстро пересек кабинет, рывком выдвинул ящик, вытащил оттуда маленькую черную сумочку Кристи, ту самую, которая была при ней на прошлой неделе, когда между ней и Этаном произошел тот ужасный, тягостный разговор.

Настоящий священник, которого само провидение призвало служить Всевышнему, никогда не сделал бы того, что сделал Этан Боннер. Открыв застежку сумочки, он заглянул внутрь и увидел кошелек, расческу, коробочку ароматических пилюль «Тик-так», кое-какую косметику, ключи от машины и молитвенник. Презерватива не было.

Услышав в коридоре приближающиеся шаги Кристи, Этан сунул сумочку обратно в ящик и вынул оттуда аптечку.

— Что-нибудь случилось? — спросила, входя, Кристи.

Всего несколько минут назад выражение озабоченности на ее лице разом подняло бы Этану настроение, но только не сейчас.

— Что-то голова разболелась, — солгал он.

— Садись, я дам тебе аспирин.

Этан передал ей аптечку, и Кристи впервые за все последние дни принялась суетиться вокруг него. Она принесла стакан воды, дала аспирин, спросила, достаточно ли он спал ночью. К сожалению, ее участие не принесло ему ожидаемого облегчения, поскольку Этану вдруг пришла в голову мысль, что, когда Кристи жаловалась на головную боль, он ни разу не принес ей аспирину.

Куда подевался тот презерватив? От одной мысли о том, что Кристи могла воспользоваться им с Майком Риди, Этану стало плохо. Умом Этан понимал: по идее он должен радоваться, что у Кристи, возможно, появился мужчина... Но... Только не Майк Риди! Этан всегда относился к Майку с симпатией и считал его очень хорошим парнем, но все же, на его взгляд, он был хорош для чего угодно, но только не для того, чтобы заниматься любовью с Кристи Браун.

Проглотив аспирин, в котором совершенно не нуждался, Этан посмотрел на Кристи и спросил себя, почему он никогда раньше не замечал, что она такая хорошенькая. Красота Кристи была неброской, а какой-то мягкой и нежной, даже тогда, когда одевалась в столь необычной для нее вызывающей манере.

— Кстати, ты знаешь, в пятницу открывается придорожный кинотеатр, — неожиданно сказал Этан.

— Хотелось, чтобы туда пришло побольше народу, — заметила Кристи. — Многие горожане сердятся на Гейба за то, что он помогает Рэчел, и я даже слышала разговоры о возможном бойкоте. — На лице Кристи появилось озабоченное выражение. — Люди могут быть такими злыми.

— Раз уж мы оба собираемся быть на церемонии открытия, я мог бы заехать за тобой в пятницу вечером, часов в восемь, — небрежным тоном сказал Этан.

Кристи удивленно уставилась на него.

— Ты хочешь, чтобы мы поехали туда вместе?

— Ну конечно. По-моему, это будет лучший способ продемонстрировать Гейбу нашу поддержку.

На столе Этана зазвонил телефон. Кристи несколько секунд смотрела на аппарат отсутствующим взглядом, потом наконец опомнилась и сняла трубку. По разговору Этан почти сразу понял, что она беседует с Пэтти Уэллс, координатором детского сада.

— Да, Этан здесь. Разумеется. Пришлите Эдварда сюда, Пэтти.

Положив трубку, Кристи нахмурилась.

— Сын Рэчел все утро твердит, что ему надо с тобой поговорить. Пэтти пытался его как-то отвлечь, но Эдвард настаивает на своем. Надеюсь, ничего плохого не случилось.

И Кристи, и Этан уже достаточно долго были знакомы с Эдвардом и знали: мальчик никогда ничего не требует, потому слова Пэтти вызвали у обоих беспокойство.

Кристи вышла, чтобы встретить Эдварда, и через несколько минут ввела его в кабинет, обменявшись с Этаном встревоженным взглядом. Они всегда смотрели так друг на друга, когда Кристи приводила к пастору Боннеру взволнованного чем-то прихожанина. Затем Кристи вышла.

— Если ты хочешь, чтобы нас никто не слышал, можешь закрыть дверь, — сказал Этан.

Эдвард заколебался и посмотрел Кристи вслед. Этан знал, что мальчик ее просто обожает, и потому очень удивился, когда Эдвард, взявшись за ручку обеими руками, решительно захлопнул дверь. Становилось все более очевидным, что он появился в кабинете пастора Боннера не по какому-нибудь пустяковому поводу.

Этану всегда не нравилось говорить с людьми через стол, поэтому он встал со своего места и подошел к окну, туда, где стояла кушетка и два удобных стула. Эдвард забрался на среднюю подушку кушетки и вытянул вперед ноги, не доставая до пола. На мыске его башмака Этан заметил пятно красной краски. Он давно уже обратил внимание, что Рэчел тщательно следит за тем, чтобы старенькие одежда и обувь ее сына всегда были чистыми, и потому решил: пятно — результат участия Эдварда в утреннем занятии, посвященном искусству живописи.

Эдвард провел рукой по своему боку, словно нащупывая что-то, и, ничего не обнаружив, почесал локоть. Скорее всего, подумал Этан, мальчик привычно искал своего истрепанного плюшевого кролика.

— Так о чем ты хотел со мной поговорить, Эдвард?

— Гейб все время врет. Он говорит, что он ваш брат.

Этан хотел было сказать, что так и есть, но глубоко несчастный вид мальчика предостерег его от слишком поспешных высказываний.

— А почему ты думаешь, что он говорит неправду?

— Потому что он придурок и я его ненавижу.

Этан вот уже много лет был вынужден беседовать с людьми, которых что-то всерьез беспокоило, поэтому решил для начала попытаться выделить главную проблему и в то же время немного снять напряжение, смягчив слова, произнесенные Эдвардом.

— Похоже, Гейб тебе не слишком нравится.

Эдвард решительно кивнул.

— И я не хочу, чтобы он нравился моей маме.

— Насколько я понимаю, тебя расстраивает, что твоя мама хорошо относится к Гейбу.

— Я сказал ей, что, если ей так хочется, пусть она обнимает меня, а не его, но она сказала, что ей нужно дотрагиваться и до взрослого мужчины.

Еще бы. Особенно до мужчины с солидным банковским счетом, который к тому же небрежно относится к своим деньгам, не без сарказма подумал Этан.

— Я даже сказал ей, что пусть уж лучше она трогает вас, пастор Этан, но она сказала, что вы мой друг, а Гейб — ее друг и что ей иногда хочется его целовать. И мне пришлось перестать его бить.

Целовать его? Бить его? Этан слегка замешкался, соображая, о чем еще ему следует спросить ребенка.

— Так ты побил Гейба?

— Я прыгнул ему на спину, когда он целовал маму. Я бил его по голове книжкой до тех пор, пока он ее не отпустил.

Если бы эта история касалась кого-нибудь другого, он порядком позабавила бы Этана, но речь шла о его брате. Он понимал: ему не следует задавать вопрос, который почти самого начала разговора вертелся у него на языке, но не смог удержаться:

— А где был Гейб, когда ты прыгнул ему на спину?

— Он навалился на мою маму.

— Навалился?

— Ну да. Он лежал на ней.

Черт!

Карие глаза Эдварда наполнились слезами.

— Он плохой, и я хочу, чтобы вы заставили его убраться из дома. И еще я хочу, чтобы вы разрешили моей маме трогать вместо него вас.

Этан, на время отбросив в сторону свои опасения, обнял мальчика за плечи.

— Со взрослыми людьми так не делается, — мягко сказал он. — Твоя мама и Гейб — друзья.

— А чего он на нее наваливается?

— Они взрослые люди, а это означает, что они могут делать все, что угодно, даже наваливаться друг на друга, если им этого хочется. — Этан старался говорить как можно спокойнее. — И потом, Эдвард, это ведь вовсе не означает, что твоя мама стала любить тебя меньше. Ты ведь и сам это знаешь, не так ли?

— Наверное, — сказал мальчик, подумав немного.

— Возможно, сейчас ты пока еще не очень ладишь с Гейбом, но вообще-то он очень хороший человек.

— Он придурок.

— С ним случилась большая неприятность, и он от этого бывает сердитым, но он вовсе не плохой.

— Какая неприятность?

Этан заколебался, но затем решил, что ребенку следует знать правду.

— У Гейба были жена и маленький сын, которых он очень любил. Некоторое время назад они погибли в результате несчастного случая. Гейб до сих пор очень из-за этого переживает.

Эдвард надолго замолчал, а потом придвинулся поближе к краю кушетки, так что голова его уперлась Этану в грудь. Преподобный Боннер погладил мальчика по руке и в очередной раз подумал о том, что пути Господни неисповедимы. Вот сейчас он, стоя у окна, утешал сына мужчины, которого презирал, и женщины, которая вызывала у него сильнейшую антипатию. Так почему же при этом у него было так тепло на душе?

— Гейб в самом деле мой брат, — тихо сказал он. — Я его очень люблю.

Ребенок замер, но не отстранился.

— Он злой, — сказал Эдвард, помедлив немного.

Этану трудно было понять, почему его добрый, мягкосердечный брат был холоден по отношению к этому чудесному мальчику.

— Я хочу, чтобы ты подумал как следует. Разве Гейб не сделал для тебя ничего хорошего?

Эдвард отрицательно покачал головой, но затем, подумав еще немного, сказал:

— Одну вещь сделал.

— И что же именно?

— Теперь он называет меня Чипом.

Четверть часа спустя Этан снял телефонную трубку и позвонил Кэлу. Не посвящая его в содержание разговора с Эдвардом, пастор Этан сообщил старшему брату, что у семьи Боннеров возникли серьезные неприятности.

— А бесплатно пробовать у вас здесь дают, а, братец? — раздался в дверях закусочной глубокий мужской голос.

— Кэл!

Гейб бросил на стойку коробку с булочками и, выскочив из-за прилавка, бросился навстречу мужчине, который был удивительно похож на него. Пока братья хлопали друг друга по спинам, Рэчел, глядя на Кэла Боннера, думала о странном капризе природы, которая, скомбинировав гены определенным образом, наградила всех троих братьев Боннеров такой внешностью, что любого из них можно было смело назвать настоящей грозой женщин.

В отличие от светловолосого Этана Кэл, темноволосый, красивый какой-то свирепой красотой, был очень похож на Гейба. Правда, у Гейба были чуть длиннее волосы и глаза светлее, чем у Кэла, но оба они были высокими, стройными и мускулистыми. Хотя Рэчел знала, что бывший футбольный защитник почти на два года старше Гейба, он казался моложе. Возможно, все дело в том, что от него прямо-таки исходило сияние богатства и благополучия.

— Ты должен был предупредить меня о своем приезде, — сказал Гейб.

— Ну, ты же не думал, что я пропущу церемонию открытия, верно?

— Речь идет всего лишь о придорожном кинотеатре, Кэл.

Эти слова Гейба больно укололи Рэчел. Для нее «Гордость Каролины» давно уже перестала быть обычным придорожным заведением, и ей хотелось, чтобы открытие прошло как можно успешнее. Целый день она занималась обучением Кайлы. Помимо этого, она учила кое-чему и Гейба, чтобы он тоже мог помогать обслуживать посетителей в перерыве между сеансами. Он быстро схватывал все, но при этом было видно, что его это мало интересует. Гейбу надо было заниматься лечением животных, а не разносить заказы в забегаловке при кинотеатре.

— Хочешь кофе? — спросил Гейб у брата. — Или мороженого. Я уже здорово научился делать конусы.

— Нет, спасибо. Как только мы выехали из Эшвилля, Рози начала брыкаться: она ненавидит свое детское сиденье хуже всякой отравы. И поэтому мне надо поскорее возвращаться в «мавзолей», чтобы немножко помочь Джейн.

Рэчел сразу поняла, что имеет в виду Кэл под словом «мавзолей». Старший брат Гейба между тем продолжал говорить с несколько преувеличенным оживлением:

— Я просто заехал сказать тебе, что мы с Джейн решили завтра, часов в одиннадцать, устроить небольшое семейное торжество в виде позднего завтрака и пригласить тебя и Этана. Ты теперь бизнесмен, у тебя новое дело, а это надо отметить. Надеюсь, ты будешь?

— Конечно.

— Да, и вот еще что, Гейб. Не надо передавать мои слова Джейн, но я бы на твоем месте перед отъездом чего-нибудь поел. Я свою жену знаю: начнет пичкать нас какими-нибудь булочками из проросшей пшеницы или еще чем-нибудь в том же роде. Ты бы видел, какой дрянью она кормит Рози — ни сахара, ни консервов, короче, ничего стоящего, что можно есть.

— Я все понял, — улыбнулся Гейб.

— У тебя тут все выглядит просто здорово. — Кэл окинул закусочную таким восхищенным взглядом, словно попал в четырехзвездочный ресторан. — Ты в самом деле здорово потрудился.

Рэчел с трудом сдержала презрительную усмешку. Кэл вел себя так же, как Этан. Рэчел успела полюбить «Гордость Каролины», но было очевидно, что заведовать придорожным кинотеатром — занятие не для Гейба. Почему ни один из братьев не мог посмотреть ему прямо в глаза и спросить, что он собирается делать дальше со своей жизнью?

Тут Кэл впервые с момента своего появления взглянул на Рэчел, и улыбка испарилась с его губ. Хотя они были незнакомы, Рэчел сразу поняла, что Кэл сообразил, кто она такая.

— Рэчел, это мой брат Кэл. Кэл, это Рэчел Стоун.

— Миссис Сноупс, — бросил Кэл и коротко кивнул.

— Рада познакомиться, Хэл, — приятно улыбнулась Рэчел.

— Меня зовут Кэл.

— А-а... — Рэчел продолжала улыбаться.

Губы Кэла сжались, и Рэчел тут же пожалела о своем легкомыслии. Было совершенно очевидно, что Кэл Боннер рвется в бой, а она бросила ему вызов.

После не совсем приятной процедуры знакомства с Кэлом все пошло наперекосяк. Кайла уронила громадный кувшин с соусом, который разлился по всему помещению закусочной, один из рабочих, занимавшихся подготовкой фейерверка, порезал руку, да так сильно, что пришлось накладывать швы. Что касается Гейба, то он ушел в себя и почти все время молчал. Ближе к вечеру, когда Рэчел отправилась в город, чтобы забрать Эдварда, прямо перед ней из боковой улочки на большой скорости выскочил старый «шевроле-люмина», едва не врезавшись в ее «форд». Нажав на клаксон, Рэчел успела узнать в человеке, сидевшем за рулем «шевроле», Бобби Денниса, который снова поразил ее враждебным выражением лица.

Вечером, пока Эдвард, которого она привезла в кинотеатр, возбужденно сновал в закусочную и обратно, на стоянке «Гордости Каролины» начали собираться машины.

— Я не лягу спать до тех пор, пока сам не захочу, правда, мама? — нетерпеливо допытывался Эдвард.

— Ну конечно, пока сам не захочешь, — улыбнулась Рэчел, засыпая зерна кукурузы в автомат для изготовления поп-корна, и подумала, что вряд ли мальчик будет бороться со сном ради того, чтобы посмотреть глупую, но весьма популярную киноленту, которую предполагалось пустить во время первого сеанса.

В дверь закусочной вошли первые посетители — супружеская пара с несколькими маленькими детьми, и Рэчел стала помогать Кайле принимать заказ. Вскоре появилась буйная компания из трех подростков, одним из которых был Бобби Деннис. Ими занялась Кайла, поскольку Рэчел в это время обслуживала пожилого мужчину и его супругу. Однако прежде чем Бобби и его приятели покинули закусочную, Рэчел все же успела с ними пообщаться.

— Надеюсь, вам понравятся фильмы, которые у нас сегодня покажут, — сказала она, проходя мимо.

Бобби посмотрел на нее так, словно она обругала его последними словами. Рэчел пожала плечами — ей стало ясно, что юноша не намерен легко сдавать свои позиции.

Между тем посетители продолжали прибывать, хотя их было и не так много, как она ожидала. Когда начался фейерверк, она выглянула на улицу и увидела, что стоянка заполнена наполовину. Поскольку в Солвейшн было не так уж много мест, где можно было развлечься и отдохнуть в пятницу вечером, Рэчел поняла, что жители города просто-напросто дают Гейбу понять, что ему придется расплатиться за то, что он нанял на работу вдову Сноупс.

Эдвард заснул вскоре после того, как начался фильм. Когда мать разбудила его, он захныкал было, что не хочет ложиться, но его протесты звучали довольно неубедительно. Поднимаясь по металлическим ступенькам лестницы и ведя за руку сына, который на ходу сонно прислонялся к ее боку, Рэчел чувствовала себя не в своей тарелке. Она сознавала, что создала довольно серьезные проблемы Гейбу Боннеру. От будущего опять повеяло неопределенностью.

Посмотрев на сонного Эдварда, Рэчел невольно подумала о том, что Гейб старается наладить отношения с ее сыном. Он научил Эдварда кормить воробышка и сводил мальчика на прогулку в лес, к пещере, где жили летучие мыши. Однако Гейб не вкладывал в это своей души, и атмосфера в коттедже с каждым днем становилась все более напряженной.

Когда мать и сын проходили через проекционную в кабинет Гейба, где для Эдварда был приготовлен на полу спальный мешок, Том, киномеханик, обладатель громкого голоса и целого выводка внуков, улыбнулся Рэчел и пообещал дать ей знать, если мальчик проснется.

Спускаясь по ступенькам, Рэчел увидела в закусочной Гейба. В ту же секунду, выйдя откуда-то из тени, к нему подошел какой-то мужчина. Рэчел показалось, что она его уже где-то встречала, но с ходу вспомнить, где именно и когда, ей не удалось.

— Похоже, у тебя сегодня с клиентами недобор, Боннер, — сказал мужчина.

— Я не жду, что у меня каждый вечер здесь будет битком набито, — ответил Гейб, пожав плечами.

— Особенно когда на тебя работает вдова Сноупс.

Гейб на секунду замер в неподвижности.

— Почему бы тебе не прекратить совать нос в чужие дела, Скаддер? — сказал он после небольшой паузы.

— Как скажешь.

Мужчина, неприятно осклабившись, отошел.

Ну конечно, Расс Скаддер. Он порядком облысел и похудел с той поры, когда Рэчел видела его в последний раз: когда-то он был более мускулистым.

Пройдя оставшиеся ступени вниз по лестнице, Рэчел снова оказалась в закусочной. Гейб посмотрел на нее.

— Расс когда-то работал в службе безопасности храма, — сказала она.

— Я знаю. Я его как-то нанял, чтобы он помог мне здесь, но через пару недель пришлось его уволить. Он оказался ненадежным человеком.

— Но насчет сегодняшнего вечера он прав. Народу должно было приехать гораздо больше. Это все из-за меня.

— Меня это не волнует.

Рэчел знала, что Гейба это действительно не волнует, и это беспокоило ее не меньше, чем пустые места на стоянке кинотеатра «Гордость Каролины».

— Интересно, а зачем Расс сюда заявился? — поинтересовалась она.

— Наверное, ему нужно было найти какое-нибудь укромное местечко, чтобы потихоньку надраться.

Гейб отошел к машине, полной шумных подростков, а Рэчел вернулась в закусочную, готовясь к перерыву между сеансами. Как только первый фильм закончился, Гейб снова появился, чтобы ей помочь.

У стойки образовалась очередь, однако не настолько большая, чтобы вызвать сбои в обслуживании. В ней Рэчел увидела обоих братьев Гейба. Кэл заказал по две порции всего, что было в меню, и она решила, что в машине его ждут жена с ребенком.

Этан тоже взял по две порции каждого блюда, но, поскольку его обслуживала Кайла, Рэчел этого не заметила. Если бы она обратила на это внимание, возможно, из чистого любопытства она выскользнула бы на минутку на улицу, чтобы посмотреть, с кем приехал пастор Боннер.

Глава 18

Этан передал Кристи поднос с едой через окно своей машины, затем открыл дверь и скользнул на водительское место. Ноздри его тут же уловили запах духов Кристи, который почему-то вызвал у него ассоциацию с черным бельем и румбой. Последняя мысль была совсем уж странной, поскольку румбу он танцевать не умел и не собирался учиться этому и впредь.

— Там было шоколадное печенье, и я купил немного, — сказал он, захлопывая дверцу.

— Прекрасно, — сказала Кристи весьма прохладным, но вежливым тоном, которым она разговаривала с Этаном весь вечер, словно давая ему понять, что он ее босс, но никак не приятель.

Колечки на ее пальцах поблескивали, отражая огоньки светового каскада, который включили на время перерыва между сеансами. Под озабоченным взглядом Этана Кристи поставила поднос с едой между сидений и развернула свой хот-дог. Этан попросил, чтобы его сдобрили горчицей, исходя из того, что ему самому горчица нравилась. При этом он с огорчением отметил, что понятия не имеет, как к этой приправе относится Кристи Браун. За последние восемь лет они добрых две тысячи раз ели вместе, но он не мог припомнить, что она любила из еды, — в голове у него роились лишь смутные воспоминания о каких-то салатах.

— Салатов у них не было, — сказал он на всякий случай.

— Само собой, — сказала Кристи, бросив на него слегка удивленный взгляд.

Этан почувствовал себя полным идиотом.

— Я не знал, что тебе больше нравится — обыкновенная горчица или острая. — Он сделал небольшую паузу. — Там есть и та, и другая.

— Меня вполне устроит эта.

— Может, предпочитаешь кетчуп?

— Это не имеет значения.

— Или еще какую-нибудь приправу? — Этан отложил сосиску. — Я могу сходить и принести.

— Не нужно.

— Правда? А то я могу. — Этан уже наполовину приоткрыл дверь машины со своей стороны, но Кристи его остановила:

— Этан, если уж на то пошло, то я терпеть не могу хот-доги!

— Вот как. — Пастор Боннер захлопнул дверь и откинулся на спинку сиденья, чувствуя себя совершенно несчастным. На экране часы на фоне марширующих бутылок с содовой водой отсчитывали последние секунды перед началом нового сеанса, но у Этана возникло такое чувство, будто бегущая по циферблату стрелка отмеряет последние мгновения его жизни.

— Правда, шоколадное печенье я люблю, — сказала Кристи. Этан покачал головой:

— Получается, все то, что ты мне сказала тогда в «Горце», — чистая правда, верно? Я совсем ничего о тебе не знаю.

— Ну почему же, теперь ты знаешь, что я ненавижу сосиски, — мягко поправила его Кристи.

При желании она могла бы смешать его с грязью, но не стала этого делать. Такой уж она была человек, Кристи Браун. Этан спрашивал себя, почему не замечал этого раньше. Всю свою жизнь он почти не думал о ней, а теперь вот не мог думать ни о ком, кроме нее.

Кристи завернула свою сосиску в салфетку, положила обратно на поднос и занялась шоколадным печеньем. Прежде, чем откусить первый кусочек, она расстелила бумажную салфетку у себя на джинсах. Кстати, джинсы, которые были на ней в этот вечер, равно как и довольно ординарная белая блузка, разочаровали Этана. Он решил, что Кристи, по всей вероятности, приберегает свои сногсшибательные шорты и блузки с глубоким вырезом для Майка Риди.

Освободив от обертки соломинку, Этан проткнул ею крышку стакана с вишневым напитком.

— Я слышал, ты встречаешься с Майком, — с трудом выдавил он, стараясь, чтобы голос звучал как можно небрежнее, так, словно тема, которую он затронул, интересует его ничуть не больше, чем погода на прошлой неделе.

— Он очень хороший человек.

— Да, я понимаю, — пробормотал Этан, глядя на вьющиеся пряди темных волос Кристи, частично прикрывавшие ее щеки. Ему хотелось отбросить их назад, и на какое-то мгновение он вдруг представил себе, как он делает это, но не рукой, а губами.

— Ты что? — спросила Кристи, искоса посмотрев на него.

— Ничего.

— Давай говори, — нетерпеливо потребовала Кристи. — Когда ты что-то не договариваешь, я всегда чувствую.

— Ну... Пойми меня правильно... Майк, конечно, прекрасный парень, но... когда он учился в школе, то был немного... не знаю даже, как сказать. Ну, немного диковат, что ли.

— Диковат? Майк? — удивилась Кристи, отметив, что для священника, привыкшего читать проповеди, Этан сегодня довольно косноязычен.

— Да нет, сейчас-то все в порядке. — Этан почувствовал, что начинает потеть. — Он действительно, как я уже сказал, хороший парень, но он иногда бывает немного... чудным, знаешь ли. Рассеянным.

— И что из этого?

— Да ничего. — У Этана вдруг разом пересохло в горле, и он глотнул напиток из стакана. — Просто я подумал, что тебе лучше об этом знать.

— О чем? О том, что он рассеянный?

— Ну да.

— Ну хорошо. Спасибо, что ты меня предупредил. — Кристи откусила кусочек печенья, причем сделала это так, что не просыпалась ни одна крошка. Этан только сейчас неожиданно понял, как ему нравятся ее аккуратность и опрятность.

— Я имею в виду, что, когда он, Майк то есть, сидит за рулем, он может... Ну, ты понимаешь.

— Отвлечься?

— Да.

Кристи положила печенье на салфетку, в очередной раз сверкнув колечками.

— Ну хорошо, Этан. Скажи мне, к чему ты клонишь? Ты весь вечер ведешь себя очень странно.

Она была права, и потому Этан не мог понять, почему ее слова так его рассердили.

— Кто, я? Это ты ведешь себя странно — надо же, вырядилась в джинсы!

Лишь после того, как эти слова сорвались у него с языка, Этан понял, насколько они были неуместны.

— Но ведь ты тоже в джинсах, — заметила Кристи, стараясь не терять терпения. — Готова поспорить, ты их погладил, прежде чем надеть. Я свои не гладила, но...

— Дело совсем не в этом, и ты прекрасно это знаешь.

— Нет, не знаю. Что ты имеешь в виду?

— А на последнее свидание с Майком ты тоже ходила в джинсах?

— Нет.

— Тогда почему ты в джинсах, когда ты со мной?

— Потому что это не свидание.

— Сегодня вечер пятницы, и мы припарковались в предпоследнем ряду на стоянке «Гордости Каролины»! Я бы сказал, что это самое настоящее свидание, разве не так?

Глаза Кристи расширились, и терпеливое выражение разом исчезло с ее лица.

— Прости меня, но ты что же, хочешь сказать, что после стольких лет знакомства великий Этан Боннер наконец пригласил меня на свидание, а я об этом даже не знаю?

— Ну, это не моя вина, верно? И потом, что значит «наконец»?

Прежде чем говорить, Кристи глубоко вздохнула:

— Скажи, чего ты от меня хочешь?

Что Этан мог ей ответить? «Я хочу, чтобы мы были друзьями»? Или: «Я хочу тебя, хочу твое тело, которое ты столько лет от меня прятала»? Нет, разумеется, не это. Ведь перед ним же была Кристи. Возможно, ему следовало сказать, что она не имела права так меняться по отношению к нему и что он хочет, чтобы все было как прежде, но это было бы неправдой.

— Я не хочу, чтобы ты спала с Майком Риди.

— А кто сказал, что я с ним сплю?

Поддельные бриллианты в ушах Кристи сверкнули. Она явно была взбешена.

— Я заглянул в твою сумочку: презерватива, который там лежал, в ней больше нет.

— Ты рылся в моей сумочке? Ты, честный, безгрешный преподобный Боннер?

То, что от его сообщения Кристи не столько разозлилась, сколько смутилась, поубавило Этану горячности.

— Извини меня. Этого никогда больше не случится. Я просто был... — Этан отставил стакан с напитком. — Я просто беспокоился за тебя. Тебе не следует спать с Майком Риди.

— А с кем тогда, по-твоему, мне следует спать?

— Ни с кем!

Кристи мгновенно снова вся подобралась.

— Прости, Этан, но такая жизнь больше не для меня.

— Я же сплю один, а почему ты не можешь?

— Не могу, и все. Хватит с меня. У тебя по крайней мере есть хотя бы какое-то прошлое, и даже бурное прошлое, тебе есть что вспомнить. У меня даже этого нет.

— Да никакое оно не бурное! Ну, хотя да, может быть... но... найди по крайней мере подходящего человека, Кристи. Не бросайся на первого попавшегося. Когда ты встретишь своего мужчину, ты сразу поймешь, что это он.

— А может, я и сейчас уже все поняла.

— Майк Риди тебе совсем не подходит!

— А тебе откуда это знать? Ты не помнишь даже, что я терпеть не могу хот-доги. Ты не знаешь, когда у меня день рождения, понятия не имеешь, кто мой любимый певец. Откуда ты можешь знать, кто мне подходит, а кто нет?

— День рождения у тебя одиннадцатого апреля.

— Шестнадцатого.

— Вот видишь! Я знал, что в апреле!

Кристи, подняв бровь, испустила долгий вздох. Этан заподозрил, что она при этом считает про себя до десяти.

— Я вынула из сумочки презерватив, потому что мне показалось глупым все время таскать его с собой.

— Значит, ты и Майк не...

— Пока еще нет. Но это возможно. Мне он в самом деле нравится.

— В таких случаях мало, чтобы мужчина просто нравился. Я тебе тоже нравлюсь, но это же не значит, что ты собираешься заняться со мной сексом.

— Конечно, нет.

— Вот видишь, — сказал Этан, почувствовав укол разочарования.

— Да и как я могу заниматься с тобой сексом? Ты ведь священник и не можешь нарушать нормы морали.

Неужели она хочет этим сказать, подумал Этан, что, если бы он не был священником, это не было бы невозможным?

— И потом, — продолжила Кристи, — я тебя не привлекаю.

— Это неправда. Ты мой...

— Не смей это говорить! — Кристи резко встряхнула головой, так что волосы ее всколыхнулись, а поддельные бриллианты в ушах снова предупреждающе сверкнули. — Не смей говорить, что я твой лучший друг! Никакой я тебе не друг!

Этан почувствовал боль, словно его ударили. По роду своих занятий он нередко давал людям советы в трудных ситуациях. Он гораздо лучше многих понимал всю сложность мотивов, движущих людьми. Так почему же он был так бессилен рядом с Кристи Браун?

Секундная стрелка на часах, изображенных на экране, обежала последний круг перед началом второго сеанса. Этан всегда отличался упорством и последовательностью, но сидящая рядом с ним в машине женщина каким-то неведомым образом лишила его этих качеств.

— Кристи, что с тобой происходит?

— Ничего особенного. Просто я начала жить, — мягко сказала она. — Наконец-то.

— Что это значит?

Кристи так долго молчала, что Этан уже начал думать, что не получит ответа на свой вопрос. Однако он ошибся.

— Это значит, что я наконец-то перестала жить прошлым. Я начала жить реальной, своей жизнью. — Она бросила на Этана взгляд, в котором, как ему показалось, он заметил отзвук какой-то внутренней борьбы. — Это означает, что я больше не буду любить тебя, Этан.

По телу Этана Боннера словно пробежал электрический разряд, но в то же время в глубине души он тут же признался себе, что слова Кристи его не так уж удивили. Видимо, где-то на подсознательном уровне он и всегда знал, что Кристи влюблена в него, но никогда не позволял себе думать об этом.

Кристи снова вздохнула и засмеялась, тихо и горько, отчего сердце Этана болезненно сжалось.

— Я была такая глупая. Столько времени потратила. Восемь лет я смотрела тебе в рот, безупречно выполняя все твои поручения, отыскивала твои ключи от машины, заботилась о том, чтобы у тебя в холодильнике было молоко, а ты этого даже не замечал. Я так мало думала о себе.

Слушая Кристи, Этан не знал, что сказать.

— И знаешь, что самое смешное? — спросила она теперь уже без всякой горечи, совершенно спокойно. — Я была бы для тебя идеальной женщиной. Но ты этого не понял. А теперь слишком поздно.

— Идеальной женщиной? Что ты хочешь этим сказать?

И почему теперь уже слишком поздно? — спросил Этан уже мысленно.

Кристи грустно взглянула на него, словно разочарованная его неспособностью понять такую простую вещь.

— У нас сходные интересы, мы выросли в одном и том же городе. Мне нравится заботиться о людях, а ты как раз нуждаешься в том, чтобы о тебе заботились. Мы с тобой одной веры. — Кристи слегка пожала плечами. — Но все это не имело значения, потому что я была для тебя слишком пресной, непривлекательной в сексуальном смысле.

— Пресной! Что ты такое говоришь? — возмутился Этан. — Ты что же думаешь, сексуальная привлекательность — это все, что я ищу в женщине?

— Да. И пожалуйста, оставь этот покровительственный тон.

— А, теперь я понимаю, — рассвирепел Этан. — Так вот в чем причина всех этих изменений. Обтягивающая одежда, новая прическа, эта чертова косметика. Тебе хотелось, чтобы я обратил на тебя внимание, верно? Ну хорошо, ты добилась своего, можешь радоваться.

Вместо того чтобы в отместку бросить Этану в лицо какую-нибудь резкость, Кристи улыбнулась.

— Вот и хорошо, — сказала она, — а то, если бы ты не обратил на меня внимания, не знаю, сколько времени мне потребовалось, чтобы снова обрести себя.

— О чем ты говоришь?

— Я говорю об очень простых, но в то же время очень важных вещах. Их можно, наверное, назвать банальными. Но таково уж свойство простых, но важных истин, что они кажутся банальными, верно? Рэчел предупреждала меня, что если я хочу что-то в себе изменить, то очень важно, чтобы я делала это для себя, а не для кого-то еще. Я с ней вроде бы соглашалась, но на самом деле не понимала, насколько она права. До того самого дня, когда я показалась на работе одетая, как секс-бомба, и тем самым привела тебя в ужас.

— Кристи, я вовсе не...

Кристи предостерегающим жестом подняла руку.

— Все в порядке, Этан. Я больше не расстраиваюсь по этому поводу. Более того, я тебе даже благодарна. Твоя негативная реакция заставила меня кое-что переменить в жизни.

— Я тогда вовсе не пришел в ужас! Я не понимаю, как это ты можешь мгновенно разлюбить человека, которого любила столько лет.

— Ты прав, это невозможно, — сказала Кристи, и в душе Этана вспыхнул робкий огонек надежды, которому, однако, суждено было тут же угаснуть. — Но теперь я знаю, что это была не любовь. Мои чувства к тебе были чем-то вроде помрачения рассудка.

— Мне кажется, ты слишком рано ставишь на нас крест, — как бы со стороны услышал Этан свои слова.

— О чем ты?

— О наших отношениях.

— Этан, у нас нет никаких отношений.

— Нет, есть! Сколько лет мы уже друг друга знаем? Кажется, с шестого класса?

— Когда мы познакомились, я училась в третьем классе, а ты в четвертом. Как-то раз после школы ты и Рики Дженкинс выскочили из дверей, и Рики налетел на меня. — Кристи машинально начала собирать то, что они с Этаном не съели. — У меня в руках были книги и рельефная карта Мексики. Я упала, книги разлетелись во все стороны, а карта треснула. В то время я была ужасно застенчивая и страшно не любила, когда на меня обращали внимание. Поэтому в тот момент я, конечно, чувствовала себя просто ужасно. Рики побежал дальше, а ты остановился и помог мне все собрать. Когда Рики оглянулся и увидел, чем ты занимаешься, он заорал: «Не дотрагивайся до нее, Эт, а то вшей наберешься!» — Кристи посмотрела на Этана, и на губах у нее появилась мягкая улыбка. — Когда он это сказал, мне захотелось умереть, но ты не обратил на его слова никакого внимания, хотя кое-кто из мальчишек начал гоготать. Ты взял меня за руку, помог мне встать и сказал, что карту Мексики я скорее всего без труда смогу починить.

Изображение часов на экране исчезло — вот-вот должен был начаться второй фильм. Кристи сложила руки на коленях, и Этан почти физически ощутил, как она отдаляется от него.

— Ну и как?

— Что как?

— Ты починила карту?

— Я не помню, — улыбнулась Кристи.

Этану стало больно от желания сделать что-то хорошее для маленькой застенчивой девочки, которую Рики Дженкинс сбил с ног на бегу. Рука его как-то сама собой скользнула вправо и вверх, к спинке сиденья, и мягко охватила шею Кристи. Та чуть приоткрыла рот от удивления. В это самое время погас цветовой каскад, и вся стоянка погрузилась в темноту.

Оттолкнув в сторону поднос с остатками еды, Этан наклонился и поцеловал Кристи. Пусть этот поцелуй выражал всего лишь жалость и сочувствие — все же это было лучше, чем ничего.

И вдруг случилось нечто совершенно необъяснимое. Едва Этан прикоснулся к губам Кристи своими губами и почувствовал их дрожь, их движение, ему показалось, что мир разом словно раскололся на тысячу кусков, а в мозгу у него зазвучала музыка, но не строгие аккорды Генделя и не оперы Пуччини, а песенка «Давай, детка!» — самый настоящий рок-н-ролл.

Не успел он опомниться, как руки его уже блуждали по телу Кристи, гладили ее грудь, расстегивали пуговицы блузки, возились с застежкой лифчика. Еще несколько секунд — и Этан ощутил ладонями чудную, упругую плоть. Наклонившись, он нашел губами набухший сосок.

Кристи, как это ни странно, совершенно не сопротивлялась. Более того, руки ее неизвестно каким образом оказались у Этана под рубашкой и стали рывками вытаскивать ее из его аккуратно выглаженных джинсов. Из груди у нее вырывались короткие, еще больше возбуждающие Этана стоны. Не помня себя, он грубым движением сунул ей руку между ног, охватив ладонью прикрытое джинсовой тканью лоно. Кристи прижалась к нему, отчего Этан совсем потерял голову и стал расстегивать молнию на ее джинсах. Одновременно с этим пальцы Кристи охватили застежку его молнии и потянули ее вниз. Язык ее пульсировал у него во рту, словно Кристи каким-то сверхъестественным образом угадала, что Этану хочется именно этого.

Рука Этана ощутила нежную кожу Кристи, а затем горячую влагу ее лона.

Где же вы? — мелькнуло у Этана в мозгу. *Почему же вы не приказываете мне остановиться?* Но те, устами которых с ним говорил Всевышний, молчали.

— Остановись, — прошептала Кристи.

Но пальцы Этана уже проникли в ее тело, а ее пальцы обхватили его восставший член.

— Остановись, — повторила Кристи, однако ни она сама, ни Этан не хотели, не могли оторваться друг от друга.

По телу Кристи пробежала дрожь, и Этан понял, что она совсем близка к тому, чтобы окончательно потерять голову. В голосе ее появились хриплые нотки:

— Ты не можешь этого сделать, Этан.

Эти слова подействовали на Этана, словно дуновение прохладного, свежего ветерка. Она, как всегда, беспокоилась за него и даже в такой ситуации совсем не думала о себе.

С того момента, когда Этан Боннер в последний раз был с женщиной, прошло очень много времени, но все же он не забыл, что в таких случаях следует делать. Притянув Кристи еще ближе к себе, он принялся осторожно ласкать ее пальцами. Рот Кристи раскрылся в беззвучном крике. Этан прижался губами к ее губам и, откинув спинку сиденья, осторожно уложил ее на спину.

Когда все закончилось, Кристи и Этан молча привели в порядок свою одежду, отодвинулись друг от друга, вытерли с сиденья брызги пролившегося напитка и принялись делать вид, будто смотрят кино. После окончания сеанса Этан отвез Кристи домой и не удивился, что она не пригласила его зайти. Зато он удивил сам себя, поскольку, распахнув дверь машины, чтобы дать ей выйти, неожиданно пригласил ее на следующий день съездить вместе с ним в дом его невестки на поздний завтрак.

— Нет, благодарю, — вежливо отказалась она.

— Я заеду за тобой где-нибудь около одиннадцати.

— Меня не будет дома.

— Будешь, — твердо, уверенно сказал Этан и укатил.

Рэчел сушила волосы после утреннего душа, когда в коттедже Энни зазвонил телефон. Гейб что-то мастерил на заднем дворе, откуда периодически доносилось какое-то постукивание, а Эдвард играл на крыльце, поэтому к телефону, кроме нее, подойти было некому.

— Могу я поговорить с Рэчел Сноупс? — раздался в трубке женский голос.

— Это я, но меня зовут Рэчел Стоун.

В трубке послышалось детское попискивание.

— Все в порядке, Рози, я здесь, — сказала женщина куда-то в сторону, так, что слова ее прозвучали несколько глуше, чем до этого: по-видимому, она прикрыла трубку ладонью. — Простите, миссис Стоун, — снова заговорила она прямо в микрофон, — моя дочь, кажется, еще не пришла в себя после вчерашнего переезда. К сожалению, у нас не было возможности встретиться и поговорить вчера вечером в кинотеатре. Меня зовут Джейн Дарлингтон Боннер, я жена Кэла.

Голос женщины звучал деловито, но не враждебно.

— Слушаю вас, миссис Боннер, — сказала Рэчел.

— Пожалуйста, называйте меня Джейн. Через час или около того я устраиваю что-то вроде небольшого семейного праздника. Прошу прощения за столь позднее приглашение — все это возникло как-то спонтанно, но мне бы хотелось, чтобы вы и ваш сын приехали к нам.

Рэчел вспомнила вчерашний визит Кэла в закусочную кинотеатра. Когда он приглашал к себе Гейба, она находилась совсем неподалеку от него, и если бы Кэл Боннер хотел пригласить и ее, это было совсем нетрудно сделать.

— Благодарю вас, но боюсь, это не самая лучшая идея.

— По всей видимости, вы вчера имели возможность познакомиться с моим мужем, — не без юмора заметила Джейн Дарлингтон.

— Да.

— И все-таки приезжайте.

Рэчел улыбнулась, ощутив какое-то теплое чувство к совершенно незнакомой женщине, которую она видела только на фотографии в журнале «Пипл».

— Дело не только в вашем муже. Этан тоже меня не особенно жалует.

— Я знаю.

— И потом, я очень сильно сомневаюсь, что у Гейба есть желание знакомить меня с членами своей семьи. Думаю, мне все же лучше отказаться от вашего приглашения.

— Я не буду настаивать, но все же надеюсь, что вы передумаете. Мне ужасно хочется познакомиться с печально известной вдовой Сноупс: я просто умираю от любопытства.

Почувствовав в голосе своей собеседницы сдерживаемый смех, Рэчел и сама, не удержавшись, хихикнула в трубку.

— Приезжайте к нам в любое время, — сказала Джейн.

— Обязательно приеду.

Едва Рэчел повесила трубку, как в дом с заднего двора вошел Гейб. К его джинсам кое-где прилипли опилки. Лицо у него было радостное. Рэчел давно уже не видела у него такого выражения.

— Ты что там делал? — с улыбкой спросила она.

— Строил небольшой птичий вольер. Я хочу, чтобы Твити немножко привык к самостоятельной жизни, прежде чем мы выпустим его на волю.

И все это ради маленького, совершенно обыкновенного воробья, подумала Рэчел.

Гейб тем временем подошел к раковине и включил воду, чтобы вымыть руки.

— Я спросил у Чипа, не хочет ли он мне помочь, но он отказался.

— Может, ты все-таки перестанешь называть его так?

— Не раньше, чем он сам меня об этом попросит. — Гейб взял бумажное полотенце и, подойдя к Рэчел, чмокнул ее в щеку. Это был совершенно обыкновенный поцелуй, без какого-либо сексуального подтекста, но она тут же вспомнила, как вчера вечером они с Гейбом занимались любовью. Прижавшись щекой к его груди, Рэчел приказала себе не думать о том, что скоро всему этому придет конец.

Пальцы Гейба нащупали растрепавшуюся прядь ее волос и осторожно заправили ее за ухо. Нежно поцеловав Рэчел в то место, которое только что прикрывал непослушный локон, Гейб шагнул назад.

— Нам вскоре надо быть у Кэла и Джейн, а мне еще душ принимать. Прекрати меня отвлекать, — сказал он.

— Нам?

— Ты же знаешь, я не хочу, чтобы ты оставалась здесь одна.

Поняв, что приглашение Гейба объясняется вовсе не его стремлением ввести ее в круг своей семьи, Рэчел почувствовала разочарование. Значит, Гейб Боннер всего лишь заботился о ее безопасности. Получалось, что она нужна ему только для постели. Впрочем, ничего другого он ей никогда и не обещал.

— Думаю, мне не стоит ехать с тобой. Вчера в кинотеатре твои братья так на меня смотрели, что у меня кусок застревал в горле.

— Я еще ни разу не видел, чтобы ты уклонялась от хорошей схватки.

— Гейб, да они меня просто ненавидят!

— Это их проблема. Я не могу не поехать в гости к Кэлу, а ты не можешь остаться здесь одна.

— Ну хорошо. Пожалуй, мне будет даже приятно подразнить твоих братцев, — сказала Рэчел, пряча за улыбкой свою боль.

Глава 19

Час спустя они въехали в черные кованые железные ворота, украшенные позолоченным изображением молитвенно сложенных рук. Эдвард, сидящий на переднем сиденье пикапа между Гейбом и Рэчел, был поражен видом громадного белого особняка.

— Я правда здесь жил, мама?

— Да, правда.

— Какой он большой.

Доктор Джейн Дарлингтон Боннер встретила их у дверей дома. Ребенок, которого она держала на руках, и пятнышко муки на щеке делали ее больше похожей на домохозяйку, нежели на физика с мировым именем. Она была красива той красотой, за которой обычно стоят огромные и очень давно, еще далекими предками нажитые состояния, однако из рассказов Гейба Рэчел знала, что Джейн Дарлингтон и ее предки были представителями так называемого среднего класса. Светлые волосы Джейн были собраны сзади в легко заплетенную косу. Одета она была в персикового цвета шорты и футболку. Смотрелось все это весьма неплохо, и Рэчел невольно почувствовала себя неловко в своем выцветшем старомодном платье в бело-зеленую клетку и неуклюжих черных мужских полуботинках.

Однако Джейн, казалось, не обратила никакого внимания на ее наряд. Поцеловав Гейба, она дружелюбно улыбнулась Рэчел:

— Я так рада, что вы приехали. А ты, должно быть, Эдвард.

— Чип, — неожиданно вмешался Гейб, вызвав тем самым неудовольствие Рэчел. — Чип Стоун.

Джейн с веселым любопытством подняла светлую бровь.

— Очень рада познакомиться с тобой, Чип. А это Рози. Она со вчерашнего дня капризничает не переставая.

В этот момент вид у Рози, однако, был совсем не капризный. При виде Эдварда девятимесячное дитя взвизгнуло от восторга, обнажая в радостной улыбке четыре крохотных зубика.

— Я ей нравлюсь, — удивленно пробормотал Эдвард.

— Ну, вот и хорошо, — заметила Джейн. — Похоже, ты единственный, кто ей нравится в данный момент, потому что даже ее папа сейчас не в состоянии с ней поладить. Знаешь что? Сейчас все на кухне. Я спущу ее на пол, и тогда, возможно, ты сможешь с ней поиграть. Хорошо?

Эдвард радостно кивнул.

— Она даже может поиграть с Хорсом, — добавил он.

— Прекрасно.

Рэчел не могла не отдать должное выдержке Джейн Дарлингтон: та и глазом не моргнула, увидев у самого лица своего чисто вымытого, благоухающего светловолосого чада пыльного, по всей вероятности, кишащего микробами одноглазого плюшевого кролика.

Джейн проводила гостей на кухню, где они увидели Кэла и Этана, приехавших несколько раньше. Кэл наливал в кувшин апельсиновый сок, а Этан, стоя рядом с ним, откупоривал бутылку шампанского. Мужчины издали радостные возгласы при виде Гейба, вошедшего первым, однако при появлении Рэчел лица обоих моментально и совершенно одновременно помрачнели.

Рука Гейба ободряюще легла на тонкую талию Рэчел.

— Привет, Кэл. Привет, Этан, — кивнул он братьям.

— Нужно еще что-нибудь отнести на веранду, Джейн? — раздался где-то рядом знакомый голос, и, к удивлению Рэчел, из расположенной рядом с кухней спальни появилась Кристи. — Привет, Рэчел. Здравствуй, Эдвард.

Кристи выглядела просто замечательно в свободного покроя блузке цвета сливы и в белых джинсах в обтяжку. На ее небольших, аккуратных ножках поблескивали золотистые сандалии. Когда она вошла на кухню, на лице Этана мелькнуло несколько сконфуженное выражение, однако Кристи, похоже, этого не заметила.

Эдвард принялся играть с Рози на ковре, который покрывал черный мраморный пол, а Джейн, пока Кэл и Рэчел бросали друг на друга враждебные взгляды, нагрузила всех разнообразными салатницами, кувшинами и подносами.

— Мы привыкли есть на веранде, — сказала она. — Это единственное место в этом склепе, где чувствуешь себя более или менее комфортно. — Тут до нее дошло, что ее слова могли больно задеть Рэчел, и хозяйка дома быстро взглянула на нее. — Ох, простите меня. Я совершенно разучилась следить за тем, что говорю, поскольку почти ни с кем не общаюсь.

— Ничего, все нормально, — улыбнулась Рэчел. — Этот дом в самом деле выглядит как склеп или мавзолей. Это было ясно всем, кроме Дуэйна.

Пискнул таймер духовки, и Джейн невольно отвлеклась. Кэл подхватил с пола Рози, которая с увлечением жевала не отличающееся чистотой ухо Хорса. Кролик выпал из ее рук. В ту же секунду ребенок издал оглушительный вопль протеста и, брыкнув ногами, обутыми в крохотные пинетки, пнул отца в бедро. Кэл ойкнул, немало позабавив тем самым наблюдавшего за этой сценой Этана.

— В следующий раз целься повыше, малышка Рози, — сказал он. — Тогда тебе в самом деле удастся привлечь к себе внимание старины Кэла.

Эдвард поднял с пола игрушку и вручил её девочке, которая немедленно успокоилась. Гости и хозяева через семейную спальню потянулись на веранду.

Шагнув через порог, Рэчел невольно вспомнила тот дождливый день, когда они с Гейбом впервые были близки. Гейб, должно быть, подумал о том же, потому что, повернув голову, взглянул на Рэчел, и в его холодных серых глазах заплясали веселые искорки.

Вопреки предупреждению Кэла Джейн вовсе не собиралась кормить гостей лепешками из проросших семян пшеницы или чем-нибудь в таком же роде. Она приготовила в омлетнице какое-то ароматное блюдо из грибов и яблок. Гостям был предложен также компот из свежих фруктов и черничный пирог. Стол украшали несколько очаровательных букетиков мимозы. Пока взрослые рассаживались за столом, Эдвард устроился рядом с плетеным манежем, в который родители усадили Рози. Рэчел с удовольствием наблюдала за тем, как ее сын, стараясь развеселить девочку, трясет погремушками у малышки перед лицом, щекочет ей животик и корчит смешные рожи.

Рэчел не потребовалось много времени, чтобы понять: Джейн и Кэл просто обожают друг друга. Лицо бывшего футбольного защитника, мрачное и неприветливое в те моменты, когда оно было обращено к Рэчел, начинало буквально светиться. Супруги пользовались любой возможностью лишний раз прикоснуться друг к другу, то и дело обменивались понимающими взглядами и улыбками. Очевидно было и то, что оба они просто обожают свою крохотную светловолосую дочурку.

Тем не менее в атмосфере, царящей за столом, присутствовало некое напряжение. Рэчел уже привыкла к неприязни, с которой относился к ней Этан, но враждебность Кэла была еще более явной, из чего она сделала вывод, что старший брат еще более рьяно, чем Этан, пытается ограждать Гейба от каких-либо неприятностей.

Первым о придорожном кинотеатре заговорил Кэл:

— «Гордость Каролины» теперь не узнать. Просто не верится, что такое бывает!

— Да уж, — вступил в разговор Этан, — Гейб взялся за самое гнусное место во всем округе и превратил его в конфетку.

Оба брата пустились в рассуждения о том, как хорошо, что Гейб снова открыл придорожный кинотеатр, и какую большую услугу он оказал тем самым всему населению Солвейшн и его окрестностей. Ни тот ни другой при этом, будто сговорившись, ни единым словом не упоминали о прежней жизни Гейба, словно он никогда не был ветеринаром, никогда не имел ни жены, ни сына. Чем больше они говорили, тем более напряженным становился Гейб. Наконец Рэчел не выдержала.

— Гейб, расскажи им про Твити.

— Да ну, что там рассказывать.

— Твити, — пояснила Рэчел, — это воробышек, которого Гейб выходил и вылечил.

Гейб пожал плечами, и этого движения оказалось достаточно, чтобы братья бросились ему на выручку, переводя разговор на другую тему.

— Фейерверк вчера был просто замечательный. Даже Рози понравилось, верно, Джейн? — сказал Кэл.

— Да, здорово было придумано, — кивнув, подхватил Этан. — Я уверен, что многие горожане будут рады: теперь

есть место, куда они могут привезти своих детишек, чтобы
развлечься и не потратить при этом кучу денег.

Повинуясь скорее интуиции, чем здравому смыслу, Рэчел
наклонилась вперед и сказала:

— Гейб строит птичий вольер на заднем дворе коттеджа
Энни, чтобы птенец мог привыкнуть к самостоятельной жизни,
прежде чем его выпустят на волю.

— Да ну, Рэчел, подумаешь, тоже мне, большое дело, —
раздраженно буркнул Гейб.

Итак, теперь на нее ополчились все трое братьев. Джейн и
Кристи с любопытством прислушивались к разговору.

— Да, я думаю, это большое дело. Когда он заботится об
этом маленьком птенце-заморыше, он чувствует себя счастливым, — сказала Рэчел. — А кинотеатр никогда его счастливым
не сделает.

— Твити вовсе не заморыш! — воскликнул Эдвард.

— У нас кофе кончается. Пойду сварю свежий, — сказал
Гейб и, резко встав, ушел в дом.

Откинувшись на спинку стула, Кэл уставился на Рэчел своими стальными глазами.

— Вы что, задались целью сделать моего брата несчастным? — спросил он.

— Кэл...

Старший из братьев Боннеров лишь нетерпеливо дернул головой, давая жене понять, чтобы она не вмешивалась. Доктор
Джейн Дарлингтон Боннер была непохожа на женщину, которой
легко заткнуть рот, и, когда она в ответ на жест Кэла лишь
пожала плечами, Рэчел поняла, что Джейн сама решила, что в
данной ситуации ей лучше промолчать. Вероятно, она считала,
что столкновение между Кэлом и Рэчел все равно неизбежно, и
была уверена, что у Рэчел Стоун вполне хватит духу, чтобы
противостоять напору ее супруга.

— Я хочу сказать вам одну вещь, которую уже говорила
Этану, — заявила Рэчел. — Прекратите опекать Гейба. Быть
владельцем «Гордости Каролины» — занятие не для него, и вы

оба должны перестать вести себя так, словно он занимается важным и нужным делом. Гейб — ветеринар, он должен лечить животных.

— Вы считаете, что знаете моего брата лучше, чем мы, члены его семьи? — холодно осведомился Кэл.

— Думаю, что так оно и есть.

В это время на веранде снова появился Гейб.

— Кофе скоро будет готов, — сказал он, садясь за стол.

Этан перевел взгляд с Кэла на Гейба.

— В гараже есть мяч, — сказал он. — Давайте-ка покидаем его, а мистер Защитник тем временем пускай приберется на кухне. Хочешь пойти с нами, Эдвард?

Эдвард замешкался с ответом.

— Я бы с удовольствием, — сказал он наконец, — но только Рози будет плакать, потому что я ей очень нравлюсь. Так что я уж лучше останусь здесь и с ней поиграю.

Рэчел сразу заметила, что, сказав это, ее сын разом завоевал симпатии родителей Рози. И Кэл, и Джейн улыбнулись и заверили его, что он может спокойно идти играть в мяч и не беспокоиться о Рози, но Эдвард все же вежливо отказался.

Этан и Гейб ушли с веранды. Рэчел начала было убирать со стола, но в это время к ней сзади подошел Кэл и тихо сказал:

— Не могли бы вы на несколько минут зайти в кабинет? Я хочу вам кое-что показать.

Рэчел меньше всего на свете хотелось оставаться с глазу на глаз с Кэлом Боннером, но Кристи и Джейн отлучились на кухню, и помочь ей было некому. Она пожала плечами, от души надеясь, что этот ее жест выглядит небрежным и снисходительным, и двинулась следом за старшим братом Гейба.

Когда они вошли в кабинет, он прикрыл за собой дверь. Через окно слева от нее Рэчел увидела летящий футбольный мяч, а затем в поле ее зрения появился бегущий за ним Гейб. Кэл тем временем подошел к столу, который когда-то принадлежал Дуэйну.

— У меня кое-что для вас есть, — сказал он.

Выдвинув один из ящиков, он достал оттуда листок бумаги и протянул Рэчел. Еще до того как она взяла его в руку, Рэчел поняла, что это банковский чек. Посмотрев на него, она затаила дыхание — чек был выписан на ее имя, на сумму в двадцать пять тысяч долларов.

— Что это? — спросила она хриплым голосом.

Усевшись на стул, Кэл посмотрел на нее.

— Деньги, которые обеспечат ваше будущее.

Рэчел еще раз посмотрела на чек, уже зная, каким будет ее следующий вопрос, и со страхом ожидая ответа на него.

— И чего же вы хотите взамен?

— Я хочу, чтобы вы уехали из Солвейшн и никогда больше не встречались с моим братом, — сказал Кэл и после небольшой паузы добавил: — На вас лежит определенная ответственность: вы должны содержать и воспитывать ребенка. Это облегчает дело.

— Понимаю. — В горле у Рэчел застрял комок. Она приехала в Солвейшн, чтобы найти сокровище, но никак не предполагала, что оно предстанет перед ней в виде чека на двадцать пять тысяч, переданного Кэлом. Рэчел сглотнула, стараясь протолкнуть внутрь комок, не дававший ей дышать. — И сколько же я еще могу здесь пробыть?

— Думаю, вам потребуется какое-то время, чтобы решить, куда вы отправитесь, — я учел это и проставил на чеке дату с запасом. По моим расчетам, через десять дней вы должны испариться.

Взглянув на него через стол, Рэчел с удивлением обнаружила в глазах Кэла искорку сочувствия, и в душе ее всколыхнулась ненависть к нему за это.

— Гейб начал смеяться, — сказала она, с усилием сморгнув несколько раз. — Нечасто, правда, но иногда все же смеется. Этан не говорил вам об этом?

— Открытие кинотеатра здорово ему помогло. Он наконец-то начинает приходить в себя.

Рэчел хотела было возразить, сказать Кэлу, что это благодаря ей Гейб начал понемногу выздоравливать, но было ясно:

Кэл все равно этому не поверит. К тому же она и сама не была уверена, что это так на самом деле. Возможно, Гейб лишь забывался с нею на то время, которое они проводили в постели.

— Мы оба — и я, и Этан — считаем, что, если вы уедете, этот процесс ускорится.

— Если Гейб об этом узнает, он будет просто в бешенстве.

— И именно поэтому вы не скажете ему о нашей договоренности ни слова. Понимаете? Если вы хотя бы намекнете ему об этом, сделка не состоится.

— О да, я очень хорошо это понимаю. — Рэчел разгладила чек пальцами. — Скажите мне только одно. Какой такой вред я, как вам кажется, причиняю вашему брату?

— Я думаю, вы его используете.

— Каким образом?

Глаза Кэла сузились.

— Не надо играть со мной в эти игры, леди, я вижу вас насквозь! Гейб — состоятельный человек, который очень небрежно относится к своим деньгам. Вы хотите выдоить из него все, что только можно, а потом отправиться на промысел еще куда-нибудь.

— Вы в этом уверены?

— Так вы берете чек или нет?

Взглянув на зажатый в пальцах листок бумаги, Рэчел подумала о том, настанет ли когда-нибудь время, когда она полностью освободится от груза своего прошлого.

— Да. Да, я возьму чек, мистер Боннер, можете не сомневаться.

Она сунула чек в карман своего платья и повернулась к двери. Но прежде чем она вышла, Кэл мягко сказал ей вслед:

— Если вы попытаетесь провести меня с этим чеком, миссис Сноупс, то очень об этом пожалеете.

Рэчел судорожно сжала ручку двери.

— Поверьте мне, мистер Боннер, вы последний мужчина на земле, с которым я хотела бы еще раз встретиться.

Ей хотелось броситься прочь из комнаты, но она подавила в себе это желание. Тем не менее, когда она вышла на веранду, ее била дрожь. Джейн и Кристи, которые собирались было убрать со стола лишнюю посуду, отказались от своего намерения и, сидя на стульях, болтали о всякой всячине. При виде Рэчел лицо Джейн стало озабоченным.

— Что он сделал? — спросила она.

— Это уж вы сами у него узнайте, — ответила Рэчел, не сумев справиться с легкой дрожью в голосе.

Встав на ноги, Джейн взяла руки Рэчел в свои.

— Понимаете, Боннеры — семья в самом лучшем смысле этого слова. Каждый из них готов сражаться за другого со всем миром, но иногда верность друг другу и постоянная готовность друг друга защищать ослепляет их.

Рэчел в ответ на эти слова лишь коротко кивнула.

— Я постараюсь еще раз с ним поговорить, — сказала Джейн.

— Это ничего не даст. — Заметив на столе ключи Гейба, Рэчел схватила их и сжала в кулаке. — Я себя неважно чувствую. Надеюсь, Этану нетрудно будет отвезти Гейба обратно в коттедж. Пойдем, Эдвард, нам надо ехать.

Эдвард запротестовал. Что касается Рози, то она, поняв, что вот-вот лишится общества нового товарища, устроила настоящий концерт. Когда Эдвард забрал у нее Хорса, крошечное личико девочки жалобно сморщилось, и она, протягивая не то к мальчику, не то к игрушке пухлые ручонки, отчаянно заревела.

Эдвард неловко погладил ее по голове со словами:

— Все в порядке, Рози, у тебя сегодня просто неудачный день.

Рози перестала плакать и блестящими от слез голубыми глазенками уставилась на Эдварда с таким жалобным выражением, которое растрогало бы и камень.

Эдвард бросил взгляд на своего плюшевого кролика, а затем, к удивлению Рэчел, снова протянул игрушку девочке. Рози благодарно сжала Хорса обеими ручками.

— Ты уверен, что все делаешь правильно, Эдвард? — озабоченно спросила Рэчел.

Поколебавшись какое-то мгновение, мальчик кивнул.

— Я теперь уже взрослый, мам, — сказал он. — Хорс нужен Рози больше, чем мне.

Рэчел улыбнулась и сжала руку сына, стараясь сдержать подступившие к глазам слезы.

Гейб выпрыгнул из «тойоты» Этана еще прежде, чем машина окончательно остановилась, и бросился к крыльцу, на котором Эдвард строил из найденных им палок что-то вроде шалаша.

— Где мама?

— Не знаю. Наверное, в доме. — Мальчик перевел взгляд на выбиравшихся из машины Этана и Кристи.

Гейб уже направился было к двери, но тут же остановился, увидев, как Эдвард привычным жестом пошарил рукой около себя и, не найдя того, что искал, снова положил руку на колени и вздохнул. Гейб сразу все понял.

— Ты скучаешь по своему кролику, верно? — спросил он.

Эдвард, не отвечая, склонился над шалашом и почесал коленку.

— Я слышал, что ты подарил его Рози, — снова заговорил Гейб, безуспешно стараясь, чтобы голос его звучал помягче, — но все тебя поймут, если ты заберешь его обратно.

— Рози этого не поймет.

— Она совсем маленькая и просто забудет об этом.

— Хорс — это не такая вещь, о которой ребенок может забыть.

Эдвард сказал это с такой уверенностью, что Гейб понял: спорить с мальчиком бесполезно. В этом смысле Эдвард походил на мать.

— Пастор Этан! Кристи! — улыбнулся мальчик, пока еще слишком наивный, чтобы уловить напряженность между двумя взрослыми, которых он успел полюбить. — Хотите посмотреть на мою хижину?

— Ну конечно, хотим, — сказала Кристи.

Гейб, который заметил то, на что не обратил внимания Эдвард, повернулся и направился в дом.

— Рэчел! — позвал он.

Никто не отозвался. Гейб быстро осмотрел комнаты, убедился, что там никого нет, вышел в заросший сорняками сад и увидел Рэчел, склонившуюся над чахлым, выродившимся розовым кустом. На ней было оранжевое платье, в котором она обычно занималась малярными работами. Солнце блестело в ее золотисто-рыжих волосах, играло лучами на ее тонких, покрытых золотистым загаром руках. Ее босые ступни глубоко вдавились в мягкую землю. Она выглядела настолько естественно и органично в разросшемся саду, что Гейбу захотелось овладеть ею прямо там же, среди запущенных, давно не знавших руки садовника растений. Он почувствовал сильнейшее желание прижаться к ней всем телом и забыть, кто он и кто она, забыть о прошлом и будущем, не думать ни о чем на свете, отдаться целиком короткому, мимолетному ощущению счастья.

Рэчел взглянула на него. Он увидел, как солнце блеснуло на выступивших у нее на скулах капельках пота. Губы Рэчел удивленно приоткрылись.

— Я не слышала, как ты подошел, — сказала она.

Она не улыбнулась ему и вообще ничем не дала Гейбу понять, что рада его видеть.

— Ты почему умчалась? — спросил он.

— Я себя неважно почувствовала.

— Теперь, похоже, ты в полном порядке.

Ничего не ответив, Рэчел наклонилась и принялась выкапывать из земли кустик песчанки.

— Если ты хотела уехать, надо было сказать мне. Ты же знаешь, мне не нравится, когда ты остаешься здесь одна.

— Ты же не можешь находиться со мной каждую минуту. Да и с какой стати, собственно, тебе так себя утруждать?

— Что ты хочешь этим сказать?

— То, что тебе незачем взваливать на себя ответственность за меня.

Последняя фраза Рэчел прозвучала резковато, и Гейб почувствовал приступ раздражения. В данном случае не права была она, а не он. Он делал все возможное, чтобы как-то обеспечить ее безопасность, но она не хотела ему в этом помочь.

— Я отвечаю за тебя до тех пор, пока ты живешь в этом доме, — сказал он чужим голосом, слыша себя как бы со стороны.

Рэчел, однако, ничуть не смутило то, что он рассердился.

— Если хочешь помочь, то прекрати на меня рычать, возьми лопату и начинай копать канаву вокруг вон тех кустов.

— Я на тебя не рычу.

— Ну, может, мне просто показалось.

— Черт возьми, Рэчел, ты уехала, не сказав ни слова! Я не знал, что случилось, и поэтому волновался.

— Правда?

Рэчел склонила голову и подарила Гейбу такую улыбку, что он тут же растаял. Тем не менее он решительно тряхнул головой, давая понять, что не намерен поддаваться ее чарам, и снова кинулся в атаку.

— И напрасно ты напускаешь на себя такой довольный вид. В данный момент я действительно здорово сердит на тебя, и не только потому, что ты сбежала, не предупредив меня. — Он знал, что ему не стоит давать волю своему языку, но уже не мог остановиться. — С сегодняшнего дня я попросил бы тебя не подвергать меня психоанализу в присутствии членов моей семьи.

— А мне кажется, это как раз лучше всего делать при людях, которые хотят, чтобы у тебя все в жизни наладилось.

— У меня и так все в полном порядке! Нет, Рэчел, в самом деле, я не хочу больше слушать замечания по поводу кинотеатра. Вечером в день открытия все прошло замечательно, так что ты должна радоваться.

— Ничего там не было замечательного. Я лично люблю этот кинотеатр, но ты — нет! А радоваться я буду тогда, когда ты снова вернешься к работе ветеринара.

— Почему тебе непременно надо меня к чему-то подталкивать? Почему ты не можешь допустить, чтобы все шло своим чередом?

— Потому что пока все будет идти своим чередом, у тебя все внутри разорвется.

— Ну, это не твоя проблема.

— Вот как?

Гейб понял, что сделал Рэчел больно, но прежде, чем он успел сказать что-нибудь, чтобы поправить положение, неподалеку раздался взрыв смеха. Резко обернувшись, он увидел такое, что волосы у него на затылке встали дыбом. Из-за дома показался Этан, на плечах которого восседал Эдвард. Следом шла Кристи.

У мальчика был такой счастливый вид, словно кто-то подарил ему кусочек радуги, который можно было взять в руки. Глаза его радостно сверкали, пятки при каждом шаге Этана колотили того по груди. Было ясно, что, когда незадолго до этого Эдвард увидел на пикнике своего сверстника, сидящего на плечах отца, ему отчаянно захотелось, чтобы кто-то из взрослых покатал его таким же образом. Гейб понимал это, и представшее его глазам зрелище должно было бы его порадовать, но вместо этого его захлестнуло ощущение — что-то в этой мирной картине не так.

Он сам не мог понять своей реакции. Гейб знал, что у этого ребенка в жизни было слишком мало радостей, и его неприятно удивило, что выпавшее на долю Эдварда невинное удовольствие почему-то вызвало у него, у Гэйба, внутренний протест. Гейб не мог отделаться от ощущения, что, сидя на плечах у Этана, Эдвард Стоун находится как бы не на своем месте.

Рэчел выпрямилась, но вместо того, чтобы разделить с сыном его радость, осталась стоять совершенно неподвижно, уронив руки вдоль тела. Взгляд ее был устремлен на Гейба. У него поползли по спине мурашки. Он понял: Рэчел точно знала, о чем он думал в этот момент. Каким-то непостижимым образом она сумела проникнуть в его мысли. Он хотел объяснить ей причину своих отрицательных эмоций, но как он мог описать ей то, чего не понимал сам? Как мог оправдать неприязнь к ребенку, которого Рэчел любила больше жизни?

Отведя взгляд от Рэчел, Гейб повернулся в сторону брата. Он был уверен, что в отличие от Рэчел Стоун пастор Этан не станет судить его слишком строго.

— Спасибо, что подвез меня, Эт.

— Никаких проблем.

— А теперь мне надо навести порядок в моей бухгалтерии. Только не обижайся, ладно?

С этими словами Гейб развернулся и направился в дом, стараясь, чтобы его уход не выглядел как бегство.

Хлопнула дверь, и лицо Рэчел исказилось, словно от боли. Ей едва не стало плохо от того, что она увидела только что в глазах Гейба. Почему он никак не мог избавиться от ненависти к Эдварду?

Рэчел поняла, что демоны, овладевшие душой Гейба, не отпустят его на свободу, и любовь, которая была так нужна ей и ее сыну, никогда не поселится в его сердце. Рэчел всегда гордилась своим умением трезво смотреть на жизнь, но в последние недели она обманывала саму себя, выдавая желаемое за действительное. Гейб не мог измениться, не мог взлелеять в себе чувства, которых она так ждала, а это означало, что чем дольше они с ним будут вместе, тем более болезненным будет их неизбежное расставание. Ни о каком счастливом будущем нечего и мечтать. Никакого ключа к счастью в Библии Дуэйна не было, не существовало на свете никакой вечной любви, и не было во всем мире никого, кроме нее самой, кто нашел бы в своем сердце теплые чувства к ее Эдварду.

Время ее пребывания в Солвейшн подошло к концу.

В субботу вечером народу в кинотеатр съехалось больше, чем в день открытия, но Гейб выглядел еще более рассеянным и несчастным. Когда после закрытия он пришел к Рэчел в постель, они совсем не разговаривали, а их страсть была похожа на сухое пламя бенгальского огня, не дающего тепла.

В воскресенье днем, наблюдая из окна своей спальни, как Гейб переселяет Твити в построенный им вольер, Рэчел еще раз убедилась, что возиться с больными животными было бы для него самым подходящим занятием. Но она знала: даже если бы Гейб сам когда-нибудь пришел к такому выводу, ей бы он ни за что в этом не признался.

Выражение горечи и возмущения, которое Рэчел увидела на лице Гейба в тот момент, когда он смотрел на Эдварда, сидящего на плечах у Этана, подтолкнуло ее к действию. Утром в воскресенье она позвонила Кристи и приступила к осуществлению своего плана. Теперь каждая секунда пребывания в коттедже Энни стала для нее особенно ценной. Если бы Рэчел ненавидела Гейба, ей, конечно же, было бы легче с ним расстаться, но как она могла ненавидеть человека, единственным недостатком которого было то, что он мог любить только одну женщину и только одного ребенка?

Рэчел провела большим пальцем по обложке Библии Дуэйна. Она тщательно изучила каждую пометку на полях, прочла все отмеченные абзацы, но не обнаружила ничего, кроме проверенной веками мудрости, заключенной в знакомых словах, в которые она, как ей казалось, давно перестала верить.

Прислонившись виском к оконной раме, она внимательно смотрела на человека, которого так неосмотрительно полюбила. Именно сейчас, пока Эдвард играл на крыльце перед парадной дверью, ей надо было сказать Гейбу, что она уезжает.

Рэчел вышла на улицу, и шаткие ступеньки заднего крыльца заскрипели под ее ногами. Гейб с помощью плоскогубцев прилаживал задвижку к дверце вольера, прислушиваясь к отчаянному чириканью своего пациента. Увидев Рэчел, он улыбнулся ей, и в сердце ее невольно вспыхнула радость.

— Гейб, я уезжаю, — сказала Рэчел, предварительно глубоко вздохнув.

— Ладно. — Закончив возиться с задвижкой, Гейб поднялся на ноги. — Я отвезу тебя. Вот только уберу инструменты. Подожди минутку.

— Нет, я не это имею в виду.

Не делай этого! — запротестовало ее сердце. *Не произноси этих слов!* Но мозг Рэчел оказался более благоразумным, чем сердце.

— Я... я уезжаю из Солвейшн. Совсем...

Гейб замер на месте. У него за спиной раздавалось сердитое цоканье сидящей на магнолии белки, надрываясь, каркала ворона, устроившаяся на коньке старой жестяной крыши дома.

— Ты о чем?

— Сегодня утром я разговаривала с Кристи. Ее родители уже много месяцев уговаривают ее переехать в Клируотер, чтобы помочь им наладить дело в магазине подарков. Я поеду вместо нее. — Рэчел пыталась говорить спокойно. — Кристи говорит, что ей будет спокойнее, если я за ними присмотрю. У них есть собственная небольшая квартира прямо над магазином, где мы с Эдвардом сможем жить. И плюс ко всему, не забывай о флоридском солнце, — весьма нелогично подытожила она.

— Понимаю, — сказал Гейб после долгой паузы. Он посмотрел вниз, на плоскогубцы, которые по-прежнему держал в руке, но Рэчел показалось, что он ничего не видит. — И сколько же они будут тебе платить?

— О чем ты... Ну, сейчас они не могут позволить себе платить мне много, но со временем дело у них наладится. Я как-нибудь выкручусь. Тем более что мне не нужно будет платить за квартиру. — Рэчел подумала о чеке на двадцать пять тысяч долларов, лежащем в верхнем ящике туалетного столика в спальне, и что-то болезненно сжалось у нее внутри. — Как только Эдвард начнет ходить в школу, я постараюсь выбить для себя стипендию и вернуться в колледж. Конечно, я смогу одновременно проходить всего несколько курсов, но мне бы очень хотелось заняться изучением теории бизнеса и финансов.

Гейб сунул плоскогубцы в задний карман джинсов, и в глазах у него появилось жесткое выражение, от которого Рэчел уже успела немного отвыкнуть.

— Все понятно. Я вижу, у тебя уже все продумано, верно?

Рэчел кивнула.

— Значит, никаких дискуссий? А ты не подумала о том, что, может быть, нам стоит обговорить это, прежде чем ты примешь окончательное решение?

— С какой стати мне об этом думать? — Рэчел старалась, чтобы слова ее звучали как можно мягче. Пусть Гейб поймет, что она его ни в чем не винит. — У нас нет никакого будущего, и мы оба об этом знаем.

Гейб, однако, не оценил ее примирительных интонаций. Тяжелыми шагами он подошел к Рэчел вплотную.

— Ты никуда не поедешь.

— Нет, поеду.

Он навис над ней, и у Рэчел мелькнула мысль, что он сознательно использует свои весьма внушительные габариты для того, чтобы запугать ее.

— Ты слышала, что я сказал. Останешься здесь, и точка. Ехать во Флориду — это сумасшествие. Что это за жизнь, если ты будешь работать за гроши и окажешься в полной зависимости от чужих людей, которые за мизерную зарплату будут предоставлять тебе крышу над головой?

— Именно так я и живу сейчас, — заметила Рэчел.

На какой-то момент Гейб ошарашенно умолк, но затем, нетерпеливо взмахнув рукой, снова заговорил:

— Это совсем другое дело. Здесь у тебя есть друзья.

— И враги тоже.

— Все это изменится, когда люди тебя получше узнают и поймут, что ты поселилась здесь надолго.

— Как я могу поселиться здесь, если у меня здесь нет никаких перспектив?

— А тебе кажется, что работа за почасовую зарплату в каком-то дешевом магазинчике подарков во Флориде — это перспектива?

— Я уверена, речь идет не о «дешевом магазинчике», как ты выразился, — сказала Рэчел, отворачиваясь. — И у меня нет никакого желания с тобой спорить. А теперь мне пора идти.

— Нет.

— Пожалуйста, не надо все усложнять. — Рэчел подошла к садовому стульчику и оперлась на него, чувствуя, что у нее подгибаются ноги. Нейлоновое плетение стула царапнуло ее ладонь. — В закусочной сможет управляться Кайла. Я поработаю до следующего уик-энда включительно, так что у нее будет время перевезти свои вещи, а у тебя — нанять кого-нибудь ей в помощь.

— Плевать я хотел на закусочную!

Рэчел хотелось сказать Гейбу, что в этом он совершенно прав, но она сдержалась. Твити продолжал пронзительно чирикать в вольере. Кто, кроме Гейба, взвалил бы на себя столько хлопот ради того, чтобы спасти какого-то воробья?

Гейб резким движением сунул руки в карманы.

— Ни в какую Флориду ты не поедешь, — заявил он.

— У меня нет выбора.

— Нет, у тебя есть выбор. — Помолчав немного, он посмотрел на Рэчел, и подбородок его упрямо выпятился вперед. — Мы с тобой поженимся.

Сердце Рэчел, пропустив один удар, заколотилось, словно бешеное. Она непонимающе уставилась на Гейба.

— Поженимся? О чем ты?

— О том самом. — Он вынул руки из карманов и с воинственным выражением лица снова приблизился к ней. — Мы с тобой неплохо ладим, так что нет никаких причин, которые мешали бы нам стать мужем и женой.

— Гейб, но ведь ты меня не любишь.

— Я отношусь к тебе в тысячу раз лучше, чем преподобный Сноупс!

— Я это знаю, — сказала Рэчел, чувствуя, что у нее буквально разрывается сердце. — Но я не могу выйти за тебя замуж.

— Приведи мне хотя бы один серьезный аргумент против.

— Я уже это сделала. Я привела самый серьезный аргумент, какой только может быть.

В глазах Гейба мелькнула беспомощность.

— Чего же ты от меня хочешь?

Рэчел хотелось ответить, что она хочет, чтобы он любил ее и Эдварда так же, как когда-то любил Черри и Джейми, но она понимала: это было бы слишком жестоко. Кроме того, Гейб, судя по всему, все понял.

— Ты уже и так дал мне все, что мог, — сказала она наконец.

Гейб, однако, не собирался сдаваться.

— Я буду заботиться о тебе. Если мы поженимся, тебе не надо будет больше беспокоиться о том, где взять еду для следующего обеда или ужина, или о том, что будет, если ты заболеешь. — Он сделал небольшую паузу и добавил: — По крайней мере ты будешь знать, что у Эдварда есть все необходимое, что будущее его обеспечено, что он в безопасности.

Это был запрещенный прием. Гейб знал: ради сына Рэчел готова была продать свою душу. Она почувствовала, как к глазам подступают слезы. В то же время она обрадовалась, что Гейб затронул тему, обсуждения которой им нельзя избежать.

— Ты должен понять, что Эдвард — это главная причина, по которой я не могу выйти за тебя замуж. Безопасность и обеспеченность бывают разные. Прожить детские годы с человеком, который испытывает к нему неприязнь... Для Эдварда это еще хуже, чем бедность, — сказала Рэчел и вздохнула, радуясь, что смогла высказать то, что тяжелым камнем лежало у нее на душе.

— Но я вовсе не испытываю к нему неприязни, — сказал Гейб. Однако в словах его не чувствовалось убежденности, и он избегал встречаться с Рэчел глазами.

— Я полностью откровенна с тобой. Будь же и ты со мной честен.

Повернувшись к Рэчел спиной, Гейб зашагал к вольеру.

— Мне просто нужно немного привыкнуть к нему, вот и все, — бросил он через плечо. — А ты хочешь, чтобы все произошло в одну секунду.

— Ты сегодня относишься к нему с такой же неприязнью, как и тогда, когда увидел его в первый раз, — сказала Рэчел, чувствуя, как в душе у нее закипает возмущение. — А это просто нечестно по отношению к нему. Он ведь не виноват, что он не Джейми.

Гейб резко обернулся.

— Ты думаешь, я не говорил себе эти слова тысячу раз? — Он глубоко вдохнул и выдохнул, стараясь взять себя в руки. — Слушай, давай все-таки подождем немного, и все это образуется. Я понимаю, что застал тебя врасплох своим предложением, но когда ты все хорошенько обдумаешь, то поймешь, что брак — лучший выход из положения.

В этот момент Рэчел больше всего на свете хотелось забиться куда-нибудь в темный угол, где бы ее никто не видел, и выплакаться. Однако она заставила себя остаться на месте и закончить тяжелый разговор.

— Я не собираюсь менять свое решение, — сказала она. — Замуж за тебя я не выйду. Кристи уже позвонила своим родителям, они пришлют мне два автобусных билета. Я проработаю у тебя до следующего уик-энда, а потом мы с Эдвардом уедем во Флориду.

— *Нет!* — Обернувшись, Рэчел и Гейб увидели выбежавшего из-за угла дома Эдварда. Мальчик, по щекам которого текли слезы, устремился к ним.

Сердце Рэчел упало — она собиралась подготовить сына к мысли о скором переезде, а не обрушивать на него эту новость так неожиданно.

Глава 20

— Я не хочу ехать во Флориду! — Слезы ручьями струились по покрасневшим щекам Эдварда. На бегу он нелепо размахивал руками и тяжело топал ногами. — Мы останемся здесь! Мы никуда не поедем! Мы останемся здесь!

— О, милый. — Рэчел бросилась сыну навстречу и попыталась его обнять, но он оттолкнул ее.

Впервые за свои пять лет мальчик, не сдерживаясь, выплескивал наружу накопившиеся в его душе эмоции.

— Мы живем здесь! — кричал он. — Мы живем здесь, и никуда я не поеду! — Эдвард повернулся к Гейбу. — Это все ты виноват! Я тебя ненавижу!

Рэчел еще раз сделала попытку обнять его.

— Милый, дай мне объяснить. Успокойся, чтобы мы могли поговорить об этом.

Вырвавшись из ее рук, Эдвард злобно набросился на Гейба.

— Это ты виноват! — снова выкрикнул он. — Ты нас гонишь!

Не без труда удержав равновесие, Гейб схватил Эдварда за плечи.

— Нет! — крикнул он. — Я не хочу, чтобы вы уезжали! И я вовсе не стараюсь заставить вас уехать.

— Нет, стараешься! — Мальчик размахнулся и ударил Гейба в бедро.

— Успокойся, Чип, — забормотал Гейб, ухватив Эдварда за сжатые кулаки. — Дай твоей матери вставить хоть слово.

Но Эдвард не желал ничего слушать. Он снова затопал ногами и закричал:

— Ты ненавидишь меня, и я знаю почему!

— Это не так.

— Нет, ненавидишь. Ты меня ненавидишь за то, что я слабый.

— Чип... — Гейб бросил на Рэчел беспомощный взгляд, но она не знала, чем тут можно помочь.

Вырвавшись из рук Гейба, Эдвард подбежал к матери. Теперь он уже не кричал, а судорожно всхлипывал:

— Мама... не женись на нем... Лучше женись... на... пасторе Этане!

Рэчел присела перед сыном на корточки, с ужасом понимая, что он подслушал по крайней мере часть их разговора с Гейбом.

— О, Эдвард, я вовсе не собираюсь ни за кого замуж.

— Собираешься! Правда... лучше женись на пасторе Этане. Тогда мы... сможем остаться здесь.

— Пастор Этан не может на мне жениться, малыш.

Рэчел еще раз попробовала заключить сына в объятия, но он опять резко отстранился.

— Тогда я сам его попрошу!

— Ты не можешь просить взрослых о таких вещах.

— Тогда выйди замуж... за папу Рози. Он мне нравится. Он называет... меня Чипом и... погладил меня... по голове.

— Папа Рози уже женат на маме Рози. Эдвард, я действительно не собираюсь ни за кого выходить замуж.

Ребенок снова повернулся к Гейбу, но на этот раз уже не с таким агрессивным видом. Грудь мальчика высоко вздымалась и опадала.

— Если моя мама... выйдет за тебя замуж, мы сможем... остаться здесь?

— Все не так просто, Чип, — сказал Гейб после некоторого колебания.

— Но ты ведь живешь здесь, верно?

— Да, живу.

— Ты сказал, что хочешь жениться на ней.

Гейб снова беспомощно посмотрел на Рэчел.

— Да, сказал.

— Тогда женись на ней, я тебе разрешаю. Но только если потом мы сможем остаться здесь.

Теперь плакал уже не один только Эдвард. Рэчел чувствовала себя так, словно кто-то раскаленными щипцами раздирал на части ее душу. Она знала, что поступает правильно, но в то же время у нее не было никакой возможности объяснить это сыну.

— Я не могу, — с трудом выдавила она наконец.

Эдвард понурил голову. На мыски его тапочек упали слезы. Казалось, вся решимость разом оставила его.

— Я знаю, что это из-за меня, — прошептал он. — Ты сказала, что не выйдешь за него замуж, потому что я ему не нравлюсь.

— Нет, Эдвард, — твердо сказала Рэчел. — Дело вовсе не в этом.

Сын посмотрел на нее с легкой укоризной, словно давая понять: он прекрасно знает, что мать говорит неискренне.

— Рэчел, оставь нас на некоторое время с глазу на глаз, ладно? — неожиданно попросил Гейб. — Нам с Чипом надо поговорить.

— Я не...

— Пожалуйста.

Никогда еще Рэчел не чувствовала себя такой беспомощной. Она понимала, Гейб не станет травмировать ребенка, — в этом Рэчел была убеждена. Тем не менее она колебалась. В конце концов Рэчел решила, что, раз уж она сама не в силах изменить положение, возможно, имеет смысл дать Гейбу шанс попытаться это сделать.

— Ты уверен? — на всякий случай спросила она.

— Да, уверен. Иди.

— Ладно, — пробормотала она и направилась туда, где начиналась ведущая в лес тропинка, по которой они с Эдвардом гуляли почти каждый день. Она пыталась убедить себя, что ей не придется жалеть о своей уступке.

Гейб глядел Рэчел вслед до тех пор, пока она не исчезла за деревьями, а затем повернулся к мальчику, который настороженно смотрел на него. Пришло время говорить, но Гейб не знал, с чего начать. Единственное, что он знал наверняка, — это то, что он не может допустить, чтобы ребенок страдал из-за того, в чем не виноват.

Отойдя к лесенке, ведущей на крыльцо, он сел на нижнюю ступеньку, чтобы не возвышаться над малышом, словно башня. Эдвард шмыгнул носом и вытер его рукавом футболки.

Гейб вовсе не собирался просить Рэчел выйти за него замуж, но теперь он точно знал, что именно это и было ему нужно. Нужно им обоим. Однако сделать это мешал стоящий перед ним пятилетний мальчик.

— Чип... — Гейб прокашлялся. — Я знаю, отношения у нас не блестящие, но ты должен знать, что ты ни в чем не виноват. Это все из-за... из-за того, что произошло со мной когда-то очень давно.

— Когда погиб твой маленький сын, — сказал Эдвард, глядя на Гейба.

Тот не ожидал этих слов и сумел ответить лишь судорожным кивком. Наступила довольно долгая пауза, которую нарушил ребенок:

— Как его звали?

— Джейми, — ответил Гейб, и из груди его вырвался длинный вздох.

— Он был сильный?

— Ему было пять лет, как и тебе, поэтому он не мог быть таким сильным, как взрослый человек.

— Но он был сильнее, чем я?

— Я не знаю. Он был немножко повыше ростом, так что вполне возможно, что силенок у него было чуть больше, чем у тебя, но это не имеет значения.

— Ты его любил?

— Да, я его очень любил.

Эдвард сделал осторожный шажок вперед.

— Тебе было грустно, когда Джейми умер?

Гейб невольно вздрогнул, услышав из уст Эдварда это имя.

— Да, мне было очень грустно, когда Джейми умер, — с трудом выговорил он. — Мне и сейчас грустно.

— А ты сердился на него так же, как на меня?

«Так, как на тебя, — никогда, я сердился по-другому», — подумал Гейб, а вслух сказал:

— Иногда, когда он плохо себя вел.

— А он тебя любил?

На этот раз голос подвел Гейба, и он молча кивнул.

Рука Эдварда шевельнулась и снова повисла вдоль тела. «Кролик, — подумал Гейб, — опять этот чертов кролик...»

— А он тебя боялся?

— Нет. — Гейб еще раз откашлялся. — Нет, он не боялся меня, как ты. Он знал, что я никогда не сделаю ему ничего плохого. И тебе я тоже никогда ничего плохого не сделаю.

Он видел по глазам Эдварда, что в голове у мальчика формируется новый вопрос, но те, которые он уже успел задать, и без того разбередили Гейбу душу.

— Чип, мне очень жаль, что ты подслушал наш разговор, но раз уж так случилось, теперь ты знаешь, что я хочу жениться на твоей маме. Она не считает это хорошей идеей, и мне не хотелось бы, чтобы ты настаивал на этом и тем самым заставлял ее страдать. Я постараюсь ее уговорить, но она в любом случае должна делать то, что считает правильным. И если твоя мама решит, что не станет выходить за меня замуж, то это произойдет не из-за тебя и не из-за того, что ты что-то сделал не так. Ты понимаешь, что я хочу сказать? Ты не сделал ничего плохого.

Гейб замолчал, чтобы перевести дух.

— Она не выйдет за тебя замуж из-за меня.

— Конечно, все это определенным образом связано с тобой, — медленно проговорил Гейб, — но дело вовсе не в том, что ты в чем-то виноват. Дело во мне. Твоей маме не нравится, что я с самого начала не сумел с тобой поладить, что я плохо к тебе относился. Но это моя вина, Чип, а не твоя. Ты тут совершенно ни при чем.

— Я не такой сильный, как Джейми. — По-прежнему стоя на некотором удалении от Гейба, Эдвард сковырнул с тыльной стороны ладони небольшой струпик. — Я бы очень хотел, чтобы мы с Джейми могли поиграть.

В глазах Гейба заблестели непрошеные слезы.

— Я уверен, что ему бы очень понравилось играть с тобой.

— Он, наверное, мог бы меня поколотить, — сказал Эдвард и сел на землю, словно его не держали ноги.

— Джейми довольно редко дрался. Ему нравилось строить, так же как и тебе. — Впервые Гейб подумал о сходстве этих мальчиков, а не о различиях между ними. И тот, и другой любили книги, головоломки и обожали рисовать, оба могли долгое время развлекать себя сами.

— Мой папа погиб в авиакатастрофе, — сказал Эдвард.

— Я знаю.

— Он сейчас на небе и заботится о Джейми.

От этой фразы Эдварда Гейба передернуло, но он ничего не сказал.

— Жаль, что моя мама не может выйти замуж за пастора Этана или за папу Рози.

— Чип, я знаю, тебе трудно во всем этом разобраться, но я был бы тебе очень благодарен, если бы ты прекратил попытки выдать свою маму замуж за одного из моих братьев.

— Моя мама не выйдет за тебя, потому что у нас с тобой плохие отношения.

Гейб не знал, как на это ответить. Он уже объяснил мальчику, что его вины в этом нет.

— Я не хочу ехать во Флориду. — Эдвард поднял голову и посмотрел на Гейба, но так, чтобы не встречаться с ним глазами. — Если бы мы с тобой подружились, она наверняка бы за тебя вышла, и тогда нам не надо было бы уезжать.

— Не знаю, может быть. Тут есть и другие проблемы, которые не имеют к тебе никакого отношения. Я просто не знаю.

На заплаканном лице Эдварда появилось упрямое выражение. В этот момент он вдруг стал так похож на Рэчел, что Гейб едва не расплакался.

— Придумал! Я придумал! — неожиданно воскликнул мальчик.

— Что ты придумал?

— Как заставить ее передумать и выйти за тебя замуж.

У ребенка был такой уверенный вид, что на какой-то момент в душе Гейба невольно вспыхнула надежда.

— Ну, и как же?

— Ты можешь просто сделать вид, — сказал Эдвард, выдергивая из земли пучки травы.

— Сделать вид? Не понимаю, о чем ты.

— Ты мог бы сделать вид, что любишь меня, — сказал Эдвард и выдернул еще несколько травинок. — Тогда моя мама выйдет за тебя замуж, и нам не надо будет уезжать.

— Я... Я боюсь, что из этого ничего не выйдет.

В карих глазах мальчика промелькнула боль.

— Неужели ты не можешь даже сделать вид, что ты меня любишь? Это ведь будет понарошку.

Сделав над собой усилие, Гейб посмотрел ребенку прямо в глаза, чтобы ложь, которую он собирался сказать, звучала как можно правдоподобнее.

— Но я действительно тебя люблю.

— Нет. — Эдвард отрицательно покачал головой. — Но ты мог бы сделать вид. И я тоже мог бы притвориться. Если мы постараемся как следует, мама никогда не узнает, что мы все это делали понарошку.

Гейб невольно содрогнулся от обезоруживающей откровенности ребенка и посмотрел вниз, на исцарапанные мысы своих ботинок.

— Понимаешь, все намного сложнее. Есть другие вещи...

Но Чип уже не слушал его — он сказал все, что считал нужным. Вскочив на ноги, он теперь жаждал поделиться замечательной новостью с матерью. Гейб и оглянуться не успел, как Эдвард уже припустил по тропинке в сторону леса с криком:

— Мама! Мама!

— Я здесь.

До Гейба донесся голос Рэчел, негромкий, но отчетливый. Продолжая сидеть на ступеньке крыльца, он прислушался.

— Мама, я хочу тебе кое-что сказать!

— Что, Эдвард?

— Кое-что про меня и Гейба. Мы теперь любим друг друга!

В понедельник утром Рэчел завезла Эдварда в детский сад и, высадив сына, еще некоторое время сидела в машине на стоянке рядом с церковью. Она знала, что ей следует делать, но одно дело — знать, и совсем другое — действовать. Перед отъездом ей предстояло решить много непростых проблем.

Прислонившись головой к боковому стеклу «эскорта», она пыталась заставить себя примириться с тем, что через неделю они с Эдвардом сядут в автобус, идущий в Клируотер. Душу ее сжимала тоска, сердце Рэчел превратилось в кровоточащую рану.

Ей тяжело было смотреть на Эдварда, который старался делать вид, будто они с Гейбом, словно по мановению волшебной палочки, стали друзьями. Весь вчерашний вечер мальчик улыбался Гейбу неискренней, вымученной улыбкой. Когда пришло время ложиться спать, Эдвард, собравшись с духом, сказал:

— Спокойной ночи, Гейб. Я правда тебя очень люблю.

Лицо Гейба искривила гримаса боли, но он постарался скрыть свои чувства.

— Спасибо, Чип.

Рэчел злилась на Гейба, хотя и понимала: он лишь делал все возможное, чтобы не травмировать Эдварда. От этого ей еще тяжелее было видеть беспомощность Гейба, и она все больше убеждалась в том, что ее решение уехать из Солвейшн — единственный выход из создавшегося положения.

Укладывая сына, Рэчел попыталась поговорить с ним, но разговор не получился.

— Мы с Гейбом очень друг друга любим, и поэтому нам теперь не надо уезжать во Флориду, — только и сказал мальчик.

На стоянке появилась очередная мама с ребенком и посмотрела в сторону Рэчел. Та замешкалась, пытаясь вставить ключ в замок зажигания.

О, Гейб... Ну почему ты не можешь полюбить моего ребенка таким, какой он есть? И почему твои воспоминания о Черри не позволяют тебе полюбить меня?

Рэчел хотелось упасть головой на рулевое колесо и плакать до тех пор, пока в глазах у нее не останется слез, но она знала, что, позволив себе эту слабость, она уже не сможет взять себя в руки и сделать то, что считала нужным. Кроме того, ей было прекрасно известно, что жалость к себе не поможет ей справиться с теми обстоятельствами, которые делали необходимым ее отъезд из Солвейшн. Она не хотела, чтобы ее сын рос рядом с человеком, который с трудом его переносил, а сама Рэчел не желала всю жизнь оставаться как бы в тени другой женщины. Перед отъездом, однако, ей надо было закончить еще кое-какие дела.

«Эскорт», повинуясь Рэчел, вздрогнул и покатил со стоянки. Глубоко вздохнув, она направила автомобиль вдоль Уинн-роуд в сторону переплетения улиц, составляющих самую бедную часть Солвейшн. Вскоре Рэчел свернула на Орчард-лэйн, узкий, изрытый выбоинами проезд, круто огибающий холм. Глазам ее предстали крохотные одноэтажные домишки с полуобвалившимися ступеньками и неухоженными маленькими двориками. Рядом с одним из домиков она заметила старый «шевроле», с которого сняли колеса, подставив вместо них кирпичи, около другого — ржавый трейлер для катера.

Небольшой зеленый дом, стоящий в конце Орчард-лэйн, выглядел более опрятным, чем остальные. Крыльцо его было чисто выметено, и можно было сразу заметить, что хозяева ухаживают за своим небольшим палисадником. Рядом с дверью свисала с крюка корзина с геранью.

Припарковав машину, Рэчел поднялась по шатким ступенькам на крыльцо и тут же услышала звук телевизора. Судя по треснувшей кнопке, звонок скорее всего не работал, поэтому она просто постучала в дверь.

Ей открыла молодая и симпатичная, но уже увядшая женщина, невысокая, стройная, с узкими бедрами. Ее короткие светлые волосы имели такой вид, словно она стригла их сама. Женщина была в белой блузке без рукавов и поношенных джинсовых шортах, доходивших ей почти до колен, сверху они не прикрывали пупок. На вид ей можно было дать тридцать с небольшим, но Рэчел показалось, что на самом деле она моложе. Усталость и подозрительность, легко читавшиеся на ее лице, позволили Рэчел без труда узнать товарища по несчастью: было очевидно, что жизнь женщины тяжела и безрадостна.

— Вы мать Эмили? — спросила Рэчел.

Женщина кивнула.

— Меня зовут Рэчел Стоун.

— Вот оно что. — На лице женщины появилось удивление. — Моя мать сказала, что вы можете как-нибудь к нам заехать, но я ей не поверила.

Последние слова женщины заставили Рэчел содрогнуться, но она, сделав над собой усилие, заговорила снова.

— Понимаете, ваша мама... Она замечательный человек, но...

— Ничего, все в порядке. — Женщина улыбнулась. — Она куда больше верит в чудеса, чем я. Мне очень жаль, если она вам досаждала, но она хотела как лучше.

— Я это знаю. Мне бы очень хотелось сделать то, о чем она меня просила, но, боюсь, это не в моих силах.

— В любом случае входите. Компания мне не помешает. — Женщина распахнула дверь пошире. — Меня зовут Лиза.

— Рада с вами познакомиться.

Рэчел вошла в маленькую тесную гостиную, заставленную мебелью. Бежевый раскладной диван, старое кресло с высокой спинкой, несколько небольших столов и тумба, на которой стоял телевизор, — все это было хорошего качества, но какое-то разнокалиберное и далеко не новое на вид, так что Рэчел заподозрила, что все эти вещи подарены Лизе ее матерью.

Стойка, расположенная с левой стороны от входа, частично отделяла гостиную от кухни. На стойке, покрытой бежевым пластиком, Рэчел увидела привычный набор пластмассовых банок, тостер, плетеную корзинку для бумаг, забитую до отказа, а также два зрелых банана и наполненную сломанными карандашами коробку из-под сладостей без крышки. Оглядев нехитрую обстановку и столь же простецкие пожитки, Рэчел невольно задала себе вопрос: когда она сама сможет позволить себе хотя бы это?

Тем временем Лиза выключила телевизор и жестом предложила Рэчел сесть в кресло с высокой спинкой.

— Кока-колы не хотите? Или, может быть, кофе? Вчера мама привезла свои булочки.

— Нет, спасибо.

Рэчел опустилась в кресло, и на некоторое время наступила неловкая пауза. Обе женщины не знали, что сказать. Лиза взяла с дивана какой-то журнал и тоже села.

— Как себя чувствует ваша дочь? — спросила Рэчел.

Лиза в ответ пожала плечами.

— Сейчас она спит. Нам в какой-то момент показалось, что ей получше, но затем снова наступило ухудшение. Врачи сделали все, что могли, поэтому я привезла ее из больницы домой.

В глазах у женщины появилось загнанное выражение, и Рэчел поняла, что Лиза забрала дочь домой умирать, хотя никогда не смогла бы сказать этого вслух.

Закусив нижнюю губу, Рэчел полезла в свою сумочку. С самого начала она знала, что ей надо делать, и теперь пришло время, когда она могла осуществить свой план.

— Я вам кое-что привезла.

Рэчел вынула из сумочки и протянула Лизе чек на двадцать пять тысяч долларов, выписанный Кэлом Боннером.

— Это вам, — сказала она.

Удивление на лице Лизы сменилось смущением, которое, в свою очередь, уступило место недоверию. Рука Лизы, в которой она держала чек, задрожала. Женщина часто заморгала, словно в глаза ей попала соринка.

— Это... это выписано на ваше имя. Что это?

— Я сделала на чеке надпись о том, что эти деньги предназначаются для фонда Эмили. Обратите внимание на дату, проставленную на чеке, — он выписан как бы вперед, так что обналичить его вы сможете только через неделю.

Лиза внимательно изучила подпись на обратной стороне чека, затем снова подняла глаза на Рэчел.

— Но ведь это такие большие деньги, а я вас даже не знаю. Почему вы это делаете?

— Потому что хочу, чтобы эти деньги принадлежали вам.

— Но...

— Пожалуйста. Для меня это очень важно. — Рэчел улыбнулась. — У меня к вам только одна просьба. В следующий понедельник я уезжаю. Так вот, я вас очень прошу после моего отъезда послать Кэлу Боннеру письмо с благодарностью за его щедрость.

— Конечно. Но... — С лица Лизы не сходило недоумение, свойственное в подобных ситуациях людям, которые не привыкли к хорошим новостям.

— Он будет очень рад, когда узнает, что его деньги пошли на помощь вашей дочери.

Рэчел не могла отказать себе в этом маленьком удовольствии. Она выполнила условия, поставленные Кэлом, так что у него не было оснований потребовать свои деньги назад, зато она теперь получила возможность потешить себя мыслью, что все-таки обвела его вокруг пальца.

— Мама... — раздался слабый детский голосок.

Лиза разом расправила плечи.

— Иду, — сказала она и встала, сжимая в руке драгоценный чек. — Хотите познакомиться с Эмили?

Если бы этот разговор происходил в присутствии матери Лизы, Рэчел нашла бы предлог для того, чтобы отказаться, но стоящая перед ней женщина не ожидала от нее никаких волшебных исцелений.

— Да, с удовольствием.

Сунув чек в карман, Лиза провела Рэчел по короткому коридору между гостиной и кухней. Они миновали спальню и ванную комнату и вошли в детскую.

На бумажных обоях, покрывающих стены, резвились маленькие девочки в панамках. Не слишком плотно запахнутые желтые шторы прикрывали единственное в комнате окно. Целая гроздь воздушных шаров, некоторые уже были спущены, сонно покачивалась в углу. Повсюду были расставлены почтовые открытки с пожеланиями скорейшего выздоровления. Многие из них уже начали загибаться по краям.

Рэчел увидела двуспальную кровать, на которой, укрытая мятой голубой простыней, лежала девочка. Лицо у нее было припухшее, руки покрывали темные синяки. Короткие редкие волосы каштанового цвета походили на пух. Держа в руках розового плюшевого медвежонка, девочка молча смотрела на Рэчел лучистыми зелеными глазами.

Лиза подошла к кровати дочери.

— Хочешь немножко сока, маленькая? — спросила она.

— Да, пожалуйста.

Лиза поправила подушку так, чтобы девочка могла сесть.

— Апельсиновый или яблочный?

— Яблочный.

— Это Рэчел, — сказала Лиза, поправляя сбившуюся простыню. — Она не доктор, а просто друг. Может, пока я схожу за соком, ты покажешь ей Блинки? Рэчел, это Эмили.

Когда Лиза вышла из комнаты, Рэчел подошла поближе.

— Привет, Эмили, — сказала она. — Можно я присяду на кровать?

Девочка согласно качнула головой, и Рэчел осторожно опустилась на краешек постели.

— Готова поспорить, я знаю, кто такой Блинки.

Эмили бросила взгляд на своего розового медвежонка и крепче сжала его в руках.

— Наверняка это и есть Блинки, — сказала Рэчел, дотрагиваясь до кончика маленького, похожего на кнопку носика малышки.

Эмили улыбнулась и отрицательно качнула головкой.

— А, понятно. — Рэчел дотронулась до уха Эмили. — Тогда вот кто Блинки.

— Нет, — сказала девочка и тихонько хихикнула.

Они поиграли еще немного в эту нехитрую игру, после чего Рэчел наконец «угадала», что Блинки — имя розового медвежонка. Девочка была очаровательным существом, и у Рэчел сердце разрывалось при виде того, что с ней сделала болезнь.

В комнату вошла Лиза с желтой пластиковой чашкой в руке. В тот самый момент, когда Рэчел стала подниматься на ноги, чтобы дать матери возможность напоить ребенка, зазвонил телефон.

— Не возражаете? — спросила Лиза, протягивая чашку с соком Рэчел.

— Разумеется...

Когда Лиза вышла, Рэчел помогла Эмили сесть и поднесла чашку к ее губам.

— Я могу попить сама, — сказала девочка.

— Конечно, можешь. Ты ведь уже большая.

Обхватив чашку обеими руками, девочка сделала глоток, после чего снова протянула ее Рэчел.

— Ты не могла бы выпить еще немного? — спросила Рэчел, но тут же увидела, что глаза у малышки сами собой закрываются: даже такое небольшое усилие, по всей видимости, было для Эмили чрезмерным. Рэчел уложила ее и поставила чашку на прикроватную тумбочку, заставленную флаконами с таблетками.

— У меня есть сын. Он немного постарше тебя...

— Он любит играть на улице?

Рэчел кивнула и осторожно сжала в руке ладошку девочки.

— Я тоже люблю играть на улице, но мне нельзя, потому что у меня лейкемия, — слабым голосом сказала Эмили.

— Я знаю.

Привычка — вторая натура: глядя на бледное лицо маленькой девочки, Рэчел поймала себя на том, что обращается к Богу, в которого она больше не верила: *Как Ты мог это сделать? Как Ты мог допустить, чтобы с таким чудесным ребенком случилось это?*

В памяти Рэчел всплыли слова, когда-то сказанные Гейбом: *Наверное, ты путаешь Бога с Санта-Клаусом.* Должно быть, вид ребенка, отчаянно цепляющегося за жизнь, обострил восприимчивость Рэчел. Никогда раньше она так остро не ощущала скрытого, глубинного значения этой фразы. Она почувствовала какое-то странное душевное спокойствие, впервые по-настоящему поняв, что именно Гейб имел в виду: у нее, у Рэчел, было детское представление о Боге.

Всю свою жизнь она рисовала себе Бога как существо, живущее отдельно от людей, которое, руководствуясь какими-то понятными одному лишь ему соображениями, определяло судьбы людей, делая одних счастливыми, а других несчастными. Неудивительно, что она не могла полюбить такого Бога — жестокого и несправедливого.

Однако теперь, сидя у кровати неизлечимо больного ребенка, Рэчел вдруг осознала: то, что произошло с Эмили, — это не дело рук Бога. Это сделала жизнь.

В этот момент она не могла не вспомнить о Дуэйне и о его проповедях. Дуэйн говорил, что Бог всемогущ. Но какое было дело до Его могущества умирающей девочке, которую Рэчел держала за руку?

Озарение пришло к Рэчел неожиданно и мгновенно, словно вспышка молнии, — она вдруг осознала, что всегда понимала идею всемогущества Бога слишком приземленно, сравнивая его с властью земных правителей, распоряжавшихся жизнью и смертью своих подданных. Всевышний, однако, не был одним из подобных им тиранов.

До нее вдруг дошло, что Бог в самом деле всемогущ, но могущество его совершенно иное, нежели у земных королей и царей. Он всемогущ так же, как всемогуща Любовь — великая, самая великая на свете сила. **Могущество Бога** — это могущество Любви.

От сердца по всему телу Рэчел прошла мощная теплая волна. Ее состояние было близко к экстазу.

Всемогущий Господь, излечи этого ребенка силой Твоей любви.

— У тебя рука горячая.

Голос Эмили заставил Рэчел очнуться. Она моргнула несколько раз, и похожее на транс состояние исчезло. Тут только она сообразила, что, наверное, слишком сильно сдавила детские пальчики.

— Прости меня, — извинилась Рэчел. — Я не хотела сделать тебе больно.

Встав, Рэчел почувствовала, что у нее дрожат ноги. На нее вдруг навалилась слабость, словно она только что пробежала несколько миль. Что это было? Рэчел интуитивно чувствовала: с ней произошло нечто очень важное, но теперь уже не могла четко сформулировать, что именно.

— Я хочу сесть, — сказала Эмили.

— Сейчас, я только схожу посмотрю, как там твоя мама.

Хлопнула входная дверь, и в доме прозвучал громкий мужской голос:

— Я знаю эту машину. Черт возьми, Лиза! А *она-то* что здесь делает?

— Успокойся, я...

Мужчина, однако, не дослушал. В коридоре раздались тяжелые шаги, и в дверном проеме комнаты Эмили возник человек, в котором Рэчел узнала Расса Скаддера.

— Здравствуй, папа, — сказала Эмили.

Глава 21

Проскользнув мимо Расса, в комнату вбежала Лиза.

— Эмили, ты почему сидишь?

— Мне стало жарко.

Мать озабоченно пощупала ладонью лоб девочки.

— Жара у тебя нет. — Вынув из стоящего на прикроватной тумбочке стакана градусник, Лиза сунула его дочери в рот. — Посмотрим, что у тебя с температурой.

Неприязненно оглядев Рэчел, Расс подошел к кровати девочки.

— Привет, дорогая.

— Ты же обещал прийти вчера, папа, — пробормотала Эмили, которой мешал говорить термометр.

— Да, верно, только я был слишком занят. Но теперь я пришел.

Присев на край кровати, Расс метнул на Рэчел еще один злобный взгляд.

— У Рэчел есть маленький мальчик, — сказала Эмили. — И еще у нее очень горячие руки.

Лицо Расса исказила злобная гримаса.

— Убирайтесь отсюда, — процедил он.

— Перестань, Расс, — шагнула вперед Лиза.

— Я не хочу, чтобы она находилась около Эмили.

— Теперь это мой дом, поэтому никого не интересует, чего ты хочешь, а чего нет.

— Ничего, — вмешалась в разговор Рэчел, — мне в любом случае надо ехать. До свидания, Эмили. Будь умницей.

— А ваш маленький мальчик может прийти со мной поиграть? — спросила девочка, вынув изо рта градусник.

— Мы скоро уезжаем, так что боюсь, он недолго здесь пробудет.

Лиза попыталась вернуть термометр на место, но Эмили отрицательно покачала головой.

— Я хочу почитать, — сказала она. — И еще я хочу яблочного сока.

— В чем дело? — спросил Расс. — Ты же мне сказала, она так плохо себя чувствует, что не может даже сидеть.

— Наверное, сегодня у нее просто хороший день. — Лиза подошла к Рэчел и, взяв ее за руку, вывела в коридор. — Я никогда не смогу в полной мере отблагодарить вас за то, что вы сделали. Эти деньги очень нам помогут.

Позади неожиданно возник Расс.

— Какие еще деньги?

— Рэчел передала нам двадцать пять тысяч долларов для фонда Эмили.

— Что?! — переспросил Расс таким голосом, словно его душили.

— Чек подписан Кэлом Боннером, — сказала Рэчел. — Это не мой подарок, а его.

По лицу Лизы было ясно, что она в это не верит. Что же касается Расса, то у него был такой вид, будто его оглушили чем-то тяжелым по голове. Внезапно Рэчел захотелось поскорее уехать.

— Всего хорошего, — сказала она.

— Пока, Рэчел, — послышался из комнаты тоненький голосок.

— Пока, малышка.

Выйдя из дома, Рэчел торопливо направилась к своей машине.

Этан выехал в левый ряд федерального шоссе, обгоняя прокатный грузовик со свисающими сзади двумя велосипедами. Кристи посмотрела на безупречный профиль преподобного Боннера.

— Не могу поверить, что ты говоришь серьезно, — сказала она.

— Я не создан для того, чтобы быть священником, — повторил Этан, снова перестраиваясь вправо. — Я знаю это уже очень давно, и мне надоело бороться с собой. В понедельник, как только мы вернемся, я напишу прошение о том, чтобы с меня сняли сан.

Кристи попыталась было спорить, но затем перестала его отговаривать. Какой в этом смысл? Он обрушил на нее свою новость, как только они выехали из Солвейшн. Теперь они уже подъезжали к Ноксвиллю, и все время она старалась его разубедить, но тщетно — Этан не собирался отказываться от своих намерений.

У Кристи не укладывалось в голове, как это Этан Боннер не может понять, что он — прирожденный священник и что, отказавшись от сана, он сделает самую серьезную в своей жизни ошибку. Тем не менее ей было совершенно ясно: он не намерен прислушиваться к ее мнению, что бы она ни говорила.

— Пожалуйста, давай побеседуем о чем-нибудь еще, — предложил Этан.

Кристи понимала — времени на то, чтобы его переубедить, у нее оставалось очень мало. Был вечер пятницы, а им предстояло вернуться в Солвейшн сразу после воскресной утренней службы, на которую должны были собраться все участники конференции и ленча.

— И чем же ты намерен заниматься? — осведомилась она.

— Пока не знаю. Может, попробую себя в качестве юриста. А может, попытаюсь получить научную степень в области психологии.

— Твои братья будут очень разочарованы, не говоря уже о твоих родителях, — сказала Кристи, выкладывая главный козырь.

Они подъехали к эстакаде у въезда в город, и Этан немного притормозил.

— Каждый человек должен жить своей жизнью, — сказал он. — Я проголодался. Давай чего-нибудь перекусим.

Этану, как и Кристи, было прекрасно известно, что конференция начиналась в семь часов с фуршета, а из-за неприятностей с машиной Кристи они и так уже порядком задержались. Не желая проводить слишком много времени в обществе Этана, Кристи хотела отправиться на конференцию в Ноксвилль на своей машине, однако ее обычно безотказная «хонда» на этот раз почему-то не завелась, и ей ничего не оставалось, как поехать с ним.

— Уже шесть часов, и у нас нет времени на остановки, — сказала она.

— Ты боишься, что за опоздание тебе поставят в дневник плохую отметку?

Сарказм, прозвучавший в его словах, раньше был совсем не характерен для Этана. Это была одна из его новых черт, появившихся после того, как Кристи объявила ему о своем уходе, и эта черта ей не нравилась.

— Это ведь тебе надо на конференцию, а не мне, — с раздражением заметила она. — Если бы ты меня не упросил, я бы вообще на нее не поехала.

Двухнедельный срок, который Кристи обязалась отработать, прежде чем окончательно уволиться, истек неделю назад, но Этан уговорил ее задержаться вплоть до этих выходных. Она согласилась, поскольку на новую работу в одном из дошкольных детских учреждений Бреварда ей надо было выходить только в понедельник. Теперь она от всей души жалела о своей покладистости. То, что произошло между ней и Этаном в пятницу на прошлой неделе на сиденье его автомобиля, разрушило все ее иллюзии. Кристи поняла, что по-прежнему любит Этана Боннера и будет любить всегда. Поэтому последняя неделя стала для нее настоящей пыткой. Приступы необычной для Этана сварливости и раздражительности чередовались у него с такой нежностью и предупредительностью, что Кристи подчас с трудом сдерживала слезы. Она знала: ее слова о том, что все годы, в течение которых они были знакомы, он не был ее другом, больно задели Этана, и изо всех сил старалась сделать так, чтобы в своем поведении он руководствовался какими-то иными эмоциями, нежели чувство вины.

Несколько раз Кристи перехватывала устремленный на нее взгляд Этана, в котором даже при всей своей неопытности в таких вещах она без труда улавливала желание. Казалось бы, от этого она должна была чувствовать себя счастливой: разве не этого она добивалась? Тем не менее эти взгляды не приносили ей ничего, кроме ощущения какой-то тягостной неловкости и угнетенности. Ей не хотелось быть всего-навсего одной из девиц, пробуждающих в Этане Боннере похоть, — ей нужна была его любовь.

Внезапно Кристи поняла, что Этан проехал мимо сразу нескольких расположенных вдоль дороги закусочных.

— Кажется, ты сказал, что хочешь перекусить.

— Верно, — ответил Этан, но автомобиль, не снижая скорости, продолжал мчаться по двухрядному шоссе. Наконец Этан притормозил и, сделав левый поворот, въехал на стоянку ресторанчика с тускло освещенной вывеской, расположенного рядом с мотелем на восемь номеров.

На стоянке с покрытием из гравия были припаркованы в основном пикапы. Этан довольно ловко вписался между двумя из них. Кристи с неудовольствием огляделась вокруг. Усеивающие стоянку голыши горчичного цвета и аляповатая неоновая реклама различных сортов пива выглядели не слишком многообещающе.

— Пожалуй, нам лучше вернуться в заведение Харди, — сказала Кристи.

— А мне нравится это место, — возразил Этан.

— Оно какое-то зашарпанное.

— Вот и хорошо.

Он выдернул ключи из замка зажигания и распахнул дверь. Кристи поняла, что, если у Этана в самое ближайшее время не поправится настроение, ей предстоит длинный и весьма нелегкий уик-энд. Грудер Матиас, один из ушедших на покой священников Солвейшн, взялся прочитать вместо Этана воскресную службу, в понедельник у Этана был выходной. Получалось, что ему нет необходимости торопиться с возвращением.

Решительно вздохнув, Кристи пошла следом за Этаном к оформленному в псевдосредиземноморском стиле входу с тя-

желыми деревянными дверями. Еще до того как они вошли
внутрь, до ее слуха донеслась звучащая в баре простоватая
музыка кантри.

Едва они успели переступить порог, как их окатила мощная
струя кондиционированного воздуха, от которой ярко-красное
платье Кристи облепило ее тело. Ноздри ее уловили запах горя-
чего жира и перестоявшегося пива. У тускло освещенной стойки
бара сидела группа молодых парней в бейсболках и грязных джинсах. Парни потягивали пиво и курили.

Поскольку было еще относительно рано, большинство столов, а также обтянутых коричневым винилом отдельных кабинок
пустовало. Главным украшением интерьера были пыльные побеги
пластикового плюща. На стенах висело несколько взятых в рамку
сертификатов министерства здравоохранения, должно быть, таких же поддельных, как и плющ.

Этан подвел Кристи к одной из отдельных кабинок в задней
части помещения. Как только они уселись, бармен, лысый мужчина с короткой шеей, окликнул их, желая выяснить, что они
будут пить.

— Кока-колу, — ответила Кристи и после некоторого колебания добавила: — В банке, пожалуйста.

— А мне виски со льдом, — заявил Этан.

Кристи посмотрела на него с изумлением. Она никогда раньше не видела, чтобы Этан употреблял крепкие напитки.

Один из сидящих у стойки парней принялся разглядывать
Кристи. Она еще не привыкла к тому, что мужчины обращают
на нее внимание, и потому, чтобы преодолеть смущение, сделала
вид, будто не замечает этого.

Бармен принес напитки и шлепнул на стол два закатанных в
пластик меню, липких от некогда пролитых на них соусов.

— Дженни подойдет к вам через минуту. Рекомендую жареную рыбу, — сказал он и отправился обратно к стойке.

Кристи мизинцем брезгливо отпихнула грязные меню. Не
обращая внимания на стоящий на столе пустой стакан с кубиками
льда, она протерла бумажной салфеткой верхний край жестяной

банки и, открыв ее, сделала глоток. Кока-кола оказалась теплой, но по крайней мере ее можно было пить, не опасаясь подхватить при этом какую-нибудь инфекцию.

Мужчина, сидящий у стойки бара, продолжал за ней наблюдать. Он был молод, лет двадцати пяти, с мощными бицепсами, выпиравшими из-под коротких рукавов футболки.

Отхлебнув виски, Этан устремил на незнакомца злобный взгляд и громко спросил:

— Эй ты, чего на нее уставился?

— Этан! — ахнула Кристи.

Парень пожал плечами.

— Я что-то не вижу на ней надписи «продано», — лениво процедил он.

— Наверное, это оттого, что ты не умеешь читать.

Глаза Кристи расширились от испуга. Этан, убежденный пацифист, буквально нарывался на драку с типом, который был на добрых пятьдесят фунтов тяжелее его, причем это были пятьдесят фунтов мышц.

Парень поднялся со стула, и Кристи готова была поклясться, что увидела в голубых глазах Этана искорку удовлетворения. Она лихорадочно соображала, как поступить. Что сделала бы в такой ситуации Рэчел?

Нервно сглотнув, она подняла руку и, обращаясь к парню, примирительно сказала:

— Пожалуйста, не обижайтесь. Он просто сам не свой после того, как отказался от сана священника.

Самое интересное, подумала Кристи, что это и в самом деле так.

Парень, судя по его виду, не особенно ей поверил.

— Что-то он не похож на священника.

— Я же вам говорю, он недавно сложил с себя сан. — Кристи глубоко вздохнула. — Он постоянно меня опекает. Я... э-э... сестра Кристина.

— Вы что, монашка? — Парень прошелся взглядом по вырезу ее платья.

— Да, монашка. Да благословит вас Господь.

— Вы не похожи на монашку.

— Мой орден не обязывает меня носить монашеское платье.

— А разве вы не должны носить хотя бы крест с распятием или что-то в этом роде?

Кристи осторожно потянула за золотую цепочку у себя на шее и извлекла маленький золотой крестик.

— Извините, сестра. — Парень бросил еще один враждебный взгляд на Этана и снова уселся на стул.

— Ты что делаешь? — спросил Этан, раздраженно глядя на Кристи.

— Не даю тебе ввязаться в пьяную драку!

— А может, мне как раз не надо, чтобы меня удерживали.

— Пусть нам принесут рыбу! — крикнула Кристи бармену. — И да благословит вас Господь, — добавила она с некоторым опозданием.

Этан закатил глаза кверху, но, к счастью, не стал продолжать разговор на неприятную тему. Вместо этого он снова налег на виски, и к тому времени, когда у их столика появилась сильно накрашенная темноволосая официантка в футболке и юбке с разрезами, его стакан опустел.

— Принесите мне еще виски, — сказал он.

— Этан, ты же за рулем, — запротестовала Кристи.

— Не лезьте не в свое дело, сестра Бернадина.

Официантка подозрительно взглянула на Кристи.

— Я слышала, как до этого вы говорили, будто вас зовут сестра Кристина.

— Э... До того, как я постриглась в монахини, меня звали Бернадина. А уже в монастыре я стала Кристиной.

Этан фыркнул. Официантка повернулась в его сторону, явно заинтересованная его внешностью.

— Ну, и как вы себя чувствуете, перестав быть священником? — осведомилась она.

— Спросите у нее, — ответил Этан и ткнул пальцем в сторону Кристи.

— Он... Понимаете, это очень нелегко. Людям, которые отказываются от своего призвания, всегда нелегко. — Кристи отвернула пробку бутылки с кетчупом, но прежде, чем протянуть бутылку Этану, тщательно протерла горлышко еще одной бумажной салфеткой. — Они чувствуют себя опустошенными. Пустоту внутри такие люди зачастую пытаются заполнить виски и очень быстро становятся одинокими, никому не нужными алкоголиками, опустившимися и утратившими человеческий облик.

Официантка легонько провела по плечу Этана кончиком покрытого голубым лаком ногтя и сказала:

— Я думаю, вам это не грозит, святой отец.

— Спасибо, — лениво улыбнулся Этан.

— Не за что.

Официантка пошла к бару, и Этан с видимым удовольствием уставился на ее покачивающийся зад. Вернувшись, она поставила на стол еще одну порцию виски и снова отошла, сложив губы в томную улыбку.

— Ешь, а то все остынет, — раздраженно бросила Кристи.

— Какое тебе дело, остынет у меня еда или нет? — спросил Этан и отхлебнул из стакана.

— Никакого.

— Ты врешь. — Он уставился на нее так пристально, что ей стало неловко. — Знаешь, что я думаю? Я думаю, ты все еще меня любишь.

— А я думаю, ты пьян, — сказала Кристи, изо всех сил стараясь не покраснеть. — Пить ты не умеешь.

— Ну хорошо, предположим, я пьян. И что из этого?

Кристи уже всерьез рассердилась.

— Ты еще не сложил с себя сан, Этан Боннер! Пока ты еще священник.

— Только не в душе, — тоже сердито буркнул Этан. — В душе я давно уже вышел в отставку.

Не успел Этан произнести эти слова, как лицо его исказила гримаса. Он замер, словно прислушиваясь к чему-то неприятному внутри себя, и наконец, пробормотав что-то нечленораздельное, взял со стола вилку и со всего маху вонзил ее в лежащую перед ним на тарелке рыбу.

— Она уже уснула, и ее даже зажарили, — заметила Кристи.

— Смотри лучше к себе в тарелку и оставь меня в покое, — огрызнулся Этан. — Где соль?

— Рядом с тобой.

Этан протянул руку к солонке, но Кристи быстрым движением выхватила ее у него из-под пальцев. Как бы она ни сердилась на Этана, она все же любила его и не могла допустить, чтобы он отравился или наглотался каких-нибудь микробов. Тщательно протерев ржавую крышку солонки очередной бумажной салфеткой, она резким движением протянула ему стеклянный цилиндрик.

— Постарайся ни до чего здесь не дотрагиваться.

Длинные пальцы Этана сомкнулись на солонке, а глаза его уставились прямо в глаза Кристи.

— Ты ведь знаешь, до чего мне ужасно хочется дотронуться, верно?

Кристи промолчала: у нее словно онемел язык.

— Я хочу дотронуться до тебя, — снова заговорил Этан. — Как тогда, в кинотеатре.

— Я не желаю об этом говорить.

— Говорить об этом я тоже не желаю. — Этан отодвинул в сторону тарелку с рыбой, взял в руку стакан и посмотрел на Кристи поверх его края. — Но я собираюсь это сделать.

Неловко дернув рукой, Кристи опрокинула банку с кока-колой и засуетилась, стараясь поставить ее вертикально прежде, чем напиток прольется на стол. Все ее тело горело.

— Мы... Нам надо быть в Ноксвилле через какие-нибудь полчаса.

— Мы туда не поедем. Плевать я хотел на эту конференцию.

— Но ведь ты уже оплатил регистрацию.

— И что из этого?

— Эт...

— Пошли отсюда.

Этан швырнул на стол несколько банкнот, схватил Кристи за запястье и потащил к выходу. Сердце у нее отчаянно заколотилось: перед ней был новый, опасный Этан, которого она никогда раньше не видела.

Он стащил ее по ступенькам с крыльца бара, и через какие-нибудь несколько секунд они оказались у его «тойоты-камри». Этан прижал Кристи бедрами к капоту автомобиля.

— Я все время думаю о том вечере в кинотеатре, — сказал он и погладил плечи Кристи большими пальцами.

Даже сквозь ткань платья она почувствовала жар, исходящий от его тела. Мимо них по шоссе с шумом пронесся грузовик.

— Ты любишь меня, — прошептал Этан. — Ты должна утратить свою девственность именно со мной, а не с кем-нибудь, кто тебе безразличен, разве не так?

— Как... Откуда ты знаешь, что я ее еще не утратила?

— Знаю, и все.

Разум Кристи изо всех сил боролся с желанием.

— Ты не должен так вести себя, — сказала она.

Этан слегка наклонил голову, и Кристи почувствовала, как он трется подбородком о ее волосы.

— Почему бы нам не потерять нашу девственность вместе?

— Ты не девственник.

— С того момента, когда в последний раз занимался любовью, прошло столько времени, что я чувствую себя девственником.

— Я не... Так не бывает.

— Еще как бывает. — Губы Этана дотронулись до мочки уха Кристи, она почувствовала на щеке его дыхание, смешанное с запахом виски. — Ну, решай: да или нет?

Этан сознательно искушал ее, зная, что Кристи к нему неравнодушна. С его стороны нечестно было пользоваться этим.

— Я тебя больше не люблю, — солгала Кристи. — И никогда не любила. Это было просто увлечение.

Этан обхватил ее бедра, а его большие пальцы нащупали сквозь платье край ее эластичных трусиков.

— От тебя так хорошо пахнет, — выдохнул он. — Мне ужасно нравится, как ты пахнешь.

— Я ничем не душилась.

— Я знаю.

— О, Этан... — вздохнула Кристи.

— Так да или нет?

В груди у Кристи стало горячо от гнева, и она резким движением стряхнула с себя руки Этана.

— Да! Разумеется, да, потому что я слабый человек. Но сейчас ты мне совсем не нравишься.

Если Кристи и ожидала, что ее вспышка хоть немного отрезвит Этана, то она ошиблась.

— Ну, это я как-нибудь переживу, — пробормотал он и, открыв дверь машины, втолкнул Кристи в салон. Однако вместо того, чтобы выехать обратно на шоссе, Этан, резко рванув с места, вывел «тойоту» с покрытой гравием стоянки и направил ее на узкую подъездную аллею, ведущую к расположенному совсем рядом мотелю.

— О, нет... — Кристи в отчаянии посмотрела на ряд деревянных белых строений, перед которыми, словно часовые, стояли три огромные сосны.

— Я не могу больше ждать, — сказал Этан, и в голосе его зазвучали умоляющие нотки, которых Кристи никогда раньше не слышала. — Я обещаю, Кристи, в следующий раз все будет по-другому — с шампанским и шелковыми простынями.

Не дожидаясь ответа, он затормозил, выскочил из машины и бросился к стойке портье. Вернувшись через какие-нибудь несколько минут, он снова сел за руль и погнал «тойоту» к одному из самых дальних строений. Быстро припарковавшись, он опять выпрыгнул из машины и побежал вокруг нее, спеша распахнуть дверь, чтобы помочь выйти Кристи, после чего повел ее внутрь с торопливостью и нетерпением школьника.

Не успели они войти, как Этан пинком захлопнул дверь и испустил вздох облегчения, увидев, что комната, которую им дали, довольно обшарпанная, но при этом чистая. Он прекрасно знал, что, окажись она грязной, ему ни за что не удалось бы заставить Кристи в ней остаться. А позволить ей уйти он не мог. Он просто не мог больше выносить отчужденность, появившуюся между ними. Он должен был сделать нечто такое, что снова сблизило бы их и благодаря чему Кристи на всю жизнь осталась бы рядом с ним. Единственным средством для этого, которое приходило ему в голову, был секс.

Этан был уверен: что бы Кристи ни говорила, секс для нее означает очень многое. В противном случае разве была бы она до сих пор девственницей? Мужчина, с которым ее соединила бы физическая близость, был бы нужен ей всегда, и именно поэтому этим мужчиной должен был стать он, Этан. И только он!..

Он просто не может позволить, чтобы кто-то, кто не в состоянии должным образом оценить благородство ее души, сломал ей жизнь. А что, если ее первый мужчина окажется негодяем, которому будет безразлична ее судьба? Вдруг этот «кто-то» не поймет, что ему досталась не женщина, а сокровище?

Кристи могла столкнуться с самыми разными неприятностями. Например, она всегда была помешана на чистоте и гигиене, и потому ее партнер должен быть достаточно чутким человеком, чтобы мириться с ее странностями.

— Ну что же, комната вполне чистая, — сказал Этан.

— А я и не говорила, что она грязная.

— Я знаю, о чем ты думаешь, — несколько виновато заговорил Этан, боясь, что Кристи разочарована тем, что предстало перед ее глазами. — Если комната не презентабельная, это еще не значит, что в ней обязательно грязно. — Подойдя к кровати, он откинул в сторону покрывало и одеяло, обнажив белую, хрустящую простыню. — Вот видишь?

— Этан, ты что, пьян?

Кристи, стоящая у порога в своем коротеньком красном платьице и смотрящая на него большими глазами, в которых нетрудно было заметить выражение неуверенности, была так хороша, что у Этана ком застрял в горле.

— Я прилично выпил, но вовсе не пьян. Я прекрасно себя контролирую и очень хорошо осознаю все свои действия, если тебя интересует это.

Ты даже понятия не имеешь о том, что ты делаешь. Этан решил не обращать внимания на прозвучавший внутри него голос.

Он игнорировал его с того столь памятного ему вечера, который он провел с Кристи на стоянке кинотеатра «Гордость Каролины».

Не обращая внимания на скрип половиц, он подошел к Кристи, обнял ее и поцеловал. Почувствовав на губах вкус мяты, Этан догадался, что, пока он договаривался с портье, Кристи, должно быть, сунула в рот драже, освежающее дыхание, и улыбнулся: ей это было вовсе ни к чему.

Прижав к себе теплое, такое желанное тело Кристи, он сверху вниз провел руками по ее спине, потом прижал ладонями ее бедра. Губы ее раскрылись, руки Кристи обвили его шею. Не думая больше ни о чем, Этан прижался губами к ее губам.

Он не знал, сколько времени длился их поцелуй. Наконец Кристи осторожно отодвинулась и заглянула ему в глаза.

Я люблю тебя, Этан...

Губы ее даже не шевельнулись, она не произнесла ни одного слова, однако Этан услышал эту фразу с такой отчетливостью, словно это был голос Бога. Душу его наполнило чувство огромного облегчения.

— Это нехорошо, — заговорила Кристи. — Я очень хочу того же, что и ты, хочу больше, чем когда бы то ни было, но это нехорошо — как с твоей, так и с моей стороны. Бог не этого ждет от нас.

Кристи произнесла эти слова мягко, без нажима, чувствовалось, что они идут от самого сердца, но у Этана они вызвали чувство протеста.

Послушай ее, Этан, предостерегающе произнесла Опра Уинфри. *Прислушайся к тому, что она говорит...*

Но Этан не хотел ничего слышать. В конце концов, он был мужчина, а не святой, и ему надоело, что всей его жизнью управляет Всевышний. Вместо того чтобы остановиться и одуматься, он сунул руку под платье Кристи и почувствовал под пальцами восхитительно нежную кожу.

— И ты собиралась позволить это Майку Риди? — Рука Этана двинулась вверх, задирая платье, и остановилась только тогда, когда ладонь его легла на прикрытую бюстгальтером грудь.

— Может быть.

— Что бы ты ни говорила, я для тебя гораздо более близкий друг, чем он.

— Да.

Этан осторожно потрогал большим пальцем мягкое полукружье, выступавшее за ткань лифчика.

— Почему ты собиралась лечь в постель с ним, а не со мной?

После этого вопроса Кристи так долго молчала, что Этан решил, что так и не дождется ответа. Однако после долгой паузы ответ все же последовал. Пальцы Кристи сжали предплечье Этана, и она сказала:

— Потому что секс с Майком Риди никого ни к чему не обязывает.

Этан замер.

— Не обязывает?

Кристи молча смотрела на него полными желания глазами.

— А со мной обязывает? Тебе нужны от меня какие-то обязательства?

Кристи кивнула и потупилась с несчастным видом.

К своему немалому удивлению, Этан не ощутил приступа паники, хотя было ясно, что под словом «обязательства» Кристи имела в виду брак. Он вытащил руку из-под платья Кристи.

— И еще мне нужна твоя любовь, — с трудом выговорила Кристи. — Больше, чем какие-либо обязательства.

Этан все еще не мог до конца разобраться в услышанном.

— Значит, от Майка тебе никаких обязательств не требуется? — переспросил он.

Кристи отрицательно покачала головой.

— И любви тебе от него тоже не надо?

Она повторила свой отрицательный жест.

— А от меня тебе это нужно?

Кристи кивнула.

И все же паники он не чувствовал. Более того, душа Этана наполнилась ликованием. У него было такое ощущение, будто с плеч у него свалился огромный камень. *Ну конечно же...*

С такой отчетливостью и ясностью, словно кто-то включил стоящий в комнате маленький телевизор, он услышал пение детского хора, чей-то незнакомый голос и понял, что все, кто долгие годы разговаривал с ним — Иствуд, Бог-надсмотрщик, Опра, Бог-советчик, Марион Каннингэм, Бог-покровитель, — как бы слились воедино.

Пение детского хора продолжалось. До Этана вдруг донеслись обращенные к нему слова: *Я люблю тебя таким, какой ты есть, Этан. Ты мне очень нужен. Благодаря тебе, с твоей помощью я имею возможность распространить сияние моей любви на весь мир. Ты совершенное творение рук моих, ты такой, какой ты есть.*

Этан был потрясен: он словно увидел, как всемогущий Господь Бог, сбросив свою мантию и переодевшись в удобный свитер и тапочки, пел песнь любви, давая понять всем своим детям без исключения, что в его владениях сегодня замечательный день.

Именно в этот момент Этан Боннер навсегда прекратил сопротивляться собственной судьбе.

Кристи внимательно наблюдала за его лицом, но, несмотря на то что она хорошо, даже слишком хорошо знала Этана, ей не сразу удалось понять, о чем он думает. Она тем не менее твердо знала одно: обратного пути для нее нет. Отбросив в сторону гордость, она сказала Этану все, как есть, и если ее слова не пришлись ему по вкусу, это была его проблема.

— Ладно, — сказал Этан и глубоко вздохнул.

— Ладно?

— Ну да, я согласен. — Этан коротко кивнул.

— На что согласен? — озадаченно спросила Кристи.

— Да я о любви и обязательствах. — Ухватившись за задравшийся край платья Кристи, Этан одернул его. — Кентукки!..

— Кентукки? О чем ты? О, ты в самом деле пьян. Я так и знала!

— Я вовсе не пьян! — выкрикнул Этан и потащил ее за руку к двери. — Пойдем отсюда. Мы уезжаем — сейчас же.

В голове у Кристи мелькнула страшная мысль, и она повернула к Этану окаменевшее лицо.

— Ты меня больше не хочешь?

Этан снова обнял ее.

— Глупая, я так тебя хочу, что мне даже плохо становится. Я люблю тебя и не надо на меня так смотреть. С тех самых пор, как ты вошла в мой кабинет в этих своих джинсах в обтяжку, я больше ни о чем и ни о ком не могу думать, кроме как о тебе.

Маленькая искорка надежды, все еще тлевшая в душе Кристи, погасла.

— И ты говоришь, что любишь меня? Почему бы тебе не назвать вещи своими именами? Да у тебя ко мне одна только похоть.

— И это тоже.

Кристи всегда читала в душе Этана, как в раскрытой книге, но теперь ей казалось, что перед ней совершенно незнакомый человек.

— Я люблю тебя не из-за того, что ты изменилась внешне, — сказал он. — Дело не в этом, я не настолько примитивен. Просто изменения в твоей внешности помогли мне увидеть то, что все время было у меня под самым носом и чего я никак не замечал.

Робкая искорка в душе Кристи снова стала разгораться. Большим пальцем Этан прикоснулся к ложбинке на ее шее.

— Ты так долго была частью моей жизни, что я привык воспринимать тебя как часть себя самого. А потом ты вдруг так резко изменилась и решила покинуть меня, и с того самого момента я не нахожу себе места.

— Правда? — спросила Кристи, чувствуя, как душа ее наполняется счастьем.

— Ты могла бы быть хоть немного деликатнее и не радоваться этому так откровенно, — с улыбкой заметил Этан. Внезапно он наморщил лоб и заговорил почти умоляющим тоном: — Мы можем обсудить все это в машине. Поехали же, детка. Нам действительно не стоит медлить.

Рукой Этан схватился за ручку двери, другую положив Кристи на плечо.

— Но куда мы едем? И почему ты так спешишь?

— Мы едем в одно местечко в штате Кентукки. — Этан торопливо вывел Кристи на улицу и потащил к машине. — Это недалеко от границы. В штате Кентукки нас могут обвенчать сразу, без всякого испытательного срока, так что мы поженимся сегодня вечером, Кристи Браун, хочешь ты этого или нет. И кстати, я уже не собираюсь слагать с себя сан!

Когда они подошли к «тойоте», Этану вдруг показалось, что ему не хватает воздуха.

— Когда мы вернемся обратно в Солвейшн, мы сможем повторить процедуру, чтобы ублажить наших родственников, — сказал он, переводя дух. — Мы можем даже сделать вид, что это происходит в первый раз. Но на самом деле мы поженимся сегодня, потому что нам обоим ужасно хочется заняться любовью, а это невозможно до тех пор, пока мы не вознесем Богу необходимые в таких случаях клятвы. — Этан вдруг замер, а затем с тревогой спросил: — Ты ведь хочешь выйти за меня замуж, правда?

Чувствуя, что счастье переполняет все ее существо, Кристи улыбнулась, а потом рассмеялась:

— Да, я в самом деле этого хочу.

— Отлично, — сказал Этан и на несколько секунд крепко зажмурился. — О деталях мы поговорим по дороге.

— О каких деталях?

— О том, где мы будем жить, — забормотал Этан, заталкивая Кристи в машину. — О том, сколько у нас будет детей, кто будет спать с какой стороны кровати, и так далее. — Он захлопнул дверь, обежал вокруг «тойоты» и уселся за руль. — Думаю, мне следует также рассказать тебе, что твоя машина не завелась потому, что я пробрался в нее и отсоединил проводку. Я сделал это для того, чтобы вынудить тебя отправиться в Ноксвилль в моей машине. И я нисколько не жалею об этом, так что извинений на этот счет от меня не жди!

Извинений Кристи не потребовала, и через несколько минут «тойота» Этана уже мчалась по шоссе. Этан всегда любил проводить предварительные беседы с молодыми парами, намеревавшимися вступить в брак, и, пока машина пожирала девяносто миль, отделяющих их от границы Кентукки, Кристи была вынуждена слушать довольно странную лекцию на тему о семье и браке. Этан говорил, говорил и говорил без остановки, а она время от времени улыбалась и кивала.

Доехав до места, они быстро нашли священника, который согласился их обвенчать, но всю церемонию практически проводил сам Этан. Тем не менее именно Кристи углядела вывеску «Холидей инн» неподалеку от государственного парка отдыха «Камберленд-Фоллз».

Едва они успели внести в номер чемоданы, как Кристи толчком опрокинула Этана на широкую кровать. Она была так возбуждена, так полна желания и так счастлива, что Этан, не выдержав, радостно рассмеялся.

— Ну вот, теперь ты попался! — пробормотала Кристи и принялась расстегивать пуговицы на его рубашке. Покончив с ними, она взялась за пряжку его ремня.

Этан внимательно посмотрел ей в глаза и сказал:

— Если тебе будет страшно, обязательно скажи мне об этом.

— Заткнись и снимай штаны, — последовал ответ.

Оба расхохотались. Губы их слились. Один поцелуй следовал за другим, туманя им головы. Они сбросили с себя одежду в какие-то секунды. Им было не до медленного, расчетливо соблазняющего раздевания.

— Ты ужасно красивый, — сказала Кристи, поглаживая тело Этана. — Именно таким я тебя и представляла.

Этан прихватил ладонями ее груди и с трудом выговорил:

— А ты даже красивее, чем я думал.

— О, Этан... Мне так хорошо.

— Мне тоже.

— Я хочу, чтобы ты подольше меня ласкал.

— Если я отвлекусь, напомни мне об этом.

Большие пальцы Этана коснулись ее сосков, и из груди Кристи вырвался стон.

— Еще, — попросила она. — Да, вот так...

— Лежи спокойно, детка, и позволь мне тобой заняться.

Кристи повиновалась. Ласки Этана становились все более смелыми, и волны возбуждения захлестывали ее.

— О, Этан, я хочу всего, что только возможно в постели, — горячо прошептала она. — Да, всего. И еще... Мне хочется кое-что сказать. Мне хочется говорить всякие нехорошие слова и фразы.

— Говори, не стесняйся.

— Я... Я не могу ничего такого придумать.

Этан, не долго думая, шепнул что-то ей на ухо. Глаза Кристи широко раскрылись, и от того места, где ее ласкала рука Этана, по всему телу пробежал спазм наслаждения.

Кристи Браун Боннер несколько успокоилась хотя бы на какое-то время, но ее новоиспеченный супруг испытывал такое желание, что оно причиняло ему боль. Он страстно хотел проникнуть в тело жены, но в самый последний момент вдруг вспомнил, что во время их беседы в машине на тему семьи и брака забыл обсудить с ней одну важную вещь. Погладив ее волосы, он заметил, что рука его дрожит от сдерживаемого возбуждения.

— А мы не боимся, что ты у нас забеременеешь? — спросил он.

— Пожалуй, нет, — ответила Кристи и пытливо посмотрела на Этана. — А ты считаешь, нам надо этого бояться?

Этан, улегшись между ее бедер, поцеловал ее и подумал о детях, которых они заведут.

— Нет, определенно нет, — сказал он.

Не желая причинять Кристи боль, Этан так старался быть осторожным и предупредительным, что его молодая жена наконец не выдержала:

— Пожалуйста, Этан... Прекрати эту возню и войди в меня. Пожалуйста... Я хочу запомнить это на всю жизнь.

Он проник в нее одним мощным толчком и, заглянув ей в лицо, увидел, что глаза Кристи полны слез любви. У Этана тоже все поплыло перед глазами.

— Плоть от моей плоти, — тихо прошептал он.

— Плоть от моей плоти, — прошептала Кристи, гладя его бедра.

Оба улыбнулись. Слезы смешались на их лицах, и когда Кристи и Этан одновременно достигли вершины наслаждения, оба поняли, что такое полное счастье. Такое чудо было под силу сотворить только Богу.

Глава 22

— Не подходи слишком близко, Чип.

— А что ты делаешь?

Гейб обернулся.

— Обдираю с крыльца старые доски. Хочу построить вместо крыльца веранду.

В эту субботу Гейбу было поручено присматривать за Чипом. В первый раз Рэчел оставила его с ребенком, но Гейб знал: она бы ни за что этого не сделала, если бы ей не нужно было ехать в город по какому-то таинственному делу. Ему казалось, что это был лишь предлог для того, чтобы хотя бы на время избавиться от его общества. С того самого момента, когда объявила о своем отъезде, Рэчел делала все возможное, чтобы держаться от него на определенной дистанции.

Он вогнал лапчатый ломик под одну из старых, подгнивших досок и налег на него. Поведение Рэчел приводило его в бешенство. Она бросала его только потому, что не могла добиться, чтобы все было так, как ей хотелось. Рэчел даже не его бросала. Она пыталась разлучить их, себя и его! Гейб всегда считал, что у Рэчел очень сильный характер, но, как видно, у нее не хватало духу для того, чтобы попытаться успокоиться и решить существующие проблемы. Вместо этого она решила бежать.

— А что такое веранда?

Гейб бросил на мальчика раздраженный взгляд. Как только он взялся за успокаивающую его физическую работу и начал сдирать старую обшивку с заднего крыльца, Чип, до этого с увлечением копавший в саду яму, подошел к нему и начал приставать с вопросами.

— Это что-то вроде того места, где мы ели, когда в прошлую субботу ходили в гости к Рози и ее родителям. А теперь отойди подальше, чтобы я тебя случайно чем-нибудь не зацепил.

— А зачем ты ее делаешь?

— Мне просто хочется, вот и все.

Гейб не стал говорить Эдварду, что взялся за строительство веранды только потому, что в кинотеатре почти все уже было сделано, а ему просто необходимо чем-нибудь заняться, чтобы не сойти с ума.

Как только вчера вечером он вошел в будочку билетной кассы, ему стало не по себе. Всего вторую неделю он занимался бизнесом в качестве владельца придорожного кинотеатра, но это занятие уже успело опротиветь ему до чертиков. Он мог бы убить какое-то время в обществе Этана, но его младший брат еще вчера уехал на церковную конференцию в Ноксвилль. Кэл был весь в семейных делах, так что Гейб счел за благо погрузиться в сооружение веранды, убеждая себя в том, что летом его родителям и братьям будет приятно собираться здесь для совместных обедов. Официально коттедж принадлежал его матери, но поскольку она вместе с отцом все еще была в Южной Америке, где занималась миссионерской деятельностью, у него не было возможности обсудить с ней свой план. Тем не менее Гейб был уверен, что он не вызвал бы у матери никаких возражений. Его действия никогда у родных не вызывали возражений. Рэчел была единственным человеком на свете, который его критиковал.

И вот после этого уик-энда она должна уехать. Он не знал точно, когда именно, просто не спрашивал. Гейб не мог понять, чего она от него хочет. Казалось бы, он сделал все для того, чтобы ей помочь. Он даже предложил ей стать его женой! Неужели она не понимала, как трудно ему было произнести эти слова?

— А можно, я буду тебе помогать?

Мальчик, видно, продолжал думать, что, если он будет делать вид, будто они с Гейбом — лучшие друзья, его мать изменит свои планы. Однако ничто не могло заставить Рэчел сделать это. Она была слишком упряма, и для нее все было слишком просто. Ей казалось, что он, Гейб, мог без особого труда взять и снова стать ветеринаром только потому, что ей это казалось самым разумным. Но это было невозможно. Профессия ветеринара осталась в прошлом, и возврата к этому прошлому не было.

— Думаю, ты сможешь мне помочь, но только чуть позже, — сказал Гейб и взмахнул ломиком, подцепляя очередную доску. Доска неожиданно раскололась, в воздух полетели обломки. Чип отпрыгнул в сторону, но недостаточно ловко, и один из обломков едва его не задел.

Гейб отбросил в сторону ломик.

— Я же просил тебя не подходить близко!

Мальчик сделал привычный жест — он опять искал кролика.

— Ты пугаешь Твити, — сказал он.

Своим раздраженным тоном Гейб напугал вовсе не Твити, а самого Эдварда, и оба это знали. Гейбу стало неудобно.

— Вон там есть две деревяшки, — снова заговорил он, стараясь, чтобы голос его звучал как можно мягче и спокойнее. — Попробуй-ка из них что-нибудь соорудить, ладно?

— У меня нет молотка.

— А ты попробуй понарошку, как будто он у тебя есть.

— Но у тебя ведь есть настоящий молоток. И вообще ты работаешь не понарошку.

— Само собой, но... Ладно, загляни в ящик с инструментами. Там должен быть еще один молоток, — сказал Гейб и снова принялся орудовать ломиком.

— У меня нет гвоздей.

Гейб с силой всадил изогнутый конец ломика в щель между досками и нажал на него. Раздался отчаянный скрип.

— Ты еще мал для того, чтобы возиться с гвоздями. Просто сделай вид, что они у тебя есть.

— Ты же не делаешь вид.

— Я все-таки взрослый, — сказал Гейб, с трудом сдерживаясь.

— Ты не делаешь вид, что любишь меня, — сказал мальчик и, присев, стукнул молотком по обрезку доски, который Гейб незадолго до этого использовал в качестве рычага. — Мама говорит, что мы все-таки поедем во Флориду.

— С этим я ничего не могу поделать, — бросил Гейб, сознательно игнорируя первую фразу мальчика.

Чип принялся раз за разом бесцельно постукивать молотком по доске.

— Нет, можешь, — сказал он. — Ты же взрослый.

— Ну да, взрослый, но это еще не означает, что я всегда могу добиться того, чего мне хочется. — Громкое постукивание начинало действовать Гейбу на нервы. — Забери эту доску в сад и там стучи.

— Я хочу побыть здесь.

— Ты слишком близко ко мне подходишь. Это опасно.

— Нет, не опасно.

— Делай, что я тебе сказал. — В душе у Гейба поднималась волна гнева. Это был гнев против всего того, с чем он не в силах был ничего поделать. Он не мог вернуть погибших жену и сына. Он не мог добиться того, чтобы Рэчел осталась. Он не знал, что делать с ненавистным кинотеатром. И он ничего не мог поделать с этим маленьким, стеснительным мальчиком, который, словно бетонное ограждение на дороге, перекрыл ему путь к счастью.

— Черт возьми, прекрати стучать! — не выдержал он.

— Ты сказал «черт возьми»!

Мальчик снова взмахнул молотком. Удар пришелся по самому краю обрезка доски. Обрезок взлетел в воздух. Гейб видел его приближение, но не успел увернуться, и деревяшка ударила его по колену.

— Черт побери!

Бросившись вперед, Гейб схватил Чипа за руку и рывком поднял на ноги.

— Я же сказал тебе, чтобы ты перестал стучать!

К его удивлению, мальчик, вместо того чтобы сжаться от испуга, взглянул на него с вызовом.

— Ты хочешь, чтобы мы уехали во Флориду! Ты не стал делать вид, что мы с тобой друзья! Ты только обещал, но ничего не сделал! Ты придурок!

Гейб занес руку и с размаху шлепнул Чипа по попке.

Несколько секунд оба неподвижно стояли, молча осознавая происшедшее. По боли, обжегшей ладонь, Гейб понял, что удар был очень сильным. Он посмотрел на свою руку так, словно это был какой-то посторонний предмет.

— Господи... — пробормотал он и отпустил руку мальчика, чувствуя, что дыхание пресеклось у него в груди.

Ты такой добрый, Гейб. Ты самой добрый мужчина из всех, кого я знаю.

Лицо Чипа исказила гримаса боли, грудь мальчика содрогнулась от сдерживаемых рыданий. Он попятился.

— О Боже... Чип... — Гейб встал на одно колено. — Прости меня. Я очень виноват перед тобой.

Мальчик потер локоть, словно удар пришелся по нему. Склонив голову набок, он закусил дрожащую нижнюю губу. Эдвард не смотрел на Гейба. Он изо всех сил старался не расплакаться.

Именно в этот момент Гейб увидел Эдварда как Эдварда, а не как отражение Джейми. Перед ним стоял храбрый малыш с взъерошенными каштановыми волосами, острыми локотками и дрожащими от боли и обиды губами. Маленький мальчик, который любил читать книжки и строить что-нибудь из песка и палочек. Ребенок, которому не нужны были ни дорогие игрушки, ни последние видеоигры и которому для того, чтобы быть счастливым, достаточно было наблюдать, как выздоравливает и крепнет маленький птенчик, собирать в лесу сосновые шишки, жить вместе с матерью в домике на горе Страданий и хотя бы иногда кататься на плечах взрослого мужчины, чтобы на какой-то краткий миг ощутить, что у него есть отец.

Гейб не мог понять, как это могло случиться, что он до сих пор видел в Чипе не его самого, а некое подобие Джейми. Джейми был Джейми, он был единственным и неповторимым. И точно таким же единственным и неповторимым был маленький мальчик, которого он, Гейб, только что ударил.

— Чип...

Мальчик попятился еще дальше.

— Чип, я просто не сдержался. Я был очень зол на себя и сорвал зло на тебе. Это неправильно, так нельзя делать, и я очень прошу тебя простить меня.

— Ладно, — пробормотал Чип, хотя было ясно, что он говорит это только ради того, чтобы ему дали возможность уйти.

Опустив голову, Гейб уставился в землю, но все расплылось у него перед глазами.

— Я за всю свою жизнь, с детских лет никогда никого ни разу не ударил, — сказал он.

Впрочем, когда-то они с Кэлом поколачивали Этана, но не за какие-то конкретные провинности, а просто потому, что чувствовали, что Этан не так тверд характером, как они, и потому боялись за него и хотели исправить этот его недостаток. Никому из братьев Боннеров и в голову не могло прийти, что самым слабым из них в итоге окажется Гейб.

— Я обещаю... — с трудом подбирая слова и запинаясь, проговорил Гейб, — обещаю, что никогда в жизни больше тебя не ударю.

— Мы с мамой уезжаем во Флориду, — сказал Чип, продолжая пятиться. — Тебе не нужно больше притворяться.

Повернувшись, мальчик побежал к дому, оставив Гейба в одиночестве. За всю свою жизнь Гейб Боннер еще никогда не чувствовал себя таким одиноким, как в этот момент.

Заперев двери дома Кристи, Рэчел положила в сумочку запасные ключи. Туда же она сунула автобусные билеты, которые Кристи еще вчера оставила для нее на столе в кухне, прежде чем уехать с Этаном на конференцию священнослужителей.

По дороге на гору Страданий Рэчел обратила внимание, что успела запомнить каждый поворот дороги, и почти каждое дерево, и покрытую дикими цветами поляну. Была суббота, а она наметила свой отъезд из Солвейшн на понедельник. Оставаться на более долгий срок было бы для нее слишком мучительно.

Рэчел прекрасно понимала: если она хочет как-то жить дальше, ей нужно научиться почаще думать о хорошем, а не о плохом. В конце концов, убеждала она себя, за время ее пребывания в Солвейшн произошло немало хорошего. Эдвард окончательно выздоровел и окреп. Она подружилась с Кристи Браун. Наконец, она познакомилась с человеком, о котором всю оставшуюся жизнь будет вспоминать с теплотой.

Подъехав к дому, Рэчел увидела Гейба, поджидающего ее на крыльце. Она поставила «форд» в гараж и пошла к нему. Душа ее была полна горечи. Ей было так жаль, что все так вышло.

Гейб сидел на верхней ступеньке ведущей на крыльцо лестницы, опершись локтями на широко расставленные колени и свесив вниз тяжелые кисти рук. Вид у него был тоже несчастный, вполне под стать ее настроению.

— Мне надо с тобой поговорить, — сказал он.

— О чем?

— О Чипе. — Гейб поднял глаза на Рэчел. — Я его ударил.

Сердце Рэчел встрепенулось и забилось так, что, казалось, вот-вот выпрыгнет через горло. Она вихрем взлетела вверх по ступенькам, но прежде, чем она добежала до двери, Гейб поймал ее за руку.

— С ним все нормально. Я просто... просто шлепнул его по попе, да и то не так уж сильно.

— По-твоему, это нормально?

— Конечно, нет. Он не сделал ничего такого, за что его следовало бы шлепнуть. Я никогда... никогда не бил детей. Это... — Гейб шагнул назад и запустил руку в собственные волосы. — Боже мой, Рэчел, я просто потерял контроль над собой. Я извинился перед ним. Я объяснил ему, что он ничего плохого не сделал. Но он этого не понимает. Да и как ему это понять?

Рэчел молча смотрела на него. Ей было ясно: она сделала очень серьезную ошибку. Несмотря на тревожные признаки, на которые она сама не раз обращала внимание, ей все же каким-то образом удалось убедить себя, что Гейб не сделает Эдварду ничего плохого. Но она ошиблась. Ей нельзя было оставлять сына наедине с Гейбом Боннером.

Отвернувшись, Рэчел вошла в дом.

— Эдвард! — крикнула она с порога.

Мальчик вышел к ней из коридора, маленький и испуганный. Сделав над собой усилие, Рэчел изобразила на лице улыбку.

— Пакуй вещи, партнер. Оставшиеся несколько дней мы поживем в доме Кристи. Я даже нашла няню, которая побудет с тобой, чтобы сегодня вечером тебе на надо было ехать в кинотеатр.

Рэчел услышала, как за спиной у нее хлопнула входная дверь, и по настороженному выражению, появившемуся в глазах Эдварда, поняла, что вошел Гейб.

— Мы прямо сейчас поедем во Флориду? — спросил Эдвард.

— Нет, не сейчас. Не сегодня. Но скоро.

— Чип, я рассказал твоей маме о том, что случилось, — заговорил, выступив вперед, Гейб. — Она очень рассердилась на меня.

Неужели он не понимает, что никакими словами ему не загладить своей вины, подумала Рэчел. Дрожащей рукой она погладила Эдварда по щеке.

— Никто в мире не имеет права тебя бить, — сказала она.

— Твоя мама права.

Эдвард взглянул снизу вверх на мать.

— Гейб рассердился из-за того, что я стучал молотком по доске, а этого делать было нельзя. А потом я назвал его очень плохим словом. — Эдвард понизил голос до громкого шепота. — Я назвал его придурком.

В других обстоятельствах все это выглядело бы смешно, но только не сейчас.

— Так или иначе, Гейб не должен был тебя бить. Хотя ты тоже поступил очень нехорошо и должен извиниться.

Эдвард прижался к боку матери, набираясь храбрости, и, возмущенно глянув на Гейба, сказал:

— Извини, что я назвал тебя придурком.

Гейб встал на одно колено и посмотрел мальчику прямо в глаза, чего никогда раньше не делал. Он решился на это только сейчас, когда было уже слишком поздно.

— Я прощаю тебя, Чип, — сказал он. — Надеюсь, когда-нибудь и ты сможешь простить меня.

— Я же сказал, что простил тебя.

— Я слышал. Но ты только так сказал, а на самом деле продолжаешь на меня сердиться. И я тебя прекрасно понимаю.

Эдвард снова посмотрел на мать.

— А если я в самом деле его простил, нам все равно нужно ехать во Флориду?

— Да. Нам все равно нужно ехать, — с трудом выговорила Рэчел. — А теперь беги в комнату и собирай вещи. Пакуй все в корзину из прачечной.

Мальчик не стал больше спорить, и Рэчел поняла, что ему хочется как можно скорее уйти. Как только он исчез, Гейб повернулся к Рэчел.

— Рэч, со мной сегодня что-то случилось. Когда я... Понимаешь, Чип не заплакал, но у него губы задрожали. Он прямо как будто сломался — не физически, а морально.

— Если ты пытаешься как-то наладить с ним отношения, то идешь по неправильному пути. — Не желая, чтобы Гейб увидел, как и она тоже сломается, Рэчел направилась в кухню, однако он последовал за ней.

— Ты послушай, — снова заговорил он. — Не знаю уж, как так получилось — может быть, я был просто в шоке от того, что сделал... Но в первый раз я почувствовал, что вижу перед собой именно его. Понимаешь? Его, а не Джейми.

— Гейб, пожалуйста, оставь меня в покое.

— Рэч...

— Пожалуйста. Встретимся в кинотеатре в шесть часов.

Ничего не говоря, Гейб пошел прочь.

Рэчел собрала все их с Эдвардом нехитрое имущество и погрузила его в «форд». Затем, сев за руль машины, она погнала ее прочь от коттеджа Энни, глотая слезы. Этот маленький домик был для нее символом всего того, о чем она мечтала, а теперь он остался позади, в прошлом.

Устроившийся на заднем сиденье Эдвард чисто рефлекторным жестом ощупал сиденье в поисках своего верного Хорса и, не найдя его, принялся сосать большой палец.

Добравшись до дома Кристи, Рэчел позвонила Лизе Скаддер. Та сообщила ей имя студентки, которой можно было доверить Эдварда, потом приготовила сыну ранний обед из захваченных из коттеджа продуктов. Сама она была в таком плохом настроении, что есть ей совсем не хотелось. К тому моменту, когда Рэчел переоделась в чистое платье, прибыла няня, а когда она окончательно собралась уходить, Эдвард и девушка уже успели уютно устроиться перед телевизором.

Рэчел готова была отдать все, что угодно, лишь бы не ехать в кинотеатр, не видеть Гейба, который не оправдал ее надежд. Тем не менее он оказался первым человеком, который попался ей на глаза, когда она подъехала к «Гордости Каролины». Гейб неподвижно стоял посреди автомобильной парковки, сжав в кулаки повисшие вдоль тела руки. Что-то в его позе показалось Рэчел странным, и она сразу насторожилась. Посмотрев туда, куда был устремлен его взгляд, она затаила дыхание.

Вся середина экрана была обезображена потеками черной краски, отчего он приобрел сходство с гигантской абстрактной картиной. Выпрыгнув из машины, Рэчел подбежала к Гейбу.

— Что случилось?

— Вчера вечером после закрытия кто-то забрался сюда и все испакостил, — ответил Гейб бесцветным голосом. — И здесь, и в закусочной, и в туалетах... — Он взглянул на Рэчел пустыми глазами. — У меня есть дела, мне надо уехать. Я позвонил Оделлу, он уже катит сюда. Скажи ему, что, когда я приехал, здесь все было так, как сейчас.

— Но...

Не обратив внимания на возглас Рэчел, Гейб, не оглядываясь, зашагал к своему пикапу. Через каких-нибудь несколько секунд машина, сорвавшись с места, стрелой вылетела со стоянки, оставив за собой пыльный хвост.

Рэчел кинулась в закусочную. Замок был взломан, дверь полуоткрыта. Заглянув внутрь, Рэчел увидела на полу, залитом сиропом, растительным маслом и растаявшим мороженым, обломки кухонной техники. Зайдя в туалет, она обнаружила, что злоумышленники сорвали раковину, забили туалетной бумагой унитазы. Пол был усеян осколками разбитой потолочной плитки.

Рэчел собралась было осмотреть проекционную, но в этот момент к кинотеатру подъехал Оделл Хэтчер. Вместе с ним из машины вылез еще один полицейский, в котором Рэчел без труда узнала Джейка Армстронга, того самого полисмена, который пытался посадить ее в тюрьму за бродяжничество.

— А где Гейб? — спросил Оделл.

— Он так расстроился, что уехал. Я уверена, он скоро вернется, — сказала Рэчел, на самом деле вовсе не ощущая такой уверенности. — Он просил меня вам сказать, что, когда он приехал, здесь все было так, как сейчас.

— Ему следовало нас подождать, — нахмурился Оделл. — Побудьте пока здесь. Никуда не уезжайте, пока я не скажу, слышите?

— Вообще-то у меня были другие планы. Позвольте мне позвонить Кайле Миггз и предупредить ее, чтобы она не приезжала, — попросила Рэчел. Что касается Тома Беннетта, то он жил гораздо дальше, чем Кайла, поэтому звонить ему было бесполезно, он наверняка уже выехал из дома.

Оделл позволил Рэчел позвонить, а затем вместе с ней принялся осматривать помещение, чтобы оценить ущерб и определить, не пропало ли еще что-нибудь.

Исчезли сто долларов мелочью, которые Гейб оставил в кассе, а также приемник, который он любил слушать во время работы. Рэчел не могла определить, унесли ли грабители с собой что-нибудь еще. Глядя на устроенный неизвестными кавардак, она вспомнила Гейба, совершенно неподвижно стоявшего на площадке перед кинотеатром. «Что же будет дальше? — спросила себя она. — Неужели Гейб снова уйдет в себя и станет таким, каким был до моего приезда в Солвейшн?»

Приехал Том. После того как ему рассказали о случившемся, он вместе с Рэчел и Оделлом зашел в проекционную. Звуковое оборудование было сброшено на пол, но сам проектор был слишком тяжел, и поэтому неизвестный или неизвестные вывели его из строя, ударив несколько раз чем-то тяжелым — возможно, тем самым складным металлическим стулом, который лежал на полу рядом.

Действия вандалов были настолько бессмысленными, что у Рэчел при виде всего этого поползли по спине мурашки.

— Мне надо заблокировать въезд на стоянку, а то скоро начнут собираться посетители, — сказала Рэчел, обращаясь к Оделлу. — Том точнее определит, пропало здесь что-нибудь или нет.

К ее радости, Хэтчер не стал возражать. Однако не успела она, выйдя из проекционной, спуститься по лестнице на первый этаж, как на стоянку с ревом ворвался белый «рэйнджровер». У Рэчел упало сердце: меньше всего ей сейчас хотелось встретиться со старшим братом Гейба.

Выпрыгнув из машины, Кэл зашагал к ней.

— Что здесь происходит? Где Гейб? Тим Мерсер услышал по рации, что тут что-то случилось.

— Гейба здесь нет. Он куда-то уехал, не знаю куда.

— В чем дело, черт побери?

— Вчера вечером после того, как мы закрылись и уехали, кто-то забрался в кинотеатр и учинил здесь настоящий погром.

Кэл вполголоса выругался.

— Кто бы это мог сделать? Есть какие-нибудь догадки? — спросил он.

Рэчел отрицательно покачала головой. Тут Кэл увидел Оделла и бросился вверх по лестнице, а Рэчел направилась к билетной кассе. Дойдя до нее, она первым делом перегородила цепью въезд, а затем выставила еще и деревянные козлы, которые в свое время сама покрасила в тот же самый пурпурный цвет, что и будочку кассы.

Покончив с этим, она вошла в помещение кассы и стала смотреть на шоссе. Неужели, думала она, с момента ее появления в Солвейшн прошло всего шесть недель? В мозгу у нее замелькали воспоминания обо всем, что произошло за этот короткий срок.

Вдруг чья-то фигура загородила дверь, и в будочке разом стало темнее.

— Оделл хочет с вами поговорить.

Резко обернувшись, Рэчел увидела Джейка Армстронга. Вид у него был еще более угрожающим, чем в тот день, когда он пытался арестовать ее. У Рэчел появилось дурное предчувствие, но она убедила себя, что больше ничего плохого произойти не может.

— Хорошо, идемте, — сказала она.

Джейк стоял так близко от двери, что ей пришлось повернуться боком, чтобы пройти в дверной проем и не коснуться его. Не успела Рэчел, выйдя из помещения кассы, сделать и трех шагов, как вдруг с удивлением увидела, что начальник полиции, Кэл и Том стоят вокруг ее «форда-эскорта», причем багажник машины почему-то открыт.

Первым делом Рэчел подумала, что они не имеют права рыться в ее автомобиле, но тут же вспомнила, что машина принадлежит жене Кэла. Тем не менее бесцеремонность мужчин ей не понравилась, и она прибавила шагу, чувствуя, как беспокойство ее все усиливается.

— Что, какие-то проблемы? — спросила она, подойдя к «форду».

Кэл повернулся к ней. Лицо его было злобной маской.

— Да, — процедил он. — Проблема есть, и очень большая, леди. Похоже, вы решили свести кое с кем счеты, прежде чем смотаться отсюда.

— Свести счеты? О чем вы?

Оделл обошел вокруг капота «форда». В руке он держал смятый бумажный мешок: в такие в закусочной кинотеатра упаковывали заказы. Он был испачкан чем-то похожим на растаявшее шоколадное мороженое.

— Мы нашли сто долларов, похищенные из кассы, — сказал начальник полиции. — Они были спрятаны под передним сиденьем вашей машины. — Хэтчер кивнул головой в сторону сложенных на заднем сиденье коробок, наполненных жалкими пожитками. — А под одной из этих коробок мы обнаружили портативный телевизор Тома и радиоприемник, про который вы сказали, что он пропал.

Сердце Рэчел болезненно сжалось.

— Но... Я не понимаю.

— Этот телевизор мне подарила жена на день рождения, — сказал Том, у которого был сконфуженный и в то же время потрясенный вид. — Помните, я вам как-то об этом говорил? Она мне его купила, чтобы я во время работы мог смотреть бейсбол.

Тут только до Рэчел дошло, что трое мужчин обвиняют в происшедшем не кого-нибудь, а ее. По всему ее телу от волнения и страха пробежал холодок.

— Подождите минутку. Я здесь ни при чем! Как вы могли подумать...

— Оставьте ваши объяснения для судьи, — отрезал Кэл и, повернувшись к Оделлу, сказал: — Поскольку Гейба нет, я сам выдвигаю против нее обвинение.

Бросившись вперед, Рэчел схватила его за руку:

— Кэл, не делайте этого. Я ничего не воровала.

— Тогда каким образом украденные вещи оказались в машине?

— Я не знаю. Но я полюбила этот кинотеатр и никогда не смогла бы все здесь так изуродовать.

Слова Рэчел, однако, не произвели на мужчин никакого впечатления. Словно во сне, она выслушала Оделла, который зачитал ей ее права. Когда он закончил, Кэл, глядя на нее суровым, осуждающим взглядом, с горечью сказал:

— Джейн вы с самого начала почему-то понравились. И даже Этана вам едва не удалось очаровать. Он уже вот-вот готов был поверить, что вы в самом деле любите Гейба. Но вас всегда интересовал только его банковский счет.

— Идиот, я могла бы получить доступ к его банковскому счету, если бы хотела этого! Он сделал мне предложение.

— Вранье, — процедил Кэл. — Значит, вот зачем вам это было нужно? Вы с самого начала поставили себе цель женить Гейба на себе. Вам было известно, что он сейчас очень уязвим, и вы...

— Он вовсе не так уязвим, как вы думаете! — крикнула Рэчел. — Черт бы тебя побрал, Кэл Боннер, ты...

Не договорив, она задохнулась от боли — Джейк Армстронг, подойдя сзади, резким движением завернул ей руки за спину. Прежде чем она успела что-либо сообразить, он защелкнул у нее на запястьях наручники, как это принято делать при задержании опасных преступников.

Кэл нахмурился. На какой-то момент Рэчел показалось, что он собирается что-то возразить против такого обращения, но тут Оделл ободряющим жестом хлопнул его по спине.

— Ты молодчина, Кэл, — сказал он. — Мне бы и в голову не пришло пошарить в ее машине.

Рэчел отчаянно заморгала, сдерживая подступающие слезы, и, глядя на Кэла, сказала:

— Я никогда тебе этого не прощу.

На его лице промелькнуло выражение неуверенности, но тут же пропало. Лицо Кэла Боннера снова стало жестким и неприязненным.

— Поделом вам, — бросил он. — Я хотел все сделать по-хорошему, выписал вам чек, но, похоже, вас жадность одолела. Между прочим, первое, что я сделаю в понедельник утром, — это объявлю чек недействительным.

Джейк Армстронг положил руку на голову Рэчел и толкнул ее в открытую дверь патрульной машины, сделав это куда жестче и грубее, чем этого требовала ситуация. Не удержав равновесие из-за скованных за спиной рук, Рэчел от толчка споткнулась и едва не упала.

— Осторожнее, — сказал Кэл, успевший поддержать ее, и стал подсаживать Рэчел на заднее сиденье.

Почувствовав прикосновение его рук, Рэчел резко отпрянула.

— Мне не нужна твоя помощь! — крикнула она.

Оставив без внимания ее последнее восклицание, Кэл повернулся к Джейку:

— Обращайтесь с ней поаккуратнее. Я хочу, чтобы ее заперли в камере, но чтобы никаких фокусов. Ты меня понял?

— Я сам за ней присмотрю, — сказал Оделл.

Кэл отвернулся и зашагал прочь.

Эдвард! Что будет с ним? Рэчел вдруг вспомнила, что Кристи в отъезде, а няне, которую она наняла, не исполнилось и шестнадцати лет.

— Кэл! — крикнула она, в очередной раз наступая на горло собственной гордости ради сына.

Кэл Боннер обернулся, и Рэчел, с трудом переводя дыхание и изо всех сил стараясь казаться спокойной, сказала:

— Эдвард сейчас в доме у Кристи. С ним няня, но она еще слишком молода, чтобы заботиться о нем в течение долгого времени, а Кристи уехала. — В глазах у Рэчел заблестели слезы. — Пожалуйста... Он очень испугается.

Кэл несколько секунд молча смотрел на нее, затем коротко кивнул:

— Мы с Джейн о нем позаботимся.

Джейк захлопнул дверь и уселся на переднее сиденье рядом с Оделлом, который устроился за рулем. Патрульная машина тронулась, и Рэчел стала постепенно привыкать к мысли, что ее везут в тюрьму.

Глава 23

На улице уже темнело, и Кэл, сунув Чипа под мышку, словно мешок с картошкой, поднялся вместе с ним по ступенькам на веранду.

— Ты, кажется, начинаешь здорово управляться с мячом, приятель. Совсем меня загонял, — сказал он и еще пару раз встряхнул Чипа. Мальчик довольно засмеялся.

Старший из братьев Боннеров надеялся, что, играя с ребенком, он сможет стереть из памяти воспоминание о том, что произошло за несколько часов до этого, но у него ничего не вышло. Подняв голову, он увидел Джейн, стоящую за застекленными дверями веранды. Она держала Рози на руках, и ему показалось, будто что-то ударило его в грудь. Он не впервые испытывал это ощущение, глядя на женщину и крохотную девочку, которых любил больше всех на свете. В его жизни был период, когда обе они не казались ему такими необходимыми, как сейчас, и он никак не мог простить себе этого.

Рози сжимала в руках замусоленного плюшевого кролика. При виде Чипа она принялась отчаянно брыкать ножками и радостно взвизгивать. Войдя с веранды в дом, Кэл сразу опустил мальчика на землю, легонько поцеловал Джейн в губы и взял на руки дочь. Малышка радостно улыбнулась ему и тут же продемонстрировала отцу свой новый трюк — пустила изо рта пузыри и громко фыркнула. Кэл улыбнулся и вытер лицо рукавом и без того мокрой от пота футболки. Вдруг он заметил, что у его жены несколько озабоченный вид.

— Я отлучался всего на пятнадцать минут. Что она еще натворила? — спросил он, подняв одну бровь.

— Увидишь, когда зайдешь в ванную, — вздохнула Джейн.

— Что, опять добралась до туалетной бумаги?

— И до зубной пасты тоже. Ты не завинтил колпачок, а я не успела выхватить у нее тюбик.

Словно догадавшись, что речь идет о ней, Рози подарила отцу еще одну слюнявую улыбку и в восторге всплеснула ручонками. Кэл почувствовал, что от нее действительно сильно пахнет зубной пастой.

— Рози ужасная баловница, — с серьезным видом заявил Чип. — Она только и знает, что проказничает.

Кэл и Джейн с улыбкой переглянулись. Рози тем временем снова принялась брыкаться и протянула руки к Чипу, выронив при этом кролика. Кэл усадил ее на пол, и малышка тут же обхватила ноги мальчика. Наклонившись, Чип пощеко-

тал Рози животик, затем выпрямился и с озабоченным видом
посмотрел на Кэла.

— А когда мама за мной приедет? — спросил он.

Кэл сунул руку в карман спортивных штанов и позвенел
мелочью.

— Вот что я тебе скажу, приятель. Как ты смотришь на то,
чтобы переночевать здесь?

Джейн удивленно взглянула на мужа, но тот отвел глаза,
избегая встречаться с ней взглядом.

— А мама не будет возражать?

— Конечно, нет. Ты сможешь улечься спать в комнате, которая рядом с комнатой Рози. Ну как, идет?

— Да, наверное, — ответил мальчик, однако по лицу его
было видно, что он по-прежнему беспокоится. — Если только
мама мне разрешит.

— Ну конечно, разрешит.

Кэл все еще не представлял, как он скажет Эдварду, что его
мать в тюрьме. Он рассчитывал, что ему поможет Этан, но,
позвонив в отель в Ноксвилле, где должен был остановиться его
младший брат, он выяснил, что Этан там не регистрировался.
Попросив соединить его с Кристи Браун, он получил тот же
ответ и решил, что у Этана и Кристи, по всей видимости, изменились планы. Подумав немного, он позвонил брату домой и
оставил для него сообщение на автоответчике в надежде, что тот,
вернувшись, его прослушает.

Ему еще предстояло рассказать о случившемся Джейн, которая давно уже поглядывала на него так, что было ясно: она
заподозрила неладное. Кэл понимал, что будет лучше, если он,
не дожидаясь расспросов, сам ей все объяснит. Тем более что он
сказал ей: Чип пробудет у них только до того момента, когда
Рози уляжется спать.

Наклонившись, Кэл взъерошил волосы мальчика.

— Присмотри за Рози несколько минут, ладно, приятель?

— Конечно.

В комнате, где остались Чип и Рози, давно уже было предпри-
нято все возможное для того, чтобы малышка не могла ушибиться

или пораниться, но родителям все же не хотелось оставлять дочурку надолго, и поэтому Кэл и Джейн решили не уходить далеко, а побеседовать на кухне. Стараясь оттянуть неприятный разговор, Кэл для начала заключил жену в объятия. Она прильнула к мужу. Кэл подумал, что, вероятнее всего, ему не составило бы большого труда отвлечь ее и заставить на какое-то время забыть о вопросах, которые она явно собиралась ему задать. Однако он все же решил не пытаться избежать неизбежного.

— Чип переночует у нас, — сказал он.

— Я уже догадалась. Что случилось?

— Ты только не расстраивайся, но... Нам придется присмотреть за ним какое-то время, потому что Рэчел забрали в тюрьму.

— В тюрьму?! — Джейн так вскинулась, что головой ударила Кэла в подбородок. — Боже мой, Кэл, надо же что-то делать. — Вырвавшись из объятий супруга, она бросилась к своей сумочке. — Я сейчас же еду к ней. Не могу поверить, чтобы...

— Дорогая... — Кэл поймал руку жены и ласково погладил ее. — Остановись на минутку. Рэчел устроила настоящий разгром в кинотеатре. Ее посадили в тюрьму за дело.

Джейн изумленно уставилась на него.

— Устроила разгром в кинотеатре? Что это значит?

— Это значит, что она разнесла вдребезги всю закусочную, поломала кое-что из оборудования, облила краской экран — все девять ярдов. Насколько я могу понять, она хотела, чтобы Гейб женился на ней, а поскольку он отказался это сделать, она решила посчитаться с ним, перед тем как уехать.

— Рэчел никогда бы такого не сделала.

— Я был в кинотеатре и все видел своими глазами. Поверь мне, ты не права. Оделл нашел в ее сумочке два билета на автобус компании «Грейхаунд». Судя по всему, то, что она устроила, — это ее прощальный подарок Гейбу.

Джейн тяжело опустилась на одну из кухонных табуреток, затем протянула руку и погладила мужа по предплечью. Она очень любила до него дотрагиваться. Даже когда они спорили или ссорились, она иногда поглаживала его.

— И все-таки что-то тут не так. Зачем ей это? Ведь она любит Гейба.

— Она любит его банковский счет.

— Это неправда. Она в самом деле его любит. Достаточно хоть раз увидеть, как она смотрит на него, чтобы это понять. Вы с Этаном привыкли его опекать и потому относитесь к Рэчел с предубеждением.

— Нет, это ты о ней непонятно почему слишком хорошего мнения, дорогая. Если бы ты не была так слепа, то сразу бы поняла, что она алчная охотница за деньгами.

— А тебе не кажется странным, что у алчной охотницы за деньгами растет такой замечательный, добрый маленький сын? — спросила Джейн, продолжая гладить руку мужа.

— Я вовсе не говорю, что она плохая мать. Одно другому не мешает.

Кэл выглянул из кухни в комнату якобы для того, чтобы посмотреть, все ли в порядке с Рози, но на самом деле для того, чтобы не встречаться глазами с Джейн, которая каким-то непонятным чутьем угадала, где коренятся мучающие его сомнения. Кэл был не настолько слеп, чтобы не заметить, как Рэчел любила своего сына. Он вспомнил выражение ее лица, когда она окликнула его из машины и попросила позаботиться о Чипе. В тот момент она не казалась ни злобной, ни агрессивной, и, глядя на нее, никто бы не сказал, что эта женщина может представлять собой угрозу для кого бы то ни было.

Джейн покачала своей умной головой.

— И все-таки мне все это кажется несправедливым. Откуда вам известно, что все это сделала именно она?

Кэл рассказал жене о том, что они нашли в «форде». Джейн слушала его, глаза ее становились все более испуганными, и Кэл к концу повествования снова проникся негодованием по отношению к вдове Сноупс. Закончив, он нежно поцеловал жене кончики пальцев — ему не нравилось, когда ее расстраивал кто-то, кроме него самого.

— Но как я могла так в ней ошибаться? — недоумевала Джейн. — Гейб, должно быть, просто в трансе. И все же у меня просто в голове не укладывается, что он мог засадить ее в камеру.

У супругов Боннер не было секретов друг от друга, и Кэл понимал: теперь ему придется рассказать жене и о том, что в тюрьму Рэчел посадил не Гейб, а он сам, но он решил, что сделает это после того, как дети улягутся спать. Он был почти уверен — его признание вызовет ссору, и по опыту знал, что в таких случаях лучшая защита для него — затащить жену в спальню и поскорее раздеть.

— Пойдем, дорогая, — сказал он. — Надо сменить Чипа, пока Рози совсем его не замучила.

Отделение предварительного заключения при городском управлении полиции было маленьким и не делилось на мужскую и женскую половину. Вопли какого-то пьянчуги эхом отражались от голых стен. Меряя шагами тесную камеру, Рэчел изо всех сил боролась с подступающей паникой. Ее терзал страх за Эдварда, страх за себя. И еще она боялась, что у Гейба снова наступит кризис, как после гибели Черри и Джейми, и он опять пустится во все тяжкие.

Гейб... Она давно уже ждала, что он вот-вот появится, но его все не было, хотя он наверняка уже должен был вернуться. Если бы он надумал уехать куда-нибудь надолго, он наверняка заехал бы попрощаться с братьями, а узнав от них о случившемся, примчался, чтобы вызволить ее из тюрьмы.

Впрочем, через какое-то время, может быть, от расстройства или от того, что уже наступил вечер, а за ней никто не приезжал, Рэчел стало казаться, что добиться ее освобождения будет не так-то просто. Улики против нее были весьма серьезными, и никто не мог поручиться за то, что Гейб ей поверит. Она по-прежнему никак не могла понять, каким образом украденные вещи и деньги могли оказаться в ее машине.

Конечно, если бы Гейб любил ее, все было бы иначе. Но он ее не любил, и нельзя было исключать, что теперь он будет думать о ней так же плохо, как и все остальные жители Солвейшн.

Закусив губу, Рэчел стала думать об Эдварде, но от этих мыслей отчаяние ее лишь усилилось. Ее сын был ранимым ребенком, а теперь даже то еще неокрепшее чувство защищенности, которое появилось у него за последние недели, наверняка снова разрушится. Ей хотелось надеяться, что Кэл позаботится о мальчике, но теперь она уже ни в чем не была уверена.

Изо всех сил сопротивляясь нахлынувшему на нее страху, Рэчел размышляла, как могло случиться, что она оказалась в тюрьме? Чем больше она об этом думала, тем больше крепло в ней убеждение, что она бессильна против Кэла Боннера. У него были деньги, хорошая репутация, он пользовался в городе уважением и потому мог добиться, чтобы ее так и оставили гнить в камере, если бы пришел к выводу, что это пойдет на пользу его брату.

Лязгнула входная дверь, и Рэчел вздрогнула и замерла, услышав, что кто-то вошел в разделяющий два ряда камер коридор. Она ожидала увидеть Джейка Армстронга, который в эту ночь дежурил. Однако это был не Джейк. Прошло несколько секунд, прежде чем она узнала Расса Скаддера.

Подойдя к решетке ее камеры, он остановился, держа в пальцах сигарету. Было около полуночи, посетителей в такой час в тюрьму не пускали, и потому при виде Расса Рэчел почувствовала безотчетный страх.

— Я попросил Джейка, чтобы он меня впустил, — сказал Скаддер, стараясь не смотреть Рэчел в глаза. — Мы с ним... давние приятели.

— Что вам нужно? — спросила Рэчел, стараясь не выказывать страха. Она убеждала себя, что камера надежно заперта, и тем не менее ей было не по себе.

— Понимаете... — Расс прокашлялся и затянулся сигаретой. — Знаю, я перед вами в долгу, но для того, чтобы вас выпустили под залог, надо внести большую сумму, а у меня как раз сейчас туговато с деньгами. Тот чек, который вы дали Лизе, должен пойти в особый, целевой фонд.

— Я знаю.

Как сказать ему, что, если она в понедельник утром не сядет в автобус, чек окажется недействительным? — думала Рэчел.

— С вашей стороны было очень великодушно подарить нам эти деньги.

Рэчел по-прежнему не понимала, что заставило Расса Скаддера навестить ее в камере в такой неурочный час, и потому решила молчать.

— Знаете, Эмили стало лучше. Лейкоцитов у нее заметно поубавилось. Никто этого не ожидал. — Скаддер наконец поднял глаза на Рэчел. — Мать Лизы уверена, это вы ее вылечили.

— Она заблуждается...

— Понимаете, с тех пор, как вы у нас побывали, девочке с каждым днем становится лучше и лучше.

— Я очень рада. Но ко мне это не имеет никакого отношения.

— Поначалу я тоже так думал. Но теперь я уже не так в этом уверен. — Расс наморщил лоб и снова нервно затянулся. — Улучшение наступило очень быстро, и врачи ничего не могут толком объяснить. Сама Эмили говорит, что вы закрыли глаза и потрогали ее, и при этом у вас были горячие руки.

— Просто в комнате было жарко.

— Наверное. И все-таки... — Скаддер бросил сигарету на пол и затоптал окурок. — Знаете, я далеко не безгрешный человек, у меня много недостатков. Моя дочурка... — Расс потер нос тыльной стороной ладони. — Я, наверное, неважный отец, но она для меня очень много значит, а вы ей помогли. — Он вытащил из кармана пачку сигарет и уставился на нее. — Я уговорил Джейка пустить меня сюда, поскольку мне хотелось, чтобы вы знали: есть вещи, о которых я очень сожалею, и я перед вами в долгу. Есть кто-нибудь, кто в состоянии вам помочь? Я мог бы позвонить этим людям, только скажите.

— У меня нет таких людей.

— Если бы у меня были деньги... — Скаддер снова сунул сигареты в карман.

— Ничего, все в порядке. Я вовсе не жду, что вы внесете за меня залог.

— Я правда сделал бы это, но...

— Благодарю вас. Я очень рада, что у Эмили наступило улучшение.

Расс скованно кивнул. У Рэчел было такое ощущение, что он хочет сказать ей что-то еще, но, поколебавшись немного, он направился к двери. Однако, дойдя до нее, он снова повернулся к Рэчел.

— Мне нужно сказать вам еще кое-что. — Скаддер опять подошел к решетке камеры. — Я совершил пару поступков, за которые мне стыдно.

И он рассказал Рэчел о том, как устроил сожжение креста у коттеджа, как проколол шины ее автомобиля, как намалевал краской надпись на стене дома, в котором она жила, и как выкрал у нее кошелек.

— Мне всегда нравился Дуэйн, и мне нравилась работа, которая у меня была при храме. Это была самая лучшая работа, какая у меня когда-либо была, и с тех пор, как я ее потерял, вся моя жизнь пошла наперекосяк. — Скаддер в очередной раз достал из кармана сигареты. — Я проработал несколько недель у Боннера в кинотеатре, но потом он меня уволил. А затем появились вы. Когда Боннер вас нанял, в голову мне полезли всякие мысли, и я вас возненавидел. Когда я делал вам пакости, мне казалось, что я еще и вроде как рассчитываюсь с вами за Дуэйна. Но так или иначе, то, что я сделал, было несправедливо.

Скаддер наконец зажег сигарету и жадно затянулся:

— А кинотеатр тоже вы разгромили?

— Нет. — Расс решительно покачал головой. — Нет. Я не знаю, кто это сделал.

— Тогда зачем вы рассказали мне все это?

Скаддер пожал плечами.

— Лизе и Фран теперь уже на меня наплевать. Но я все же очень люблю мою маленькую дочурку и знаю, что я у вас в долгу.

Если бы Расс сделал свое признание в иной ситуации, Рэчел пришла бы в бешенство, но сейчас у нее было слишком мало сил, чтобы она тратила их на Скаддера.

— Ну хорошо. Вы мне все рассказали, и довольно.

Скаддер, видно, и не ждал от Рэчел слов прощения, и потому она не стала больше ничего говорить. Когда он ушел, она уселась в темноте на узкую железную койку, подтянув колени к подбородку, и сердце ее затопило отчаяние. Несмотря на ее плохую репутацию, несмотря на все улики, Гейб все же должен был верить ей.

Должен был.

Прикроватные часы с циферблатом на жидких кристаллах показывали половину пятого утра. Кэл посмотрел на прильнувшую к нему Джейн и понял, что его разбудило чувство вины и беспокойство за Гейба. Он не мог понять, куда исчез брат.

После того как они с Джейн уложили детей спать, Кэл съездил в коттедж Энни, побывал даже в городском доме родителей, но Гейба нигде не было. Кэл до сих пор так и не решился рассказать жене, что именно он выдвинул обвинения против Рэчел. Вечером, выдумывая предлог за предлогом, он не стал этого делать главным образом потому, что не хотел расстраивать супругу. Потом они занялись любовью, а после заснули. И все же Кэл понимал: он был не прав, скрыв от жены свою роль в истории с Рэчел, и решил, что не станет больше откладывать и расскажет ей обо всем, как только она проснется.

Разумеется, он знал: перед ним встанет нелегкая задача. У Джейн, кроме мужа, не было родственников, и потому ей трудно было понять чувства, которые Кэл испытывал к своим братьям. К тому же она недостаточно хорошо знала Гейба, чтобы понять, насколько он уязвим. Но Кэл это знал и потому защищал брата с такой же страстью, с какой защищал всех, кого любил.

Он подумал о Рэчел, которая в это время сидела одна в тюремной камере, и решил, что она, наверное, тоже не спит и волнуется за своего сына. Почему она не подумала о нем, прежде чем ополчиться на Гейба?

Ему хотелось верить, что ее действия были чисто импульсивными, что Рэчел не осознавала, какие последствия ее жестокость может иметь для Гейба — человека, который только-только начал возрождаться к жизни. Но в любом случае это не могло служить для нее оправданием. Рэчел принадлежала к тому типу людей, которых заботят только их собственные проблемы и переживания, и теперь ей приходилось за это расплачиваться. Удовлетворенный тем, что благодаря его усилиям восторжествовала справедливость, Кэл наконец уснул.

Через час он проснулся от ритмичных, страшных ударов в дверь, от которых, казалось, затрясся весь дом. Джейн тоже привстала на кровати рядом с ним.

— Что это? — спросила она.

— Оставайся здесь, — сказал Кэл и спрыгнул на пол. Накинув на голое тело халат, он выбежал из спальни и бросился вниз по лестнице. Добежав до входной двери, он заглянул в глазок и вздохнул с облегчением, увидев Гейба.

— Где тебя черти носили? — спросил он, распахнув дверь.

Выглядел Гейб ужасно: усталое, изможденное лицо, покрасневшие глаза, щетина на щеках.

— Я нигде не могу найти Рэчел, — сказал он.

Кэл сделал шаг назад, чтобы дать Гейбу войти.

— У тебя же есть ключ. Почему ты не отпер дверь сам?

— Я забыл. Мне очень нужно с тобой поговорить. — Гейб резким движением запустил руку в волосы. — Ты не видел Рэчел? Она должна была остаться на ночь в доме Кристи, но там никого нет. Я съездил в коттедж — там тоже пусто. Господи, Кэл, она пропала, я не могу ее найти. Я боюсь, что она уехала.

— Кэл, что случилось?

Джейн спускалась по лестнице к братьям. На ней была розовая ночная рубашка с изображением персонажа из какого-то мультфильма на груди. Страсть, которую одна из наиболее выдающихся женщин-физиков мира испытывала к ночным рубашкам с изображением смешных зверюшек, всегда вызывала у Кэла улыбку, но только не теперь. Ему хотелось избавить жену от необходимости обсуждать с Гейбом вопрос о местонахождении Рэчел.

Когда Гейб бросился навстречу его супруге, Кэлу стало не по себе. Его брат был всегда сдержан, даже медлителен: неторопливая походка, плавные, размеренные жесты. Теперь все движения Гейба были резкими и суетливыми.

— Я не могу найти Рэчел. Понимаете, я, как последний дурак, оставил ее у кинотеатра, а сам уехал. И с тех пор я ее не видел.

— Она в тюрьме, — сказала Джейн, в смущении глядя на Гейба.

Гейб уставился на нее непонимающим взглядом.

— В тюрьме? — тупо переспросил он.

Джейн дотронулась до его руки. На лице жены Кэла явственно читалось беспокойство и сочувствие.

— Я что-то ничего не понимаю, — произнесла она. — Кэл рассказал мне, что Рэчел разнесла кинотеатр и что ее посадили в тюрьму по твоему обвинению.

Шли секунды. Наконец Гейб и Джейн одновременно, идеально синхронным движением повернули головы в сторону Кэла. Тот неловко переступал с ноги на ногу.

— Дорогая, я ведь вовсе не говорил, что это Гейб выдвинул против нее обвинения. Это ты так решила, а...

Джейн прищурилась, и Кэл быстро перевел взгляд на Гейба, стараясь говорить спокойно:

— Гейб, это Рэчел устроила разгром в кинотеатре. Мне очень жаль. Мы нашли украденные из кассы деньги и другие пропавшие вещи в ее «эскорте». Я знал, что по приезде на место происшествия Оделла ты выдвинешь против нее официальные обвинения, но, поскольку тебя в кинотеатре не оказалось, сделал это сам.

— Так, значит, ты засадил Рэчел в тюрьму? — едва слышно спросил Гейб.

— Но ведь она нарушила закон, — сказал Кэл, стараясь, чтобы неприятная правда дошла до Гейба в максимально смягченном виде.

В следующую секунду он уже летел через весь вестибюль. Долетев до фонтана, он задел ногой его край и с громким всплеском опрокинулся в воду.

Глядя на взметнувшиеся в воздух брызги, Гейб попытался набрать в легкие воздух, но у него это получилось далеко не сразу. Он решил, что как только ему удастся восстановить пресекшееся дыхание, он убьет своего старшего брата.

Кэл тем временем, борясь с облепившим его тело халатом, изо всех сил старался принять сидячее положение.

— Она разгромила твой кинотеатр! — выкрикнул он. — Ей самое место в тюрьме!

Сорвавшись с места, Гейб бросился к фонтану, но прежде, чем он успел добежать до него, между ним и Кэлом встала Джейн.

— Перестань, Гейб! Рэчел этим не поможешь!

— Опять Рэчел, черт побери! — заорал Кэл, протирая глаза, в которые попала вода. — Это Гейбу надо помогать, а не ей!

Гейб мгновенно обогнул Джейн и ухватил брата за ворот намокшего халата.

— Это мой кинотеатр, сукин ты сын, а не твой! И у тебя не было никакого права делать то, что ты сделал!

С этими словами Гейб снова швырнул Кэла в воду. Внезапно на него навалилась слабость. Все его тело покрылось испариной. Рэчел была в тюрьме, и виноват в этом был, конечно, Кэл. Но в случившемся была и его, Гейба, вина, потому что он просто сбежал, оставив Рэчел одну. В первый момент он не мог ни о чем думать: ему просто хотелось уехать куда глаза глядят.

Повернувшись, Гейб бросился к выходу, но тут же замер на месте, услышав негромкий, такой знакомый голос:

— Гейб!

Обернувшись, он увидел на верхней площадке лестницы Чипа в футболке, которую не так давно купила ему Рэчел, и в белых хлопчатобумажных трусиках. Светло-каштановые волосы мальчика сбились на макушке в смешной хохолок. Лицо Эдварда блестело от слез.

— Гейб, где моя мама? — шепотом спросил мальчик.

Гейбу Боннеру показалось, что сейчас у него разорвется сердце. Прыгая через две ступеньки, он взбежал по лестнице вверх и подхватил мальчика на руки.

— Все в порядке, парень, — сказал он. — Я как раз еду за ней.

— Я хочу видеть маму, — сказал Эдвард, глядя ему прямо в глаза.

— Я знаю, сынок. Я знаю.

Гейб почувствовал, как тельце Эдварда сотрясла дрожь, и понял, что ребенок заплакал. Чтобы мальчик чувствовал себя хоть немного комфортнее, он отнес его в гостевую комнату. Там не оказалось удобного стула или кресла, поэтому Гейб уселся прямо на кровать и посадил малыша к себе на колени.

Эдвард плакал совершенно беззвучно. По его щекам просто катились и катились слезы, а Гейб прижимал его к груди и поглаживал по голове. Как бы ни хотелось ему немедленно броситься на выручку Рэчел, он понимал: прежде всего необходимо было успокоить ребенка.

— С моей мамой случилось что-то плохое? — тихонько спросил Эдвард.

— Просто произошло недоразумение, очень досадное недоразумение. Твоя мама в безопасности, но я думаю, что ей может быть страшно, поэтому мне надо съездить за ней.

— Мне тоже страшно.

— Я знаю, сынок, но очень скоро я привезу тебе твою маму.

— А она не умрет?

Гейб прижался губами к макушке мальчика.

— Нет, она не умрет. С ней все будет в порядке. Она просто напугана, вот и все. И наверное, она очень сердится. Твоя мама иногда бывает очень сердитой.

Повозившись у него на коленях, Эдвард крепче прижался к нему. Гейб погладил локоток согнутой руки мальчика, и ему стало так хорошо, что он сам едва не расплакался.

— А почему папа Рози сидел в фонтане?

— Он... поскользнулся.

— Гейб!..

— Что?

Щекоча теплым дыханием щеку и ухо Гейба, Эдвард тихонько шепнул:

— Я тебя прощаю.

У Гейба защипало глаза. Чип слишком легко забывал нанесенные обиды. Ребенку так отчаянно хотелось нормальной жизни, что он готов был на все. Он готов был даже забыть о той неприязни, с которой к нему долгое время относился Гейб.

— Не торопись с этим. Ударив тебя, я поступил очень нехорошо. Может, прежде чем меня прощать, ты еще раз все как следует обдумаешь?

— Ладно.

Гейб взял руку мальчика в свою и погладил его ладонь большим пальцем. Эдвард опустил голову ему на грудь.

— Я уже все обдумал, — прошептал он. — Я тебя прощаю.

Гейб еще раз осторожно поцеловал его волосы, моргнул несколько раз, а затем откинулся назад так, чтобы видеть маленькое личико Чипа.

— А теперь мне надо отправляться за твоей мамой. Я знаю, тебе будет страшно, пока она не вернется, поэтому почему бы нам не пробраться в комнату Рози и не устроить тебе на полу постель из одеял рядом с ее кроваткой? Может, тебе там будет лучше?

Чип кивнул, слез с колен Гейба и протянул руку за подушкой.

— А ты знаешь, когда я был маленьким, я спал в комнате Рози.

— Да что ты говоришь? — улыбнулся Гейб, беря с кровати одеяло.

— Я серьезно. Слушай, только все надо делать тихо, чтобы ее не разбудить.

— Ну конечно.

Зажав одеяло под мышкой, Гейб взял Чипа за руку, и они вместе вышли в коридор.

— Гейб.

— Что?

Мальчик остановился и снизу вверх посмотрел на Гейба Боннера широко раскрытыми глазами.

— Я бы очень хотел, чтобы Джейми тоже мог спать в комнате Рози.

— И я, сынок, — прошептал Гейб. — И я.

***

Чтобы вытащить Рэчел из тюрьмы, Гейб готов был разнести весь городок, но к счастью, когда он, припарковав машину около дома Оделла Хэтчера, принялся дубасить в дверь, начальник полиции Солвейшн уже проснулся, так что устраивать погром не потребовалось.

В семь часов утра Гейб уже нетерпеливо мерил шагами зал для посетителей городского отделения полиции. Взгляд его был прикован к металлической двери, которая вела в ту часть здания, где находились камеры предварительного заключения. Расхаживая взад-вперед, Гейб думал, что, как только ему представится такая возможность, он сделает из своего старшего брата отбивную котлету.

Тем не менее в глубине души он понимал, что пытается свалить на Кэла собственную вину: если бы он не уехал, а дождался Хэтчера, ничего бы не случилось.

Бросив кинотеатр и Рэчел на произвол судьбы, он уехал за границу округа и оказался на стоянке грузовиков, где всю ночь работала закусочная. Там он и сидел, накачиваясь чудовищно крепким кофе и борясь с демонами, терзающими его душу. Час проходил за часом, и незадолго до рассвета Гейб понял, что Рэчел была совершенно права: он взялся приводить в порядок «Гордость Каролины» только для того, чтобы спрятаться от самого себя. Он лишь существовал, а не жил. Ни на что другое у него не хватало смелости...

Железная дверь распахнулась, и появилась Рэчел. Увидев Гейба, она замерла на месте.

Лицо Рэчел было бледным, волосы растрепанными и спутанными, платье измятым. Огромные черные башмаки казались кандалами на ее стройных ногах — еще одна, дополнительная тяжкая ноша. Но самым страшным были ее огромные глаза: в них читались боль, страх, неуверенность. Взгляд их обжег душу Гейба невыносимой болью.

Бросившись к Рэчел, он обнял ее. Она задрожала, и Гейб вспомнил о Чипе, который совсем недавно вот так же дрожал в его объятиях. Но больше он ни о чем уже не думал. Он просто стоял и крепко прижимал к себе упрямую, милую и самую желанную на свете женщину, которая вытащила его из могилы забвения.

Глава 24

Прижавшись к Гейбу, почувствовав объятие его сильных рук, Рэчел разом обмякла.

— Где Эдвард? — с трудом выговорила она.

— Он с Кэлом и Джейн, — ответил Гейб, поглаживая ее по волосам. — С ним все в порядке.

— Кэл...

— Ш-ш-ш... Не сейчас.

— У нас, между прочим, есть улики, — сказал подошедший к ним начальник городской полиции.

— Нет у вас никаких улик. — Гейб легонько отстранил Рэчел и пронзил Оделла Хэтчера уничтожающим взглядом. — Я сам положил эти вещи в ее машину, прежде чем уехать.

— Ты? — опешил Оделл.

— Именно так — я. Рэчел об этом ничего не знала.

Стальные нотки в голосе Гейба разом отбили у Хэтчера охоту спорить. Крепко обняв Рэчел за плечи, Гейб повел ее к выходу.

На улице уже совсем рассвело. Рэчел жадно вдохнула всей грудью прохладный утренний воздух, мельком подумав о том, что никогда еще он не казался ей таким ароматным. Тут до нее вдруг дошло, что Гейб ведет ее к какому-то «мерседесу», припаркованному на месте, обозначенном табличкой: «Зарезервировано для начальника полиции». Она не сразу вспомнила, что автомобиль принадлежит Гейбу, поскольку всегда видела его только за рулем пикапа.

— А это зачем? — спросила она, останавливаясь перед роскошным автомобилем.

— Мне хотелось, чтобы тебе было удобно, — ответил Гейб, распахивая перед ней дверь.

Рэчел попыталась улыбнуться, но губы ее предательски задрожали.

— Садись, — мягко сказал Гейб.

Она опустилась на переднее сиденье, и через несколько секунд они уже катили по пустынным улицам Солвейшн, прислушиваясь к ровному звуку безупречного двигателя. Добравшись до выезда на шоссе, Гейб положил руку на бедро Рэчел.

— Я обещал Чипу, что привезу вас обоих домой к завтраку, — сказал он. — Когда мы подъедем к дому Кэла, посиди в машине, а я схожу за мальчиком.

— Ты с ним виделся?

Рэчел ждала, что на лице Гейба, как обычно, появится неприязненное, отчужденное выражение, как это бывало всегда, когда они заговаривали о ее сыне, но этого не произошло. Вид у Гейба был рассеянный и встревоженный.

— Я не говорил ему, что ты в тюрьме.

— А что ты сказал?

— Что произошло недоразумение и что мне придется за тобой съездить. Но он очень чуткий ребенок и сразу понял — с тобой что-то не так.

— Он наверняка вообразил самое худшее.

— Я постелил ему постель на полу в спальне Рози, рядом с ее кроваткой. Похоже, это его немного успокоило.

Рэчел бросила на Гейба удивленный взгляд.

— Ты постелил ему постель?

— Давай не будем сейчас об этом, Рэчел, ладно?

Ей очень хотелось как следует расспросить его, но она не стала этого делать, увидев в его глазах умоляющее выражение.

Еще примерно милю они проехали молча. Рэчел хотела рассказать Гейбу о визите Расса Скаддера, но она слишком устала, а Гейб, казалось, думал о чем-то своем. Внезапно, без **вся**кого предупреждения, он свернул на обочину, опустил боковое стекло со своей стороны и уставился на Рэчел с таким встревоженным видом, что внутри у нее все сжалось от предчувствия какой-то беды.

— Ты что-то недоговариваешь, так? — спросила она.

— Нет, — успокоил ее Гейб. — Я просто думаю, как лучше это сделать.

— Что сделать?

Наклонившись вперед, он осторожно провел пальцами по ее икрам, затем, взявшись за одну ногу, приподнял ее.

— Я знаю, тебе много пришлось вытерпеть, Рэч, но я хочу, чтобы ты сделала мне одно одолжение. Ты очень меня обяжешь, правда.

К удивлению Рэчел, он стащил с ее ноги черный полуботинок. Она подумала было, что он хочет заняться с ней любовью, но тут же решила: вряд ли он стал бы это делать прямо в машине: уже наступило утро, и, хотя машин на шоссе было немного, все же они были на дороге не одни.

Гейб тем временем снял с нее второй полуботинок и легонько поцеловал ее в губы. Ощущение было приятным. Поцелуй Гейба был не страстным, а скорее успокаивающим, и ей захотелось, чтобы он повторил его еще раз. Однако Гейб отстранился, рукой убрал с лица Рэчел волосы и с нежностью заглянул ей в глаза.

— Я знаю, я болван. Мне известно, что я толстокожий, грубый, неотесанный и что у меня еще много разных недостатков, но я просто ни минуты не могу больше видеть эту мерзость на твоих ножках.

С этими словами он одним движением выбросил полуботинки в открытое окно.

— Гейб!

Он нажал на акселератор, «мерседес» сорвался с места и снова выехал на шоссе.

— Что ты наделал! — Рэчел повернулась на сиденье и стала смотреть назад, туда, где осталась ее бесценная обувь. — У меня кроме них ничего нет!

— Скоро будет.

— Гейб!

И снова большая, теплая рука Гейба успокаивающим жестом легла на бедро Рэчел.

— Тише. Не шуми, дорогая, ладно?

Она снова откинулась на спинку сиденья. Ей казалось, что Гейб сошел с ума — это могло быть единственным объяснением его поступка. По-видимому, разгром, устроенный неизвестными злоумышленниками в кинотеатре, вызвал у него нервное расстройство.

Впрочем, Рэчел и сама плохо соображала. От стресса и усталости ей казалось, будто голова у нее распухла, и потому она решила, что пока не станет торопиться с оценкой поведения Гейба.

Ворота, украшенные изображением молитвенно сложенных рук, были открыты. Проехав в них, Гейб остановил «мерседес» в центре лужайки перед домом. Пропитанный потом носок свалился у Рэчел с ноги, когда Гейб стаскивал с нее ботинки, и теперь она сняла второй, после чего открыла дверь машины.

Гейб посмотрел на нее:

— Я же сказал, что схожу и приведу его.

— Я вовсе не боюсь твоего брата.

— А я и не говорил, что ты его боишься.

— И все-таки я зайду в дом.

Рэчел босиком поднялась по ступенькам. Расческа не касалась ее волос со вчерашнего дня, платье было таким измятым, что от обилия складок напоминало дорожную карту, но она не сделала ничего плохого и потому не собиралась прятаться от Кэла Боннера.

Гейб спокойно и уверенно поднялся по ступенькам следом за ней, как будто ему было не в новинку появляться в доме Кэла в обществе Рэчел, более того — как будто так было всегда. Жаль только, что на самом деле Гейб не останется с ней навсегда, подумала Рэчел. Завтра утром она уедет. Как только она и Эдвард сядут в автобус, Гейб Боннер станет ее прошлым.

Дверь оказалась открытой, и Гейб, осторожно держа Рэчел за руку, ввел ее в дом. Джейн, должно быть, увидела их еще во дворе, потому что тут же выбежала из кухни в холл, одетая в джинсы и футболку. Ее волосы, обычно тщательно причесанные, были растрепаны, на лице не видно было даже следов какой-либо косметики.

— Рэчел! С вами все в порядке?

— Да. Я просто немного устала. Эдвард уже встал?

— Рози его только что разбудила. — Джейн схватила руки Рэчел в свои. — Мне очень жаль. Я только несколько часов назад узнала о поступке Кэла.

Рэчел молча кивнула, не зная, что на это ответить.

В этот момент откуда-то сверху донесся тонкий младенческий взвизг, а затем мальчишеский смех. Подняв голову, Рэчел увидела, как на верхнюю площадку лестницы из детской комнаты вышел Кэл. Одной рукой он держал под мышкой Рози и плюшевого Хорса, другой — ее сына. Он ласково встряхивал обоих детей и голосом изображал поезд. При виде Рэчел, стоящей внизу рядом с Джейн и Гейбом, Кэл замер.

Подняв голову, Эдвард увидел мать. На мальчике были те же самые синие шорты, в которых Рэчел оставила его вчера вечером с няней, но синяя футболка, которая была ему явно велика, скорее всего принадлежала Джейн, поскольку надпись на ее груди гласила: «Физики занимаются этим теоретически».

— Мама!

Ей хотелось подбежать к сыну, сжать его в объятиях и держать так, пока не исчезнут все ее страхи, но это лишь напугало бы ребенка, и потому Рэчел решила избрать другую линию поведения.

— Привет, соня!

Кэл опустил Эдварда на ковер, и мальчик, держась одной рукой за перила и роняя с ног тапочки, бросился вниз по лестнице.

— Гейб! — крикнул он на бегу. — Ты сказал, что она вернется, и она вернулась!

Промчавшись по холлу, Эдвард с разбега уткнулся матери в живот.

— Мам, ты представляешь, Рози наделала в подгузник и провоняла всю комнату, так что ее папа назвал ее Вонючкой Рози!

— Да что ты говоришь?

— Ага. Переполоху было!

— Могу себе представить.

Подняв голову, Рэчел посмотрела на Кэла, который спускался по лестнице, согнутой рукой прижимая к себе дочурку. Он ответил ей каменным взглядом.

— Кофе я только что сварила, — сказала Джейн. — Пойду посмотрю, что можно придумать на завтрак.

Рэчел еще несколько секунд сверлила взглядом Кэла, затем взяла Эдварда за руку.

— Спасибо, Джейн, но мы поедем.

— Но, мама, папа Рози сказал, что я могу съесть немного его хлопьев.

— В другой раз, милый.

— Мне очень хочется. Можно? Ну пожалуйста! — К изумлению Рэчел, сын повернулся к Гейбу. На лице его при этом, правда, появилось выражение некоторой осторожности, а голос и жесты стали более тихими и сдержанными. — Пожалуйста, Гейб.

Рэчел еще больше удивилась, увидев, как Гейб протянул руку и погладил Эдварда по плечу. Это был вполне естественный, а не вымученный жест, и в голосе Гейба, когда он обратился к мальчику, прозвучала нежность, которую до этой поры она никогда не слышала:

— Я думаю, твоя мама устала. Что, если я куплю тебе коробку хлопьев по дороге домой?

Рэчел ожидала, что Эдвард попятится, но этого не произошло. Вместо того чтобы снова приняться упрашивать мать, он заговорил с Гейбом, причем на этот раз уже без всякой опаски:

— Но тогда я не увижу, как Рози сует себе еду в волосы. Она это делает, Гейб, правда... И мне очень хочется на это посмотреть.

Гейб взглянул на Рэчел:

— А ты что скажешь?

Рэчел была настолько поражена очевидными изменениями в отношениях между Гейбом и ее сыном, что замешкалась с ответом.

— Я знаю, вы устали, Рэчел, — вмешалась в разговор Джейн, — но все-таки вам надо поесть. Давайте я вам что-нибудь приготовлю, прежде чем вы уедете.

Сказав это, Джейн решительно направилась на кухню. Мужчины, молчаливые и напряженные, последовали за ней. Лишь Эдвард, судя по всему, не замечал возникшей неловкости. Он сновал между Рози, Гейбом и Кэлом, спрашивая о хлопьях, о том, что Рози любит из еды, и рассказывая всем, как когда-то, когда он жил в комнате Рози, к нему приходил динозавр. Мужчины внимательно прислушивались к его болтовне потому, что это избавляло их от необходимости разговаривать друг с другом.

Извинившись, Рэчел зашла ненадолго в ванную комнату, где попыталась, насколько это было возможно, хоть немного привести себя в порядок, но все ее усилия пропали даром: босиком и в измятом платье она все равно выглядела, мягко говоря, весьма необычно.

Когда она вышла из ванной, Джейн открывала упаковку с тестом для оладьев. Эдвард сидел на высоком стуле за кухонной стойкой, перед ним стояла глубокая тарелка с овсяными хлопьями, а Кэл кормил овсяной кашей Рози, усадив ее на высокий детский стульчик. Гейб стоял в стороне, опершись на стойку и держа в руке темно-зеленую кофейную чашку.

Джейн посмотрела на вошедшую Рэчел, затем, опустив взгляд, увидела ее босые ноги.

— А где же ваша обувь? — недоуменно спросила она.

Гейб метнул взгляд на брата и, прежде чем Рэчел успела что-либо ответить, сказал:

— Оделл ее конфисковал. Она всю ночь провела босиком на грязном бетонном полу.

Глаза Джейн, устремленные на Рэчел, наполнились ужасом. Рэчел же подняла бровь и едва заметно покачала головой. Она не понимала, что случилось с Гейбом. Он лгал уже второй раз за утро... По всей видимости, в данном случае его ложь была вызвана тем, что ему хотелось заставить Кэла помучиться от угрызений совести.

Джейн закусила нижнюю губу и снова занялась тестом. Кэл же немедленно принялся защищаться:

— Я предупредил их, чтобы они обращались с ней хорошо, Гейб. Оделл мне пообещал, что все будет в порядке.

В этот самый момент Рози громко фыркнула и обдала отца фонтаном овсянки.

— А мама Рози вчера вечером показала мне свой компьютер. Я там видел на экране все планеты, а она сказала, что эти планеты — часть... — Эдвард взглянул на Джейн, и на лице его появилось давно знакомое Рэчел выражение тревоги и вины. — ...Я забыл.

— Солнечной системы, — с улыбкой подсказала Джейн.

— Да, теперь я вспомнил.

Звякнул дверной звонок, и Кэл тут же бросился открывать. Часы показывали всего семь тридцать утра, и было несколько странно, что кому-то могло прийти в голову заявиться в дом с визитом в такую рань. Однако, услышав, что Кэл, разговаривая с кем-то, стал, судя по звуку его голоса, перемещаться из вестибюля в сторону кухни, Рэчел сразу поняла, кто приехал.

— Где вы были? — донеслись до нее слова Кэла. — Вы же должны были быть в Ноксвилле, но в отеле мне сказали, что вы у них не зарегистрированы.

— У нас изменились планы.

Услышав голос Этана, Рэчел мрачно посмотрела на Джейн:

— Еще один опекун Гейба. И почему мне так не везет?

Гейб, выражая всем своим видом отвращение, пробормотал что-то себе под нос, со стуком поставил чашку на стойку и направился в вестибюль, навстречу Этану.

— Мы... Я приехал домой вчера вечером, но прослушал автоответчик только полчаса назад. Как только Кристи услышала твое сообщение, она тут же помчалась в тюрьму, и... Гейб!

Рэчел невольно задала себе вопрос, что Кристи могла делать в столь ранний час в доме Этана. Пока она размышляла, подыс-

кивая подходящий ответ, Джейн озабоченно посмотрела на нее, и
на лбу у нее собрались морщинки.

— Я знаю, вам многое пришлось пережить, Рэчел, — сказала
она, — но все это должно как-то разрешиться — ради Гейба.

— Да, наверное.

Рэчел взяла влажные бумажные полотенца, которые передала ей Джейн, и начала приводить в порядок запачканную кашей
мордашку Рози, которая смотрела на нее сияющими глазенками.
Мужчины тем временем продолжали беседовать в коридоре. Закончив умывать Рози, Рэчел чмокнула девочку в пухлую щечку и
стала вытирать поднос.

— Спасибо за то, что вы так хорошо позаботились об Эдварде, — сказала она, обращаясь к Джейн. — Я очень беспокоилась за него.

— Ну конечно, я вас прекрасно понимаю. Он чудесный мальчик, и такой умница. Мы с Кэлом его просто обожаем.

Джейн налила молоко в чашку с кофе и, размешав, протянула Рэчел. Едва Рэчел успела устроиться на стуле за стойкой, как
в кухню вошли мужчины.

— Пастор Этан! — Спрыгнув со своего стула, Эдвард подбежал к младшему из братьев Боннеров и принялся рассказывать
ему о своих последних приключениях. Слушая его, Этан то и
дело бросал осуждающие взгляды на Рэчел, словно давая понять, что он от нее такого не ожидал.

Рози забарабанила кулачками по столу, требуя, чтобы ее сняли с
ее высокого стульчика. Пока Джейн наполняла еще одну чашку
кофе, Кэл усадил дочь на пол. Она немедленно подползла к Эдварду и, хватаясь за его ноги, встала. Эдвард скривился, чувствуя, как
острые ноготки девочки больно царапают его голую кожу.

— Рози, мне больно.

Девочка всплеснула руками, потеряла равновесие и с размаху
села на пол. Личико ее искривилось, но, прежде чем она успела
заплакать, ее подхватил на руки Гейб. Рэчел впервые видела,
чтобы Гейб взял Рози на руки, и по удивлению, промелькнувше-
му в глазах его братьев, поняла: этим поражена не она одна.

Протянув руку, Гейб дотронулся до щеки Эдварда.

— А может, ты посмотришь телевизор, пока взрослые поговорят? — спросил он.

— Я не люблю детские передачи.

Бросив возиться с оладьями, Джейн вышла из-за стойки.

— Дедушка и бабушка Рози подарили ей на день рождения видеокассету с мультфильмами. Она еще маленькая, чтобы их смотреть, но тебе, я уверена, они понравятся.

— Хорошо.

Джейн и Эдвард скрылись в одной из комнат. Гейб снова усадил Рози на пол и положил перед ней Хорса. Затем он обвел взглядом своих братьев.

— Раз уж вы оба здесь, — заговорил он, — я думаю, самое время провести семейный совет. Рэчел, я знаю, что ты устала, но все это длится уже слишком долго, и пора поставить точку.

Предубежденность большинства присутствующих по отношению к ней была для Рэчел очевидной, поэтому она скорее предпочла бы спрятаться в ванной комнате, но она лишь небрежно пожала плечами.

— Я никогда еще не уклонялась от драк, любовничек, — заявила она.

Этан и Кэл напряженно застыли. Рэчел мысленно похлопала себе: ее противники явно находились не в лучшей форме.

Гейб бросил на нее укоризненный взгляд, а затем повернулся к братьям.

— Ну ладно, — сказал он. — Вот как все будет...

— Прежде чем ты начнешь, — прервал его Этан, — мне хотелось бы сказать тебе, что мы оба, я и Кэл, очень беспокоились из-за того, что знакомство с Рэчел дурно на тебя повлияло. — Он сделал паузу. — Хотя вчера вечером Кэл, пожалуй, в самом деле перегнул палку.

— Да? — возмутился Кэл. — Жаль, что тебя там не было, а то ты бы прочел одну из своих проповедей.

— Черт возьми, мне не десять лет! — взорвался Гейб. — И мне надоело, ложась спать, беспокоиться, как бы кто-нибудь из

вас не напакостил Рэчел, пока я сплю! — Он направил на братьев указательный палец. — Она ни одному из вас ничего плохого не сделала, но вы оба обращались с ней так, словно она не
человек, а какое-то грязное животное. Так вот, теперь всему
этому пришел конец!

На кухню вошла Джейн. Проходя мимо Гейба, она похлопала его по руке, затем подошла к мужу и погладила его по плечу.

— То, что она не сделала ничего плохого нам, здесь ни при
чем, и ты это прекрасно знаешь, — возразил Кэл. — Мы бес-
покоимся о тебе!

— Ну так перестаньте обо мне беспокоиться! — проорал Гейб.
Рози, застыв на месте, испуганно заморгала. Гейб глубоко
вздохнул и заговорил тише:

— Рэчел права: вы оба носитесь со мной, как наседка с
цыпленком, и я больше не намерен это терпеть.

— Послушай, Гейб... — заговорил Этан. — У меня есть
кое-какой опыт. Люди часто делились со мной своим горем, и ты
должен понять...

— Нет! Это ты должен понять. Если кто-нибудь из вас —
любой из вас двоих — еще хоть раз обидит Рэчел, вам придется
пожалеть об этом. Даже если кто-нибудь из вас нахмурится,
глядя на нее, вам придется иметь дело со мной. Вы поняли?

Кэл сунул руки в карманы. Он явно чувствовал себя не в
своей тарелке.

— Я не собирался тебе об этом рассказывать, но, похоже, у
меня нет выбора, — сказал он. — Тебе не понравится то, что ты
услышишь, но в тех случаях, когда речь идет о Рэчел, ты совершенно слеп, так что лучше тебе знать правду. — Кэл перевел
дух. — Я предложил ей двадцать пять тысяч долларов за то,
чтобы она уехала из города, и она взяла эти деньги.

— Ой, Кэл... — ахнула Джейн.

Гейб повернулся к Рэчел и несколько секунд молча, испыту-
юще смотрел на нее. Наконец он вопросительно поднял одну
бровь. Рэчел пожала плечами и кивнула.

— Ну и молодец, — с улыбкой сказал Гейб.

На этот раз взорвался Кэл.

— Что ты хочешь этим сказать?! — заорал он. — Она позволила себя купить!

Услышав крик отца, Рози сморщила рожицу и уже собралась было заплакать, но Кэл подхватил ее с пола и поцеловал, хотя выглядел при этом по-прежнему словно грозовая туча. Гейбу подобные вспышки старшего брата были не в диковинку, и потому он и бровью не повел.

— Рэчел выживает, как может, — сказал Гейб. — Я только сейчас начинаю учиться у нее этому искусству.

Кэл не удовлетворился полученным ответом и, согнутой рукой прижимая к себе Рози, словно футбольный мяч, изготовился для новой атаки.

— Неужели ты простишь ей разгром, который она учинила в кинотеатре?

От этого замечания Гейб мгновенно пришел в ярость.

— Скажи-ка мне кое-что, братец, — заговорил он. — Что бы ты сделал, если бы однажды вечером пришел домой и обнаружил, что по моей милости Джейн бросили в тюрьму?

Джейн с интересом посмотрела на Гейба. Лицо Кэла покраснело от злости.

— Это не одно и то же. Джейн моя жена!

— Между прочим, на прошлой неделе я сделал Рэчел предложение.

— Что?!

— Ты меня слышал.

Этан и Кэл уставились на Рэчел. Тогда, в кинотеатре, когда Рэчел сказала об этом Кэлу, он ей не поверил.

Рози сунула свой указательный пальчик отцу в рот. Кэл перевел взгляд на Гейба и медленно отвел в сторону ее ручку.

— Вы собираетесь пожениться?

Впервые с начала разговора Гейб, казалось, потерял уверенность в себе.

— Я не знаю, — сказал он. — Она пока думает.

— Если он сделал вам предложение, то зачем вы изуродовали кинотеатр? — спросил Кэл, причем на этот раз в его вопросе прозвучала не столько злость, сколько смущение.

Рэчел хотела было объяснить Кэлу, что она этого не делала, но Гейб перебил ее:

— Потому что она живет не умом, а сердцем. — Он обнял Рэчел одной рукой за шею и ласково погладил. — Она знала, что кинотеатр ничего хорошего мне не принесет, но в то же время была уверена, что, если она мне об этом скажет, то я не приму ее слова во внимание. Защищая людей, которых она любит, Рэчел дерется без правил. С ее стороны это была своеобразная форма заботы обо мне.

Сначала Рэчел показалось, что Гейб лжет в третий раз за этот день, но потом она поняла: он в самом деле уверен, что погром в кинотеатре «Гордость Каролины» устроила она. Однако, прежде чем в ее душе вспыхнуло негодование, она поймала его взгляд и с удивлением осознала: даже будучи уверенным, что чрезвычайное происшествие в кинотеатре — ее рук дело, Гейб все равно остался на ее стороне.

— Гейб! Гейб! — крикнул из соседней комнаты Эдвард. — Гейб, ты только посмотри на это!

Рэчел была уверена, что Гейб крикнет Эдварду, чтобы тот подождал, но он в очередной раз ее удивил.

— Не уходите никуда. Я сейчас вернусь, — сказал он, еще раз окинув братьев угрожающим взглядом, и, повернувшись к Джейн, добавил: — Охраняй ее от них, ладно?

— Сделаю все, что в моих силах, — ответила Джейн.

Как только Гейб исчез в соседней комнате, Рэчел встала со стула. Кэл и Этан с озадаченным видом наблюдали за ней. Кэл снова усадил Рози на пол. Рэчел открыла было рот, чтобы излить на старшего и младшего братьев Боннеров все накопившееся в душе возмущение по поводу их предвзятости по отношению к ней, но мстительный пыл ее вдруг разом угас. Она подумала, что любовь очень многолика, а в том, что Кэл и Этан любили Гейба, у нее не было никаких сомнений. И еще она подумала, что, наверное, это замечательно, когда у человека есть такая опора, как братья, как бы они ни заблуждались.

— Мне совершенно не важно, верите вы мне или нет, — тихо сказала она, — но Гейб ошибается. Это не я разгромила кинотеатр. Я вполне могла бы сделать это по тем причинам, о которых Гейб только что говорил, но мне это не пришло в голову. Что же касается моей обуви, — продолжила она, решив расставить все точки над i, — то Оделл ее вовсе не конфисковал. По дороге сюда Гейб выбросил мои старые ботинки в окно машины.

— Что Гейб имел в виду, когда сказал, будто сделал вам предложение, но вы еще думаете? — спросил Кэл уже не таким враждебным тоном, как раньше.

— Что я ему отказала.

— Так вы не собираетесь выходить за него замуж? — нахмурился Этан.

— Вы ведь знаете, я не могу этого сделать. Гейб очень мягкий человек, он хорошо ко мне относится и потому пытается защищать от всяких жизненных неурядиц. Похоже, у Боннеров это фамильная черта. — Рэчел откашлялась, слова давались ей не без труда. — Женитьба на мне — единственный, с его точки зрения, способ, с помощью которого он может оградить меня от всяческих неприятностей и невзгод. Но он меня не любит.

— А вы его любите, не так ли? — мягко спросил Этан.

— Да, — кивнула Рэчел и попыталась улыбнуться, но с отчаянием почувствовала, что глаза ее наполняются слезами. — Очень. Он считает меня железной женщиной, но я не настолько железная, чтобы прожить всю оставшуюся жизнь, мучаясь от невозможности получить то, что мне так нужно. Вот поэтому я и не могу стать его женой.

Кто-то тихонько пощекотал ей пальцы босых ног, и, посмотрев вниз, Рэчел увидела, что это Рози добралась до них. Радуясь возможности сменить тему разговора, она уселась на черный мраморный пол, скрестив ноги так, чтобы девочка могла забраться к ней на колени.

Из груди Кэла вырвался не то вздох, не то стон.

— Ну мы и наворотили, — сказал он.

— Мы! — раздраженно вскричал Этан как раз в тот самый момент, когда из соседней комнаты вышел Гейб. — Уж я-то не стал бы сажать ее в тюрьму. И я не стал бы подкупать ее, мистер Миллиардер!

— Я вовсе не миллиардер! — воскликнул Кэл. — Но если бы у тебя было столько денег, сколько у меня, ты сделал бы то же самое!

— Дети, дети, — вмешалась Джейн. И вдруг рука ее взлетела вверх, и, зажимая рот, она громко расхохоталась. — О Господи!

Все непонимающе уставились на нее.

— Простите, но до меня только сейчас дошло... — Джейн успокоилась было, но потом ее снова прошиб смех.

— В чем дело? — нахмурился Кэл.

— О Боже... — Джейн достала из коробки на стойке салфетку и промокнула глаза. — Я совсем забыла. Вчера днем мы получили по почте очень странное письмо. Я хотела спросить тебя, что это могло бы значить, но потом задумалась над одной теоретической проблемой, над которой бьются многие физики. А потом ты привез к нам домой Чипа, я отвлеклась и забыла об этом, и вот только сейчас вспомнила.

Кэл смотрел на нее с терпеливым видом человека, который давно уже привык к совместной жизни с женщиной, озабоченной теоретическими проблемами, над которыми бьются физики всего мира.

— Ну, о чем же ты вспомнила?

Джейн подошла к небольшой стопке конвертов, лежащих на стойке рядом с хлебницей.

— А вот об этом письме. Оно от Лизы Скаддер — ну, помнишь, матери той маленькой девочки по имени Эмили, которая больна лейкемией. Прошлой осенью мы сделали взнос в фонд помощи этой девочке, но это было много месяцев назад, так что я сначала не поняла, о чем речь.

Джейн снова рассмеялась, а все трое братьев Боннеров сдвинули брови. Они явно не могли понять, что смешного в том, что ребенок страдает белокровием.

Рэчел, однако, показалось, что она знает истинную причину веселья Джейн. Она лишь гадала, почему Лиза не выждала какое-то время, как было договорено.

Взяв на руки Рози, она встала с пола.

— Пожалуй, нам с Эдвардом пора домой, — сказала она и протянула малышку Этану. — Гейб, ты не мог бы подвезти...

— Сядьте! — скомандовала Джейн, указывая пальцем на пол.

Повинуясь неизбежному, Рэчел села. Рози издала вопль и потянулась к ней. Этан снова спустил ее на пол, и через какие-нибудь несколько секунд девочка снова удобно устроилась на коленях Рэчел, играя пуговицами ее платья.

— Нет, в самом деле, Джейн. Если бы ты видела эту девочку, ты бы не смеялась.

Джейн сразу же опомнилась.

— Нет, дело не в этом... Понимаете, просто Рэчел... ох... — Джейн с трудом перевела дух. — Мы получили благодарственное письмо от Лизы Скаддер. Рэчел передала кровные денежки Кэла в фонд Эмили!

Все трое мужчин молча уставились на нее. У Кэла отвисла челюсть.

— О чем это ты? — спросил он, глядя на жену.

— О твоих двадцати пяти тысячах зелененьких! Вместо того чтобы оставить их себе, Рэчел их пожертвовала!

Гейб взглянул на Рэчел с таким ошарашенным видом, словно всю жизнь думал, будто земля плоская, а ему вдруг объявили, что она имеет форму шара.

— Так ты *ничего* себе не взяла?

— Просто Кэл очень меня разозлил, — ответила Рэчел и вытащила изо рта у Рози прядь своих волос. — Я попросила Лизу подождать, пока я уеду из города, а потом уж посылать письмо. — Она бросила взгляд на Кэла, который все еще читал записку Лизы. — Чек оформлен таким образом, что становится действительным с определенной даты. Лиза сможет его обналичить только начиная с завтрашнего дня.

Наступила полная тишина. Затем головы присутствующих одна за другой стали поворачиваться в сторону Кэла. Наконец он сам оторвался от письма и пожал плечами.

— Уж не знаю, как ты это сделаешь, братец, — сказал он, обращаясь к Гейбу, — но будет лучше, если ты не дашь ей завтра сесть на автобус компании «Грейхаунд». — Он кивнул на босые ноги Рэчел. — Начал ты не так уж плохо.

— Рад, что ты одобряешь мои действия, — сухо заметил Гейб.

— Эй, Чип! — крикнул Кэл. — Ты не мог бы зайти сюда на минутку?

Рэчел вскочила на ноги, держа на руках Рози.

— Слушай, Кэл Боннер, если ты хоть что-нибудь скажешь моему сыну о...

— Что? — спросил появившийся в дверях Эдвард.

Рози выбрала именно этот момент для того, чтобы наградить Рэчел слюнявым поцелуем в подбородок. Продолжая сверлить Кэла угрожающим взглядом, Рэчел похлопала девочку по попке.

— Спасибо, маленькая, — сказала она.

Кэл погладил Эдварда по голове и взъерошил мальчику волосы.

— Чип, — сказал он, — твоей маме и Гейбу надо кое о чем поговорить. Они будут говорить о хороших вещах, а не о плохих, так что не беспокойся. Но дело в том, что им для этого надо побыть одним. Как ты смотришь на то, чтобы немножко у нас задержаться? А? Мы с тобой можем поиграть в футбол, и я готов поспорить, что тетя Джейн с удовольствием включит для тебя свой компьютер и покажет новые планеты.

«Тетя Джейн»? Это было что-то новое. Рэчел удивленно приподняла брови.

— Вообще говоря, я не думаю, что... — начала было она.

— Отличная идея! — вскричал, перебив ее, Этан. — Ну, что скажешь, Чип?

— Мама, можно мне остаться?

— Если ты ответишь ему «нет», мой старший брат тебя поколотит, — донесся до Рэчел шепот Гейба.

Рэчел не хотелось оставаться один на один с Гейбом и его чувством долга. Ей нужна была настоящая любовь, а не жертва. Как мог Гейб, который любил Черри, полюбить ее, Рэчел Стоун, женщину, у которой было столько недостатков?

Рэчел оглядела комнату в поисках возможного союзника, но у Джейн, единственного, пожалуй, человека, который подходил на эту роль, в этот момент был такой вид, будто она снова окунулась в размышления об элементарных частицах. Крохотное существо, которое Рэчел держала на руках, было очаровательным, но в данной ситуации ничем не могло ей помочь. Ее сына в эту минуту занимали лишь футбол и компьютер. Оставались трое братьев Боннеров.

Взгляд Рэчел прошелся по лицу Кэла, затем упал на Этана и снова остановился на Кэле. То, что она увидела, обескуражило ее. Если до сегодняшнего дня Кэл и Этан считали ее врагом Гейба, то теперь они пришли к выводу, что она для него *полезна*. Представив, к чему это может привести, она невольно содрогнулась.

— Твоя мама не против, — сказал Этан, обращаясь к Эдварду.

— Да, она не возражает, если ты еще побудешь здесь, — добавил Кэл.

Из всех троих только Гейб готов был считаться с ее желаниями.

— Ты правда не против? — спросил он.

Отвечать отрицательно в данной ситуации было бессмысленно, и она кивнула.

— Ура! — закричал Эдвард. — Рози, я остаюсь!

Демонстрируя свой восторг по этому поводу, Рози зашлепала маленькими, мокрыми от слюней ручонками по щекам Рэчел.

Гейб повел Рэчел к двери, но тут Джейн очнулась от транса.

— Рэчел, хотите, я дам вам что-нибудь из обуви? Кажется, у меня есть пара сандалий...

— Они ей не понадобятся, — сказал Гейб.

Когда Рэчел и Гейб уже подошли к входной двери, Кэл вдруг сорвался с места и бросился за ними.

— Рэчел! — крикнул он.

Она замерла, готовая холодно отвергнуть любые его извинения. Однако извинений не последовало. Вместо этого Кэл улыбнулся ей очаровательной улыбкой, увидев которую нетрудно было понять, каким образом ему, толстокожему и упрямому верзиле, удалось покорить такую блестящую женщину, как Джейн.

— Я знаю, что вы меня на дух не переносите, и вполне возможно, вам потребуется целая жизнь, чтобы простить меня, но... — Кэл почесал подбородок. — Может быть, вы все же отдадите мне Рози?

Глава 25

Гейб выключил душ и, сняв с крючка полотенце, быстро вытерся. Он понимал, что у него нет права на ошибку. Ему нужно было любой ценой убедить Рэчел остаться. От того, удастся ли ему это сделать, зависела вся его дальнейшая жизнь.

Обернув полотенце вокруг бедер, Гейб вышел в коридор коттеджа Энни.

— Рэч! — позвал он.

Ответа не последовало. Его охватил страх. Рэчел настояла на том, чтобы он принял душ первым. А что, если она таким образом избавилась от него, чтобы получить возможность забрать Чипа и уехать из города?

Он бросился бегом по коридору, заглядывая поочередно в спальню Чипа, затем в комнату Рэчел и, наконец, в свою. К его огромному облегчению, Рэчел не уехала. Она просто заснула, улегшись прямо поверх покрывала в своем измятом платье.

Гейб расслабился и слегка ссутулил плечи. Улыбаясь, он оделся и большую часть дня провел, просто сидя рядом с кроватью и наблюдая за спящей Рэчел. Это было самое замечательное зрелище из всех, которые он когда-либо видел.

Три часа спустя Рэчел наконец зашевелилась, но в этот момент Гейба рядом с ней не было: он пошел проведать Твити. Поняв это, Рэчел порадовалась за него.

— Рэч! — раздался снаружи голос Гейба. — Рэчел, проснись! Мне нужна твоя помощь!

— Нам надо было сказать им, что мы по-же-ни-лись, — с нажимом произнесла Кристи, сидя на сиденье принадлежащего Джейн «рэйнджровера» и глядя на своего новоиспеченного мужа. — Но они и так были уже слишком измотаны, чтобы обрушивать на них еще одну сногсшибательную новость. И все-таки я не могу поверить, что Кэл засадил Рэчел в тюрьму.

— А я не могу поверить, что мы предложили свои услуги в качестве няни для этих двух чудовищ, несмотря на то что не прошло еще и суток с того момента, как мы обвенчались, — сердито бросил Этан и посмотрел в зеркало заднего вида на Рози и Чипа.

Чип рассматривал ссадину на локте, Рози с упоением жевала плюшевую лапу Хорса. Кристи и Этан на время взяли машину Джейн, поскольку она была оборудована специальным детским сиденьем для Рози. Теперь перепачканные в песке после прогулки в саду дети сидели сзади, словно два ангелочка.

— Кэл и Джейн как-то управлялись с ними все утро, — сказала Кристи, — а мы взяли их с собой всего на часок, и вот пожалуйста.

Этан свернул на дорогу, ведущую к вершине горы Страданий.

— Ради всего святого, у нас ведь медовый месяц, — пробурчал он. — Нам бы надо самим делать детей.

— Мне тоже не терпится этим заняться, — улыбнулась Кристи. — Но Кэл и Джейн нужна была передышка. Сегодняшний день был нелегким для всех.

— Насчет тяжелого дня...

— Этан Боннер!

— Не стройте из себя недотрогу, миссис Боннер. Я знаю, что вы собой представляете на самом деле.

— Хочешь еще раз на это посмотреть?

Этан расхохотался.

— А почему ты называешь Кристи миссис Боннер? — спросил Чип.

Этан и Кристи виновато переглянулись. Затем Этан, слегка повернув голову в сторону заднего сиденья так, чтобы не терять из виду дорогу, сказал:

— Я рад, что ты задал этот вопрос, Чип. Вообще говоря, мы очень рады, что ты первым об этом узнаешь... Мы с Кристи вчера поженились.

— Правда?

— Ага.

— Это хорошо. А вы знаете, оказывается, над нами очень много разных планет, а некоторые из них очень старые. Им по триллиону лет.

Было ясно, что новость об их женитьбе не произвела на пятилетнего ребенка большого впечатления. Кристи снова начала тихонько хихикать. Этан улыбнулся ей. Сердце его переполняла любовь, и он до сих пор был не в состоянии понять, как он мог быть настолько слеп, что не видел — счастье было совсем рядом с ним.

Машина преодолела последний поворот дороги, ведущей к коттеджу. Кристи и Этан одновременно увидели языки пламени.

— Гараж горит! — ахнула Кристи.

Этан надавил на акселератор. «Рэйнджровер» рванулся вперед, а затем резко затормозил, подняв в воздух целую тучу мелкого гравия. Кристи распахнула дверь и выпрыгнула из машины. Этан поставил автомобиль на ручной тормоз и быстро взглянул на Чипа.

— Оставайся в машине! Никуда не выходи!

Чип испуганно кивнул, и Этан следом за Кристи выскочил из автомобиля. Как раз в этот момент со стороны заднего двора коттеджа появились Гейб и Рэчел. Гейб держал в руках садовый шланг. Рэчел бежала к крану, чтобы открыть воду.

Кристи кинулась к коттеджу, Этан последовал за ней. Оказавшись внутри дома, оба схватили с пола несколько старых половиков и выбежали на улицу. Увидев их, Гейб бросил шланг Рэчел.

— Поливай землю вокруг дома! — крикнул он ей.

Этан понимал, что Гейб не столько беспокоится о старом, полуразвалившемся гараже, сколько о том, как бы огонь не перекинулся на коттедж. Тем временем Гейб подскочил к Этану и выхватил у него половики.

— Беги на задний двор, а я возьму на себя фасад, — выдохнул он.

Братья разбежались в разные стороны и начали гасить отдельные очаги пламени. Этан мог бы действовать гораздо эффективнее, если бы он был один, но ему то и дело приходилось оглядываться назад, чтобы убедиться, что Кристи держится на достаточном расстоянии от огня.

К счастью, земля была все еще влажной после дождя, который прошел в субботу утром, и потому пожар в конце концов удалось потушить. Гараж превратился в кучу дымящихся головешек, но коттедж остался цел.

Кристи завернула кран. Рэчел устало выронила из рук шланг. К женщинам подошел Этан.

— Как это случилось? — спросил он.

Рэчел запястьем отвела с лица прядь волос.

— Я не знаю. Я спала, а потом Гейб вдруг позвал меня с улицы, и я увидела пламя.

— Ты вся промокла, — сказала Кристи.

Это было еще мягко сказано. Мятое платье Рэчел было не только мокрым насквозь, но еще и все в грязи. На ногах у нее красовались мужские тапочки для душа из черной резины.

— Посмотрите, что я нашел вон там, в траве, — сказал Гейб, подходя к остальным. В руках он держал красную пластиковую канистру, которая обычно стояла в гараже.

— В ней что-нибудь осталось? — поинтересовался Этан.

Гейб отрицательно покачал головой и с отвращением бросил канистру на землю.

— Мне все это надоело, пора разобраться, — сказал он. — Если будет надо, я потребую, чтобы за домом велось круглосуточное наблюдение.

Рэчел сжала руку Кристи:

— Как хорошо, что вы вовремя подъехали. Если бы не вы, нам бы плохо пришлось.

— Мы привезли обратно Чипа. Кроме того, нам надо кое-что тебе сказать. — Кристи обменялась заговорщической улыбкой с Этаном, но вдруг глаза ее расширились. — Этан, мы же оставили детей в машине.

— Детей?

Рэчел быстро пошла к входу в дом, который был обращен в сторону дороги.

— Рози мы тоже захватили с собой, — пояснил Этан, шагая вместе с Кристи и Гейбом следом за Рэчел. — Джейн и Кэлу нужна была передышка.

— Так что вы хотели сказать? — спросила Рэчел.

— Может, пусть лучше Чип объявит вам новость, — улыбнулся Этан.

Они обогнули коттедж и замерли на месте. Кристи испуганно ахнула.

«Рэйнджровер» исчез, а вместе с ним пропали и дети.

Бобби Деннису не хватало воздуха. Он то и дело раскрывал рот, стараясь глотнуть его побольше, но воздух, казалось, не проходил в легкие, словно они ссохлись. Девочка на заднем сиденье плакала, а мальчик все время сердито кричал на него:

— Выпусти нас сейчас же, или Гейб тебя застрелит из своего револьвера! Я тебе точно говорю! У него целый миллион револьверов, и он сначала застрелит тебя, а потом зарежет ножом!

Бобби не мог больше этого выносить.

— Заткнись, или мы из-за тебя попадем в аварию! — заорал он.

Мальчик замолчал, но малышка продолжала кричать. Бобби хотел бросить машину и убраться куда-нибудь подальше, но он не мог этого сделать, потому что оставил свой «шевроле-люмину» около поворота на дорогу, ведущую к вершине горы Страданий, за несколько миль от того места, где он находился в данный момент.

Он так сильно нервничал, что, вскочив в «рэйнджровер», даже не заметил на заднем сиденье детей. Если бы он их сразу увидел, он наверняка не поддался бы искушению угнать машину.

И почему ему так не повезло в жизни? Во всем была виновата Рэчел Сноупс. Если бы не чертов храм, его родители не развелись бы. Но его мать из-за этого храма стала такой религиозной, что выжила отца Бобби из дому.

Бобби все еще помнил, как его заставляли ходить в храм и слушать проповеди Дуэйна Сноупса, во время которых его стерва-жена сидела на передней скамье с таким видом, будто впитывала каждое его слово. Теперь Дуэйн Сноупс был мертв, так что с ним Бобби уже никак не мог поквитаться. Зато теперь у него наконец появилась возможность отомстить его супруге.

Но только у него все как-то не ладилось. Бобби понимал, что, хоть он и был пьян, ему ни в коем случае не следовало устраивать разгром в кинотеатре. Но когда он зашел во время перерыва в закусочную кинотеатра «Гордость Каролины», у вдовы Сноупс, которая там в это время работала, был такой счастливый вид, что его едва не стошнило. Он не мог позволить, чтобы она была счастлива, потому что его мать то и дело шпыняла его, а его отец ему теперь даже не звонил.

Весь второй сеанс Бобби, Джой и Дэйв сидели в закусочной и потягивали водку с минеральной водой «Маунтин дью». После фильма Бобби собирался еще немного повеселиться дома у одного из своих приятелей, но Джой и Дэйв сказали, что они устали. Распрощавшись с этими слюнтяями, Бобби выпил еще немного водки, а затем вернулся в кинотеатр. Там уже никого не было. Он пробрался внутрь, и тут на него словно что-то нашло.

Только уже в субботу днем, сидя за рулем «шевроле», он подумал, что, пожалуй, опасно возить с собой в багажнике все то, что он туда положил после своего «подвига». А что, если эти вещи обнаружит его мать или кто-нибудь еще? Вдруг он увидел дряхлый «форд-эскорт» Рэчел, припаркованный около одного из новых домов. Улочка была тихая, вокруг никого не было. Бобби был порядком напуган и потому, не долго думая, вынул украденные вещи из своего багажника и спрятал их среди коробок, лежащих на заднем сиденье «форда». Сегодня до Бобби дошли слухи, что вдову Сноупс арестовали и посадили в кутузку. Эта новость его очень обрадовала, но вскоре он узнал, что вдову довольно быстро выпустили.

До Бобби вдруг дошло, что он слишком сильно разогнал «рэйнджровер» и вот-вот врежется в машину, идущую впереди. Резко рванув руль, он выскочил в левый ряд и увидел, что прямо в лоб ему несется пикап. Сердце Бобби отчаянно заколотилось, гоня по сосудам обогащенную адреналином кровь. Испуганно запел клаксон. В самый последний момент пикап резко принял вправо и съехал в кювет.

— Ты едешь слишком быстро! — крикнул с заднего сиденья мальчик.

— Я сказал, заткнись! — огрызнулся Бобби, утирая рукавом футболки заливающий глаза пот.

Если бы сегодня утром мать не нашла в платяном шкафу комнаты Бобби марихуану, она не выгнала бы его из дома. Но даже когда она это сделала, Бобби не верил ей до того самого момента, пока, вернувшись пару часов назад обратно, не увидел стоящий перед их домом грузовик с надписью на борту: «Слесарные работы 24 часа в сутки». Это означало, что мать решила поменять дверной замок.

Бобби не знал, что ему теперь делать. По слухам, его отец находился в Джейсонвилле, и он в конце концов решил отправиться туда, хотя и не был уверен, что отец ему обрадуется. Выпив пару банок пива и покурив травки, Бобби некоторое время в раздумье колесил в своем «шевроле» по округе. В какой-то момент он оказался у поворота на дорогу, ведущую на гору Страданий. Внезапно он пришел в ярость при мысли о том, что выпущенная из тюрьмы вдова Сноупс, наверное, как раз сейчас улыбается и радуется жизни. Едва успев подумать об этом, он загнал «шевроле» в лесок у обочины дороги и, оставив там машину, стал пробираться между деревьями, карабкаясь вверх по склону.

По его расчетам, Гейб и Рэчел должны были в первую очередь заняться наведением порядка в кинотеатре. Бобби решил, что, пользуясь их отсутствием, он сожжет дом, в котором они жили. Но в тот самый момент, когда он, пробравшись в гараж, вынес оттуда канистру с бензином, на заднем крыльце дома появился Гейб. Бобби был не настолько глуп, чтобы пытаться поджечь дом, когда в нем были люди, поэтому вместо дома он, облив бензином, поджег гараж.

Пламя мгновенно занялось. Он некоторое время постоял, глядя, как огонь охватывает старое строение, а затем снова нырнул в лес, направляясь к своему «шевроле». И вдруг он увидел подъехавший к дому «рэйнджровер» и подумал, что за такую машину можно выручить тысяч шестьдесят.

После того как пастор Этан и Кристи Браун выскочили из автомобиля, Бобби забрался в него и погнал машину прочь от дома. Сидящие на заднем сиденье дети дали о себе знать, только когда дом остался далеко позади и «рэйнджровер» мчался по шоссе. Теперь они кричали во всю глотку.

— Если ты выпустишь нас из машины, я не скажу Гейбу, что ты сделал! — крикнул мальчик.

— Ладно, я вас выпущу! — сказал Бобби, еще сильнее нажимая на акселератор. — Но не сейчас. Мне надо отъехать подальше.

— Нет, сейчас! Выпусти нас сейчас же! Ты пугаешь Рози!

— Заткнись! Заткнись, слышишь?!

Шоссе сделало крутой поворот, и Бобби вошел в него на слишком высокой скорости. Из горла у него вырвался какой-то странный звук. Он нажал на тормоз. Мальчик на заднем сиденье испуганно вскрикнул. «Рэйнджровер» занесло. Перед глазами Бобби на мгновение мелькнуло лицо матери. *Мама!*

Машина съехала с дороги и опрокинулась.

***

Сидя на переднем сиденье рядом с Гейбом, Рэчел стонала от отчаяния: *Пожалуйста, Господи... Пожалуйста... Пожалуйста...*

Гейб сжимал руль «мерседеса» с такой силой, что у него побелели костяшки пальцев. Его загорелое лицо стало серым. Рэчел знала, что он думает о том же, что и она. Что, если они, вырулив на шоссе, поехали не в том направлении?

Успокаивая себя, она пыталась думать, что если им с Гейбом не удастся найти детей, то это сделают полицейские: оставшиеся в доме Кристи и Этан должны были связаться с полицией и заявить о происшествии. Там, где дорога, ведущая к коттеджу Энни, ответвлялась от шоссе, отчетливо были видны следы торможения. И все же... Они с Гейбом проехали уже не меньше десяти миль. Что, если они не угадали? А что, если подонок, за которым они гнались, где-нибудь свернул?

Рэчел все же старалась удерживать себя и не думать об этом, понимая, что стоит ей дать волю своим мыслям — и она начнет кричать от ужаса.

— Смотри, вон **машина**, — выдохнул Гейб.

Рэчел посмотрела туда, куда он показывал.

— О Боже...

Перевернутый «рэйнджровер» лежал вверх колесами в кювете чуть впереди, справа от них. Около него уже остановилось несколько машин, в том числе два патрульных автомобиля полиции, собралась небольшая толпа людей.

О Господи... Пожалуйста... Пожалуйста, Господи...

Гейб вывернул руль вправо, «мерседес» съехал на обочину и затормозил, взвизгнув покрышками. По днищу машины забарабанили мелкие камешки. Гейб выпрыгнул наружу и побежал к «рэйнджроверу». Рэчел бросилась следом за ним, чувствуя, как гравий больно колется сквозь тонкие подошвы сандалий, которые ей успела сунуть Кристи. Она услышала, как Гейб спрашивает стоящего рядом с машиной «скорой помощи» полицейского:

— А дети? С детьми все в порядке?

— А кто вы такой?

— Я... Я отец мальчика.

Полицейский кивнул в сторону носилок.

— Парнишке оказывают помощь, — сказал он.

Рэчел оказалась у носилок одновременно с Гейбом. Однако на носилках лежал не Эдвард. Несколько секунд они растерянно смотрели на распростертое перед ними тело Бобби Денниса. Затем Гейб, не говоря ни слова, кинулся к «рэйнджроверу». Наклонившись, он заглянул внутрь салона через одну из распахнутых дверей, но тут же выпрямился.

— В машине было еще двое маленьких детей, — сказал он. — Пятилетний мальчик и девочка, которой нет и года.

Полицейский сразу же насторожился.

— Вы хотите сказать, что этот парень был в машине не один?

Гейб принялся вкратце объяснять ситуацию, а Рэчел тем временем тоже заглянула внутрь «рэйнджровера». Ремни, крепившие специальное детское сиденье Рози к заднему сиденью джипа, провисли и свободно болтались в воздухе. Борясь с отчаянием, Рэчел огляделась вокруг и заметила в траве, футах в десяти от перевернутого автомобиля, крохотную белую детскую туфельку.

— Гейб!

Он тут же подбежал к ней.

— Посмотри! — выкрикнула Рэчел. — Это туфелька Рози.

Она прищурилась от бивших ей в глаза лучей заходящего солнца и увидела розовый носочек, висящий на стеблях травы у самой опушки густого леса, почти вплотную подступающего к дороге.

— Пойдем туда, — сказал Гейб, который тоже заметил носок.

Не дожидаясь полицейского, они подошли к опушке и углубились в лес. Колючие кусты цеплялись за платье Рэчел, но она не обращала на это внимания.

— Эдвард! — крикнула она.

— Чип! — изо всех сил закричал Гейб. — Откликнись, если меня слышишь!

Ответа не последовало. Гейб и Рэчел пошли дальше, пробираясь между деревьями. Ноги у Гейба сильнее, и вскоре он оказался довольно далеко впереди.

— Чип! Ты меня слышишь?

Низко растущая ветка дерева дернула Рэчел за подол. Остановившись, она отцепила ее от платья, затем посмотрела вперед и увидела, что Гейб замер на месте.

— Чип, это ты? — крикнул он.

О Господи...

Рэчел тоже остановилась и прислушалась.

— Гейб! — донесся откуда-то слева слабый голосок.

Гейб бросился вперед, на ходу окликая Эдварда. Рэчел с отчаянно колотящимся сердцем побежала следом за ним по склону. Она поскользнулась, а когда, с трудом сохранив равновесие, снова посмотрела вперед, Гейба уже не было видно. Она, однако, успела заметить выбранную им тропинку, проходящую между густо растущих сосен. Следуя по ней, она вскоре оказалась на поляне, через которую протекал небольшой ручей.

И тут она увидела их. Эдвард сидел на земле, прислонившись спиной к толстому стволу дерева ярдах в тридцати от нее. У него на коленях свернулась комочком Рози.

— Чип!

Со скоростью урагана Гейб устремился через поляну к детям. Рози, до этого молчавшая, при виде Гейба разразилась громким криком. Оба, и она, и Эдвард, были в грязи, лица у детей были заплаканными. У Эдварда порвалась футболка, а на одном колене виднелась ссадина. Спереди на розовом комбинезончике Рози расплывалось большое масляное пятно. Опустившись рядом с детьми на одно колено, Гейб одной рукой подхватил девочку, а другой обнял сына Рэчел.

— Гейб! — воскликнул Эдвард и прижался к нему.

Чувствуя, как грудь ее разрывают рыдания, Рэчел бросилась к ним. Когда она преодолела разделявшее их расстояние, Гейб протянул ей Рози, а сам крепко обнял Эдварда. Потом он чуть отстранил от себя мальчика и, внимательно оглядев его, спросил:

— Ты в порядке? У тебя что-нибудь болит?

— Уши.

— Уши болят? — Гейб немедленно повернул голову Эдварда и принялся рассматривать одно из его ушей.

— Рози очень уж громко орала, вот уши у меня и разболелись.

— И это все? Нигде больше не больно? — спросил Гейб с видимым облегчением.

Мальчик отрицательно покачал головой.

— Я только очень испугался. Этот парень был ужасно злой, — сказал он и заплакал.

Гейб ободряюще похлопал Эдварда по плечу, подтолкнул его к Рэчел, а сам взял у нее Рози, чтобы осмотреть девочку.

Мальчик прижался к матери и, дрожа всем телом, принялся рассказывать:

— Мама, я так испугался. Когда машина перевернулась, я боялся, что этот парень придет в себя и погонится за нами, поэтому я взял Рози с сиденья и решил унести подальше. Но она оказалась очень тяжелой и все время кричала. Она тоже испугалась, но потом успокоилась.

— Ах ты, мой храбрый мальчик, — пробормотала Рэчел сквозь слезы.

Гейб тем временем окончательно успокоил Рози. Когда Рэчел вопросительно взглянула на него, он кивнул и сказал:

— С ней все хорошо. Надо будет, чтобы их осмотрел врач, но я думаю, что все будет в порядке. Слава Богу, они были пристегнуты, когда машина перевернулась.

Благодарю тебя, Господи. Благодарю тебя!

Рози положила головку на плечо своего дядюшки, сунула в рот большой палец и, упоенно вздохнув, принялась сосать его.

Протянув руку, Эдвард похлопал ее по ножке:

— Вот видишь, Рози, я же говорил, что они нас найдут.

Мать крепко обняла сына за плечи, и они все вместе, Рэчел, Эдвард и Гейб, держащий на руках Рози, двинулись через поляну в сторону дороги. Однако не успели они сделать и нескольких шагов, как Рози снова испустила оглушительный вопль.

— Вот видишь, мама, я же говорил, она умеет очень громко кричать, — сказал Эдвард, поморщившись.

Гейб погладил девочку по спине.

— Тише, тише, милая... — проворковал он.

Однако Рози не унималась. Оглушительно вопя, она извивалась всем телом и протягивала ручки к чему-то на земле.

Проследив за направлением ее взгляда, Рэчел увидела под деревом, на том самом месте, где они с Гейбом нашли детей, плюшевого Хорса. Было очевидно: Рози требует, чтобы ей вернули ее любимую игрушку.

— Сейчас я его принесу, — сказала Рэчел.

Подойдя к дереву, она хотела было нагнуться, но вдруг застыла на месте. Шов на спине игрушки разошелся, и сквозь образовавшуюся дыру на землю высыпалась набивка — сверкающая, разбрасывающая во все стороны блики отраженного солнечного света.

Гейб увидел ее одновременно с Рэчел. Он тоже подошел к дереву и уставился на кучку сверкающих, прозрачных камней. Большая их часть просыпалась на землю, остальные прилипли к грязному серому плюшу.

— Бриллианты, — сказал Гейб и с шумом выдохнул.

Рэчел продолжала смотреть вниз, онемев от изумления. Значит, Дуэйн спрятал свое сокровище внутри любимой игрушки Эдварда, а шкатулку Кеннеди и Библию попросил захватить лишь для отвода глаз, чтобы Рэчел ни о чем не догадалась. Он потребовал от нее привезти на аэродром сына не потому, что хотел с ним попрощаться, а потому, что был уверен: Эдвард обязательно захватит с собой Хорса. Дуэйну нужны были бриллианты, а не сын.

Именно в этот момент Рэчел окончательно решила, что Дуэйн Сноупс Эдварду больше не отец.

— Похоже, ты наконец нашла свой клад, Рэч, — сказал Гейб и взял ее за руку, — и свое счастье...

Она дотронулась кончиком сандалии до одного из камней и подумала, что Гейб Боннер ошибается. Ее счастье заключалось не в бриллиантах. Счастье стояло рядом с ней, но она не имела возможности заявить на него свои права.

Глава 26

В тот вечер Рэчел добралась до душа только около десяти вечера, после того как Эдвард наконец заснул. Помывшись, она выключила воду и, вытираясь, про себя еще раз поблагодарила Бога за то, что после медицинского осмотра врачи пришли к выводу, что Рози и Эдвард в результате аварии не пострадали.

После того как они с Гейбом нашли детей, им пришлось заниматься множеством дел. Кэл запер бриллианты Рэчел в сейфе, принадлежавшем еще Дуэйну, после чего Рэчел, Гейб, Кэл, Джейн, Кристи и Этан долго отвечали на вопросы полицейских. Затем они съездили в больницу проведать Бобби Денниса. Рэчел переговорила с Кэрол, его матерью. Кэрол Деннис была шокирована случившимся и умоляла простить ее, что Рэчел и сделала без малейших колебаний.

Впрочем, сейчас ей было не до того, чтобы раздумывать о Бобби. Она принялась сосредоточенно расчесывать мокрые волосы расческой Гейба. Торопиться ей было некуда. Гейб сидел в одной из комнат и ждал ее, по всей вероятности, готовясь произнести проникновенную хвалебную речь в ее честь. Расческа застряла в спутавшихся волосах, и Рэчел принялась осторожно высвобождать ее.

Будь ее воля, они с Эдвардом переночевали бы в доме Кристи, но Эдвард и Гейб не захотели разлучаться. Рэчел все еще не могла понять, как отношения между Гейбом и ее сыном могли так радикально измениться за столь короткий срок. Судьба словно издевалась над ней. Теперь, когда исчезло одно казавшееся непреодолимым препятствие на ее пути к счастью, перед ней маячило другое, не менее непреодолимое: Гейб не любил ее, а Рэчел не могла всю жизнь жить в тени Черри.

Она протянула руку, чтобы взять чистую одежду, привезенную Этаном и Кристи, и вдруг поняла, что одежда куда-то исчезла. Завернувшись в полотенце, Рэчел открыла дверь ванной комнаты.

— Гейб, мне нужно одеться.

Ответа не последовало.

— Гейб!

— Я в гостиной.

— Где моя одежда?

— Я ее сжег.

— Что? — Рэчел бегом бросилась по коридору. Увидев, что на Гейбе тоже ничего нет, кроме обернутого вокруг бедер полотенца, она почувствовала неловкость и, нырнув в его спальню, быстро надела одну из его чистых рубашек. Торопливо застегнув пуговицы, она вернулась в гостиную.

Гейб, по всей видимости, чувствовал себя отлично. Он развалился в плетеном кресле, положив скрещенные ноги на старый дубовый сундук, выполнявший функции кофейного столика. В руке он держал банку «Доктора Пеппера».

— Хочешь чего-нибудь выпить? — спросил он.

Рэчел сморщилась от стоявшего в комнате запаха жженых тряпок. В камине и в самом деле догорали остатки одежды.

— Я хочу знать, зачем ты сжег мою одежду!

— Говори потише, а то Эдвард проснется. А одежду твою я сжег потому, что не могу больше на нее смотреть. Вся она на редкость уродливая, Рэчел Стоун. За исключением трусиков. Они мне нравятся.

Поведение Гейба было удивительно беззаботным и раскованным. Рэчел не могла понять, куда делся прежний напряженный, мрачный мужчина, к которому она привыкла.

— Гейб, что с тобой случилось? Ты не имел права этого делать.

— Как твой нынешний и будущий работодатель, я имею много прав.

— Работодатель? Кинотеатр закрыт, а я завтра уезжаю. Я на тебя больше не работаю.

По упрямому выражению, появившемуся на его лице, Рэчел поняла, что Гейб не собирается сдаваться.

— Ты отказалась выйти за меня замуж, — снова заговорил
он, — поэтому я не вижу другого выхода, как снова тебя нанять.
Кстати, я сжег твои автобусные билеты вместе с одеждой.

— Да ты что?! — Рэчел тяжело опустилась на кушетку. На
нее вдруг навалилась усталость. «Значит, — подумала она, —
Гейб решил, что, наладив отношения с Эдвардом, он уладил все
проблемы». — Как ты мог это сделать?

Гейб помедлил с ответом. Губы его сложились в задумчивую
улыбку.

— Я слишком хорошо тебя знаю, дорогая. Ты ни за что
не оставишь бриллианты у себя и не станешь использовать их
в своих целях. А это означает, что пришло время заключить
сделку.

Рэчел устало смотрела на него. Он тоже окинул ее пристальным взглядом и отхлебнул из банки глоток «Доктора Пеппера»,
после чего снова уставился на нее. Рэчел отчего-то стало неуют-
но, и она вдруг вспомнила, что под рубашкой Гейба на ней ничего нет. Она сдвинула ноги, сжав колени.

— Я намерен внести кое-какие изменения в свою жизнь, —
сказал Гейб.

— Вот как?

— Именно. Я собираюсь получить лицензию в Северной
Каролине и открыть ветеринарную практику прямо здесь, в Солвейшн.

Как ни расстроена была Рэчел, она не могла не порадоваться
за него.

— Я очень рада, — сказала она. — Это именно то, что
тебе надо.

— Но мне потребуется помощь.

— Что еще за помощь?

— Ну... Мне надо нанять ассистента, который во время
приемов взял бы на себя всякую писанину, а заодно и в случае
необходимости сумел помочь во время хирургических операций.

— У меня уже есть работа во Флориде, и я не собираюсь
быть твоим ассистентом, — ответила Рэчел, раздумывая о том,

зачем Гейбу понадобилось заводить этот странный разговор. Неужели он не понимал, как трудно ей уезжать от него?

— Это не та работа, которую я тебе предлагаю, — мрачно бросил он. — Хотя, если бы ты мне иногда помогала, я был бы тебе очень благодарен. Но вообще-то тебе я хотел предложить не столько работу, сколько карьеру.

— Карьеру? И какие же ты мне определил функции?

— Ты бы делала то, что мне необходимо.

— Например?

— Ну-у... — Гейб, казалось, задумался. — Например, стирала бы. Готовить и мыть посуду я могу сам, но стирать я терпеть не могу.

— Значит, ты хочешь, чтобы я для тебя стирала?

— И это тоже.

— А еще что?

— Отвечала бы на телефонные звонки по вечерам. Когда я не на работе, я не люблю отвечать на телефонные звонки. Вот ты бы этим и занялась. Если мне будет звонить кто-то из родственников, я с ним поговорю. А если кто-то другой — ты возьмешь разговор на себя.

— Итак, я должна буду стирать и отвечать на телефонные звонки. И в этом будет состоять моя карьера?

— Еще ты могла бы заняться наведением порядка в моей чековой книжке. Меня от этого в самом деле воротит. Я не могу тратить время и силы на то, чтобы контролировать, на что расходуется каждый цент.

— Гейб, ты же весьма обеспеченный человек. Тебе в самом деле следует получше следить за своим состоянием.

— Мои братья постоянно мне об этом толкуют, но мне просто не хочется этим заниматься.

— Итак, стирка, телефонные звонки, контроль за чековой книжкой. Это все?

— Почти. Остается только еще одна вещь.

— И какая же?

— Секс. Это будет основная часть твоей работы.

— Секс?

— Ну да. Это важнее, чем все остальное. Гораздо важнее, чем контроль за чековой книжкой.

— Ты хочешь, чтобы я занималась с тобой сексом?

— Да.

— Ты собираешься *платить* мне за то, что я буду заниматься с тобой сексом?

— И еще за стирку, за ответы на звонки, за...

— Значит, ты собираешься мне за это платить! Это и есть моя новая карьера? Ты хочешь, чтобы я стала твоей любовницей и по совместительству экономкой?

— Насчет любовницы — это неплохая мысль. Было бы неплохо, если бы ты была моей любовницей. Но поскольку у тебя есть сын, а Солвейшн — городок маленький, нам придется пожениться. — Гейб предостерегающим жестом поднял руку. — Я знаю, ты не хочешь выходить за меня замуж, но тебе вовсе не обязательно с первого же дня смотреть на наши отношения как на реальный брак. Это могло бы иметь вид обыкновенной сделки... если для тебя так проще. — Глаза Гейба сузились, он выпрямился в кресле. — Мне нужен секс, ты мне его обеспечиваешь. Чисто деловые отношения.

— О, Гейб...

— Прежде чем ты начнешь возмущаться, подумай как следует. Речь идет об очень больших деньгах.

Рэчел знала: ей не следует задавать этого вопроса, но все же не удержалась:

— Что ты считаешь «большими деньгами»?

— В день нашей свадьбы я вручу тебе чек на... — Гейб сделал паузу и почесал голову. — А сколько ты хочешь?

— Миллион долларов, — не раздумывая, ответила Рэчел. Гейб, безусловно, прав в одном: она никогда не сможет воспользоваться бриллиантами Дуэйна.

— Ладно, пусть будет миллион долларов.

Рэчел изумленно уставилась на Гейба.

— Меня деньги не очень-то волнуют, — сказал он, пожимая плечами, — а для тебя это важный момент. Кроме того, тебе довольно много времени придется проводить голой. Так что все честно.

Рэчел снова откинулась на подушки. Она была просто в ужасе, искренне не понимая, как можно так небрежно относиться к собственным финансам.

Лицо у нее горело. При одной только мысли, что у Гейба был миллион, у Рэчел захватывало дух. Как жаль, что он предлагал ей деньги, а не любовь! Предложи он ей свое сердце, а не кошелек, она бы согласилась не раздумывая.

Гейб снял ноги с сундука и опустил их на пол.

— Я знаю, у тебя были сомнения по поводу возможности нашего брака из-за того, что мы не ладили с Чипом, но, как ты, наверное, заметила, этой проблемы больше не существует.

— Я не понимаю, как это произошло, — призналась она. — Мне кажется, тут дело не только в этой жуткой истории с похищением. Я видела, что еще утром вы общались совсем не так, как раньше. Ума не приложу, как ваша взаимная неприязнь могла исчезнуть столь быстро.

— Ты когда-нибудь его била?

— Конечно, нет.

— Вот если бы ты его хотя бы раз ударила, тебе не надо было бы задавать мне этот вопрос. Да, и еще одно условие, Рэчел, помимо секса. Я должен принимать участие в воспитании Чипа наравне с тобой. Все решения, которые его касаются, мы должны принимать вместе. — Из тона Гейба бесследно исчезла всякая ирония, было видно, что он говорит очень серьезно. — Я не позволю тебе увезти от меня этого паренька. Одного ребенка я уже потерял, так что другого терять не собираюсь. Если для этого надо разодрать в клочья сотню автобусных билетов и сжечь всю твою одежду, я готов это сделать.

— Но он не твой ребенок.

— Вчера утром он не был моим ребенком, но сегодня им стал.

Рэчел была не в силах произнести ни слова. Почему, ну почему он так терзал ее, почему он превращал их расставание в пытку?

— Ты, наверное, обратила внимание, что все Боннеры относятся к детям очень серьезно, — добавил Гейб.

Рэчел вспомнила, как с Эдвардом обращались Этан и Кэл. Как бы ни была сильна их неприязнь к ней, они никогда не вымещали эту неприязнь на ее сыне, и Эдвард видел от них только добро. Вспомнила она и то, с какой нежностью они передавали друг другу Рози.

— Да, обратила.

— Значит, договорились.

— Гейб, я уже пережила одно неудачное замужество, с меня хватит. Если я еще когда-нибудь и выйду замуж, то только по любви.

— Ты всерьез полагаешь, будто можешь сидеть здесь и рассказывать мне, что ты меня не любишь? И ты надеешься, что я тебе поверю? — вскипел Гейб. — Рэчел, я не настолько глуп. Как бы ты ни пыталась меня убедить в том, что ты развратная женщина и все такое, я прекрасно знаю: ты человек. Если бы ты меня не любила, ты ни за что не дала бы мне к тебе даже притронуться, не говоря уже о том, чтобы позволить мне провести с тобой несколько ночей в постели — кстати, лучших в моей жизни.

Рэчел захотелось ударить его, но она, стиснув зубы, сдержалась.

— Речь идет не о моей любви, — сухо бросила она.

Гейб уставился на нее непонимающими глазами. Она схватила с кушетки одну из подушек и швырнула в него.

— Черт возьми! — воскликнул он. — Из-за тебя я пролил свой «Пеппер».

— Все, я пошла отсюда, — сказала Рэчел, вскакивая на ноги.

Со стуком поставив банку, Гейб тоже вскочил.

— Ты ужасно неразумная женщина, Рэчел. Тебе кто-нибудь когда-нибудь говорил об этом?

— При чем здесь это? — в ярости спросила Рэчел. — Если я отказываюсь быть объектом твоей благотворительности, ты считаешь это достаточным для того, чтобы считать меня неразумной?

— Какая еще благотворительность? Ты всерьез так считаешь?

— Я это *знаю*. Этан — не единственный святой в семье Боннеров.

— Ты считаешь меня святым?

В вопросе Гейба прозвучало не раздражение, которого от него можно было ожидать, а скорее удовлетворение. Затем он ткнул в сторону Рэчел указательным пальцем и сказал:

— Я собираюсь жениться на тебе. Заруби это себе на носу.

— Да с какой это стати ты решил на мне жениться? Ты же меня не любишь!

— Кто это сказал?

— Не надо с этим шутить. Это слишком серьезная вещь, — сказала Рэчел, чувствуя, что гнев оставил ее, и закусила губу. — Пожалуйста, Гейб, не надо.

Он подошел к ней, усадил ее на кушетку и сел рядом.

— С какой стати ты решила, что я шучу? Ты думаешь, для меня самого это не важно?

— Но все же не так, как для меня. Ты ко мне хорошо относишься, но мне этого мало. Неужели не понимаешь?

— Конечно, понимаю. Рэчел, ты что, в самом деле не знаешь, какие чувства я к тебе испытываю?

— Во всяком случае, не такие, как к Черри, это уж точно, — сказала Рэчел и выругала себя за то, что эти слова были сказаны несколько язвительным тоном. Глупо было ревновать Гейба к женщине, которой нет в живых.

— Моя жизнь с Черри закончилась, — тихо и спокойно сказал Гейб.

Рэчел посмотрела вниз, на свои руки.

— Я думаю, она никогда не закончится. И я не хочу всю жизнь соревноваться с твоей погибшей женой.

— Тебе незачем соревноваться с Черри.

Похоже, он в самом деле ничего не понимает, подумала Рэчел, переплетая пальцы. Ей захотелось встать и уйти из комнаты, но она все же решила дать Гейбу последний шанс.

— Если так, то скажи мне о ней что-нибудь плохое, — попросила она.

— Что ты имеешь в виду?

Гордость приказывала ей отказаться от своей просьбы, но Рэчел чувствовала: в данный момент есть вещи, которые для нее более важны, чем гордость.

— Ты сказал, мне незачем с ней соревноваться, но мне кажется, что это не так. Чтобы поверить в это, мне надо услышать из твоих уст что-нибудь плохое о ней, — сказала Рэчел. При этом она чувствовала себя так неловко, что не решалась поднять на Гейба глаза и потому продолжала смотреть вниз, на свои руки.

— Это глупо.

— Для тебя, может быть, и глупо, а для меня нет.

— Рэчел, зачем ты сама себя мучаешь?

— Ну, должно же было в ней быть хоть что-то такое, что тебе не нравилось. Ну, например... А она храпела во сне? — Рэчел наконец осмелела и с надеждой посмотрела на Гейба. — Я, например, не храплю.

Гейб успокаивающим жестом накрыл своей ладонью сплетенные кисти Рэчел.

— Она тоже не храпела.

— Ну, может быть, еще что-нибудь... Я не знаю. Может, она совала газету в мусорное ведро раньше, чем ты успевал ее прочитать?

— Кажется, пару раз такое случалось.

Рэчел бесило сочувственное выражение глаз Гейба, но она понимала, что ей надо через это пройти. Она отчаянно искала в облике Черри что-то такое, благодаря чему ей удалось бы не думать о покойной жене Гейба как о непогрешимом, идеальном существе.

— А она когда-нибудь пользовалась твоей бритвой, когда брила ноги?

— Ей не нравились лезвия, которыми я пользовался, — ответил Гейб и, помолчав немного, добавил: — В отличие от тебя...

Рэчел почувствовала приступ отчаяния. Но ведь должно же было быть в Черри хоть что-нибудь, что делало ее обыкновенной, земной женщиной?

— Я, между прочим, очень хорошо готовлю, — похвасталась она.

Выражение лица Гейба стало еще более сочувственным.

— Она пекла домашний хлеб как минимум раз в неделю.

В тот единственный раз, когда Рэчел попыталась испечь домашний хлеб, она по собственному недосмотру горячей водой убила дрожжи.

— Меня почти не штрафуют за нарушение правил уличного движения, — торопливо сказала она и, видя, как Гейб вопросительно поднял одну бровь, затараторила, боясь, что он ее перебьет: — Между прочим, добрые, мягкосердечные люди иногда не умеют рассказывать анекдоты. Они просто раньше времени выкладывают всю соль, которую полагается приберечь напоследок.

— Ну, довольно. — Гейб обнял Рэчел и поцеловал ее в лоб, затем отпустил ее и откинулся на спинку кушетки. — Тебе в самом деле хочется это знать, верно? Даже несмотря на то, что это не имеет никакого отношения к тебе?

— Понимаешь, она кажется мне такой безупречной...

— Ладно, уговорила. — Гейб набрал в легкие воздух и резко выдохнул. — Слушай внимательно, потому что я скажу это только один раз и повторять не буду. Я любил Черри всем сердцем. А теперь я всем сердцем люблю тебя.

Рэчел в ответ только глубоко вздохнула.

— Может, тебе не удалось спасти душу Дуэйна, — снова заговорил Гейб, — но зато ты спасла меня. Ты помогла мне перестать без конца жалеть себя и перевернула всю мою жизнь. Я снова ожил.

Рэчел почувствовала, как от этих слов сердце ее буквально тает, и придвинулась к Гейбу поближе, но он жестом остановил ее.

— Погоди, я еще не закончил. Ты сама завела этот разговор, так что теперь слушай. Черри была... Она была, пожалуй, даже слишком доброй и хорошей. Она никогда не теряла терпения, никогда не сердилась, и, как бы я ни пытался, мне ни разу не удалось вынудить ее произнести хоть одно плохое слово в чей-нибудь адрес. Она ни разу не сказала ничего плохого даже о людях, которые были настоящими подонками. Даже когда она чувствовала себя усталой, когда ей нездоровилось, когда Джейми капризничал, она никогда не раздражалась и всегда сохраняла спокойствие. Она была чертовски добродетельная женщина.

— От твоих слов мне стало как-то легче, — не без яда заметила Рэчел.

— А сейчас я скажу тебе то, чего точно никогда больше повторять не буду. — Гейб глубоко вздохнул. — Иногда, живя с Черри, я чувствовал себя так, словно я женат на матери Терезе или на ком-нибудь вроде нее. Она была такая добрая, такая благоразумная, такая *хорошая*, что я стеснялся своих недостатков и боялся что-нибудь сделать не так.

Счастье вспыхнуло в душе Рэчел, словно огромная, яркая радуга после дождя.

— Правда?

— Правда.

— А со мной ты этого не боишься?

— С тобой мне в этом смысле бояться нечего: в плане нехороших поступков ты даешь мне карт-бланш, — улыбнулся Гейб.

Рэчел ответила ему сияющей улыбкой.

— И еще одно. — Он нахмурился. — Черри обожала мурлыкать себе под нос всякие мелодии. Она напевала, когда готовила, убирала дом, читала журналы — постоянно. Иногда это было терпимо, но бывало и так, что это действовало мне на нервы.

— Да, это может раздражать, особенно если у человека, который напевает себе под нос, нет слуха, — сказала Рэчел, ощутив прилив симпатии к Черри Боннер.

— Понимаешь, дело еще в том, что... Она всегда так снисходительно относилась к моим недостаткам, что мне было как-то неудобно сказать ей про это постоянное мурлыканье.

— Ах ты, бедняжка. — Рэчел закусила губу. — Я знаю, очень глупо об этом спрашивать, но... какова она была в постели?

Чувствовалось, что вопрос несколько позабавил Гейба.

— У тебя масса комплексов, не так ли? — спросил он.

— Ладно, это не важно. Можешь не отвечать.

— Было бы нечестно по отношению к Черри сравнивать ее с такой сексуальной кошечкой, как ты.

Глаза Рэчел расширились от изумления, потом она улыбнулась.

— Ты серьезно?

Гейб расхохотался.

Рэчел рванулась было прочь, но руки Гейба, обнимавшие ее, напряглись, и она поняла: он ни за что ее от себя не отпустит. Губы его легонько коснулись ее волос. Хриплым от переполнявших его эмоций голосом Гейб сказал:

— Черри была любовью моей юности, Рэч. Ты — любовь моей зрелости. Я люблю тебя, люблю всем сердцем, всей душой. Пожалуйста, не покидай меня.

Ответить она не смогла, потому что губы Гейба закрыли ей рот. Их поцелуй получился таким страстным и долгим, что она забыла обо всем на свете. Когда они наконец оторвались друг от друга, Рэчел посмотрела Гейбу в глаза, и ей показалось, что она видит его душу. Все барьеры, разделявшие их, исчезли.

— Ты ничего не забыла? — шепотом спросил он.

Рэчел вопросительно склонила голову набок.

— Как насчет того, чтобы сказать, что ты тоже меня любишь? А? — спросил Гейб и снова легонько поцеловал ее в губы.

— А что, есть сомнения? — спросила она с улыбкой и слегка отодвинулась.

— Ты не единственная, кто хочет услышать эти слова.

— Я люблю тебя, Гейб. Каждой своей клеточкой, каждой жилкой.

— Так, значит, ты не уедешь от меня?

— Не уеду.

— И не будешь больше спорить со мной по поводу нашей женитьбы?

— Не буду.

— И с моими братьями ссориться не будешь?

— Не напоминай мне о них.

— А Чип будет и моим сыном тоже?

Рэчел кивнула, на какой-то момент лишившись дара речи. Теперь она была уверена: Гейб станет куда лучшим отцом для ее сына, чем был Дуэйн Сноупс, в сердце которого никогда не нашлось бы и малой толики той любви к мальчику, которая поселилась в сердце среднего из братьев Боннеров.

Рэчел погладила упрямый подбородок Гейба и снова его поцеловала. Ей одновременно хотелось плакать, петь и смеяться, и потому, чтобы как-то скрыть бурю, бушевавшую в ее душе, она стала подтрунивать над своим возлюбленным.

— Да, кстати, ты не думай, что я забуду про миллион долларов. Насчет бриллиантов ты был прав, я ими не воспользуюсь. Но что касается твоих денег, то ты в самом деле не умеешь с ними обращаться.

— А ты умеешь обращаться с деньгами?

Рэчел кивнула.

— Ладно. — Гейб вздохнул. — Но вообще говоря, за миллион долларов мужчина имеет право ждать чего-то совершенно особенного.

Без всякого предупреждения он встал и, подхватив Рэчел на руки, понес ее в спальню. При этом одной рукой он ласково поглаживал ее голые ягодицы.

— Дай-ка я подумаю... Интересно, что ты можешь вытворить такого, что стоило бы миллион долларов?

У Рэчел в мозгу промелькнула сразу добрая дюжина интересных идей на этот счет.

— Сначала я тебя раздену догола, — сказала она, сама возбуждаясь от своего разом охрипшего голоса. — Потом я положу вон на ту кровать и буду любить тебя всего.

С губ Гейба сорвался тихий стон.

— Кстати, Рэч, поскольку Чип спит, мы можем не торопиться. Пусть все будет медленно-медленно.

Рэчел почувствовала, что ей не хватает воздуха. Гейб поставил ее на ноги, затем на всякий случай запер дверь спальни на ключ. Потом он снова повернулся к Рэчел, расстегнул пуговицы рубашки и, прижавшись ртом к ее шее, осторожно стал покусывать ее. Рубашка соскользнула с ее плеч и с легким шелестом упала на пол.

Гейб продолжал ласкать губами и языком грудь и шею Рэчел, и очень скоро она, задышав глубоко и хрипло, сорвала с него полотенце, после чего с восхищением принялась буквально впитывать глазами бугры мощных мышц, неравномерно загоревшую гладкую кожу и темные волосы на груди и в паху. Затем она, с наслаждением прислушиваясь к частому, прерывистому дыханию Гейба, накрыла рукой его плоть и почувствовала ее тяжесть и упругую силу.

Оба рухнули на кровать и сразу поняли: им нелегко будет сделать так, чтобы то, что должно было произойти между ними, происходило медленно: им явно мешало обоюдное нетерпение. Рэчел отчаянно хотелось ощутить на себе тяжесть тела Гейба. Она желала, чтобы близость навсегда связала ее с этой кроватью, с этим домом, с этим городом и с Гейбом Боннером. Гейбу хотелось того же, что и ей.

Лишь когда он глубоко вошел в нее, их движения стали более спокойными и размеренными. Рэчел обняла ногами бедра Гейба, наслаждаясь ощущением своей полной открытости для него, и отдалась ему радостно и самозабвенно.

Его серые глаза тонули в ее глазах.

— Я люблю тебя, Рэчел.

Охватив ладонью его шею, она прижала к себе лицо Гейба и с улыбкой прошептала те слова, которые и он так хотел услышать:

— Я люблю тебя, Гейб.

Медленно, осторожно он начал ритмично двигаться внутри нее. Страсть их разгоралась все сильнее, но они продолжали, не отрываясь, смотреть друг другу в лицо, не желая поддаваться инстинкту, заставляющему многих людей закрывать в такие моменты глаза, скрывая свою уязвимость. Ощущение духовной близости, благодаря которому каждый из них мог позволить другому заглянуть в свою душу, лишь обостряло испытываемое Гейбом и

Рэчел наслаждение. Зеленые глаза словно излучали невидимые токи любви, жадно улавливаемые серыми, а серые с такой же щедростью одаривали любовным эфиром зеленые.

— О Рэч...

— Любимый мой...

Души Гейба и Рэчел словно слились воедино.

Эпилог

— Просто не знаю, что со мной такое. Что-то я никак не могу решить. — Рэчел легонько закусила губу, мастерски изображая женщину, находящуюся в глубоком раздумье. Выдавал ее только едва заметный блеск глаз. — Ты был прав, Этан. Надо было мне сразу тебя послушать. Диван в самом деле лучше смотрелся около окна.

Этан бросил мученический взгляд на старшего из братьев Боннеров.

— Ладно, Кэл, давай переставим эту штуковину к окну.

Гейб, стоя в дверях, с трудом сдерживал смех и с удовольствием смотрел, как Этан и Кэл подняли тяжелый диван и снова перенесли его к одному из окон коттеджа. Он получал огромное наслаждение, наблюдая за тем, как Рэчел измывалась над его братьями. Она то и дело заставляла Этана разыскивать и приносить ей какие-то вещи, а когда приехал Кэл, у нее неожиданно появилась жгучая потребность немедленно провести перестановку всей мебели, недавно купленной ею и Гейбом.

Она не упускала возможности поддеть Кэла, и, хотя он появлялся в коттедже Энни реже остальных родственников, ему приходилось хуже всех. Прошлой осенью Рэчел заставила Кэла отправиться в школу вместе с Чипом в качестве одного из так называемых интересных гостей, которых время от времени туда приглашали для встреч с детьми. Она же заставляла его сотнями раздавать детишкам автографы. Рэчел по-прежнему обожала экономить и потому принудила Кэла оплатить пожизненную медицинскую страховку Чипу и другим детям, которые в перспективе могли появиться у нее и Гейба, а также детям Этана и Кристи, а заодно потребовала того же и для себя, при условии, что для оформления страховки ей не будут устраивать медицинского осмотра. Как это ни удивительно, у Кэла хватило духу не сразу согласиться на выполнение последнего пункта.

Как бы ни изводила Рэчел его братьев, Гейб реагировал на это очень спокойно, словно ему ничего об этом не было известно. Это страшно бесило Этана и Кэла, но они никогда ему не жаловались, поскольку чувствовали себя страшно виноватыми перед Рэчел за свое прежнее к ней отношение. К ее капризам они относились как к своеобразному наказанию и беспрекословно их выполняли, на что Рэчел отвечала новыми капризами.

Когда Рэчел заставила Кэла и Этана переставлять мебель, Гейб наконец поинтересовался, сколько еще времени она собирается их мучить, на что его супруга ответила, что еще на полгода ее хватит. Гейб, однако, усомнился в ее словах — во-первых, потому, что она все же не была слишком мстительным человеком, а во-вторых, по той простой причине, что его братья, когда хотели, могли очаровать и разжалобить кого угодно. Да и вообще для него не было секретом, что Рэчел давно уже не мстит им, а скорее просто шалит и забавляется.

Кэл опустил свою сторону дивана на пол и раздраженно посмотрел на Гейба.

— Скажи мне кое-что, Рэч, — недовольно пробурчал он. — Почему этот лентяй, за которого ты вышла замуж, не может нам помочь с этой чертовой мебелью?

— Ты же знаешь, Кэл, у Гейба побаливает спина. Мне кажется, было бы просто неразумно рисковать, а вдруг ему станет хуже, — ответила Рэчел, поглаживая кота по кличке Снузер.

Кэл едва слышно пробормотал себе под нос что-то вроде «спина у него болит, у бедняжечки». Рэчел сделала вид, что не расслышала.

Что же касается Гейба, то он решил поддержать жену и сделал вид, что со спиной у него в самом деле не все ладно.

Он стоял в дверях, опираясь о притолоку, и вдруг в голову ему пришла одна весьма занятная вещь. Гейб вдруг осознал, что, хотя после их с Рэчел свадьбы прошел год, ему было по-прежнему приятно и интересно за ней наблюдать. Для небольшого семейного пикника, который они решили устроить в этот день во дворе коттеджа, она надела шорты и широкую блузку для беременных, синюю, как те гиацинты, что выросли весной перед домом. Сквозь ее золотисто-рыжие волосы, чуть более короткие, чем раньше, но по-прежнему немного растрепанные, посверкивали изящные бриллиантовые сережки. С этими сережками вышла целая история: Гейб купил Рэчел гораздо более массивные серьги, но она заставила обменять их, заявив, что ее устроит что-нибудь поскромнее.

Однако больше всего Гейбу сегодня, как, впрочем, и во все другие дни, нравилась обувь Рэчел. По случаю домашнего пикника она надела изящные серебристые сандалии с небольшим клинообразным каблучком. Эти сандалии Гейб просто обожал.

— Кэл, а вон то кресло... Мне очень неловко тебя об этом просить, но ты всегда с таким удовольствием мне помогаешь... Не мог бы ты передвинуть его поближе к камину?

— Ну конечно, — с готовностью откликнулся Кэл. Гейбу, однако, показалось, что он услышал, как его старший брат, подняв кресло, чтобы перенести его через всю комнату, заскрежетал зубами.

— Отлично, — сказала Рэчел, когда кресло было водружено туда, куда она просила, и послала Кэлу ослепительную улыбку.

— В самом деле? — с надеждой спросил Кэл.

— Да, пожалуй, ты прав, — мгновенно отреагировала Рэчел. — Здесь оно не смотрится. Может, поставить его около дивана?

В этот момент громко хлопнула входная дверь. В дом ворвалась Джейн и стремглав метнулась в ванную комнату.

— Точно по графику, — сказал Кэл, взглянув на часы, и вздохнул.

— Три беременные женщины и одна ванная комната. —
Этан недовольно покачал головой. — Не очень-то здорово. Надеюсь, ты скоро закончишь пристройку, Гейб.

— До начала зимы все должно быть готово.

В отличие от братьев Гейба его родители полюбили Рэчел
сразу же, как только ее увидели, и его мать в качестве свадебно-
го подарка передала коттедж в собственность молодым супругам.
Хотя у них были деньги, чтобы купить себе гораздо более рос-
кошный дом, и Гейбу, и Рэчел нравилось жить на вершине горы
Страданий, и у них даже мысли не возникало о том, чтобы куда-
либо переехать из этого так хорошо знакомого им места. Тем не
менее им хотелось, чтобы их жилье было более просторным, и
потому они взялись за строительство двухэтажного флигеля, при-
мыкающего к дому с задней стороны, причем с тем расчетом,
чтобы в архитектурном плане пристройка была выдержана в том
же стиле, что и сам коттедж.

Несмотря на вызванный строительством беспорядок в доме и
во дворе, Рэчел решила устроить семейный пикник, чтобы от-
праздновать официальное усыновление Гейбом Чипа. Это было
весьма знаменательное событие для всех остальных членов семьи, кроме самих Гейба и Чипа, — они породнились еще год
назад, в тот самый вечер, когда Рэчел оказалась в тюрьме.

— По крайней мере на этот раз тошнит только одну из
наших дорогих женушек, — сказал Этан. — А помните, как
накануне Рождества то же самое одновременно случилось с Рэчел и Кристи?

— Да разве такое забудешь, — вздрогнув, сказал Кэл.

Чтобы не смотреть на уродующие пейзаж штабеля стройма-
териалов и не дышать пылью, пикник решили устроить в саду,
который Рэчел привела в порядок. Теперь в нем вовсю цвели
высаженные Гейбом и Рэчел розы.

— Рэчел, выйди на минутку! — крикнула с улицы Кристи. —
Я хочу, чтобы ты посмотрела на новый трюк Рози.

— Иду! — Рэчел потрепала Кэла по щеке. — С мебелью
мы можем закончить чуть позже.

Тяжело переваливаясь, она походкой тюленихи направилась к двери в сопровождении кота. Живот, казалось, перетягивал ее вперед, и для того, чтобы сохранить равновесие, она была вынуждена ходить, слегка откинувшись назад. Глядя на нее, Гейб почувствовал прилив чисто мужской гордости. До рождения ребенка оставался всего месяц, и он, как и Рэчел, ждал этого события с огромным нетерпением.

Как только Рэчел вышла из комнаты, Кэл и Этан без сил опустились на тот самый злополучный диван, который они уже четвертый раз перетаскивали с места на место. Сжалившись над братьями, Гейб принес им по бутылке пива. Затем он устроился в кресле, которое, как он подозревал, после ухода гостей ему придется передвигать туда, где оно стояло с самого начала, и, подняв вверх руку с бутылкой пива, произнес тост:

— За троих самых счастливых мужчин на свете.

Этан и Кэл заулыбались. Некоторое время все трое молча сидели, потягивая пиво и размышляя о том, как им на самом деле повезло в жизни. У Кэла закончился первый учебный год в медицинской школе при Университете штата Северная Каролина. И теперь они с Джейн наслаждались отдыхом в Чэпел-Хилле. Архитекторы наконец разработали план перестройки их дома, который со временем должен был превратиться из мавзолея, соответствовавшего вкусам Дуэйна Сноупса, в просторное, удобное, современное жилье. Они с женой собирались поселиться в этом доме после того, как Кэл окончит учебу и снова вернется в Солвейшн, чтобы стать практикующим врачом, как и его отец.

Этан, судя по всему, принял решение остаться священником. Беспокоило его лишь одно: несмотря на то что он то и дело менял секретарей, ему никак не удавалось найти достойную замену Кристи, которая отказалась бросить работу в подготовительной школе и вернуться на свое прежнее место.

Что же касается Рэчел...

В дом вбежал Чип, сопровождаемый собакой Сэмми, черным лабрадором, которому недавно исполнился год. Пес бросился к Гейбу, мальчик — к Кэлу.

— Дядя Кэл, Рози совсем зарвалась...

— Ну, что она на этот раз натворила? — спросил Кэл, дружески обнимая сына Гейба за плечи и невольно прислушиваясь к раздававшемуся в глубине дома резкому поскрипыванию колеса, установленного в клетке хомяка.

— Я построил форт, а она взяла и его развалила.

— Ты не должен ей этого позволять, — сказал Кэл. — Или не разрешай ей разрушать то, что ты строишь, или строй свой форт в таком месте, где она не сможет до него добраться.

Мальчик укоризненно взглянул на Кэла:

— Да она мне помогала. Все вышло случайно.

Кэл закатил глаза:

— Знаешь что, Чип, нам надо на днях выбрать время и как следует поговорить о женщинах и о том, как подобает себя вести с ними.

Чип подошел к Гейбу и забрался к нему на колени. После того как ему исполнилось шесть лет, он начал бурно расти, и теперь, когда он сидел на коленях у приемного отца, ноги его уже почти доставали до пола. Сэмми, любимец Чипа, улегся у ног Гейба.

— Пап, а ты знаешь, что будет потом, когда мы с Рози вырастем? — спросил мальчик.

— Что, сынок?

Чип помолчал немного, а потом, решительно вздохнув, сказал:

— Я думаю, когда мы с Рози вырастем, мы, наверное, с ней поженимся, как вы с мамой.

Ни один из троих мужчин не засмеялся при этом заявлении. Все они привыкли относиться к удивительной душевной близости, возникшей между Чипом и Рози, с благоговейным уважением, хотя и не могли найти этому никаких разумных объяснений.

— Ну что ж, рано или поздно мужчине приходится жениться, — заметил Кэл.

— Я тоже так думаю, — кивнул Чип.

Тут уж братья не выдержали и расхохотались. Вдруг с улицы донесся отчаянный вопль Рози. Сэмми, распластавшийся на полу, поднял голову, а Чип вздохнул.

— Мне надо идти, — сказал он. — Эта малышка делает с бабушкой и дедушкой все, что захочет. Им с ней не справиться.

Подождав, пока Чип и его пес отправятся во двор, мужчины с улыбкой переглянулись. Кэл покачал головой.

— Ну и славный же парень, — сказал он.

— Надеюсь, следующие трое будут не хуже этой парочки, — с улыбкой заметил Этан.

Гейб подошел к окну и выглянул во двор. Шэдоу, недавно приобретенный им пес смешанных кровей, в которых, однако, явно доминировали гены колли, лежал на траве и терпеливо позволял Рози карабкаться к себе на спину. Чип подошел к бабушке с дедушкой. Отец Гейба пощупал его бицепс, а мать, протянув руку, взъерошила мальчику волосы.

Гейб был рад возвращению родителей из Южной Америки. Помимо всего прочего, их приезд благотворно подействовал на Чипа. Мальчик быстро завоевал сердца всей семьи Боннеров, как и его мать. У Чипа теперь были друзья, дела в детском саду у него шли хорошо. Гейб ужасно гордился им и его успехами.

В гостиную вышла Джейн. Выглядела она совсем неплохо, и лишь по слегка побледневшему лицу можно было догадаться, что она чувствует себя далеко не лучшим образом. За ней по пятам неслышно шла Таша, еще одна кошка, которую приютил Гейб. Джейн была на втором месяце беременности, страдала от токсикоза и в те редкие моменты, когда тошнота отступала, чувствовала себя счастливой.

Кэл встал было с места, но Джейн жестом велела ему сесть.

— Со мной все в порядке, так что спокойно общайся с братьями.

Братья Боннеры обменялись улыбками, и Кэл игриво похлопал жену пониже спины. Гейб же в этот момент подумал, как ему нравится делать то же самое с Рэчел. Оказывается, развил он свою мысль, одно из главных преимуществ брака состоит как раз в том, что можно в любой момент похлопать любимую женщину пониже спины, хотя скорее всего никто никогда в этом не признается.

— Вчера я разговаривал с Кэрол Деннис, — сказал Этан.

Гейб и Кэл мрачно переглянулись. Воспоминание о том дне, когда Бобби Деннис подверг смертельной опасности жизнь их детей, врезалось в память навсегда.

Лишь через шесть месяцев после аварии Бобби оправился от полученных травм, но в конечном итоге случившееся, как ни странно, сослужило ему добрую службу. Весь прошедший год он не прикасался к наркотикам и спиртному, а в последнее время и сам Бобби, и Кэрол, его мать, стали регулярно беседовать о жизни с Этаном и частенько спрашивали у него совета по тому или иному поводу.

Гейб подозревал, что отношения между Деннисами и Боннерами навсегда останутся напряженными, но, по словам Этана, у него постепенно наладился контакт с Бобби и Кэрол. Бобби, в частности, перестал винить Рэчел во всех своих бедах, и это было отрадно. Если бы Гейб считал, что этот подросток по-прежнему представляет для его супруги опасность, он тем или иным способом, но обязательно вышвырнул бы его из города, несмотря на то что Бобби находился под духовной опекой Этана.

— Кэрол хочет, чтобы Бобби с августа начал посещать колледж, да и сам Бобби не против, — сказал Этан. — Он неплохо закончил среднюю школу.

— Я все-таки не могу понять, как это Рэчел могла навещать его в больнице, — сказал Кэл и покачал головой. — У этой женщины большое сердце, но совершенно нет мозгов. Вы ведь знаете, что люди об этом говорят, не так ли? Что, если бы Рэчел его не навещала, он бы не...

— О Господи, перестань, — простонал Гейб.

— Кстати, хорошо что вы мне напомнили. — Этан посмотрел в окно на свою супругу, которая в этот момент прикладывала ручонку Рози к своему животу, чтобы девочка могла почувствовать, как шевелится в чреве Кристи ребенок. При виде этого зрелища преподобный Боннер невольно улыбнулся, после чего вернулся к прерванному разговору. — Мне нужно, чтобы вы помогли мне уговорить Рэчел сделать одну вещь. Понимаете, Бренда Миэрс уже давно болеет пневмонией и никак не может выздороветь. Я хочу, чтобы Рэчел ее навестила.

— Ну вот, опять началось, — с ухмылкой бросил Кэл и вытянул ноги.

Гейб, который считал, что они с Этаном в этом смысле давно уже обо всем договорились, бросил на младшего брата мученический взгляд.

— Этан, я уже сказал тебе, что не намерен вмешиваться в эти дела. Ты же пастор Рэчел, вот с ней и говори.

— Как ты думаешь, сколько времени ей придется доказывать, что все это чушь? — спросил, обращаясь к Гейбу, Кэл.

— Думаю, еще лет сорок.

— Не надо все валить на меня, — сказал Этан, примирительно подняв руки. — Я не знаю, действительно ли она обладает даром исцеления. Но факт остается фактом: многим людям становится лучше после того, как она побудет с ними какое-то время.

То же самое можно было сказать и о больных животных. Гейб совершенно сознательно, подчас прибегая к различным уловкам, добивался того, чтобы Рэчел ухаживала за ними под его присмотром и руководством. Как это у нее получалось, он не понимал, но было совершенно очевидно: те животные, за которыми она ухаживала или к которым она хотя бы прикасалась, выздоравливали значительно быстрее.

— Тоже мне, кудесница в изгнании, — фыркнул Кэл. Поскольку состояние его здоровья было выше всяких похвал и в помощи Рэчел он не нуждался, подобные разговоры его порядком забавляли. — А вообще-то после чудесного выздоровления Эмили ни один человек в городе не скажет про Рэчел плохого слова. А уж когда Бобби Деннис оклемался после травмы позвоночника, хотя врачи сказали, что он на всю жизнь так и останется парализованным...

— Люди ее просто обожают, — подхватил Этан. — Странно все-таки получается: Дуэйн всем внушал, что он умеет исцелять болезни, но на самом деле этого не умел; а Рэчел всех убеждает, что не имеет такого дара, но люди действительно выздоравливают.

— Ну, мы точно не знаем, имеет она к этому какое-то отношение или нет, — возразил Гейб. — Может, все это просто совпадения. Короче, Этан, сделай то же, что и обычно в таких случаях, — расскажи Рэчел, что Бренда очень больна и нуждается в том, чтобы ее немножко подбодрили. Ты ведь знаешь, она тебе не откажет.

— А она ничего не заподозрит? — засомневался Кэл. — Что-то уж больно часто Этан просит ее кого-нибудь навестить.

— У нее голова настолько занята Чипом, перестройкой коттеджа, предстоящим рождением ребенка, ее занятиями да еще планами, как использовать деньги, вырученные от продажи бриллиантов Дуэйна, что ей, по-моему, не до подозрительности.

Голова Рэчел была еще забита и им, Гейбом, но он не стал об этом говорить. Ему было неудобно хвастаться перед братьями. Впрочем, причиной тому была его природная скромность, а не опасения, что братьям в этом смысле похвастаться нечем.

Рэчел в самом деле с увлечением посещала курсы по нескольким финансовым дисциплинам в местном колледже, хотя и притворялась, что делает это только из-за того, что ее приводит в отчаяние бестолковость Гейба в обращении с деньгами. Она частенько заявляла, что если мужу доверить семейные финансы, то их семья очень скоро разорится и будет вынуждена просить милостыню.

Чтобы подразнить ее, Гейб как-то раз заметил, что ей не надо будет беспокоиться о будущем, если она решит оставить себе хотя бы часть того, что останется от состояния Дуэйна после выплаты его долгов, а не истратит все на создание задуманного ею специального детского фонда. Рэчел, однако, не обратила на эту его шпильку никакого внимания. Они с Этаном в самом деле собирались создать на уровне штата особый фонд, который помогал бы матерям-одиночкам встать на ноги, обеспечивая им уход за детьми на то время, пока они будут посещать курсы, повышая свою квалификацию и, соответственно, увеличивая шансы устроиться на новую, более перспективную работу. Рэчел, помимо всего, еще и сколотила группу людей, взявших на себя управление «Гордостью Каролины». Кинотеатр теперь работал на некоммерческой основе и стал весьма популярным местом отдыха горожан, которые в летние вечера с удовольствием приезжали туда посмотреть интересный фильм, перекусить и пообщаться.

— Просто поверить трудно, — заговорил Кэл таким тоном, словно гордился, что в прошлом был одним из тех, кто всячески травил и притеснял нынешнюю жену Гейба. — Всего какой-то год назад все в Солвейшн ее просто ненавидели, а теперь она прямо-таки местная героиня.

В это время в дом заглянула Рэчел со Снузером на руках.

— Все проголодались, Гейб. Не пора ли жарить мясо?

Мужчины вышли на лужайку позади дома, где уже расположились на пледе их родители. Между ними сидела Рози, неподалеку разлеглись на траве собаки. Этан подошел к Кристи, и она прильнула к нему. Кэл одной рукой обнял за плечи Джейн, а другой осторожно погладил ее по животу.

Гейб просто стоял и смотрел на собравшихся на лужайке людей, которых он так любил. Рэчел поставила на траву стопку одноразовых тарелок и взглянула на него. Он улыбнулся жене, и она ответила ему улыбкой. Они знали, что думают об одном и том же.

Я люблю тебя, Гейб.

Я люблю тебя, Рэч.

Чип бросился к нему, и Гейб, зная, чего он хочет, с готовностью протянул руки навстречу сыну. В следующую секунду Чип уже сидел у него на плечах.

При виде этой картины Рэчел прослезилась. Такое случалось с ней иногда во время семейных пикников и вечеринок: это происходило оттого, что она ощущала себя слишком счастливой. Все уже привыкли к подобным проявлениям чувств и любили подтрунивать над ней по этому поводу. Наверное, родственники начнут подшучивать над ней и сегодня, подумала Рэчел, не сразу, конечно, а чуть позже, после того как поедят.

Впрочем, на этот раз ее растроганный вид подействовал и на остальных. Кэл внезапно принялся прочищать горло. Джейн подозрительно шмыгнула носом. Этан кашлянул. Кристи вытерла глаза тыльной стороной ладони, а ее свекровь зачем-то протянула свекру белоснежный носовой платок.

Сердце Гейба переполняло счастье. На горе Страданий все было хорошо, так хорошо, что лучше и не бывает. Он один из всех не плакал: откинув голову назад, он радостно засмеялся.

Литературно-художественное издание

Филлипс Сьюзен Элизабет

Помечтай немножко

Редактор М.П. Чередниченко
Художественный редактор О.Н. Адаскина
Компьютерный дизайн Е.Н. Волченко
Технический редактор О.В. Панкрашина

Подписано в печать 23.08.99.
Формат $84 \times 108^{1}/_{32}$. Усл. печ. л. 23,52.
Тираж 16 000 экз. Заказ № 3644.

Налоговая льгота – общероссийский классификатор продукции
ОК-00-93, том 2; 953000 – книги, брошюры

Гигиенический сертификат
№ 77.ЦС.01.952.П.01659.Т.98 от 01.09.98 г.

ООО "Фирма "Издательство АСТ"
ЛР № 066236 от 22.12.98.
366720, РФ, Республика Ингушетия,
г.Назрань, ул.Московская, 13а
Наши электронные адреса:
WWW.AST.RU
E-mail: astpub@aha.ru

Отпечатано с готовых диапозитивов
на Книжной фабрике № 1 Госкомпечати России.
144003, г. Электросталь Московской обл., ул. Тевосяна, 25.